DIETER KOEPPLIN, TILMAN FALK
LUKAS CRANACH

DIETER KOEPPLIN
TILMAN FALK

Lukas Cranach

GEMÄLDE
ZEICHNUNGEN
DRUCKGRAPHIK

Band 1

Mit Beiträgen von KRISTIN BÜHLER-OPPENHEIM, HELMUT BÖRSCH-SUPAN
und WERNER SCHADE

In Band 2 Mitarbeit von YVONNE BOERLIN-BRODBECK und EVA MARIA KRAFFT

*Ausstellung im Kunstmuseum Basel
15. Juni bis 8. September 1974*

BIRKHÄUSER VERLAG BASEL
UND STUTTGART
1974

Die Ausstellung steht unter dem Patronat des
Internationalen Museumsrates (ICOM)

Dieter Koepplins Arbeit wurde finanziell unterstützt
durch den Schweizerischen Nationalfonds zur Förderung
wissenschaftlicher Forschung

Umschlagbild: L. Cranach d. Ä., um 1530 (Nr. 458)

Gesamtherstellung: Birkhäuser AG, Basel
Lithos: Steiner + Co, Basel
© 1974 Kunstmuseum Basel

ISBN 3-7643-0708-0

Eine grosse Cranach-Ausstellung war fällig. 1959 ist in Karlsruhe Baldung gezeigt worden, 1960 in unserem Kunstmuseum die « Malerfamilie Holbein in Basel », 1965 in Augsburg Hans Holbein d. Ä., im gleichen Jahr in Linz die Donaumeister, 1971 in Nürnberg und Dresden Dürer. Der Umfang der Cranach-Veranstaltungen im Jubiläumsjahr 1972 blieb beschränkt: in Weimar im wesentlichen auf Bestände aus der DDR (wie schon 1953), in Berlin-Dahlem auf Bestände aus den Berliner Museen, analog in Wien. Grosse Veranstaltungen, die erlaubt hätten, die Vorstellung, die man von Cranachs Œuvre besitzt, zu überprüfen, liegen weiter zurück: 1937 in Berlin, 1899 in Dresden.

Unter den deutschen Hauptmeistern der Renaissance gewann für das Bewusstsein der Gegenwart aber gerade Cranach in den letzten Jahrzehnten neue Bedeutung. Bezeichnend ist, dass Künstler wie Braque, Picasso, Giacometti sich besonders für Cranach interessierten. Aber auch beim Liebhaber wuchs seine Popularität. Darum das Bedürfnis, Cranachs Werk jetzt in genügend repräsentativer Auswahl vorzuführen, kritisch gesichtet, dargestellt in seinen Bezügen zur Kunst und zur Gesellschaft seiner Zeit. Zu untersuchen ist natürlich auch die Bedeutung von Werkstatt und Schule, um im ganzen den besonderen Charakter von Cranachs Kunst hervorzuheben.

Bei Cranach sind Werke hoher Qualität zahlreicher als bei anderen Grossen der deutschen Renaissance und zugleich weit verstreut, darum in repräsentativer Selektion eher erhältlich als bei kleineren, in wenigen Sammlungen konzentrierten Œuvres. So konnte eine Ausstellung Cranachs, die diesen Namen verdient, als ein überhaupt erreichbares Ziel erscheinen. Eine andere, nicht weniger wichtige Voraussetzung für die Ausstellung war die personelle. An eine wissenschaftlich so anspruchsvolle Unternehmung durfte man nur denken, weil Dr. Dieter Koepplin, der Vorsteher des Basler Kupferstichkabinetts, bereit war, sie zu planen und zu realisieren. Durch frühere Arbeiten besitzt er die nötige Kenntnis des Werks von Cranach und der Probleme, die es stellt. Darüber hinaus stand mit Dr. Tilman Falk, Konservator am Kupferstichkabinett, ein denkbar gut ausgerüsteter Bearbeiter der Buchgraphik zur Verfügung. Wir freuen uns, dass wir ferner wertvolle Textbeiträge erhalten haben von Frau Dr. Kristin Bühler-Oppenheim, Herrn Prof. Dr. Helmut Börsch-Supan und Herrn Dr. Werner Schade.

Im Namen des Kunstmuseums danke ich allen, die zu der grossen Unternehmung beigetragen haben. Ein herzlicher Dank gilt zuallererst den Leihgebern, deren Generosität die Ausstellung ermöglicht hat. Fast überall, bei Museumskollegen und Privaten, durften wir eine grosse Bereitschaft finden, uns die kostbaren Werke anzuvertrauen. Besondere Erwähnung verdient die grosse Gruppe der Leihgaben aus den Museen der DDR, ohne deren Zusicherung wir die Ausstellung gar nicht unternommen hätten. Wir sind dem Ministerium für Kultur und den Kunstmuseen der DDR für die Genehmigung dieser Leihgaben sehr dankbar.

Für die Vorbereitung wichtig war die freundliche Bereitschaft der Basler Universitätsbibliothek, Tilman Falk den direkten Zugang zu den Büchern des 16. Jahrhunderts zu gestatten. Auch das möchte ich herzlich verdanken.

Grundlage für das ganze Unternehmen war die Defizitgarantie, die uns vom Grossen Rat des Kantons Basel-Stadt gewährt worden ist. Der Regierung und dem Grossen Rat gilt dafür ganz besonderer Dank. Sehr gefreut hat uns auch, dass die Stadt Lörrach bereit war, die Ausstellung mit einem Beitrag zu unterstützen. Zahlreiche Banken und Industriefirmen haben sich, wie schon bei früheren grossen kulturellen Veranstaltungen, auch bei dieser Ausstellung als Mäzene wieder hervorragend bewährt. Alle Spender, denen wir herzlich danken möchten, sind auf Seite 10 aufgeführt.

Zu danken habe ich aber den Mitarbeitern an diesem grossen Unternehmen, an der Ausstellung selbst und am Katalog, Dr. Dieter Koepplin und Dr. Tilman Falk für die Gesamtorganisation und die wissenschaftliche Bearbeitung, Dr. Yvonne Boerlin-Brodbeck und Dr. Eva Maria Krafft für die Mitarbeit bei der Katalogisierung, Frau I. Loeb-Müller für das Katalog-Lektorat und die Überwachung der Katalogherstellung und Frau Laura Buchli für die Führung des Ausstellungssekretariats und die Bearbeitung aller Fragen interner Organisation und Werbung. Die Besorgung der schwierigen Transport- und Versicherungsangelegenheiten verdanke ich Herrn Klaus Hess, Fräulein Franziska Heuss und Fräulein Mariann Kindler. Für das ganze Haus vom Restaurierungsatelier bis zu den Photographen und zum übrigen technischen Dienst bedeutete die Vorbereitung und Durchführung der Cranach-Ausstellung grosse zusätzliche Belastung. Allen Mitarbeitern, die ich nicht namentlich aufführen kann, bin ich für den besonderen Einsatz und die ausgezeichnete Arbeit herzlich dankbar. Ausserhalb des Hauses gebührt grosser Dank dem Verleger Herrn Carl Einsele vom Birkhäuser Verlag und seinen Mitarbeitern für das Verständnis bei allen Schwierigkeiten der Katalogherstellung und für die Sorgfalt der Drucklegung, dem Direktor des Basler Verkehrsvereins Herrn Dr. Paul Gutzwiller und dem Leiter der Informationsstelle der Basler Museen Herrn Fritz Mathys für ihre Unterstützung bei der Werbung für die Ausstellung.

Leider war es nicht möglich, den ganzen Katalogtext bei der Eröffnung vorzulegen. Dieser erste Band enthält die zusammenhängenden Textbeiträge und den Katalog der dort aufgeführten Werke bis zur Nummer 287. Der zweite Band, der in einigen Wochen erscheinen soll und jedem Käufer des ersten Bandes zugestellt wird, enthält den Katalog der im ersten Band nicht besprochenen Werke (Nr. 288–660), ferner Anhang, Anmerkungen, Bibliographie und Register.

9. Mai 1974   FRANZ MEYER

LEIHGEBER-LISTE

Aix-en-Provence, Musée Granet
Amsterdam, Kunsthandel P. de Boer
Aschaffenburg, Bayerische Staats-
gemäldesammlungen, Staatsgalerie
Augsburg, Staats- und Stadtbibliothek
Augsburg, Städtische Kunst-
sammlungen
Baden-Baden, Katholisches Stadt-
pfarramt
Bamberg, Staatsbibliothek
Basel, Historisches Museum
Basel, Münzen und Medaillen AG
Basel, Schweizerisches Museum
für Volkskunde
Basel, Universitätsbibliothek
Bautzen (DDR), Stadtmuseum
Berlin, Staatliche Museen Preussischer
Kulturbesitz, Gemäldegalerie;
Kupferstichkabinett
Berlin, Staatliche Schlösser und
Gärten, Jagdschloss Grunewald
Berlin (Hauptstadt der DDR),
Deutsche Staatsbibliothek
Berlin (Hauptstadt der DDR),
Staatliche Museen, Kupferstich-
kabinett
Bern, Kunstmuseum
Besançon, Musée des Beaux-Arts
et d'Archéologie
Bonn, Universitätsbibliothek
Boston, Museum of Fine Arts
Braunschweig, Herzog Anton
Ulrich-Museum
Brno (ČSSR), Moravská galerie v Brně
Budapest, Reformierte Kirche von
Ungarn, Ráday-Sammlung
Cambridge (England), Fitzwilliam
Museum
Coburg, Kunstsammlungen der
Veste Coburg
Coburg, Landesbibliothek
Crans-sur-Sierre, Herr Adolphe Stein
Darmstadt, Hessisches Landesmuseum

Den Haag, Mauritshuis
Dessau, Staatliche Galerie
Detmold, Lippische Landesbibliothek
Donaueschingen, S. D. Fürst
zu Fürstenberg
Dresden, Sächsische Landesbibliothek
Dresden, Staatliche Kunstsammlun-
gen, Gemäldegalerie Alte Meister;
Kupferstich-Kabinett;
Skulpturensammlung
Düsseldorf, Kunstmuseum
Eisenach (DDR), Wartburg-Stiftung
Erlangen, Graphische Sammlung
der Universitätsbibliothek Erlangen-
Nürnberg
Fischbach bei Nürnberg, Frhrl. von
Scheurl'sche Familienstiftung
Flensburg, Bibliothek des Alten
Gymnasiums
Freiburg i. Br., Freiburger Münster,
Erzbischöfliches Ordinariat
Göttingen, Kunstsammlung der
Georg-August-Universität
Gotha (DDR), Schlossmuseum
Halle, Institut für Denkmalpflege
Halle, Universitätsbibliothek
Hamburg, Kunsthalle
Hamburg, Museum für Kunst
und Gewerbe
Hannover, Kestner-Museum
Innsbruck, Tiroler Landesmuseum
Ferdinandeum
Innsbruck, Universitätsbibliothek
Jena, Universitätsbibliothek
Karlsruhe, Staatliche Kunsthalle
Kassel, Staatliche Kunstsammlungen
Kiel, Herr Fritz Langness
Köln, Dormagen-Stiftung
Köln, Kunstgewerbemuseum
Köln, Frau Gabriele Neven DuMont
Köln, Wallraf-Richartz-Museum
Kreuzlingen (Schweiz),
Sammlung Heinz Kisters

INHALTSVERZEICHNIS 9

Der zweite Band enthält den Katalog der Ausstellungsobjekte 228–660 (mit vielen Abbildun-
gen), bearbeitet von Yvonne Boerlin-Brodbeck, Tilman Falk, Dieter Koepplin, Eva Maria
Krafft, einen Anhang mit einem Gutachten «Zu einigen Handschriften Lukas Cranachs d. Ä.
und Albrecht Dürers» von Kristin Bühler-Oppenheim und dem von Yvonne Boerlin-
Brodbeck aus dem Französischen übersetzten Essay von Maurice Raynal über «Realität und
Mythologie der beiden Cranach», zuletzt die Anmerkungen, die Bibliographie und die Register.

Folgende Institutionen und Firmen haben diese Ausstellung finanziell durch die Übernahme eines Anteils an der Defizitgarantie ermöglicht:

Kanton Basel-Stadt
Stadt Lörrach
Basler Kantonalbank
Ciba-Geigy AG, Basel
F. Hoffmann-La Roche & Co. AG,
    Basel
Lonza AG, Basel
Sandoz AG, Basel
A. Sarasin & Cie., Basel
Schweizerische Bankgesellschaft, Basel
Schweizerische Kreditanstalt, Basel
Schweizerische Volksbank, Basel
Schweizerischer Bankverein, Basel

Der Firma F. Hoffmann-La Roche & Co. AG und ihren Mitarbeitern, Herrn Kurt Seiler und Herrn Markus Waller, danken wir für die Tonaufzeichnung unserer Tonbildschau.

1. Einführung (K)

1. Ausstellung und «Katalog». – Es mag vermessen erscheinen, erstens Werke eines alten Meisters zu transportieren, zweitens im Katalog etwas anderes anzustreben als die Aneinanderreihung von streng objektbezogenen Kommentaren. Sowohl für den Laien als auch für den Fachmann zählt aber das Erlebnis einer monographischen Ausstellung zu jenem geistigen Gut, von dem man ein Leben lang zehrt. Die Abwägung dieses Gewinnes mit den Risiken des beschleunigten Verschleisses der Kunst-Materie lässt sich nicht objektiv diskutieren. Im Gegensatz zu früher, etwa zur Berliner Cranach-Ausstellung des Jahres 1937, haben wir eine Gruppe von hervorragenden und in ihrer Art absolut einmaligen Werken Cranachs sowie die meisten grossformatigen Tafelbilder (von den lebensgrossen «Adam und Eva»-Bildern bis zu den kompletten Altar-Ensembles) aus eigenem Entschluss ausserhalb unserer Ausstellungsbegehrlichkeit gestellt. Cranach auszustellen war dennoch möglich, weil die Quantität der Produktion und des Erhaltenen bei diesem Meister künstlerisch wesentlich ist, wie man auch immer dieses Faktum beurteilen wird.

Katalogartige Publikationen zu derartigen Ausstellungen profitieren vom Anstoss und von der Unterstützung durch das Ereignishafte der Ausstellungen. Wohl jedermann rechnet damit, man braucht es nicht zu betonen, dass die Bearbeiter eines solchen Kataloges prinzipiell zu wenig Zeit haben, weil sie nebenher die Ausstellung organisieren müssen (selbstverständlich nicht ohne die entscheidende Hilfe von einigen genannten und vielen ungenannten Kollegen). Jedermann weiss ferner, dass vom Standpunkt der Erkenntnis und Auswertung die Publikation eigentlich der Ausstellung nicht vorangehen dürfte, sondern ihr folgen sollte[1]. Hier wie in anderen Fällen neueren Datums ist eine Publikation angestrebt worden, die nicht nur während des Ausstellungsbesuches, sondern eher nachher gelesen und angeschaut werden kann. Neuartig ist unser Versuch, einen weiteren (konsequenten oder problematischen) Schritt in die Richtung auf das monographische Buch hin zu tun[2]. Wir erlaubten uns dies aus einer persönlichen Sicht Cranachs und derjenigen Probleme, die uns besonders interessant und z.T. bisher vernachlässigt erschienen sind.

Eine Ausstellung soll aus ihrer Anordnung, aus den Beschriftungen der Objekte und aus anderen Orientierungshilfen eine eigene Aussagefähigkeit besitzen. Mit den hier gedruckten Texten wollen wir Cranach als ganzes Phänomen kommentieren und die Ausstellung dort ergänzen, wo Veranschaulichung durch die Exponate nicht genügend möglich ist und wo einige unausleihbare Hauptwerke fehlen. Die Anfänge eines Künstlers bilden zu seinem Verständnis die Grundlage und verdienen gerade dann besondere Beachtung, wenn das Spätwerk wegen «äusserer» Einwirkungen scheinbar ganz anders aussieht. Darum behandeln wir die Herkunft Cranachs und die in Wien entstandenen Werke des Meisters eingehend, obwohl in der Ausstellung die Wiener Werke nur etwas mehr als einen Saal füllen. Geistig stehen diese grossartigen Werke des ersten Ausstellungssaales zwischen dem wohlvertrauten Cranach der reifen und späten Jahre einer-

seits und den immer noch unbekannten Frühwerken des Meisters andererseits.
Wir möchten dazu beitragen, dass uns angesichts der Fülle der überlieferten
typischen Werke Cranachs die Frage nicht loslässt, wie denn ein mit Dürer genau
generationengleicher Maler zu seinen Resultaten gekommen ist.

Innerhalb des Spätwerkes weisen wir mit unseren Texten auf die vielfältigen
historischen und ikonographischen Bezüge hin, die der Betrachter kaum ahnt.
Es scheint fast, als gehöre die Verbreitung von Ahnungslosigkeit, positiv gesagt:
die Entspanntheit und Simplizität wesentlich zur Kunst Cranachs, jedenfalls im
Vergleich zu derjenigen Dürers oder Grünewalds. Der Betrachter darf sich dieser
Stimmung gewiss hingeben. Er schätzt sie aber erst richtig, wenn er doch gleichsam das Ziehen und Schwirren der vielen, sehr starken historischen Fäden zwi-
schendurch spürt.

Allgemein möge die Publikation davon zeugen, dass Cranachs scheinbar
einfache Kunst vielschichtig, ernst und intensiv ist. Wie soll man dies mit Worten
erfassen? Wir wollten das Dilemma nicht verbergen, dass man sich einem Kunstwerk entweder von den punktuell zu untersuchenden Bedingtheiten oder mit der
Frage nach den zentralen Anliegen des Künstlers nähern kann.

2. Eigenhändigkeit oder Werkstatt: Ausstellungen bieten eine einzigartige Gelegenheit, sicher einem Meister zugeschriebene Werke mit strittigen Stücken zu vergleichen und zu einem besser fundierten «Kenner»-Urteil zu gelangen. Es darf
einfach nicht wahr sein, dass die rund tausend Gemälde, die Lukas Cranach d.Ä.
einigermassen seriös zugeschrieben werden, alle von seiner Hand stammen. Früher
oder später wird ein ähnlicher Streit ausbrechen, wie er heute das Œuvre Rem-
brandts «bedroht»[3]. Freilich, im Gegensatz zum Fall Rembrandt, scheint es dem
Werk Cranachs innerlich zu widersprechen, dass die Forschung mit stilkritischen
und naturwissenschaftlichen Methoden die Unterscheidung zwischen eigenhändigen und Werkstattbildern überall erzwingen sollte. Zunächst wäre es immerhin der Mühe wert festzustellen, ob die oft wiederholte, beschwichtigende Behaup-
tung der Wahrheit entspricht, dass Cranach mit seinem Signet, der geflügelten
Schlange[4], systematisch nicht nur eigenhändig ausgeführte, sondern auch gänzlich
von Werkstattmitarbeitern unter seiner Aufsicht hergestellte Gemälde bezeichnet
habe. Zweifel scheinen erlaubt zu sein. Es ist selbstverständlich, dass Cranachs
Signaturzeichen ebenso imitiert werden konnte wie Cranachs Bilder selber[5].

Bei Cranach sollte man, wäre es möglich, nicht nur nach Stufen der künstlerischen Qualität, sondern strenggenommen nach den folgenden Kategorien
unterscheiden: 1. eigenhändig ausgeführtes, meist signiertes Hauptwerk (selbstverständlich auch dieses nicht ganz ohne Mitwirkung von Hilfskräften); 2. im
wesentlichen eigenhändig, aber eiliger ausgeführtes Werk von geringerer Sorgfalt, oft die Signatur tragend (die Flüchtigkeit beispielsweise bedingt durch
niedrigere Bezahlung); 3. zum mindesten im «finish» eigenhändiges Serienpro-
dukt, oft signiert (bei Porträts wiederholt gemalte Ausführung nach ein und
derselben Studie auf Papier, bei anderen Gegenständen Prinzip der Variation);
4. unsigniertes Werkstattprodukt (oft ohne direkten Eingriff des Meisters, nur
unter seiner Aufsicht entstanden); 5. Schulwerk (Werk eines Schülers, der Cranachs

Werkstatt verlassen hat); 6. Werk aus der Nachfolge oder aus dem Einflussbereich Cranachs (Umkreis, Art des Cranach); 7. zeitgenössische Nachahmung durch einen ausserhalb der Werkstatt stehenden Maler (mit Täuschungsabsicht: soll wie Cranach aussehen); 8. Nachahmung späterer Zeit; 9. Kopie a) zeitgenössisch, b) später (in der Cranach-Werkstatt wurden, soweit wir sehen, vom Meister und von seinen Gehilfen niemals Kopien hergestellt, höchstens bei den Bildnissen Repliken und Varianten: Kategorie der Serienprodukte)[6]. Bei den Kategorien 7–9 besteht oft Fälschungsabsicht. Cranach-Signaturen auf Werken der Kategorie 5–9 verraten den Vorsatz der Täuschung. Besonders bedauerlich scheint uns, dass in der Expertisenpraxis und in wissenschaftlichen Publikationen innerhalb der Kategorien 1–3 selten der Versuch zur Unterscheidung unternommen wird. Sobald ein Werk Cranachs eine echte Signatur trägt, heisst es einfach «ausgezeichnetes, echt signiertes Werk Lukas Cranachs des Älteren» im Sinne von «ohne Fehl und Tadel, i.O.», wie wenn aus der Sicht von Cranach selber Werke wie die «Karlsruher Madonna» (Nr. 382) und eine «Lucretia»-Variation (Nr. 583) oder eines von vielen gleichartigen Porträts des Kurfürsten Johann Friedrich (Nr. 192 ff., Abb. 160 ff.) dasselbe Gewicht und dieselbe Qualität beanspruchen würden. Mit solcher Nivellierung reitet man Cranach zuschanden und lässt seine Meisterschaft in der Masse ersticken. Die Quantität der Cranach-Produktion gehört wohl wesentlich ins Gesamtbild, verunmöglicht aber keineswegs die Aussonderung von «Meisterwerken erster Klasse», die Fixpunkte bilden.

Die Basler Ausstellung bietet Material zur oft möglichen und notwendigen Unterscheidung der genannten Kategorien, deren verschliffene Übergänge selbstverständlich doch in der Natur der Sache begründet sind. Unser Text stützt sich weitgehend auf Kenntnis der Originale. Die Auswertung der Konfrontation der Originale muss der Ausstellungskritik, auch unserer eigenen, überlassen werden. In vielen Fällen wäre wohl ein strengeres Urteil angebracht, als wir in unserem vor Ausstellungsbeginn formulierten Kommentar zu äussern wagten.

3. *Cranachs Manier:* Max J. Friedländer gab zu bedenken: «Ein Maler, der aus wirtschaftlichem Interesse die Leistungsfähigkeit seines Werkstattbetriebes steigert – Lucas Cranach in seiner Wittenberger Zeit bietet ein lehrreiches Beispiel –, zieht die Gesellen nicht sowohl zu sich empor, steigt eher zu ihnen hinab, er bildet eine Formensprache und Malweise aus, die lehrbar und nachahmlich sind, und gibt seiner Produktion einen unpersönlichen Charakter[7].» Und Jacob Burckhardt hätte kaum etwas dagegen gehabt, wenn wir auf Cranach anwenden, was er 1868/69 in seinen «Weltgeschichtlichen Betrachtungen» notierte (über Maler): «Wer nach einmaligen bedeutenden Leistungen ein Schnellproduzent, gar um des Erwerbes willen wird, der ist von Anfang an nie gross gewesen[8].» Seit Melanchthon (vgl. S. 81) hatten alle Interpreten mit der Schwierigkeit zu tun, ob sie sich von der «Schmeichelhaftigkeit» der Cranachschen Kunst becircen lassen wollten oder ob sie auf der Kategorie der «Grösse» z.B. Dürers zu beharren sich verpflichtet fühlten. Cranach gefiel dem Publikum seiner eigenen Zeit und auch späterhin. Erfolg dank leichter Eingängigkeit statt durch anspruchsvolle Singularität? Sollte man contre cœur davon abgestossen werden, dass Cranach die

Arbeit leicht von der Hand ging[9]? Scheurl (Nr. 164), der wie alle Humanisten des
frühen 16. Jahrhunderts «nur Dürer» über alle auszuzeichnenden Maler stellte,
lobte Cranach darum schon 1509: «Wollte ich in dieser Art alle Werke Deines
Genies aufführen, so hiesse das mehr eine Geschichte schreiben als einen Brief.
Nicht übergehen kann ich jedoch, dass – wohingegen es dem Protogenes und
vielen anderen, nach dem bekannten Satz, dass übertriebene Sorgfalt schade,
häufig zum Vorwurf gemacht worden ist, dass sie nicht endigen könnten – Dich
jedermann wegen der wunderbaren Schnelligkeit lobt, mit der Du malst und durch
die Du nicht nur Nicomachus oder Marcia, sondern allen Malern überlegen bist;
welche Schnelligkeit Du, nach meinem Dafürhalten, durch fortwährendes Studium
und beständigen Fleiss Dir erworben hast[10].» Man muss zu dieser Lobrede bemerken, was Arnold Hauser 1953 herausstellte: «Vasari erblickt bereits in der Leichtigkeit und Schnelligkeit des Hervorbringens geradezu ein Kennzeichen des
echten Künstlertums. Beide Züge, sowohl der Dilettantismus wie das Virtuosen-
tum, so widerspruchsvoll sie auch sind, finden sich vereinigt im Charakterbild des
Humanisten, den man mit Recht als den ‹Virtuosen des intellektuellen Lebens›
bezeichnet hat[11].» Auch in den Briefen Aretinos an Tintoretto aus den Jahren
1545/46 wird die Schnelligkeit der Arbeitsweise gerühmt. Dass das vielzitierte
Epitheton «pictor celerrimus» (sehr schneller Maler), das auf Cranachs Grabstein
wiederkehrt, nicht nur einem humanistischen Topos entspricht, beweisen der
Umfang und der Charakter des Cranachschen Œuvres. Und man ist versucht,
auch die Produktion der Werkstatt und sogar die weiteren Auswirkungen der
Kunst Cranachs als Resultate eines Vermehrungsprozesses zu verstehen, der durch
die «celeritas» Cranachs in die Welt gesetzt wurde. Die Vitalität eines einzelnen
züngelnden Blattes im Landschaftshintergrund eines Cranach-Bildes (Abb. 1)
würde dann, wenn wir es bildlich so ausdrücken dürfen, von derselben Potenz zeugen, die auch die ins Anonyme auslaufende Masse der Werkstattbilder und der
Nachahmungen (und später sogar Picassos Wiederaufnahmen einiger Cranach-
Motive) provoziert hat. Solcher fortwirkender Vitalismus macht Cranachs Kunst
samt ihrem Anhang zu einem besonderen Phänomen.

Hinzu kommt die geistesgeschichtliche Situation. Die Kultur und Kunst der
Renaissance in Deutschland, wir meinen konkret und einschränkend die Kunst
Dürers und was geistesgeschichtlich damit zusammenhängt, begründeten einen
neuen Begriff der schöpferischen Fähigkeit, die eine Loslösung von handwerklicher
Gebundenheit erlaubte[12]. Gemessen daran sollte Cranachs Kunst nun nicht einfach als rückständig und «gotisierend» etikettiert werden[13]. Die Entwicklung der
schöpferischen Bewusstheit in der Kunst Dürers oder Baldungs brachte eine pro-
blematische Schärfung, Abkühlung und Verhärtung der Formen mit sich[14].
Diesem formalen Problem, aber auch allgemein dem Renaissance-Ideal des heroischen Willensaktes, stellt sich Cranachs Kunst als Alternative und als Ausweich-
möglichkeit entgegen (vgl. S. 208). Cranachs Bilderwelt verbleibt oder führt zurück
in einen Dämmerzustand und in eine lebenserfüllte Potentialität, die die härtesten
Zwänge der Renaissance und der dem Humanismus gemässen Kunst löst, nicht
ohne wesentliche Züge der humanistischen Geisteshaltung (idealistisch überhöhter
Realismus, Ernst, heroische Individualität) intensiv verarbeitet zu haben. Es

handelt sich bei Cranach nicht um eine blosse Flucht zurück in die Spätgotik, sondern um eine Gestaltung drängender Fragen, die Humanismus und Renaissance aufgeworfen haben. An Cranachs Darstellungen der «Venus», des «Paris-Urteiles» und der «Quellnymphe» wird sich die erstaunliche, «komplette» Verbindung von hohen humanistischen Ideen mit einer über-individuellen Volkstümlichkeit und sogar mit spielerischem höfischem Geschmack am besten belegen lassen. Die Mischung ist in ihrer Zeit einzigartig und erwies sich als so lebenskräftig, dass man die Anknüpfung eines Picasso verstehen kann und ernst nehmen muss: sie besagt nicht nur etwas über Picasso, sondern auch über Cranach (vgl. Kapitel VIII, 2).

4. *Ikonographische und historische Gesichtspunkte:* Im Gegensatz zu den Werken Dürers sind Cranachs Bilder nur ganz vereinzelt ikonographisch oder nach den geistesgeschichtlichen Hintergründen hin untersucht worden. Erwin Panofsky soll in seinen späten Lebensjahren Jakob Rosenberg gesagt haben: «Lieber Jakob, wie kann man sich nur so lange mit Cranach beschäftigen!» Es scheint uns, dass Cranachs historische Leistung durch ikonographische Betrachtung an vielen Stellen genauer beschrieben werden kann als durch Stilkritik. Wir ziehen zahlreiche Vergleichsstücke auch anderer Meister des 16. Jahrhunderts heran, um die Eigenart der Cranachschen Form und Ikonographie zu demonstrieren. Es geht dabei meistens nicht um Abhängigkeit des einen Werkes vom anderen und nicht um direkte Einflüsse. Cranach ist es gelungen, Archetypisches zu formulieren. Anders kann man sich seine bis heute lebendige Wirkung nicht erklären.

Mit der Heranziehung von Vergleichsstücken wollen wir auch der herrschenden Tendenz entgegenwirken, dass Cranach ein Sonderfall und malerischer Spezialist gewesen sei, den man nur in seinem Spezialistentum sehen könne. Die Vielzahl der überlieferten Werke Cranachs haben diese Vorstellung des Spezialistentums erweckt. Sie gilt es zu korrigieren.

5. *Neues Material:* Schliesslich ist es ein Ziel der Ausstellung, die von dem vorliegenden Katalog begleitet wird, noch wenig bekanntes oder sogar bisher verborgenes Material vorzustellen. Die Kenntnis dieses Materials wurde in vielen Fällen von Professor Dr. Jakob Rosenberg, Cambridge (Massachusetts), vermittelt. Jakob Rosenberg wird die meisten neuen Stücke, die hier präsentiert werden, in der vor dem Abschluss stehenden erweiterten Neuausgabe des Gesamtkataloges der Cranach-Gemälde nochmals publizieren und dem Œuvre Cranachs einordnen. Eigentlich hätte diese neue Edition vor Beginn unserer Ausstellung erscheinen sollen. Es ergibt sich nur aus äusseren Gründen, dass wir bei einigen Bildern die Erstpublikation vorwegnehmen. Unsere Dankbarkeit gegenüber Prof. Rosenberg ist sehr gross. Dank gebührt auch besonders Herrn Dr. Werner Schade, DDR, der uns auf manche unbekannte Werke Cranachs und Fakten aufmerksam gemacht hat und mit dem wir uns über Detailprobleme aussprechen konnten. Die neue, eingehende Cranach-Monographie von Werner Schade lag bei der Abfassung des vorliegenden Kataloges leider noch nicht im Druck vor. Nur Teile des Manuskriptes waren uns flüchtig bekannt.

Neues Material und eine erstmalige Gesamtdarstellung bringt Tilman Falk
in seinem Kapitel über die «Cranach-Buchgraphik». Es gibt zahlreiche Spezialuntersuchungen über diese komplexe Materie, und weitere Resultate sind von
den noch unpublizierten Forschungen von Ingebrurg Neumeister (Gotha) zu
erwarten. Falk suchte die von den Cranach selber und in der eigentlichen Cranach-
Werkstatt geschaffenen Buchholzschnitte möglichst vollständig zusammen und
bearbeitete sie in chronologischer Gruppierung. Dieses Kapitel hat in Text und
Abbildung (verbunden mit Hollstein) Handbuch-Charakter, und hier wurde auch
in der Ausstellung annähernd Vollständigkeit erreicht. L. Cranachs d. Ä. Titel-
bordüren setzen 1517 ein – im Jahr von Luthers Thesenanschlag –, und die hier
erfasste Produktion der Buchgraphik von Lukas Cranach d. J. reicht bis 1546, als
Luther starb. Die interessante, meist reformatorische, zuweilen auch rein humanistische Ikonographie will sich bei den Büchern parallel zum Text mitteilen.
Auch in dieser Beziehung ist Falk auf interessante neue Probleme gestossen.

In einer im Basler Kunsthistorischen Seminar unter Prof. Dr. Hanspeter Landolt abgehaltenen
Übung, an der T. Falk und D. Koepplin teilnahmen, haben zehn Studentinnen und Studenten
Katalogtexte über ausgewählte Holzschnitte und Kupferstiche Cranachs vorbereitet. Die
Publikation war in einem gesonderten Graphik-Katalog geplant. Mit der thematischen An-
lage des vorliegenden Kataloges ergab sich die Notwendigkeit, Cranachs druckgraphische
Werke, in denen Hauptthemen oft zuerst formuliert wurden, ins Ganze zu integrieren. Die im
Seminar erarbeiteten Manuskripte sind in der Bibliothek des Basler Kunstmuseums greifbar
(unter dem Titel «Cranach-Übung»). Sie wurden in unserem Katalog so weit zitiert, als es der
Platz zuliess. – Es behandelten schriftlich oder mündlich: Bernd Bornemann Nr. 338, 298, 488,
Rosmarie Frey-Böckli Nr. 425–436, Walter Grunauer Nr. 405, Irène Hatz-Wolff Nr. 21,
110–112, 402, Irma Kellenberger Nr. 34–36, 38, 95, 104, Hanspeter Lanz Nr. 310–323, Cäsar
Menz Nr. 420, 486, 518, Johanna Strübin Nr. 375, 573, Marguerite Vonder Mühll Nr. 19, 377,
415, 416, Toshio Watanabe Nr. 65, 67, 103.

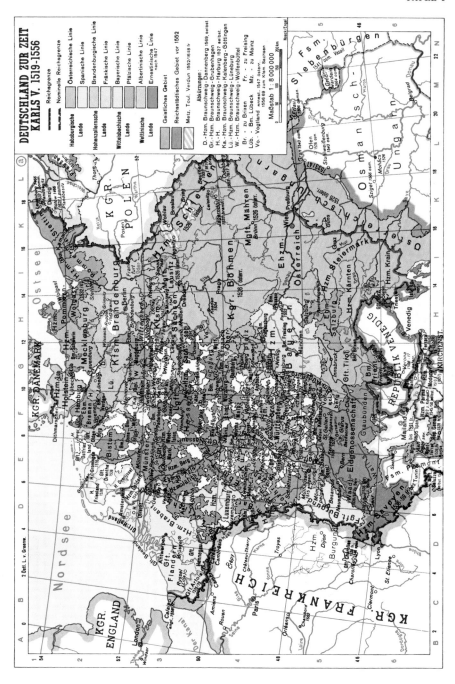

II. Tabellen (K)

1. Zeittafel zur Biographie Lukas Cranachs und zur religionspolitischen Geschichte

Die folgende Zusammenstellung beruht, was Cranach angeht, hauptsächlich auf den Quellenstudien von Schuchardt, Gurlitt und Scheidig sowie auf den Darstellungen von Lindau und, für Friedrich den Weisen, von Kirn. Durch einzelne Nachweise in den Anmerkungen wollen wir das Ärgernis der Unkontrollierbarkeit solcher Tabellen vermeiden.

1472	Lukas Cranach d. Ä. in der oberfränkischen Stadt Kronach (Nähe Coburg, vom Bistum Bamberg verwaltet, vgl. Karte Abb. 43) geboren als Sohn des Malers Hans Maler. Lukas Cranachs Mutter scheint nicht bekannt zu sein (nach G. Fehn nicht eine geb. Hübner und Schusterstochter, wie immer behauptet wird[1]). «Maler» war oder wurde Familienname: 1507 wird Lukas Cranach «pictor Lucas Moller» genannt, 1513 «maler Moller»[2]. Lukas lernt zunächst in der väterlichen Werkstatt[3].
1485	Teilung Sachsens zwischen den Ernestinern (mit der Kurwürde) und den Albertinern (vgl. Stammtafel a, S. 28/29).
1495–1498	Ehrbeleidigungsprozess in Kronach, aus dessen Akten hervorgeht, dass L. Cranach 1498 zeitweilig von seiner Vaterstadt abwesend ist (Wanderschaft, Gesellentätigkeit anderswo?)[4].
seit 1499	residiert Herzog Johann von Sachsen, der mitregierende Bruder des sächsischen Kurfürsten Friedrich des Weisen, auf der Veste Coburg, 1500 Brand auf der Veste, Ausbesserungsarbeiten[5].
1501	fordert L. Cranach am Stadtgericht von Coburg 20 Gulden[6].
1501/02	Reise nach Wien, nach vager Vermutung vielleicht über Budapest[7]. Schwere Erkrankung 1502[8]. Oktober 1501 Gründung des Poeten- und Mathematikerkollegs an der Wiener Universität durch König Maximilian, Celtis Leiter, der von Cranach porträtierte Arzt und Poet Cuspinian dessen Stellvertreter (Abb. 55)[9].
bis 1503/04	in Wien erfolgreiche Tätigkeit. Ehebildnis des dem König Maximilian nahestehenden Johannes Cuspinian (Abb. 55 f.). Holzschnitte für den Wiener Buchdrucker Johannes Winterburger (Nr. 50, 64–66).
1504	Bayrischer Erbfolgekrieg; König Maximilian, Kurfürst Friedrich von Sachsen u.a. darin verwickelt[10]. Cranach signiert Werke erstmals mit den Initialen LC (Nr. 53).
1504/05	über Nürnberg[11] nach Wittenberg (1505), wo 1502 Kurfürst Friedrich von Sachsen eine Universität gegründet hatte. In der Nachfolge des Jacopo de' Barbari als fest (und hoch) besoldeter Hofmaler des sächsischen Kurfürsten. Cranach in Wittenberg, Coburg, Torgau, Lochau[12] und an manchen Orten (Schlösser, Kirchen) tätig. Auf den Holzschnitten seit 1505 die kursächsischen Wappen. 1506 erhält Cranach

erstmals Hofgewand: im Sommer in Torgau, im Winter auf der Coburg[13]. Er hält sein eigenes Reitpferd[14].

1505 Im Zusammenhang mit der Pest, die 1503–1506 wütet (1506 wird die Universität Wittenberg nach Herzberg verlegt[15]), entstehen ein Altar von Hans Burgkmair für Friedrich den Weisen[16] und Cranachs «Christliches Herz»-Holzschnitt (Nr. 7). Dürer weicht vor der Pest 1505/07 nach Italien aus[17].

1507 Kurfürst Friedrich von Sachsen wird auf dem Reichstag in Konstanz das Amt eines Generalstatthalters des Reiches durch König (seit 1508 «Kaiser») Maximilian verliehen (Nr. 28 und 32).

Erstmals wird ein «Junge», ein Werkstattgehilfe Cranachs, erwähnt, 1509 zwei Malerjungen (Lehrlinge), 1512 zwei Malerjungen und ein Malergeselle, später zahlreiche Werkstattgehilfen[18]. Konrad Meit, Bildhauer, benutzt Cranachs Werkstatt[19].

1508 in Nürnberg am 6. Januar Verleihung eines Wappenbriefes durch Kurfürst Friedrich den Weisen an Cranach (vgl. Nr. 131). Cranachs Siegelring-Wappen, das er künftig als Signaturzeichen benutzt (geflügelte Schlange, 1537 modifiziert), hat humanistisch-hieroglyphische, vielleicht astrologische Bedeutung; es erinnert an das Signet des Jacopo de' Barbari, des kursächsischen Hofmalers von 1503 bis 1505, und an die Gattung der Buchdruckerzeichen[20].

Im Sommer (Mitte Juli oder zweite Julihälfte[21] bis spätestens 18. November[22]) Reise in die Niederlande (Antwerpen u.a.), wohl im Zusammenhang mit einer geheim geplanten politischen Heirat Friedrichs des Weisen und mit anderen politischen Schwierigkeiten[23]. Cranach porträtiert den achtjährigen Erzherzog und späteren Kaiser Karl (1509 folgt in Wittenberg das Bildnis des sechsjährigen kursächsischen Thronfolgers Johann Friedrich: Nr. 597, Farbtafel 8).

Albrecht Dürer liefert Friedrich dem Weisen die Tafel mit der «Marter der 10000 Christen» (Abb. 3).

1508/09 Arbeit auf der Coburg[24].

1509 Widmungsepistel mit Christoph Scheurls Lob auf Cranach (Nr. 96) wird gedruckt[25]. Karlstadt bezeugt, dass Cranach lateinisch sprechen könne[26].

Tod Wilhelms von Hessen, 1510 Friedrich der Weise Obervormund über den Prinzen von Hessen (vgl. Nr. 294, Farbtafel 25).

Symphorian Reinhart, den der Humanist Otto Beckmann als «sculptor» (Holzschneider) 1509 rühmt, druckt in diesem Jahr das mit Holzschnitten Cranachs reich geschmückte Buch über die von Kurfürst Friedrich gesammelten Heiligtümer der Wittenberger Stiftskirche (Nr. 95 ff.); 1512 druckt er, wieder mit Holzschnitten Cranachs, eine Andachtsbüchlein des Adam von Fulda, der in Torgau Hofkapellmeister Friedrichs des Weisen gewesen ist (gest. 1506)[27]. Passions-Holzschnitte (Nr. 310 ff.). Grosses Triptychon der hl. Sippe (Abb. 24). Lebensgrosses Gemälde der «Venus mit Cupido».

1510   erste Steuerzahlung in Wittenberg[28].

1511   Cranachs Bruder Matthes an der Wittenberger Universität immatriku-
            liert. Matthes erhält 1511 Hof-Sommerkleid[29] und hilft Lukas Cra-
            nach 1512: er montiert in Neustadt einen Cranach-Altar[30].

1512   Universitätsbibliothek Wittenberg gegründet unter der Leitung
            Spalatins (Nr. 343). Luther übernimmt von Staupitz (vgl. Nr. 7–9)
            den biblischen Lehrstuhl an der Wittenberger Universität.

Um 1512/13 Heirat mit Barbara Brengbier (gest. 1540), Tochter eines Ratsherrn
            in Gotha[31]. 1513 bezahlt Cranach in Wittenberg erstmals Steuern auf
            Hausbesitz (war aber schon spätestens 1507 in Wittenberg Hausbe-
            sitzer), hat ab 1512 neu gebaut: Haus mit angeblich 84 heizbaren
            Zimmern[32].

1513   Heirat des Herzogs Johann des Beständigen. Cranach führt mit zehn
            Gesellen Dekorationsarbeiten in Schloss Hartenfels über Torgau aus
            (Brautbett, Turnierdecken, Tapeten usw.)[33].
            Albrecht von Brandenburg wird Erzbischof von Magdeburg (Nr. 5).

Um 1513   Geburt des Sohnes Hans, der Maler wird und 1537 stirbt[34].

1514   Albrecht von Brandenburg wird auch Erzbischof von Mainz, 1518
            zum Kardinal ernannt (vgl. Nr. 5, 33f., 45, 47, Abb. 53)[35].

1514/16   Cranach arbeitet auf Schloss Hartenfels über Torgau[36].

1515   Papst Leo X. schreibt zugunsten des Baues der Peterskirche in Rom
            einen Plenarablass für die Diözese Albrechts von Brandenburg und
            die brandenburgischen Länder aus.
            Geburt des Sohnes Lukas d.J., der ebenfalls Maler wird (geb.
            4. Oktober, gest. 1586).
            Cranach beteiligt sich neben Dürer, Baldung, Burgkmair u.a. an der
            zeichnerischen Ausschmückung des Gebetbuches Maximilians[37].

1516   Ein Cranach-Schüler arbeitet für Albrecht von Brandenburg[38].
            «Zehn-Gebote»-Tafel aus der Cranach-Werkstatt für die Gerichts-
            stube im Rathaus in Wittenberg, vielleicht auslösend Luthers Pre-
            digten 1516/17 über diesen Gegenstand[39].

1517   Im März weilt Cranach, der von Krankheit genesen, am Hof des
            Herzogs Georg von Sachsen (Nr. 592f.) in Dresden und führt Ar-
            beiten aus (eine Madonna wird speziell erwähnt)[40].

1517/18   erste Titelrahmen-Buchholzschnitte (zunächst humanistisch, dann im
            Dienst der Reformation Luthers und Melanchthons: Kapitel VII
            «Cranach-Buchgraphik»).
            Am 31. Oktober 1517 schlägt Luther an der Wittenberger Schloss-
            kirche seine 95 Thesen an: Aufruf zu einer akademischen Disputation
            über den Wert der Ablässe (fand nicht statt). Luthers Thesen im
            Druck und schnell verbreitet[41], wohl insgeheim Erlaubnis von
            Friedrich dem Weisen, auch finanzpolitische Aspekte. Achtung und
            Zurückweichen Friedrichs vor der machtvolleren Popularität Lu-
            thers[42]. Albrecht von Brandenburg zeigt Luther beim Papst an. 1518
            Verhör Luthers durch den päpstlichen Legaten in Augsburg. Fried-

rich der Weise lehnt anschliessend die Auslieferung Luthers an Papst Leo X. ab (8. 12. 1518). Der Papst ist nach dem Tod Maximilians (12.1.1519) an Friedrich als Bundesgenossen gegen Spanien interessiert in Sachen der bevorstehenden Kaiserwahl. Friedrich hätte selber zum Kaiser gewählt werden können, schloss sich aber in letzter Minute von der Wahl aus[43].

Melanchthon 1518 als Professor nach Wittenberg berufen.

1518   Bilder Cranachs für zwei Leipziger Bürger[44].

1519   12. Januar Tod des Kaisers Maximilian.

Friedrich der Weise tauscht mit der Mutter des französischen Königs Franz I. Gemälde Cranachs gegen Reliquien für die Wittenberger Schlosskirche (Korrespondenz 1517/19)[45]. Franz war Anwärter bei der Kaiserwahl und suchte Friedrich von Sachsen für sich zu gewinnen[46]. Noch 1520 Ablassfest in Wittenberg, und noch 1521 wurden die Reliquien («Heiligtum»: vgl. Nr. 95 ff.) in Wittenberg dem Volk vorgezeigt[47].

28. Juni in Frankfurt Wahl des Kaisers Karl V.; der vom Papst gestützte französische König unterliegt.

Erstes reformatorisches Flugblatt: Karlstadts «Fuhrwagen» (Nr. 351), auch an Dürer geschickt[48]. Juni–Juli Leipziger Disputation zwischen Eck und Luther/Karlstadt; Luther ist nun «Ketzer», Herzog Georg von Sachsen sein Gegner[49].

1519   bis 1545 Cranach Mitglied des Rates von Wittenberg[50].

1520   erhält Cranach das kurfürstliche Apothekenprivileg (Monopol für Arzneien, Gewürze, Zucker und vor allem auch Weine), Kauf der durch Angestellte betriebenen Apotheke vielleicht bereits 1513[51] (schon ab 1513 Weinausschank in Cranachs Haus).

Reformatorische Hauptschriften Luthers werden publiziert, gleichzeitig erscheinen antipäpstliche Schriften des Ulrich von Hutten. Erste Luther-Bildnisse von Cranach (Kupferstiche: publizierte Stücke und als solche gewiss vom Kurfürsten zugelassen, Nr. 35 ff.)[52]. Auch Kupferstichbildnis des Luther-Gegners Kardinal Albrecht von Brandenburg, Erzbischof von Mainz (Nr. 34)[53]. Luther ist Taufpate der Cranach-Tochter Anna[54]. Dürer schreibt an Spalatin, er würde gern Luther für einen Kupferstich porträtieren; er schickt Kupferstich-Bildnis des Kardinals Albrecht von 1519 (von Cranach benutzt)[55]. Auseinandersetzung adliger Studenten, denen das Waffentragen untersagt war, mit Bürgern Wittenbergs und speziell mit Cranach und seinen Gesellen, die «zu Hohn» ihre Waffen tragen[56].

1521   Luther schreibt nach dem Reichstag zu Worms am 28. April aus Frankfurt an L. Cranach («Es muss eine kleine Zeit geschwiegen und gelitten sein»)[57]. «Passional Christi und Antichristi» (Nr. 218–220). Luther unter päpstlichem Bann und in Reichsacht.

Einige Priester treten in den Ehestand, Mönche und Nonnen beginnen die Klöster zu verlassen. Radikalisierender Einfluss Karlstadts in

Wittenberg (Nr. 351), während Luther auf der Wartburg verborgen gehalten wurde. Dezember kurzer Besuch Luthers in Wittenberg, mässigende Predigten (Nr. 42). Karlstadt verlässt in der Folge Wittenberg (1522) und schliesst sich in der Schweiz Zwingli an. Münzer vom Rat der Stadt Zwickau wegen religiös-revolutionärer Aktivität entlassen (vgl. Bemerkung zu 1524/25).

Bugenhagen (Nr. 641) kommt nach Wittenberg, wird 1523 Pfarrer an der Wittenberger Stadtkirche.

Arbeit Cranachs im Weimarer Schloss (Orgelbemalung)[58].

1522   Februar Bildersturm in Wittenberg. Der im März zurückgekehrte Luther stellt Ordnung wieder her, massvolle Reformen. Luthers deutsche Übersetzung des Neuen Testaments erscheint mit Cranach-Holzschnitten: September-Testament (Nr. 221) und Dezember-Testament (Nr. 222).

1523   Der aus seinem Land vertriebene König Christian II. von Dänemark, der die Reformation einzuführen versucht hatte und am Widerstand des Adels gescheitert war, wohnt ab Oktober einige Zeit (?) in Cranachs Haus in Wittenberg (Nr. 160 und 238)[59].

           Cranach reist nach Weimar[60].

1523   bis 1525/26 betreiben in Wittenberg Cranach und sein Ratskollege Christian Döring (Goldschmied, nachweislich 1511–1517 Werke an Kurfürst Friedrich liefernd[61], 1520 Bezahlung von Hof erhalten[62]) eine vom Drucker Joseph Klug geführte Buchdruckerei für reformatorische Schriften (meist mit Holzschnitten der Cranach-Werkstatt)[63]. 1523 Altes Testament deutsch, I. Teil mit Cranach-Holzschnitten (Nr. 224); II. und III. Teil 1524 (Nr. 229, 230). Cranach verkauft auch Bücher anderer Drucker[64].

1524   Dürer porträtiert Friedrich den Weisen (Nr. 26), der den Nürnberger Reichstag leitete und in der Luther-Frage Verhandlungen führte[65], und seinen Begleiter L. Cranach (Abb. 26).

           Gefahr des päpstlichen Bannes gegen Friedrich von Sachsen. Konfessionelle Spaltung Deutschlands bahnt sich auf dem Nürnberger Reichstag an (anti-evangelisches «Regensburger Bündnis»).

           Altar Cranachs für den Luther-Gegner Kardinal Albrecht von Brandenburg in die neue, 1523 geweihte Stiftskirche in Halle (Nr. 288), zeichnerische Entwürfe Cranachs für weitere Altäre der Stiftskirche (Nr. 325 f.).

1524/25   Bauernkrieg von Süddeutschland bis Österreich und Sachsen, aufrührerische Predigten von Thomas Münzer. Niederlage der Bauern bei Frankenhausen 15. Mai 1525, Enthauptung Münzers. Luther empört sich über die «mörderischen und räuberischen Rotten der Bauern» (April–Mai 1525)[66]. Karl V. schlägt den französischen König Franz I. in der Schlacht von Pavia (24. Februar); Franz muss auf Mailand, Genua, Neapel und Burgund verzichten.

1525   am 5. Mai stirbt Kurfürst Friedrich (geb. 17.1.1463)[67]. In Erz ge-

gossenes Relief-Grabmal von Peter Vischer in Nürnberg nach Cranachs Entwurf 1527 vollendet[68]. Sein mitregierender Bruder Johann
der Beständige (30.6.1468–16.8.1532) folgt ihm als sächsischer Kurfürst. Johann nimmt offen Partei für Luther.
Am 13. Juni heiratet Luther die ehemalige Nonne Katharina von
Bora (Nr. 177f.)[69]; Cranach, Bugenhagen und der Jurist Apel waren
die Zeugen bei Luthers plötzlicher Brautwerbung und Hochzeits-
mahl, Hochzeit anderntags[70]. Cranach malt Bildnisdiptychon Luthers
und Katharinas sowie des verstorbenen Kurfürsten Friedrich und
des regierenden Kurfürsten Johann (Nr. 182f.) zu Geschenkzwecken.
Albrecht von Preussen (Nr. 600), seit 1523 mit Luther verbunden,
säkularisiert den Ordensstaat und wird weltlicher Herzog.

1525/27   Bildnisse des Luther-Gegners Kardinal Albrecht von Brandenburg
(Nr. 45 und Abb. 53). Durch den Bauernkrieg kamen sich in gemein-
samer Abwehrstellung Kursachsen und die katholischen Nachbarn
näher, nämlich der Kardinal Albrecht (Erzbischof von Mainz), Kur-
brandenburg (Nr. 169) und Sachsen-Meissen (Herzog Georg der
Bärtige, Nr. 592f.)[71]. In Religionssachen harte Fronten, immer noch
Erwartung eines baldigen Konzils.

1526   Landesherrliche Organisation der Kirche im Sinne Luthers und Melanchthons in Kursachsen, Hessen, Lüneburg, Mansfeld und im
hohenzollernschen Franken.
7. Juni Luthers erster Sohn geboren, Johannes; Taufpaten sind
Cranach, J. Jonas und Bugenhagen (Nr. 616)[72].
«Deutsche Messe» Luthers (Nr. 257)[73]. «Das Papsttum mit seinen
Gliedern» (Nr. 252). Luther druckt Büchlein «Ob Kriegsleute auch in
seligem Stande sein können», dem Ritter Ascanius von Cramm ge-
widmet, der 1525 die Bauern bei Frankenhausen besiegt hat und beim
Turnier zur Hochzeit Johanns 1527 den Kranz gewinnt (Nr. 24)[74].
Dürer sticht Melanchthons Bildnis (Nr. 48) und malt die «Vier
Apostel» mit auf Luther basierenden Beischriften[75].

1526/27   8. September 1526 Verlobung Johann Friedrichs, des Sohnes des
Kurfürsten Johann von Sachsen, mit Sibylle von Cleve (Porträts von
Cranach) zur Entspannung des Sachsen betreffenden Streites um die
Jülicher Erbfolge (war wohl schon Hauptanlass für Cranachs Reise
in die Niederlande 1508[76]); 1. Juni 1527 Vermählung in Torgau
(vgl. Nr. 126)[77].

1527   Sacco di Roma, Plünderung durch kaiserliche Truppen.
Cranach porträtiert Luthers Eltern (Nr. 613ff.).

1527/28   Pest in Wittenberg, viele Angehörige der Universität verlassen die
Stadt (nicht Luther)[78]. Tod des Vaters L. Cranachs in Kronach[79].

1528   Cranach ist laut Grundsteuerabrechnung neben dem Kanzler Brück
(dessen Sohn 1541 Cranachs Tochter Barbara heiratete[80]) der reichste
Bürger Wittenbergs[81]. Er besitzt mehrere Wittenberger Häuser,
ausserdem durch seine Frau eines in Gotha.

Tod Albrecht Dürers. Es sterben auch der etwa gleichaltrige, eher etwas jüngere Grünewald und der ältere Maler Bernhard Strigel, Porträtist Kaiser Maximilians (Nr. 41).

1529 Erste bekannte Ausgabe vom illustrierten Katechismus Luthers (Nr. 255). Cranach malt nach Luthers Grundüberzeugung erstmals, später variiert, eine Komposition mit dem Thema «Rechtfertigung des Sünders durch den Glauben» (Nr. 354f.), auch in Holzschnitten publiziert (Nr. 353 und 279)[82]. Bei einem Gespräch an der vom Landgrafen Philipp von Hessen (vgl. Nr. 132) 1527 gegründeten Universität Marburg misslingt die (politisch von den Evangelischen erwünschte) Einigung zwischen Luther und Zwingli.

Cranach vermutlich zeitweilig in Berlin für Joachim I. von Brandenburg tätig, der der Reformation trotz seines Bruderverhältnisses zu Kardinal Albrecht nicht fern steht (Nr. 168, 169, 620)[83].

Erstes Jagd-Gemälde als Gedächtnisbild: Hirschjagd mit Beteiligung des (1519 gest.) Kaisers Maximilian, Schloss Mansfeld im Hintergrund (Nr. 139)[84].

Die Türken, die 1526 Ungarn überrollten, stehen im September vor Wien.

1530 Für den von Kaiser Karl V. persönlich geleiteten Augsburger Reichstag verfasst Melanchthon eine evangelische Rechtfertigungsschrift im Auftrag des sächsischen Kurfürsten Johann Friedrich (Luther muss auf der Coburg bleiben). Konzil innert Jahresfrist geplant.

1531 Schmalkaldischer Bund der Evangelischen wegen Gefahr der Bekriegung durch Kaiser Karl V. Melanchthon pflegt Kontakt mit Carion, dem Astronomen und Ratgeber des Kurfürsten Joachim von Brandenburg (Nr. 168, Abb. 130).

1532 Karl V. muss gegen Frankreich und die Türkei bis 1544/45 Krieg führen und ist dadurch gebunden. Nürnberger Anstand: durch die «Vermittlung» des Kardinals Albrecht[85] Duldung der Evangelischen bis zum geplanten (erst 1545 zustandegekommenen) Konzil.

Am 16. August Tod Johanns, neuer sächsischer Kurfürst wird Johann Friedrich (30.6.1503–3.3.1554). 1532/33 liefert Cranach zahlreiche Bildnisse der verstorbenen Kurfürsten Friedrich und Johann[86]. Auch Bildnisse Luthers und Melanchthons von einem neuen, paarigen Typus werden in grosser Zahl in der Cranach-Werkstatt 1532/33 hergestellt.

1533 Cranach porträtiert Kaiser Karl V. (wohl nach fremder Vorlage), offenbar auf dem politischen Hintergrund der Hoffnung und des Aufatmens (Nr. 197). Erasmus, seit 1525 von Luther theologisch angegriffen, verfasst seine «vermittelnde» Mahnschrift an die ungeeinten Christen (vgl. Nr. 174ff.).

1534 Herzog Georg von Sachsen und Kardinal Albrecht rufen Melanchthon u. a. zu einem Religionsgespräch nach Dresden. Auch Kurfürst Johann Friedrich reist dorthin, ebenso Cranach, der für Herzog

Georg Gemälde ausführt und wahrscheinlich damals mit Melanchthon von Kardinal Albrecht zu einem Essen eingeladen wird[87]. 1535 für Kardinal Albrecht ein Gemälde mit «Hercules bei Omphale»[88].

Erstes signiertes und datiertes Gemälde des etwa zwanzigjährigen Hans Cranach (Nr. 473, Farbtafel 21).

1534/35	revolutionäre Wiedertäufer in Münster installiert und im Juni 1535 besiegt.
1535	Pest in Wittenberg[89].
1534/36	Pommern und Dänemark erhalten durch Bugenhagen (Nr. 641) evangelische Kirchenordnung.

Cranach arbeitet häufig auf Schloss Hartenfels in Torgau in 1533/36 vom Architekten Konrad Krebs neugebauten Teilen[90].

1536	Februar Heirat des Herzogs Philipp von Pommern mit Maria, der Schwester des sächsischen Kurfürsten Johann Friedrich, in Torgau, wo Cranach mit seinen beiden Söhnen um 1534/37 viele Arbeiten ausführt[91].
1537	Oktober Tod des Sohnes Hans Cranach in Bologna, Beileidsbesuch Luthers und Memorialgedicht Johann Stigels[92]. Neue Signaturform (auf der Schlange ein Vogelflügel statt der Fledermausflügel) auf den Werken von Lukas Cranach d. Ä. und d. J.: der Sohn scheint in der Werkstatt eine grössere Verantwortung erhalten zu haben[93].
1537/38	Cranach-Altäre für Berlin[94].

Cranach erstmals Bürgermeister von Wittenberg[95].

1538	Liga der katholischen Reichsstände.
1539	Nach dem Tod des Herzogs Georg von Sachsen führt sein Nachfolger Herzog Heinrich der Fromme (von Cranach mehrfach porträtiert[96]) die Reformation im Albertinischen Herzogtum Sachsen ein. Dasselbe tut Kurfürst Joachim II. von Brandenburg. Cranach flieht vor der Pest nach Nürnberg[97]. Teuerung[98].

Ab 1539 oft in den Abrechnungen Bilder Cranachs aufgeführt, die mit Leimfarbe (Tempera) auf Tücher (Leinwand) gemalt sind und alle verlorengingen; erst 1550 Werk Cranachs «auf ein tuch in olfarben» erwähnt (vgl. Nr. 369)[99].

1540	Tod der Ehefrau Cranachs, geb. Brengbier[100].
1540/41	Cranach wieder Bürgermeister von Wittenberg.

1540–46 von Lukas Cranach d.Ä. und d.J. grossformatige Tafelbilder mit fürstlichen Hirschjagden[101], 1546 grossformatiger «Jungbrunnen»[102].

1541	Landgraf Philipp von Hessen[103] und Herzog Moritz von Sachsen, Schwiegersohn Philipps, schliessen mit Karl V. ein Separatabkommen: beinahe Krieg mit Kurfürst Johann Friedrich[104].

Heirat Lukas Cranachs d.J. mit Barbara Brück, der Tochter des kurfürstlichen Kanzlers Gregor Brück[105].

1542	Beschiessung der Stadt Wolfenbüttel, von L. Cranach d. Ä. in einem Holzschnitt dargestellt (Nr. 158)[106]. Kursachsen und Hessen vertreiben

den Herzog Heinrich von Braunschweig aus Wolfenbüttel und machen das Land evangelisch. Lutherisch reformiert werden auch die sächsischen Bistümer Naumburg und Merseburg.

1543 Heirat der Cranach-Tochter Barbara mit Dr. Christian Brück, dem Sohn des Kanzlers (Nr. 643)[107].
Cranach arbeitet öfter in Weimar[108].
Die Jesuiten (1540 vom Papst bestätigt) fassen in Deutschland Fuss.
Clevischer Krieg: Karl V. besiegt Herzog Wilhelm von Cleve im Streit um Geldern, Wilhelm muss die evangelische Reformation rückgängig machen[109].

1543/44 Cranach nochmals Wittenberger Bürgermeister, als solcher im Alter von 70 Jahren porträtiert auf Holzschnitt eines Schülers (Nr. 49). Arbeiten im Weimarer Schloss[110].

1544 L. Cranach d. Ä. tritt sein Wittenberger Haus an seinen Sohn Lukas d.J. ab[111]. 1544/45 letzte Ratsherr-Periode.

1545 13. Dezember endlich das Konzil in Trient eröffnet; dauerte bis 1563 und war gegen die protestantischen Lehren (Rechtfertigung usw.) gerichtet, 1562/63 von den Jesuiten bestimmt. Die Lutherischen verweigern die Beschickung des Konzils.
Cranach arbeitet mit 6 Gehilfen auf Schloss Hartenfels (Abb. 106) und führt in Wittenberg dekorative Arbeiten mit seinen Gesellen aus[112]. Von der Arbeit eines Schülers bemerkt er, eine « Madonna » sei gut gelungen, «ich hab ihm gar nichts daran geholfen, er hats allein gemacht, da seht ihr wohl wie er sich bessert»[113].

1546 18. Februar Luther gestorben.
Arbeiten Cranachs (Vater oder Sohn?) für Schloss Hartenfels in Torgau (Tücher, als Temperabilder auf Leinwand, mit Venus, Lucretia, Turnier, Bildnisse, Bild eines Wildschweines für Albrecht von Preussen usw.)[114].
Reichsacht gegen Kurfürst Johann Friedrich und Landgraf Philipp[115].
Tod des französischen Königs Franz I. (vgl. Bemerkungen zu 1519; mit der Berufung Rossos 1530 und Primaticcios 1532 begründete Franz die «Ecole de Fontainebleau»).

1547 24. April Schlacht bei Mühlberg, 19. Mai Kapitulation Wittenbergs, Kaiser Karl V. nimmt Johann Friedrich, der die Kurwürde verliert, und im Juni Landgraf Philipp von Hessen gefangen[116]. Sibylle, die Gemahlin Johann Friedrichs, und Cranach, der von Karl ins Lager gerufen wurde, bitten für Johann Friedrich um Gnade[117]. Moritz von Sachsen erhält die sächsische Kurwürde (1548) und den Kurkreis, zu dem Wittenberg gehört[118].
Cranach verliert die (bezahlte) Hofmalerstellung bis 1550. Er schlägt wegen Schwindelanfällen Johann Friedrichs Bitte ab, ihm in die Gefangenschaft zu folgen[119].

1548 regelt Karl V. mit dem «Augsburger Interim» die kirchlichen Angelegenheiten ohne den Papst, mit dem er Differenzen hat. Der gefan-

gene Johann Friedrich von Juli 1547 bis August 1548 in Augsburg.
Die Evangelischen müssen weitgehende Kompromisse schliessen.
L. Cranach d. Ä. bzw. d. J. porträtiert Karl V. in Holzschnitt (Nr. 201)
und Gemälde (Nr. 199f.), ebenso in Holzschnitt den Bruder Karls,
Ferdinand, der 1521/22 die habsburgischen Erblande übernahm
und 1531 römischer König wurde und mit den Reichsgeschäften in
Deutschland betraut war (Nr. 202).

1549   bis 1568 Lukas Cranach d.J. (der nach dem Tod seiner ersten Frau
          1551 Magdalena Schurff heiratet, die Tochter eines Medizin-Pro-
          fessors an der Wittenberger Universität) Mitglied des Wittenberger
          Rates. Johann Friedrich in Gefangenschaft in den Niederlanden
          (Brüssel).

1550   Neuer Reichstag von Karl V. nach Augsburg ausgeschrieben[120].
          Cranach, der sein Testament macht und von seinem Sohn porträtiert
          wird[121], reist von Wittenberg zu Johann Friedrich nach Augsburg,
          erneut als Hofmaler tätig. Im Dezember heiratet Cranachs Tochter
          Anna den «Diener» ihres Vaters in dessen Apotheke, den Apotheker
          Kaspar Pfreundt[122].
          Johann Friedrich von Juli 1550 bis Februar 1551 in Augsburg, danach
          in Innsbruck. Herzog Albrecht V. von Bayern beseitigt mit Hilfe der
          Jesuiten den Protestantismus in Bayern.

1550/52   umfangreiche Arbeiten des alten Cranach in Augsburg für Johann
          Friedrich[123]. Bildnis des Kaisers Karl V. von Cranach, das durch die
          relative Weiträumigkeit wohl Tizians Einfluss verrät (Nr. 200). Ein
          von Cranach gemaltes Bildnis Tizians wird in einer Abrechnung von
          1552 erwähnt[124]. Tizian weilt 1548 und 1550/51 in Augsburg und
          porträtiert Johann Friedrich[125], daneben 1548 zweimal den sieg-
          reichen Moritz von Sachsen[126]. 1548 entstand Tizians grosses Reiter-
          bildnis Kaiser Karls V., des Siegers bei Mühlberg. L. Cranach d.J.
          arbeitet 1551 für den «Verräter» Moritz von Sachsen[127].

1552   3. April zieht Kurfürst Moritz von Sachsen überraschend mit seinen
          und den hessischen Soldaten in Augsburg ein und gibt den Pro-
          testanten ihre von Karl V. entzogene Kirche zurück. Karl V. in
          Innsbruck fast wehrlos, am 18. Mai seine Soldaten von Moritz über-
          rumpelt, Johann Friedrich «befreit». Nach dem Friedensvertrag von
          Passau (2. August) ziehen Karl V. und Johann Friedrich mit Cranach in
          Augsburg ein. Johann Friedrich, der als Herzog wieder eingesetzt ist,
          trifft mit Cranach und Gefolge Ende September triumphal in Jena und
          Weimar ein, wo er residiert. Cranach nimmt in Weimar Wohnung bei
          seinem Schwiegersohn Dr. Christian Brück (Nr. 643). Pest in Witten-
          berg: auch L. Cranach d.J. kommt mit seiner Familie bis Fastnacht
          1553 nach Weimar[128].

1553   Tod Cranachs am 16. Oktober in Weimar[129].
          Moritz von Sachsen fällt bei Sievershausen; August Nachfolger als
          sächsischer Kurfürst.

1554	Am 3. März stirbt Johann Friedrich.
1555	Augsburger Religions- und Landfriede: die Fürsten bestimmen die Konfession ihrer Untertanen.
1556	Abdankung Kaiser Karls V., sein Bruder Ferdinand wird Kaiser.
1557	Gründung der Universität Jena.
1558	Tod Bugenhagens (Nr. 641).
1560	Tod Melanchthons, Holzschnittbildnis 1561 von L. Cranach d. J. (Nr. 647).
1562/63	Abschluss des Konzils von Trient. Beginn der Hugenottenkriege in Frankreich, ab 1566 des niederländischen Freiheitskampfes.
1565	Lukas Cranach d. J. Bürgermeister von Wittenberg (schon 1555 Kämmerer der Stadt).
1586	27. Januar Tod Lukas Cranachs d. J.

2. Stammtafeln der Häuser Sachsen, Brandenburg und Mecklenburg

(Zusammengestellt unter Benutzung von Wilhelm Karl Prinz von Isenburg/Frank Baron Freytag von Loringhoven, Europäische Stammtafeln, I, Marburg 1965.)

Stammtafel a: Wettin

Friedrich II., der Sanftmütige
1412–1464, Kurfürst
∞ 1431 Margarethe, Tochter des
Herzogs Ernst von Österreich

Anna, 1437–1512
∞ 1458 Albrecht Achilles, Kurfürst von Brandenburg

Ernst, 1441–1486, Stifter der
Ernestinischen Linie, Kurfürst
∞ 1460 Elisabeth, Tochter des
Herzogs Albrecht III. von Bayern

Christine, 1461–1521
∞ 1478 Johann,
König von Dänemark

Friedrich der Weise
1463–1525, Kurfürst

Ernst, 1464–1513
Erzbischof von
Magdeburg,
Bischof von
Halberstadt

Johann der Beständige
1468–1532, Kurfürst
∞ 1500 Sophie,
Tochter des Herzogs
Magnus II. von
Mecklenburg;
∞ 1513 Margarethe,
Tochter des Fürsten
Waldemar VI. von Anhalt

Johann Friedrich I., 1503–1554
Kurfürst
∞ 1526 Sibylle, Tochter des
Herzogs Johann III. von Jülich-
Cleve-Berg

Johann Ernst, 1521–1563
∞ 1542 Katharina, Tochter des
Herzogs Philipp I. von Braunschweig-
Grubenhagen

Johann, 1498–1537
∞ 1516 Elisabeth, Tochter des
Landgrafen Wilhelm II. von
Hessen

Friedrich, 1504–1539
∞ 1539 Elisabeth, Tochter des
Grafen Ernst II. von Mansfeld

Friedrich I., der Streitbare
1370–1428, Kurfürst von Sachsen
∞ 1402 Katharina, Tochter des
Herzogs Heinrich von Braunschweig-
Lüneburg

Wilhelm III., der Tapfere
1425–1482, erhält Thüringen
∞ 1446 Anna, Tochter des Königs
Albrecht II.;
∞ 1463 Katharina, Tochter des
Eberhard von Brandenstein

Albrecht der Beherzte
1443–1500, Stifter der **Albertinischen Linie,** erhält Meissen
∞ 1459 Sidonie, Tochter des Königs
Georg Podiebrad von Böhmen

Margarethe, 1449–1501
∞ 1476 Johann Cicero,
Kurfürst von Brandenburg
(Siehe Stammtafel 2b)

Georg, 1471–1539
∞ 1496 Barbara, Tochter des
Königs Kasimir IV. von Polen

Heinrich V., der Fromme
1473–1541
∞ 1512 Katharina, Tochter des
Herzogs Magnus II. von Mecklenburg

Friedrich, 1474–1510
Hochmeister des Deutschen
Ordens in Preussen

Moritz, 1521–1553
∞ 1541 Agnes, Tochter des
Landgrafen Philipp I.
von Hessen

Severinus, 1522–1533

August, 1526–1586
∞ 1548 Anna, Tochter des
Königs Christian III. von
Dänemark;
∞ 1586 Agnes Hedwig,
Tochter des Fürsten
Joachim Ernst von Anhalt

Christine, 1505–1549
∞ 1523 Philipp I. Landgraf von
Hessen

Magdalene, 1507–1534
∞ 1524 Joachim II. Kurfürst von
Brandenburg

Stammtafel b: Brandenburg (Hohenzollern)

Johann Cicero
1455–1499, Kurfürst
∞ 1476 Margarethe, Tochter des
Herzogs Wilhelm von Sachsen
(Siehe Stammtafel 1a)

Kasimir, 1481–1527
Markgraf zu Kulmbach
∞ 1518 Susanna, Tochter des
Herzogs Albrecht von Bayern

Georg, 1484–1543
Markgraf zu Ansbach
∞ 1533 Emilie, Tochter des
Herzogs Heinrich von Sachsen

Joachim I., 1484–1535
∞ 1502 Elisabeth, Tochter des
Königs Johann I. von Dänemark

Ursula, 1488–1510
∞ 1507 Heinrich V., den Friedfertigen, Herzog von Mecklenburg-
Schwerin

Joachim II. 1505–1571
1535 Kurfürst;
1539 zur luther. Kirche übergetreten
∞ 1524 Magdalene, Tochter des Herzogs
Georg von Sachsen-Meissen

Anna, 1507–1567
∞ 1524 Herzog Albrecht VII. von
Mecklenburg-Schwerin

Stammtafel c: Mecklenburg-Schwerin

Heinrich III., 1479–1552
∞ 1507 Ursula, Tochter des Kurfürsten
Johann Cicero von Brandenburg;
∞ 1513 Helene, Tochter des Kurfürsten
Philipp von der Pfalz;
∞ 1551 Ursula, Tochter des Herzogs
Magnus I. von Sachsen-Lauenburg

Sophie, 1481–1503
∞ 1500 Johann Kurfürst von Sachsen

Albrecht Achilles
1414–1486, Kurfürst
∞ 1446 Margarethe, Tochter des
Markgrafen Jakob I. von Baden;
∞ 1458 Anna, Tochter des Kurfürsten
Friedrich II. von Sachsen

Friedrich V., 1460–1536, Markgraf
∞ Sophie, Tochter des Königs
Kasimir IV. von Polen

Sibylle, 1467–1524
∞ 1481 Wilhelm IV. Herzog von
Jülich und Berg

Albrecht, 1490–1568
1511 Hochmeister des Deutschen Ordens
in Preussen;
1525 Herzog von Preussen
∞ 1526 Dorothea, Tochter des
Königs Friedrich I. von Dänemark

Johannes, 1493–1525, Markgraf
∞ 1519 Germaine, Witwe des
Königs Ferdinand dem Katholischen
von Spanien

Albrecht, 1490–1545
1509 Domherr in Mainz; 1513 Erzbischof
von Magdeburg und Administrator des Bistums
Halberstadt; 1518 Kardinal Erzbischof
von Mainz (= Kurfürst)

Johann (Hans), 1513–1571
Markgraf von Brandenburg-Küstrin
1552 Kaiser Karls Rat
∞ 1531 Katharina, Tochter
Heinrichs II. von Braunschweig-
Wolfenbüttel

Magnus II., 1441–1503
∞ 1478 Sophie, Tochter des
Herzogs Erich II. von Pommern-Stettin

Anna, 1485–1525
∞ 1500 Wilhelm II.
Landgraf von Hessen;
∞ 1519 Otto Graf
von Solms-Laubach

Katharina, 1487–1561
∞ 1512 Heinrich V.
Herzog von Sachsen

Albrecht V., 1488–1547
∞ 1524 Anna, Tochter
des Kurfürsten
Joachim I. von Brandenburg

3. Mit Namen bekannte Cranach-Schüler

Allgemeine Lit.: Schuchardt II, S. 241 – III, S. 82 und 87–128; Dodgson II,
S. 322 ff. («Hans Cranach» – vgl. FR. S. 95) und S. 351 ff. (Georg Lemberger,
Erhard Altdorfer, Hans Brosamer, Meister der Anbetung der Hirten [= Jakob
Lucius], verschiedene Monogrammisten [A I, A W, C D, M S], Michel Buch-
führer und Anonyme); Heinrich Röttinger, Beiträge zur Geschichte des sächsi-
schen Holzschnittes (Cranach, Brosamer, der Meister M S, Jakob Lucius aus
Kronstadt), Strassburg 1921.

Werner Schade im Katalog der Weimarer Cranach-Ausstellung 1972,
S. 148–154 über «Maler aus dem Umkreis Cranachs», hier S. 149: «Zur Werkstatt
Cranachs gehörten bis zu sieben Gesellen jeweils, in Zeiten starker Anspannung
auch mehr. Dies ist bezeugt noch für das Jahr 1558, als die Führung der Ge-
schäfte bereits jahrzehntelang in den Händen des Sohnes lag. In mehr als achtzig
Jahren müssen Scharen von jungen Malern ihre Ausbildung in Wittenberg genommen haben. Sie sind in der Mehrzahl namenlos geblieben und haben kaum
überragende Werke hinterlassen.» «Die ersten Lehrjungen werden 1507 erwähnt, und bald nach der Gründung des Hausstandes [1512/13] muss ein beacht-
licher Werkstattbetrieb eingerichtet gewesen sein.»

Schade nennt vor allem folgende Künstler (ausser Cranachs Bruder Matthes
und den beiden Söhnen): Meister des Pflockschen Altares (FR. 353–356; FR. 357:
Meister der Erasmusmarter von 1516 = Heinrich Vogtherr = Satrapitanus?[130];
FR. 358–368: Meister der Gregorsmessen), Wolfgang Krodel in Schneeberg
(1528–1561 tätig), Anton Häusler in Annaberg (1525–1557 tätig), Hans Kemmer
in Lübeck (dort seit 1522 bezeugt). Franz Timmermann in Hamburg (1538/40
bei Cranach in Wittenberg zur Fortbildung), Hans Döring (ab 1514 fassbar),
böhmischer Monogrammist I W (ca. 1520–1540 tätig), vermutlich in Magdeburg
tätiger Monogrammist H B mit dem Greifenkopf, Augustus Cordus (seit 1555
in Dresden, Marienbild von 1558), Peter Roddelstedt aus Gottland (tätig um
1548– um 1572, noch zu Cranachs Lebzeit 1553 von Johann Friedrich zum Hofmaler in Weimar angestellt), Heinrich Königswieser (tätig 1552–1573), einige
weitere jüngere Meister und der neben Cranach als Porträtist am erfolgreichsten
wirkende Maler Hans Krell (ab 1522 in Ungarn und in der Tschechoslowakei
tätig, 1533/34 Leipziger und Freiberger Bürgerrecht, für die Herzöge Georg und
August von Sachsen arbeitend, gest. um 1486).

Über die sächsische Porträtmalerei zur Zeit der beiden Cranachs s. Niels von
Holst, Die ostdeutsche Bildnismalerei des 16. Jahrhunderts (in: Zs.f. Kunst-
gesch., N. F. I, 1932, S. 19 ff.). Kurt Löcher nimmt im Gegensatz zu Werner
Schade an, der in Nürnberg ab 1520 mit Bildnissen hervortretende Hans Brosamer
(HB, nicht zu verwechseln mit dem «Monogrammisten H B mit dem Greifen-
kopf») habe seine Ausrichtung in der Werkstatt Cranachs erhalten[131].

Eine relativ geschlossene, aber aufzufächernde und anonyme Gruppe bilden
die ab 1516 für Kardinal Albrecht von Brandenburg geschaffenen Cranach-
Schulwerke, die man früher unter dem Namen «Pseudogrünewald» zusammen-
fasste[132].

L. Cranach d. Ä., um 1503 (Nr. 77)

In diesem Katalog und in dieser Basler Ausstellung figurieren neben Bildern und Zeichnungen von Hans Cranach und Lukas Cranach d. J.[133] und neben anonymen Werken des engen Cranach-Kreises (vgl. die Klassifizierung in Kapitel I, 2) Gemälde und Zeichnungen von Hans Döring (Nr. 578), Wolfgang Krodel 1528 (Nr. 476), Jakob Lucius (Nr. 362, 467f.) und von den Monogrammisten I W 1525 (Nr. 582) und M S (Nr. 559), ausserdem von einem Monogrammisten G... von 1522 (Nr. 381). Vgl. auch das Kapitel VII, Buchgraphik (Monogrammist H B: Nr. 270)[134].

Zu den frühesten Werken der Cranach-Schule, die hier aufgeführt werden, gehören ein «Paris-Urteil» (Nr. 537) und die Flügel zu einem 1524 datierten Altar für die von Albrecht von Brandenburg erbaute Stiftskirche in Halle (Nr. 288a). Was im 15. und frühen 16. Jahrhundert (auch bei Dürer zuweilen[135]) gebräuchlich war, bildete bei Cranach eher die Ausnahme: der Meister malt eigenhändig – selbstverständlich aber nicht allein – das signierte Mittelbild, wahrscheinlich in seiner Wittenberger Werkstatt, schickte es vermutlich nach Halle, und dort ergänzte sein Schüler, den man den «Meister der Gregorsmessen» nennt und der sich wohl bereits aus der Cranach-Werkstatt gelöst hatte, die vier Flügel (Doppelflügel); die Rekonstruktion dieses Hallenser Altares ist 1957 Ernst Schneider gelungen (Abb. 244). Für Cranach typischer ist es, dass er kleine Tafelbilder und ganze Altäre vollständig Schülern überliess, meistens sowohl den Entwurf als auch die ganze Ausführung. Ein frühes datiertes Beispiel hierfür ist der Altar in Neustadt an der Orla von 1511/12 (Abb. 243)[136]. In anderen Fällen liegen «Visierungs»-Zeichnungen Cranachs zuhanden der Schüler vor (Nr. 325 ff.). Albrecht Dürer hat sich übrigens dem spätmittelalterlichen Werkstatt-Prinzip damals ebenfalls nicht entzogen. Friedrich der Weise war dabei beteiligt, als er 1502 einen Knaben namens Friedrich in die Lehre und Kost Dürers gab und gegen 1507 oder etwas früher einen grossen «Kreuzigungs»-Altar durch Hans Schäufelein in der Dürer-Werkstatt ausführen liess (Nr. 55) – dies zur gleichen Zeit, als Dürer 1507/08 «eigenhändig» die Tafel mit der «Marter der 10000 Christen» für Friedrich den Weisen als ein monumental-miniatorisches Artistenstück auszuführen hatte (Abb. 3). Nur vollzog sich Dürers weitere Entwicklung anders als diejenige Cranachs. Vor allem war für Cranach die – auch hemmende – Bindung an Überindividuelles ein hohes Prinzip, das er in der Epoche der Renaissance evaluierte (Kap. VIII, 2). Nicht zuletzt äusserte sich darin eine religiöse Einstellung, wenn Cranach (gleichsam wie der von Ministranten begleitete Priester) Gehilfen besonders für Altarbilder beizog. Die Aspekte des Geschäftes, der blühenden «Manufaktur» in Monopolstellung im fernen Wittenberg oder dann des «Manierismus» dürfen nicht die einzigen zu berücksichtigenden sein[137].

In der Buchgraphik ist das Verhältnis zwischen dem Meister und den Mitarbeitern bei Dürer um 1501/07 nicht ganz unähnlich wie bei Cranach ab 1517 (s. Kapitel über die Buchgraphik und Nr. 2). Cranachs Funktion als Entwerfer und z. T. Unternehmer für Plastik, Teppichwirkerei, vor allem aber für dekorative Arbeiten aller Art tritt deutlicher aus den literarischen Quellen als aus den sehr spärlich erhaltenen Werken hervor[138].

1   L. Cranach d. Ä., Detail aus Farbtafel 19

2   Dürer, Detail, 1500 (Anm. 90)

3   Dürer, 1508 (Anm. 90)

III. Cranachs Bildnis, seine Malerfreunde und einige Auftraggeber (K)

Von Lukas Cranach d.Ä. scheint kein gemaltes oder gezeichnetes autonomes Selbstbildnis erhalten zu sein. Nur als Assistenzfigur innerhalb religiöser Szenen hat sich Cranach seit 1509, zuerst in einem Holzschnitt, selbst dargestellt (Nr. 311, Abb. 260). Im 1934 erschienenen Buch über «Dürers Selbstbildnisse und die Dürer-Bildnisse» stellt Hugo Kehrer fest: «Das autonome gemalte Selbstbildnis im Sinne des Tafelbildnisses gibt es vor Dürer noch nicht[1].» Albrecht Dürer hat sich im Spiegel 1484 als dreizehnjähriger Knabe und später mehrmals gezeichnet[2]. Aus dem Jahr 1493 stammt Dürers erstes gemaltes Selbstbildnis (auf Pergament), das möglicherweise, aber nicht sicher, als Brautwerbungsbild dienen sollte[3]. Nach der Rückkehr aus Venedig malte Dürer sein Bildnis, das ihm aus dem Spiegel entgegenblickte, in vornehmem modischem Kleid: ein neues Selbst- und Standesbewusstsein zum Ausdruck bringend, in zugleich unerbittlicher Objektivität und in einer Idealisierung, die zu besagen scheint, dass Künstlertum etwas Göttliches sei[4]. Der Künstler setzte auf das Bildnis die Inschrift: «Das malt ich nach meiner gestalt/Ich war sex und zwenzig Jor alt/Albrecht Dürer». Im Jubeljahr 1500 folgte das berühmte Selbstbildnis Dürers in frontaler, pyramidaler Stellung, diesmal mit lateinischer Inschrift etwa des Sinnes: «So malte ich, Albrecht Dürer aus Nürnberg, mich selbst mit unvergänglichen Farben im Alter von 28 Jahren»[5]. In einer Widmungsepistel des Nürnbergers Christoph Scheurl (Nr. 96) an Cranach schreibt der Humanist, der damals im Dienste des sächsischen Kurfürsten Friedrich des Weisen stand: «So [Apelles der Germanen] pflege ich nämlich meinen Dürer zu benennen. Als dieser, nach dem Muster der Marcia des Marcus Varro, sein Bildnis aus dem Spiegel gemalt hatte, soll sein Haushündchen in der Meinung, dem Herrn seine Freude zeigen zu können, das frische, in der Sonne aufgestellte Bildnis geküsst haben, wovon eine Spur jetzt noch vorhanden ist[6].» Kehrer hat die Stelle auf das 1500 datierte Selbstbildnis Dürers im Pelzrock bezogen und bemerkt, dass Scheurl in echter Humanistenmanier zwei Quellenberichte und die Wirklichkeit miteinander verquickte, Stellen bei Plinius und Boccaccio[7]. Scheurl bestätigt mit seiner Schrift von 1509 die humanistische Geisteshaltung des sich selbst konterfeienden Dürers. Von Cranach ist auch literarisch kein Selbstbildnis überliefert, weder ein gemaltes noch bloss ein gezeichnetes etwa vom Typus der bildhaft-finalen Dreifarbenzeichnung von Hans Baldung Grien, die entweder, wie allgemein angenommen, während der Gesellenzeit Baldungs in der Werkstatt Dürers um 1504 oder etwas früher entstanden ist (Nr. 1). Auch den weniger kühnen, autobiographisch dokumentierenden Zeichnungen, mit denen Hans Burgkmair 1497 und 1498 seine Kostüme als Bräutigam und dann als Hochzeiter festhielt, stellte Cranach nichts an die Seite[8].

Als Cranach sein Selbstbildnis 1509 auf seinem Holzschnitt mit der «Gefangennahme Christi» (Nr. 311, Abb. 260) und später einige Male in religiöse Szenerien einfügte, war er angeregt durch Dürer, der sich wiederum auf italienische Vorgänger berufen konnte, vielleicht auch durch Baldung. Im Auftrag des sächsischen Kurfürsten Friedrich des Weisen, dessen Hofmaler Cranach seit 1504/05 war, malte Dürer 1507/08 das grossformatige, figurenreiche und mit

4   Dürer, 1501 (Nr. 2)   5   Jacopo de' Barbari, 1507 (Nr. 3)

höchster Sorgfalt ausgeführte Gemälde mit der « Marter der 10 000 Christen »
(Abb. 3)[9]. In der Mitte der grausigen Szene stehen als integrierte und doch
merkwürdig irreale Zeugen Dürer im schwarzen Trauergewand und sein kurz vorher verstorbener Freund, der deutsche «Erzhumanist» Konrad Celtis[10]. Das Paar
demonstriert nicht nur die Gleichstellung des gefeierten Humanisten mit dem
sich selbst ins Bild bringenden Maler, sondern bezieht sich auch auf den Auftraggeber der Tafel. Dieser doppelte Bezug führt uns mitten hinein in die Kultur-
politik Friedrichs des Weisen, die auch ein wesentlicher Teil der Machtpolitik und
der ökonomischen Pläne des sächsischen Kurfürsten war.

Friedrich «der Weise» hat nicht nur mit seiner neutralistischen Förderung
Luthers Weltgeschichte gemacht, sondern auch, lange vor Kaiser Maximilian, die
geistige Bedeutung des Humanismus und der neuen Kunst, speziell des Humanisten Konrad Celtis und des Künstlers Albrecht Dürer, erkannt und für sich in
Anspruch genommen. Darüber liegen seit längerer Zeit zwei gründliche Publikationen vor: die archivalischen Forschungen von Cornelius Gurlitt mit dem Titel
«Die Kunst unter Kurfürst Friedrich dem Weisen» (1897)[11] und das darauf weiter-
bauende Buch von Robert Bruck «Friedrich der Weise als Förderer der Kunst»
(1903)[12]. Nur über zwei andere Fürsten des damaligen Deutschland war es sinnvoll, ähnliche Studien anzustellen, und so sind die Bücher von Paul Redlich über
«Cardinal Albrecht von Brandenburg und das Neue Stift zu Halle, 1520–1541»

6   Jacopo de' Barbari, 1508 (Nr. 4)

(1900)[13] und von Ludwig Baldass über das Thema «Der Künstlerkreis Kaiser Maximilians» (1923)[14] geschrieben worden. Wegen der habsburgischen Verflechtungen und der Jugendbildung Friedrichs des Weisen, der in den Niederlanden am Hof Maximilians «ein Zeitlang Hofmeister gewest»[15], orientierten sich Friedrichs Kunst- und Musikpflege sowie die Einrichtung ritterlicher Feste an der burgundisch-niederländischen Hofkunst; und das veranlasst uns, hier auch auf die Studien über den burgundischen Renaissance-Hof Margarethes von Österreich von Ghislaine de Boom und Josef Strelka hinzuweisen[16]. Auf all dies werden wir an mehreren Stellen zurückkommen, ohne dass es möglich sein wird, die kulturpolitischen und ökonomischen Hintergründe zusammenhängend darzustellen.

Es ist klar, dass Cranachs Hofmalerei in Parallele steht mit der Musik, die beispielsweise der führende Komponist Paul Hofhaimer[17] und Adam von Fulda[18] im Auftrag Friedrichs des Weisen komponiert haben, und mit der literarischen Produktion der Humanisten im Kreis Friedrichs und seiner 1502 gegründeten Universität in Wittenberg[19]. Über des sächsischen Kurfürsten Friedrich Musikpflege schreibt der langjährige Ratgeber, der von Cranach 1509 und später (Nr. 343) mehrmals porträtierte Georg Spalatin in seiner Chronik: «Dieser Churfürst zu Sachsen, Herzog Friedrich, hat auch so grosse Lust und Willen zur Musica gehabt, dass er viel Jahre und lange Zeit ein ehrliche, grosse Singerei gehalten und dieselbe oftmals auf die kaiserliche Reichstäge mitgenommen, gnädiglich und wol gehalten und besoldet, den Knaben einen eignen Schulmeister, sie zur Lehre und Zucht zu erziehen, gehalten. Der Capellen Meister ist gewest Herr Conrad von Ruppich. Hat auch sonderlich einen Altisten gehabt, einen Märker, dergleichen röm. kais. Maj. und andre Fürsten und Herren weit und breit nicht gehabt. Dieselbige Singerei hat er auch bis zu seinem tödtlichen Abgang behalten[20].» Wenden wir uns wieder Celtis und Dürer zu.

Konrad Celtis war 1487 auf dem Nürnberger Reichstag dank der Fürsprache des sächsischen Kurfürsten Friedrich des Weisen durch Kaiser Friedrich III. als erster Deutscher zum Dichter gekrönt worden[21]. Ein Jahr zuvor hatte Celtis dem sächsischen Kurfürsten sein erstes Druckwerk, die «Ars versificandi et carminum» zugeeignet[22]. 1501 erschien mit einer langen Widmung an den Kurfürsten Friedrich von Sachsen, in der Celtis auch des Kurfürsten Pflege der ehemals von den Griechen und Römern so hoch geschätzten Malerei hervorhob[23], die von Celtis besorgte Erstausgabe der dichterischen Werke der sächsischen Nonne Hroswitha von Gandersheim, also alte national-deutsche oder sächsische Literatur, mit Holzschnittillustrationen von Dürer (Nr. 2) und von seinem Gehilfen Hans von Kulmbach[24].

Dürer hatte schon 1496 den sächsischen Kurfürsten Friedrich den Weisen porträtiert[25]. Auf einige der in den folgenden Jahren von Dürer für Friedrich den Weisen gemalten, gezeichneten[26] und gestochenen Werke werden wir später zu sprechen kommen. Um 1501 bis 1503 schickte Friedrich der Weise einen Malerknaben Friedrich zu Dürer in die Lehre[27]. Man kann ruhig behaupten, dass Friedrich von Sachsen Dürer als Hofmaler dem Lukas Cranach bei weitem vorgezogen hätte, falls der gefeierte Meister sich aus der freien, allmählich patrizialisch werdenden Stellung in Nürnberg hätte lösen wollen. Dürers Freund

7   L. Cranach d. Ä., bald nach 1514 (Nr. 5)   8   L. Cranach d. Ä., 1506 (Nr. 6)

Jacopo de' Barbari scheint für den sächsischen Kurfürsten gleichsam ein erster Dürer-Ersatz im Hofmaleramt gewesen zu sein, als Venezianer freilich auch von einem besonderen humanistischen Prestige umgeben. Barbari bekleidete das Amt eines kursächsischen Hofmalers gnädig von 1503 bis 1505. Vor 1500 war er, deutscher Herkunft wahrscheinlich, in Venedig, zwischen 1500 und 1503 in Nürnberg tätig, und zwar im Dienst Kaiser Maximilians. 1505 übernahm Cranach das Hofmaleramt und behielt es bis zu seinem Tod. Barbari hat nach Ausweis der Rechnungen vor allem in Torgau und im Schloss Lochau gearbeitet[28]. Die Küchenrechnungen weisen auffällig hohe Ansprüche des Italieners an Speise und Trank aus. Der besonders üppige Weinverbrauch erklärt sich daraus, «dass keine Woche verging, in der Jacopo nicht Gäste bei sich sah. Und gerade wer bei ihm zu Gaste war, ist recht bezeichnend für seine hochangesehene Stellung in Wittenberg: Es sind Professoren der Universität, allein oder oft mit ihren Famulen Gäste des Malers; am meisten kommen die Namen des Doktor Marschalk [vgl. Abb. 113] und der Doktoren Ravenas der ältere und der jüngere vor [Italiener]. Ferner der Propst und der Rektor der Universität[29].» Auch Albrecht Dürer scheint 1504 Barbaris Gast in Wittenberg gewesen zu sein[30]. Damals entstand für den Kurfürsten Friedrich von Sachsen Dürers hochbedeutender Altar mit der «Anbetung der Könige» als Mittelstück, heute in Florenz (vgl. Nr. 60)[31]. Nach 1505 verschwand Barbari aus dem provinziellen und doch progressiven Wittenberg, malte die von Dürer und Cranach beeinflussten, anscheinend auf Cranach zurückwirkenden Bildnisse des Herzogs Heinrich von Mecklenburg 1507 (Nr. 3) und des Kardinals Albrecht von Brandenburg 1508 (Nr. 4), weilte 1508 mit dem (auch von Cranach später porträtierten Kurfürsten Joachim I. von Brandenburg, Nr. 169) in Frankfurt an der Oder und landete schliesslich 1510 in den Niederlanden als Hofmaler bei Margarethe von Österreich, die ihn ein Jahr später pensionierte mit Rücksicht auf sein Alter und seine Gebrechlichkeit (vgl. Nr. 198)[32].

Diese Verschiebungen eines Hofmalers sind bezeichnend für die kulturellen Verflechtungen von Venedig bis nach Mecheln, in die sich, wenigstens aus der Sicht eines Kurfürsten von Sachsen, auch Dürer, Grünewald (der zeitweilig im Dienst Albrechts von Brandenburg stand) und Cranach stellten.

Der beginnende Feudalismus zog in Deutschland bemerkenswerterweise die drei begabtesten Maler jener Zeit an sich: Dürer, Grünewald und Cranach. Auch Hans Burgkmair, um einen weiteren führenden Meister des damaligen Deutschland hier zu nennen, reiht sich unter die für Friedrich den Weisen tätigen Künstler ein, und nicht zufällig taucht bei diesem Augsburger Meister der Name des Konrad Celtis nochmals auf, dessen Porträt Burgkmair 1507 als Holzschnitt gestaltet hat[33]. 1505 führte Burgkmair einen grossen dreiteiligen Altar im Auftrag Friedrichs des Weisen aus, der 1506 vom Kurfürsten in Empfang genommen und bezahlt wurde. Der Altar steht ikonographisch im Zusammenhang mit einer Pestepidemie und mit der Kränklichkeit des sächsischen Kurfürsten[34]. Auf die Pest von 1504/05 bezieht sich Cranachs Holzschnitt mit dem «Christlichen Herzen» (Nr. 7). Humanistische und künstlerische Modernität, kombiniert mit Frömmigkeit nicht ohne abergläubische Bannung der Erkrankung: diese Mischung charakterisiert das Klima um Friedrich den Weisen von Sachsen. Friedrichs Aufträge an eine Reihe bedeutender Maler verschiedener Herkunft – man mag hier noch den mächtigen, vom Dürer-Schüler Hans Schäufelein 1507 nach Dürers Entwurf (Nr. 55) gemalten «Kreuzigungs-Altar» von Ober-St.-Veit nennen – zeigen den hohen Einsatz und das Tempo der kulturpolitischen Aktivität des sächsischen Kurfürsten. Sie beweisen nicht zuletzt, dass Cranachs Etablierung in Sachsen 1505 praktisch bis zum Tod 1553 und fortgesetzt durch Lukas Cranach d.J. keineswegs in den Sternen geschrieben stand, ebensowenig wie die von Friedrich geduldete epochale Tätigkeit Luthers und ihre Folgen.

Auf das Niveau der bisher genannten Maler der Dürer-Generation in Deutschland erhoben sich wohl nur noch zwei andere Meister: Hans Baldung Grien und Albrecht Altdorfer – beide übrigens neben Dürer, Cranach und Burgkmair mit Beiträgen vertreten in dem mit Zeichnungen illustrierten Gebetbuch des Kaisers Maximilian, das 1515 die bedeutendsten Kräfte zu einem privaten und monumenthaften graphischen Kunstwerk unter dem Zeichen religiöser Andacht zusammenzog und nicht nur technisch (durch die Spontaneität der Handzeichnung), sondern auch ikonographisch eine neue, moderne Richtung bezeichnete.[35] Albrecht Altdorfer, der in Regensburg 1528 immerhin die Wahl zum Bürgermeister ablehnen konnte (Cranach nahm sie in Wittenberg an), kommt aus der Perspektive von Sachsen und von Cranach aus kaum in Betracht (Nr. 56, 418), mehr schon sein Bruder Erhard Altdorfer, der 1512 in den Dienst des Herzogs Heinrich des

10   L. Cranach d. Ä., um 1515 (Nr. 9)

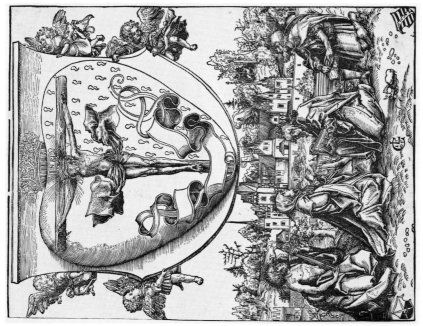

9   L. Cranach d. Ä., 1505 (Nr. 7)

11   Hans Baldung, 1507 (Anm. 90)

Friedfertigen von Mecklenburg trat und typologische wie auch stilistische Einflüsse Cranachs aufnahm (vgl. Nr. 3). Baldung aber, der in Strassburg aufge-
wachsen und nach seiner Mitarbeit in der Nürnberger Dürer-Werkstatt dort
wieder tätig geworden ist, malte 1507, nach seiner Ablösung von Dürer, in Halle
für den Dom und wahrscheinlich im Auftrag des Erzbischofs Ernst von Wettin
(vgl. Nr. 5), eines Bruders Friedrichs des Weisen, zwei meisterhafte Altäre[36]. Eine
von der Dürer-Schulung abweichende stoffliche Pracht und die Gedrängtheit der
Figuren, von denen einzelne Porträtköpfe tragen, wurden mit Recht auf Cranachs
Einfluss zurückgeführt[37]. Aus dem einen der beiden Hallenser Altäre vom Jahr
1507 schaut uns, unmittelbar neben dem das Martyrium erleidenden hl. Sebastian,
Baldung selber frontal in die Augen: ein Selbstbildnis einige Jahre nach der in
Basel befindlichen Selbstbildnis-Zeichnung (Nr. 1)[38]. Und auf dem Pendant,
dem Altar mit der «Anbetung der Könige» (Abb. 11), ist in dem ebenfalls frontal
gestellten König offenbar der Stifter dargestellt, vermutlich also Ernst von Wettin,
Bischof von Magdeburg[39]. Solche unbedenkliche Auffüllung des religiösen
Stoffes mit Renaissance-Individualismus leitet sich hier wohl unmittelbar von
Cranachs 1506 datiertem «Katharinen-Altar» (Abb. 12) her[40], geht aber schliesslich
auf Dürer zurück, auf seinen um 1498 (oder 1502 ?) entstandenen Altar für die vier
Geschwister Paumgartner (linker Flügel: Abb. 13)[41]. Die wichtigste Persönlich-
keit unter den vier Geschwistern, Stephan Paumgartner, Stadtrichter zu Nürnberg,

12   L. Cranach d. Ä., 1506 (Anm. 90)

reiste 1498 als Pilger ins Heilige Land – im Gefolge des Herzogs Heinrich von
Sachsen, eines von Cranach später porträtierten Vetters des sächsischen Kurfürsten
Friedrich[42].

Friedrich der Weise selber ist 1493 ins Heilige Land gefahren, zu Schiff von
Venedig aus[43]. Entgegen früherer Vermutung, die sich seit 1701 verbreitete, war
Cranach nicht im Gefolge des Jerusalem-Fahrers Friedrich. Aber richtig ist, dass
zwei Maler als Bildreporter ins Heilige Land mitzogen: Meister Kunz, der vor der
Abfahrt in Venedig seinen Herrn Friedrich noch porträtierte und acht Wochen zu
dem Bildnis brauchte[44], und Meister Hans, der vielleicht identisch ist mit dem aus
den Niederlanden stammenden kursächsischen Hofmaler Jhan[45]. Zum Gedächtnis
an die Pilgerreise Friedrichs des Weisen hat Cranach später eine grosse «Karte des
Heiligen Landes» gezeichnet und als neun sich aneinanderfügende Holzschnitte
ausführen lassen[46]. Erhalten haben sich von diesem religiös-kosmographischen
Werk[47] nur zwei Teilstücke, die zur Zeit verschollen sind und in unserer Ausstellung wenigstens als Faksimiles gezeigt werden (Nr. 10)[48]. Mit der Fahrt nach
Jerusalem hat Friedrich der Weise aus religiösem Streben ein hohes Risiko auf

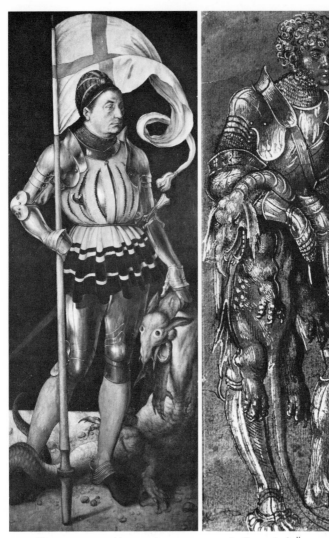

13   Dürer, um 1500 (Anm. 90)   14   L. Cranach d. Ä., um 1505 (Anm. 90)

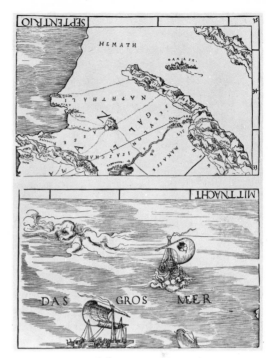

15   L. Cranach d. Ä., um 1515 (Nr. 10)

sich geladen (Schiffahrt war gefährlich, und der Orient auch, schon damals). Zugleich erfüllte er ein Stück später Ritterromantik, die deutlich dadurch zum Ausdruck kam, dass sich Friedrich in Jerusalem durch Heinrich von Schaumberg zum Ritter schlagen liess[49]. Solche ritterliche Idealität verband sich mit einer simplen, ernsten Frömmigkeit und mit dem neuen individualistischen Renaissance-Selbstbewusstsein in einer unbedenklichen Weise, die ebenso aus den Bildnis-köpfen des «Paumgartner-Altares» Albrecht Dürers (Abb. 13) oder des 1506 von Cranach gemalten «Katharinen-Altares» (Abb. 12) und schliesslich z.B. aus dem «Kardinal Albrecht von Brandenburg als hl. Hieronymus» spricht (Nr. 45, 47, Farbtafel 12). Dass Cranach, als er 1506 den Altar mit dem «Martyrium der hl. Katharina» malte, Kenntnis von Dürers «Paumgartner-Altar» hatte, scheinen u.a. der 1506 entstandene Holzschnitt Cranachs mit dem hl. Georg (Nr. 11) und die Helldunkel-Zeichnung mit derselben Heiligengestalt (Abb. 14) zu besagen[50]. Die Reihe der als heilige Gestalten inkorporierten Bildnisse setzt sich von Dürer aus nicht nur zu Cranach und seinen Schülern (Nr. 609) und nicht nur zu Baldung, sondern auch zu Grünewald fort, der auf dem Isenheimer Altar dem hl. Antonius die Bildniszüge des Auftraggebers verleihen und später um 1521/23 den Kardinal Albrecht als hl. Erasmus auftreten lassen musste[51].

1   **Hans Baldung Grien** (1484/85–1545)
Selbstbildnis
Um 1504. Graugrün grundiertes Papier, Feder mit Tusche, mit dem Pinsel
weiss und rosa gehöht. 22,0 × 15,8 cm.
Basel, Kupferstichkabinett des Kunstmuseums (U. VI. 36).

K. Oettinger/K.-A. Knappe: Hans Baldung Grien und Albrecht Dürer in Nürnberg,
Nürnberg 1963, S. 1 ff. und 123 (dort die ältere Lit.). – Faksimile: Hp. Landolt, 100
Meisterzeichnungen des 15. und 16. Jahrhunderts aus dem Basler Kupferstichkabinett,
Basel (Schweizer. Bankverein) 1972, Nr. 30.

Baldungs Selbstbildnis, das hier als autonomes Kleinkunstwerk in pointierter Schärfe
auftritt (Cranachs «gebundene» Kunst kontrastiert damit), kehrt wieder auf dem von
Baldung 1507 wohl für Erzbischof Ernst von Sachsen gemalten «Sebastians-Altar»
(Abb. 11). Baldung entstammt nicht einer Handwerkerfamilie (wie Cranach), sondern
humanistischen Kreisen (Alte u. moderne Kunst, Heft 84, Wien, Jan.–Febr. 1966, S. 14).

2   **Albrecht Dürer** (1471–1528)
Konrad Celtis überreicht dem thronenden Kurfürsten von Sachsen
(Schwertträger des Königs) **seine Edition der Werke der sächsischen
Nonne Hroswitha von Gandersheim** (im Hintergrund vermutlich drei
Mitglieder der Celtis-Sodalität)   **Abb. 4**
Holzschnitt. 21,8 × 14,8 cm.
Aus: Opera Hrosvite, illustris virginis et monialis Germane, gente Saxonica
orte, nuper a Conrado Celte inventa. Nürnberg, Drucker der Sodalitas Celtica,
1501 (gedruckt unter dem Autorschutz des Reichsregimentes, bei dem
Kurfürst Friedrich König Maximilian zu vertreten hatte).
Basel, Universitätsbibliothek.

Meder, S. 279 f. XIV. – Dodgson I, S. 261 f., Nr. 3/1. – Panofsky 417 («Benedikt-
Meister»). – Meister um Albrecht Dürer, Kat. Nürnberg 1961, Nr. 225. – Albrecht
Dürer 1471/1971, Kat. Nürnberg 1971, Nr. 288. – F. Hieronymus, Oberrheinische
Buchillustration, Kat. Universitätsbibliothek Basel 1972, Nr. 211. – Koepplin, Cuspi-
nian, S. 36 f.

In der ersten Edition von 1501 nur zwei Holzschnitte von Dürer: Widmung der
Herausgabe durch Celtis an Friedrich von Sachsen und Widmung des Werkes durch
Hroswitha an den sächsischen Kaiser Otto I., den Grossen. Der zweiten, ebenfalls
1501 in Nürnberg erschienenen Ausgabe wurden 6 Holzschnitte des Dürer-Schülers
Hans von Kulmbach hinzugefügt (F. Winkler, in: Jb. d. Preuss. Kunstslgn., LXII,
1941, S. 16 und Abb. 46–49). Der Kurfürst hat die Druckkosten gespendet. Dürer
behandelte die Humanisten-Buchillustrationen ähnlich «handwerklich» wie Cranach
z. T. die Holzschnitte zu den Luther-Ausgaben (s. Kapitel über Cranach-Buchgraphik).
Celtis neben dem sich selbst darstellenden Dürer auf einem für Kurfürst Friedrich
gemalten Bild von 1507/08: Abb. 3. Vgl. Nr. 52.

L. Cranach d. Ä., um 1502/03 (Nr. 85)

3 **Jacopo de' Barbari** (1440/50–1516)
Bildnis des Herzogs Heinrich von Mecklenburg Abb. 5
Dat. 1507. Auf Holz. 59,5 × 37,5 cm.
Den Haag, Mauritshuis (Nr. 898).

André de Hevesy, Jacopo de Barbari, Paris/Brüssel 1925, S. 47. – A. E. Bye, in: Art in
America, XVIII, 1930, S. 221. – Raimond van Marle, The Development of the Italian
Schools of Painting, XVIII, Den Haag 1936, S. 474. – Ludwig Baldass, in: Pantheon,
XXII, 1938 (2), S. 321. – Luigi Servolini, Jacopo de Barbari, 1944, S. 145f. – Bernard
Berenson, Pitture italiane del Rinascimento, I, London/Florenz 1958, Abb. 316. –
Kurzgefasster Katalog Mauritshuis, Den Haag 1960, S. 16, Nr. 898 (Inschrift zit., wohl
irrtümliche Benennung «Herzog Rupprecht» statt Heinrich). – Fritz Heinemann, Das
Bildnis des Johannes Corvinus in der Alten Pinakothek und die Jugendentwicklung des
Jacopo de' Barbari, in: Arte Veneta, XV, 1961, S. 47.

Heinrich von Mecklenburg (3.5.1479–16.2.1552), der zeitweise ab 1495 am niederländischen Hof des Königs Maximilian gedient hatte, heiratete 1507 Ursula, die Tochter
des Kurfürsten Johann Cicero von Brandenburg (= die Schwester des Albrecht von
Brandenburg: Nr. 4). Auch von Ursula ist ein von Jacopo de' Barbari gemaltes Porträt
literarisch überliefert. Die Schwester Heinrichs von Mecklenburg, Sophie, hatte 1500 den
Herzog Johann von Sachsen geheiratet und ist 1503 an der Geburt ihres ersten Kindes, des
Johann Friedrich von Sachsen (vgl. Farbtafel 8), gestorben. 1512 trat Erhard Altdorfer
als Hofmaler in den Dienst des Herzogs Heinrich. (1513 unter Cranachs Einfluss Holzschnitt von E. Altdorfer mit der Darstellung des Turniers in Ruppin 1512 unter Teilnahme des Kurfürsten Joachim von Brandenburg, des Herzogs Heinrich von Mecklenburg und des Herzogs Johann von Sachsen – Kurfürst Friedrich schaute zu – : Karl
Oettinger, Altdorfer-Studien, Nürnberg 1959, S. 90ff.; F. Wagner, in: Hohenzollern-
Jb., V, 1901, S. 99–120: Zwischen den Turnierstechen fand die Verlobung zwischen
dem albertinischen Herzog Heinrich von Sachsen und der Katharina von Mecklenburg
statt.) Der von der Wittenberger Universität kommende Humanist Nikolaus Marschalk
war seit 1505 Hofrat Heinrichs von Mecklenburg (M. Hamann, Mecklenburgische
Geschichte, Köln/Graz 1968, S. 263).

Das Motiv des dunkelgrünen, locker durchhängenden Samtvorhangs kehrt seit
spätestens 1520 bei Cranach mehrfach wieder: bei Porträts (Cranach-Schüler: Nr. 617)
und etwa beim Thema «Gastmahl des Herodes» (Nr. 479) oder bei einer «Lucretia»
(Nr. 586), ein von Engeln gehaltener Vorhang auch bei Madonnenbildern (Nr. 380, 383;
die Madonna FR. 138a mit rotem, von zwei Engelchen gehaltenem Samtvorhang soll laut
alter Überlieferung schon 1512 entstanden sein: Kat. München 1963, S. 59; vgl. Nr.
39). Aus der deutschen Bildnismalerei wäre nur die Kopie nach dem 1484 in Nürnberg
gemalten Porträt des Hans Harsdorfer zu nennen, dessen grünen Vorhang-Hinter-
grund Buchner (Bildnis, S. 129, Nr. 143) allerdings für eine «ganz ungotische» Dra-
pierung, also für eine Zutat des Kopisten hält. Wenn damit die Herleitung aus Nürnberg,
wo Barbari nach 1500 tätig war, ausgeschlossen wird, so erklärt sich das Motiv – das
nicht nur bei Cranach Zukunft hatte – wohl aus einer generellen Vorhangtradition in
der venezianischen Malerei (vor allem Madonnen-Bilder, vereinzelt Bildnisse: van
Marle, XVIII, Abb. 12, 56, 75; XVII, Abb. 269), die Barbari und dann Cranach weitertrieben (auch der Vorhang hinter der «Laïs» H. Holbeins von 1526 und hinter «Venus
und Cupido» desselben Meisters geht auf Venezianisches über Frankreich zurück:
Hans Reinhardt, in: Fs. Werner Hager, Recklinghausen 1966, S. 66–70). Mit dem Durch-
hängen des an zwei Punkten befestigten Vorhangs verbindet sich das eigenartige Zu-
rücklehnen des Porträtierten im engen Blickfeld. Der Blick des Porträtierten sucht
einen Gegenstand zur Seite. Eine Hand allein – mit «Willensgriff» (vgl. Nr. 166) – ist
sichtbar.

Kopie im North Carolina Museum of Art, Raleigh (La Chronique des Arts,
Nr. 1225, Febr. 1971, Beiblatt zur Gazette des Beaux-Arts, S. 67, Abb. 311).

4 Jacopo de' Barbari (1440/50–1516)
Bildnis des Albrecht von Brandenburg als 18jähriger Domherr Abb. 6
Bez. mit Schlangenstab, dat. 1508. Auf Holz. 68,3 × 53,3 cm.
Kreuzlingen (Schweiz), Sammlung Heinz Kisters.

W. K. Zülch, Der historische Grünewald, Mathis Gothardt-Neithardt, München 1938,
S. 21 u. S. 411, Anm. 26. – Emilio Lavagnino, Gli artisti Italiani in Germania, III, Rom
1943, Taf. VII. – Meisterwerke aus baden-württembergischem Privatbesitz, Kat.
Stuttgart 1958/59, Nr. 11 und Abb. 72 (hier angegeben: ehem. Besitz der Herzöge von
Anhalt, Schloss Dessau, später bei Julius Böhler, München). – Maximilian I., Kat.
Innsbruck 1969, Nr. 533. – Sonst vgl. Lit. zu Nr. 3.

Albrecht – in weissem Chorhemd, brokatenem Mantel, rotem Barett – wurde am 28. Juni
1490 als jüngerer Bruder des Kurfürsten Joachim I. von Brandenburg (Nr. 169) geboren.
Nach dem Tod des Vaters 1499 regierten die beiden Brüder zunächst gemeinsam. 1508
trat Albrecht zurück, trat in den geistlichen Stand, versuchte vergeblich, Bischof von
Utrecht zu werden (gegen 6000 Gulden), wurde dann 1509 Domherr des Kapitels des
Erzbistums Mainz. 1513 Priesterweihe und am 30. August Wahl zum Erzbischof von
Magdeburg als Nachfolger des am 3. August 1513 gestorbenen Erzbischofs Ernst von
Sachsen, eines Bruders des sächsischen Kurfürsten Friedrich des Weisen; Mai 1514 fei-
erlicher Einzug in Magdeburg und in Halle (Einzug besungen vom Italiener Sbrulius,
der bis 1511 in Wittenberg weilte; zu der durch Albrecht am 22. Juli 1514 als Stifts-
kirche geweihten Magdalenenkirche auf der Moritzburg über Halle vgl. Nr. 5). 1514 wurde
Albrecht zusätzlich Erzbischof und Kurfürst von Mainz. 1518 Ernennung zum Kardinal (J. May, Der Kurfürst, Cardinal und Erzbischof Albrecht II. von Mainz und
Magdeburg und seine Zeit, 2 Bde, München 1865–1875; P. Redlich, Cardinal Albrecht
von Brandenburg und das Neue Stift zu Halle 1520–1541, Mainz 1900; U. Steinmann,
Der Bilderschmuck der Stiftskirche zu Halle, in: Staatliche Museen zu Berlin, Forschungen und Berichte, 11, Kunsthistor. Beiträge, Berlin 1968, S. 69–104).
    1508 hält sich Jacopo de' Barbari mit Kurfürst Joachim und dessen Bruder Al-
brecht von Brandenburg in Frankfurt a. d. Oder auf, wo Joachim in enger Beziehung
zur Wittenberger Universität 1506 eine neue Universität gegründet hatte (G. Bauch,
Die Anfänge der Universität Frankfurt a. d. O., Berlin 1900). Barbari wurde zusammen
mit Joachim begrüsst in einem lateinischen Gedicht von Hermannus Trebelius, der in
Wittenberg 1506/07 von Kurfürst Friedrich von Sachsen den Dichterlorbeer empfangen
hatte: Es zeigt sich die Parallelität des Hofpoeten mit dem Hofmaler und der Stolz der
Fürsten auf beide, auch die Bindung zwischen der neuen Kunst und den Universitäts-
Humanisten (G. Bauch, in: Repert. f. Kunstwiss., XVII, 1894, S. 426, Anm. 12;
G. Bauch, Die Anfänge des Studiums der griechischen Sprache und Litteratur in Nord-
deutschland, in: Mitt. d. Ges. f. deutsche Erziehungs- u. Schulgeschichte, VI, 1896,
S. 81; G. Bauch 1900, a.a.O., S. 109ff.). Albrechts Bildnis entstand offenbar in Frankfurt
a. d. O.
    Der Aufblick des würdig idealisierten Albrecht von Brandenburg soll fromme
Haltung anzeigen – wie der Aufblick Cuspinians (Abb. 55) oder Luthers (Nr. 35; vgl.
Abb. 53–54). Die strenge Frontalität des Oberkörpers ist an Italienischem (vgl. Nr. 27)
und wohl auch an Dürer orientiert; Cranach wagte sie nicht.

5 **Lukas Cranach d. Ä.**
Die Erzbischöfe Ernst und Albrecht von Magdeburg als Stifter der
Magdalenen-Stiftskirche auf der Moritzburg über Halle Abb. 7
Bald nach 1514. Holzschnitt. 15,7 × 10,1 cm.
Berlin, Stiftung Preussischer Kulturbesitz, Staatliche Museen, Kupferstich-
kabinett.

Ho. H. 127. – E. Steiner, in: Mitt. d. Ges. f. vervielfält. Kunst, 1930 (Beilage zu: Die
Graphischen Künste), S. 46–48. – U. Steinmann 1968 (zit. bei Nr. 4).

Die Darstellung entspricht weitgehend dem Titelblatt zum Halleschen Heiligtumsbuch
von 1520 (mit Holzschnitten von Wolf Traut: Meister um Albrecht Dürer, Kat.
Nürnberg 1961, Nr. 393), nur dass dort an Stelle der kapellenartigen Magdalenenkirche
die grosse, neue Stiftskirche (ehem. Dominikanerkirche, heutiger Dom) und an Stelle
der hl. Magdalena die 1519/20 als Schutzpatrone eingesetzten Heiligen Moritz, Magdalena und Erasmus erscheinen. Unser Cranach-Holzschnitt gilt (zu Recht?) als das ursprüngliche Titelblatt zum Halleschen Heiligtumsbuch. Er ist jedenfalls bezogen auf die
Magdalenenkapelle auf der Moritzburg, die Albrecht nach seiner Wahl zum Nachfolger
des verstorbenen Erzbischofs Ernst (1513) und nach seiner Ernennung auch zum Erzbischof von Mainz (1514) am 22. Juli 1514 als Stiftskirche geweiht und in dieser Weise erhöht
hat. Für die Stiftskirche begann Albrecht die von seinem Vorgänger Ernst angelegte
Sammlung von Heiligtümern (Reliquien) zu mehren, die – gemäss dem Wittenberger
Heiligtumsbuch von 1509 (Nr. 95 ff.) – in einem mit Holzschnitten illustrierten Katalog-
buch 1520 publiziert wurden; als Frontispiz diente Dürers Kupferstich mit dem Porträt Albrechts (Nr. 33). Mit der jährlichen «Zeigung» der Reliquien in ihren silbernen
und goldenen Behältern war das Ablassgeschäft verbunden, das Papst Leo X. 1515 an
Albrecht verpachtete und das Luther 1517 angriff (vgl. Zeittafel). Schon Erzbischof
Ernst, der ein Bruder des sächsischen Kurfürsten Friedrich des Weisen war und 1513
jung starb, hatte nach seiner gewaltsamen Bemächtigung der Stadt Halle auf der von
ihm über Halle errichteten Moritzburg 1509 eine Kapelle der hl. Magdalena geweiht.
Mit deren Erbauung hatte er 1505 begonnen, Albrecht von Brandenburg erhöhte sie
1514 zur Stiftskirche (U. Steinmann 1968, zit. bei Nr. 4). Im Zusammenhang mit dem
Bau der Magdalenenkapelle dürfte der «Magdalena»-Holzschnitt bei Cranach, dem
Hofmaler des Bruders des Erzbischofs Ernst, bestellt worden sein (Nr. 6).
    Mit dem Stifter-Holzschnitt ist vergleichbar der Holzschnitt zum 7. Gang,
7. Stück, im Wittenberger Heiligtumsbuch von 1509 (Nr. 95 ff.): Jahn/Bernhard, Abb.
S. 528.

6 **Lukas Cranach d. Ä.**
Entrückung der hl. Magdalena Abb. 8
Bez. L C, dat. 1506. Holzschnitt (2. Zustand). 24,5 × 14,3 cm.
München, Staatliche Graphische Sammlung.

Ho. H. 94. – B. 72. – Dodgson II, S. 283, Nr. 5. – G. 608. – Jahn, S. 19. – Weimar
1953, Nr. 101. – Bielefeld 1972, Nr. 4. – Kronach-Coburg 1972, Nr. 75. – Berlin 1973,
Nr. 69.

Wohl von Erzbischof Ernst von Magdeburg im Hinblick auf die im Bau befindliche
Magdalenenkapelle auf der Moritzburg über Halle bei Cranach bestellt. Diese Kapelle
diente als Aufbewahrungsort für eine grosse Reliquiensammlung, mit deren jährlicher

Zeigung gewinnbringende Ablässe verbunden waren (s. Bemerkungen zu Nr. 5).
Erzbischof Ernst hatte sich mit seinem Bruder, dem Kurfürsten Friedrich von Sachsen,
wegen heimlicher Verhandlungen mit Herzog Georg von Sachsen (Nr. 592f.) entzweit
und 1506 wieder geeinigt. Mit den Sühneverhandlungen von 1506 (Kirn, S. 14) fällt
Cranachs Holzschnitt zeitlich zusammen.

Die Komposition der Darstellung (nach der «Legenda aurea»; zur Ikonographie
J. Bier, Die Jugendwerke Tilman Riemenschneiders, Würzburg 1925, S. 42ff.) kann
verglichen werden mit Dürers Holzschnitt desselben Themas (B. 121), der aber wohl
erst kurz nach demjenigen Cranachs entstanden ist, und mit Baldungs Holzschnitt von
etwa 1511/12 (Kat. Karlsruhe 1959, S. 270, II H. 69), der eine Anlehnung an Cranachs
eigene Erfindung verrät: an die demütige Haltung bei der Verzückung und der wunder-
bar erhaltenen Gnade. Bei Cranach − wie deutlicher bei Baldung und nicht wie bei
Dürer − zeigt die Heilige am rechten Oberschenkel Spuren der Behaarung, die der
Legende nach ihr erspart, sich ihrer Nacktheit zu schämen.

7   **Lukas Cranach d. Ä.**
     Christliches Herz   **Abb. 9**
     Bez. LC, dat. 1505. Holzschnitt (früher Zustand ohne Schrift in der Band-
     rolle). 38,6 × 28,5 cm. Wasserzeichen: grosser laufender Bär mit Halsband.
     Schweizer Privatbesitz.

Ho. H. 69. − B. 76. − Flechsig, Cranachstudien, S. 23f. − Dodgson II, S. 281, Nr. 1. −
G. 609. − Jahn, S. 17f. − Weimar 1953, Nr. 97. − Kronach-Coburg 1972, Nr. 53. −
Berlin 1973, Nr. 68. − W. Timm, in: Cranach-Colloquium, Wittenberg 1973, S. 92.

Es gibt Drucke, bei denen das um das Kruzifix flatternde, auf das Herz geheftete
Schriftband die Worte trägt: VIRGO MATER MARIA (Jungfrau und Mutter Maria). Dass
das Herz auf der einen Seite blutet (nicht Flammen!), deutet wohl die Schmerzen
und Freuden Mariae an (Schade, Cranach-Kat. Bukarest 1973, Nr. 3): vgl. Abb. 50 und
Nr. 58−59. Merkwürdigerweise erscheint Maria aber nochmals anbetend unter dem
Kreuz, zusammen mit dem Evangelisten Johannes, dem Lieblingsjünger Christi (vgl.
Abb. 51−52). Es ist ein Pestblatt (vgl. Zeittafel 1505): die aussen knienden Heiligen Se-
bastian und Rochus sind Pestheilige, das Kruzifix soll an das pestabwehrende Tau-
Zeichen erinnern (vgl. den Leipziger Ablass- und Antipestbrief der Zeit gegen 1500:
Schramm, Bilderschmuck, XII, Abb. 130, oder − mit dem Herz-Motiv verbunden −
einen «Tau»-Holzschnitt von 1460/70: Anz. d. German. Nat'mus., 1970, Abb. S. 65;
RDK I, Sp. 747 u. 853). Ein um 1460 entstandener Holzschnitt aus der Bodenseegegend
zeigt das «Christliebend Herz», das von den Flammen der Liebe erhitzt wird, zwischen
der betenden Maria unten und dem zornig pfeilschiessenden Christus (Pfeil = Pest) und
dem Gnade übenden Gottvater oben (H. Peters, in: Fs. Dr.h.c. Eduard Trautscholdt,
Hamburg 1965, S. 97 u. Abb. 47). Man muss aber bei Cranachs Holzschnitt präzisieren.
Erst in später Verwendung und dann mit der falschen Bezeichnung «S. Bernhards Betrachtung» gibt es einen signierten und ebenfalls mit dem kursächsischen Wappen
versehenen Holzschnitt Cranachs, der in Wirklichkeit den «Hl. Augustin in Anbetung
vor dem Schmerzensmann» zeigt, vor sich ein mit einem Pfeil durchbohrtes Herz
(Nr. 9). Auf einen mit Cranachs «Herz»-Holzschnitt ikonographisch verwandten Basler
Buchholzschnitt, der 1494/95 zu einer von Sebastian Brant besorgten Ausgabe der Predigten Augustins von Johannes Amerbach gedruckt wurde, machte Timm aufmerksam.
Hier ist das auf ein Wappen geheftete Herz von den zwei Pfeilen der Gottesliebe und der
Nächstenliebe durchbohrt (Augustin zitiert in seinen «Bekenntnissen» am Schluss des
12. Buches Matth. 22, 37−40). Die Umschrift besagt (lateinisch): Die Liebe Christi hat
das Herz Augustins verwundet, und er trug seine Worte in seinem Fleisch wie einen
Pfeil (vgl. Augustin, Confess., IX, 2 u. a.). In andern Darstellungen ist diese Liebe
Christi, die das Herz Augustins entflammt (vgl. z.B. Confess., XIII, 9), in Form von

Flammenstrahlen dargestellt – wie auf Cranachs Holzschnitt. Der Geistliche, der damals in Wittenberg den stärksten Einfluss auf Friedrich den Weisen hatte und mit wichtigen diplomatischen Geschäften von ihm betraut wurde, war Dr. Johann Staupitz, Ratgeber Friedrichs bei der Wittenberger Universitätsgründung, seit 1503 Generalvikar der deutschen Augustiner-Kongregation. Die Rolle, die Staupitz am kursächsischen Hof gespielt hat, seine Bemühungen um die Wittenberger Reliquiensammlung Friedrichs und um die Observanzbewegung in der sächsischen Provinz (Kirn, S. 26, 86 u.a.; RDK I, Sp. 1262: Luthers Rom-Reise 1510 im Auftrag von Staupitz wegen der Observanten unter den Augustiner-Eremiten Sachsens) berechtigen zur Verknüpfung des «Herz»-Holzschnittes mit dem hl. Augustin, dem Gründer des Ordens von Staupitz und (seit 1505) von Luther, der 1512 von Staupitz die theologische Professur an der Wittenberger Universität übernahm (Luther 1532: «Ich hab all mein Ding von Staupitz, der hat mir dazu verholfen»). Der hl. Augustin war der Patron der Wittenberger Universität (450 Jahre Martin-Luther-Universität Halle-Wittenberg, I, 1952, S. 93 ff.). Das als Buchholzschnitt reproduzierte Wittenberger Universitätssiegel 1503 zeigt den hl. Augustin im bischöflichen Ornat mit dem von einem Pfeil durchbohrten Herzen in der Rechten (G. Bauch, in: Zentralblatt f. Bibliothekswesen, XII, 1895, S. 384 f.). Das Herz ist also in Cranachs Holzschnitt von 1505 das «christliebend Herz», wie es der hl. Augustin erlebt und gepredigt hat. Es schliesst die Liebe und das Mitleiden Mariae in sich. Von der hl. Katharina von Siena (1347–1380) heisst es, dass sich ihr Herz in das Herz Christi verwandelt habe (und dass sie aus der Seitenwunde Christi trank). Cranachs Darstellung distanziert sich freilich durch seine Hoheit von solcher materialistisch-spätmittelalterlicher Auffassung. Das Herz, auf welches ein Tau geschrieben ist, auf einer Rose liegend, wurde später Luthers – des Augustiners – Emblem. Herzform für ein grosses Kreuzigungs-Gemälde von L. Cranach d. J. 1584 (Cranach-Kat. Berlin 1937, Nr. 153, Taf. 119).

Unter den Pestheiligen, die auch auf Schäufeleins für den Kurfürsten Friedrich von Sachsen gemalten Ober-St. Veiter Altar von 1507 auf den Flügeln erscheinen (vgl. Nr. 55; Wallraf-Richartz-Jb., X, 1938, S. 175; vgl. FR. 63 u. 58), stehen hier zum ersten Mal auf einem Holzschnitt Cranachs die sächsischen Wappen: das kurfürstliche mit den gekreuzten Schwertern und das herzogliche mit dem Rautenkranz. Der Holzschnitt gilt so als kursächsische Publikation, fromm und zu Ehren des Kurfürsten Friedrich und seines mitregierenden Bruders Herzog Johann von Sachsen.

Die Teilung zwischen der himmlischen Erscheinung und der detailreichen irdischen Zone entspricht etwa Dürers «Apokalypse»-Holzschnitten, nur dass bei Cranach die heiligen Figuren auch das irdische Terrain besetzen. Trotzdem sieht man im Hintergrund wie selbstverständlich ein sächsisches Jagdschloss (Hirsche weiden vorn, hinten jagt ein Hund einen Hasen).

8   Anonymer Basler Meister gegen 1494
Ein Kanoniker und ein Mönch (Augustiner-Chorherr und -Eremit?)
knien vor dem Herzen des hl. Augustin, das von den Pfeilen der Liebe
Gottes und der Nächstenliebe durchbohrt wird

Holzschnitt. 18,3 × 14,0 cm.

Aus: Sermones sancti Augustini de tempore, Basel, Johannes Amerbach 1495 (2. Bd. der Predigten).

Basel, Universitätsbibliothek.

Hain 2008. – W. Weisbach, Die Baseler Buchillustration des XV. Jahrhunderts, Strassburg 1896, S. 25 f. u. 44, Nr. 36. – Schramm, Bilderschmuck, XXI, Abb. 648. – Oberrhein. Buchill., Kat. Basel 1972, Nr. 85.

Kommentar bei Nr. 7.

9   **Lukas Cranach d. Ä.**
Der hl. Augustin in Betrachtung des Schmerzensmannes   **Abb. 10**
Um 1515. Holzschnitt. 13,1 × 10,8 cm.
Wien, Österreichisches Museum für angewandte Kunst.

Ho. H. 77. – B. 57. – Dodgson II, S. 292, Nr. 51. – J. Ficker, Hortulus animae, in:
Buch und Bucheinband, ... zum 60. Geb. von H. Loubier, Leipzig 1923, S. 59 ff., bes.
S. 65. – Zimmermann, Folgen, Verz. B. 1, 2, 5, 8. – Die Druckgraphik Lukas Cranachs
und seiner Zeit, Kat. Wien 1972, Nr. 2.

Der signierte Holzschnitt, der dasselbe Format hat wie Ho. Wst. 28 (Nr. 207), erschien
verspätet in Georg Rhaus «Hortulus animae» von 1547/48 zusammen mit andern früher
entstandenen Holzschnitten Cranachs (Nr. 275) als «S. Bernhards Betrachtung» – also
unter falschem Titel, was zur bisherigen Fehldeutung führte (vgl. Kapitel VII, 9).
    Weiterer Kommentar bei Nr. 7. Das Wittenberger Universitätssiegel von 1503, mit
dem hl. Augustin und dem durchbohrten Herzen in der Hand, trägt die lateinische
Inschrift: Wer mir nachfolgt, der wird nicht wandeln in der Finsternis (gemäss dem
Jesus-Wort an die Pharisäer Joh. 8, 12: Ich bin das Licht der Welt...). Seit etwa 1509
liess Luther – nach Gesprächen mit Staupitz – neben der Bibel fast nur noch Augustins
Schriften gelten (Lex. f. Theol. u. Kirche, VI, ²1934, Sp. 723 mit Lit.; dagegen Hiero-
nymus-Verehrung durch Erasmus und Kardinal Albrecht: Nr. 45). Es ist neben der Rückseite der Torgauer «Nothelfer»-Tafel (Deutsche Kunst der Dürer-Zeit, Kat. Dresden
1971/72, Nr. 103) und dem von Maria, Johannes und Pest-Heiligen verehrten, stehenden
Schmerzensmann von 1515 (FR. 63; vgl. auch Cranach-Fs. 1953, S. 162, Nr. 20) die früheste
Fassung von Cranachs Darstellungen des Schmerzensmannes (s. Nr. 288). Ein von
einem Pfeil durchbohrtes, gekröntes Herz mit dem Buchstaben «A» (wohl Augustin
meinend) ist dem 1534 datierten Holzschnitt-Wappen des Johannes Scheyring beigegeben (Ho. H. 142; G. 646; vgl. Ho. [d. J.] 53 und FR. 278).

10   **Lukas Cranach d. Ä.**
(Faksimile nach:) **Zwei Teilstücke einer Karte des Heiligen Landes,**
die mit 9 (oder 6?) Holzstöcken gedruckt war   **Abb. 15**
Um 1515 (?). Holzschnitte. Je 19,7 × 30,3 cm.
Originale ehem. in der Slg. des Fürsten von Liechtenstein, nach 1945
verkauft und jetzt an unbekanntem Ort.

Ho. H. 123. – H. Röttinger, Beiträge zur Geschichte des sächsischen Holzschnittes,
Strassburg 1921, S. 11–15. – G. 648. – Weimar 1953, Nr. 269 (Faksimile).

Zur Erinnerung an die Pilgerreise Friedrichs von Sachsen ins Heilige Land 1493. Die
Schiffe tragen das kursächsische Wappen (in der nach 1508 vorkommenden Form).
Das Eckblatt zeigt das Gebiet vom Libanon über Damaskus bis Kapernaum. Im Auftrag von Mitgliedern der Nürnberger Familie Ketzel, die ebenfalls ins Heilige Land
wallfahrteten, malte ein Nürnberger Maler (Jakob Elsner?) ein Gedächtnisbild mit der
zentralen Figur Friedrichs von Sachsen vor den heiligen Stätten von Jerusalem u.a.
(Bruck, S. 203 f. und Taf. 26: Gemälde in Gotha; vgl. L. Grote, Die Tucher, München
1961, Abb. 20–21 u.a.) Vgl. Karte von S. Beham: G. 346–49.

11   **Lukas Cranach d. Ä.**
Hl. Georg stehend mit der Fahnenlanze in der Hand   **Abb. 16**
Bez. LC, dat. 1506. Holzschnitt (2. Zustand). 37,8 × 27,5 cm.
Nürnberg, Kupferstichkabinett des Germanischen Nationalmuseums.

Ho. H. 83. – B. 67. – Dodgson II, S. 282, Nr. 2. – G. 597. – M. Weinberger, in: Zs.
f. Kunstgesch., II, 1933, S. 15 mit Anm. 11. – E. Wind, in: Journal of the Warburg

16   L. Cranach d. Ä., 1506 (Nr. 11)

Inst., I, 1937/38, S. 142 ff. – Weimar 1953, Nr. 103 – I. Fenyö, in: Bull. du Musée Hongrois des Beaux-Arts, No. 5, Budapest 1954, S. 44 ff. – Rosenberg, Appreciation, S. 38 f. – Bielefeld 1972, Nr. 2. – Kronach-Coburg 1972, Nr. 69. – Berlin 1973, Nr. 74. – Jahn, in: Cranach-Colloquium, Wittenberg 1973, S. 88 f.

Cranach scheut nicht die Verbindung des Standbildhaften, betont durch den grossen Scheibennimbus, mit dem konträren Prinzip des stofflichen und zeichnerischen Reichtums, auch mit anekdotischen Zusätzen: die Putten, die Helm und Teile des Harnischs tragen. Fast übersieht man, dass der bezwungene Drache hinter den Füssen des Heiligen und des linken Puttos am Boden liegt. Im Hintergrund von rechts nach links gemäss «Legenda aurea»: Georg bindet den besiegten Drachen mit dem Gürtel der Königstochter, die etwas über der Kampfstelle betend wartet (ein Schaf zu ihrer Seite), während das Pferd am Baum angebunden bleibt und der Speer an den Baum gelehnt steht; die befreite Königstochter führt den gebundenen Drachen weg; im Wäldchen links reitet der Heilige mit erhobenem Fahnenspeer (vgl. Abb. 17) der Stadt zu, wohin die Königstochter samt dem Drachen zurückgebracht wird. Die verwirrende, auf der Fläche ausgebreitete zeichnerische Vielfalt und der fast humoristisch eingebrachte Legendenstoff hinterfangen mit ihrer Lebensfülle das «starre» Monument des christlichen Ritters. Typologisch stehen dahinter keineswegs nur Dürers «Hl. Georg» und «Hl. Eustachius» vom Paumgartner Altar (Abb. 13) und Dürers «Georg»-Stich (Nr. 12), sondern auch spätgotische Grabreliefs: frontal stehende gerüstete Ritter, oft auf einem Löwen stehend (vgl. Abb. 11), in der einen Hand der Fahnenspeer, die andere Hand am Schwert, Helm mit Wappenzier zur Seite (verschiedene Beispiele abgeb. bei Ph. M. Halm, Studien zur süddeutschen Plastik, I u. II, 1926–27; vgl. auch die Statuette für eine Wenzel-Reliquie in Cranachs Heiligtumsbuch von 1509, Nr. 95 ff.: Jahn/Bernhard, Abb. S. 508). Kämpfend aus dem Stand: «Hl. Georg» in Cranachs Heiligtumsbuch 1509, 1. Ausgabe (Abb. in Gutenberg-Jb., V, 1930, S. 180). Nachwirkung des Holzschnittes von 1506: Titelholzschnitt für Luthers epochale Schrift «An den Christlichen Adel deutscher Nation», Leipzig 1520 (E. W. Zeeden, Deutsche Kultur in der frühen Neuzeit, Hdb. d. Kulturgeschichte, 1968, Abb. S. 24); Altar in Halle 1529, hl. Moritz und hl. Alexander (FR. 358 a; Flechsig, Tafelbilder, Taf. 100).

Der hl. Georg steht hier wohl primär als Patron der Kämpfer wider die Türken, speziell des Georgs-Ritterordens, den Kaiser Friedrich III. 1468/69 gestiftet hatte zum Zweck des heiligen Türkenkampfes (vgl. Nr. 17). Diesem Orden gliederte Maximilian, Friedrichs Sohn, 1493 eine St. Georg-Bruderschaft und 1503 eine St. Georg-Gesellschaft an. Maximilian erliess 1503 den Aufruf zur Gefolgschaft und zum Kreuzzug: Gott sei empört über die Trägheit der Christen im Türkenkampf und sende darum Plagen usw. Walter Franz Winkelbauer, Der St. Georgs-Ritterorden Kaiser Friedrichs III., Diss. Wien 1949, Maschinenschrift). – Das Gebetbuch Kaiser Maximilians, zu dem Cranach neben Dürer u. a. 1515 Zeichnungen beitrug, war wahrscheinlich für Mitglieder des Georg-Ritterordens bestimmt (vgl. die Bemerkungen zu Nr. 14 und 17).

12   Albrecht Dürer (1471–1528)
Hl. Georg stehend
Kupferstich. 11,2 × 7,1 cm.
Basel, Kupferstichkabinett des Kunstmuseums.

B. 53. – Ho. K. 44. – Panofsky 160.

Panofsky datiert etwa in Übereinstimmung mit Winkler «1504/05 eher als 1507/08», also vor dem Kupferstich «Siegreicher hl. Georg zu Pferd» (Nr. 13) und vor Cranachs Holzschnitt (Nr. 11), der sich von Dürers räumlich klarer, angenehm-einprägsamer Formulierung abhebt. Stehender Georg als Sieger über den Drachen, 1515 von Dürer gezeichnet und im Gebetbuch Kaiser Maximilians (fol. 9 recto), zu Pferd frontal 23 verso (vgl. Bemerkungen zu Nr. 11; H. Chr. von Tavel, in: Münchner Jb. d. bild. Kunst, 1965, S 55 ff., und Dürer-Kat. Nürnberg 1971, Nr. 260).

13   Albrecht Dürer (1471–1528)
Siegreicher hl. Georg zu Pferd
1508 (aus 1505 eigenhändig korrigiert). Kupferstich. 11,0 × 8,4 cm.
Basel, Kupferstichkabinett des Kunstmuseums.

B. 54. – Ho. K. 56. – Panofsky 161. – Dürer-Kat. Nürnberg 1971, Nr. 355.

Gegenüber der bisherigen Tradition, die den hl. Georg (ähnlich dem hl. Michael) im
Kampf – zu Pferd oder stehend kämpfend – zeigt, sind Dürers und Cranachs monument-
hafte «Siegerdarstellungen» neu (W. F. Volbach, Der hl. Georg, Strassburg 1917; vgl.
Kommentar zu Nr. 11–12 u. 14). Vgl. Reiter links vorn auf Nr. 55.

14   Lukas Cranach d. Ä.
Siegreicher hl. Georg zu Pferd
Um 1507. Holzschnitt, schwarz auf graublau mit dem Pinsel in vertikalen
Strichen gefärbtes Papier, Lichter weiss aufgedruckt als Untergrund wohl
für Gold (wovon Spuren von Flechsig a. a. O. beobachtet wurden; 1. Zu-
stand). 23,4 × 16,0 cm.
Dresden, Kupferstichkabinett der Staatlichen Kunstsammlungen.

Ho. H. 81. – B. 56. – G. 598/99. – Flechsig, Cranachstudien, S. 33–36. – Bruck, S. 180 f.
– Dodgson II, S. 286 f., Nr. 14. – A. Reichel, Die Clair-Obscur-Schnitte des XVI.,
XVII. und XVIII. Jahrhunderts, Zürich/Leipzig/Wien 1926, S. 12 ff. – Cranach-Fs.
1953, S. 156. – Jahn, S. 26. – T. Falk, Hans Burgkmair, München 1968, S. 70 ff.–
Weimar 1953, Nr. 110. – Kronach-Coburg 1972, Nr. 67. – Berlin 1973, Nr. 79.

Die Signatur «LC» (merkwürdigerweise ohne Datum) stammt vom weissen Auf-
druck: vermutlich war von Anfang an zusätzliche Einfärbung des Papiers und Weiss-
druck bzw. Auftrag von Gold oder Silber geplant. Eine Art von Reitermonument in der
Landschaft, siegreicher Ritter nach dem Lanzenstechen gegen den Drachen, ohne
Beiwerk (keine Königstochter-Legende wie bei Nr. 11), als Attribute nur die Ritter-
burg hinten und der Baum, der die Wappen trägt und den streng ins Profil gesetzten,
heroisch (und unnötigerweise, aber antikisch) springenden Pferd Halt gibt. Die Schabracke (Pferdedecke) ist mit dem Buchstaben «A» geschmückt, was vielleicht «Austria»
bedeutet und auf König (seit 4.2.1508 Kaiser) Maximilian hinweisen soll (wie auf einer
Zeichnung Schäufeleins: B. Müller, in: Zs. d. dt. Ver. f. Kunstwiss., XVII, 1963, S. 95
mit Abb. 9; auch auf Cranachs «Turnier»-Holzschnitt von 1506, Ho. H. 116, trägt allerdings ein Ritter vorn rechts ein «A» auf der Schabracke). Auf Maximilian wird auch
verwiesen durch die Nachricht, dass der kursächsische Kämmerer D. Pfeffinger 1507
von Cranach gedruckte «kürisser von gold und silber», also Exemplare unserer Holzschnitte Nr. 14 und 15, an den Vertrauten Maximilians und Celtis-Freund Dr. Konrad
Peutinger geschickt hat; 1507 fand in Augsburg in Gegenwart Maximilians ein Reichstag
statt, die Humanisten Celtis und Pirckheimer bemühten sich dorthin (G. Bauch, Die
Reception des Humanismus in Wien, Breslau 1903, S. 161; H. Lutz, Conrad Peutinger,
Augsburg [1958] S. 65 ff.). Die Sendung Pfeffingers bewegte Peutinger, wie er 1508 an
Kurfürst Friedrich von Sachsen antwortete, «solliche kunst alhie auch zuwegenzu-
pringen»: farbige Helldunkel-Holzschnitte Burgkmairs mit einem «Hl. Georg zu
Pferd» (Nr. 17) und mit «Kaiser Maximilian zu Pferd» (zum Technischen und zum
historischen Vorgang T. Falk im H. Burgkmair-Kat. Augsburg/Stuttgart 1973, Einleitung und Vorbemerkung zu Nr. 21–22). Maximilian hatte 1500 am Chor der Augsburger Klosterkirche St. Ulrich sein freiplastisches Reiterdenkmal beim Bildhauer

Gregor Erhart bestellt, Burgkmair zeichnete 1508/10 den Entwurf, der roh zugehauene Steinblock traf im Oktober 1509 in Augsburg ein, wenig später musste das antik-italienisch (und magdeburgisch) angehauchte Projekt jedoch aufgegeben werden (Falk a.a.O., S. 71 ff. u. 77f.; F. Anzelewsky, in: Fs. Peter Metz, Berlin 1965, S. 295–304; Königstaler mit dem Reiterbild Maximilians 1509: s. Nr. 31a). Dieser Vorgang und selbstverständlich die politisch motivierte Georgs-Verehrung Maximilians dürften in Kursachsen bekannt gewesen sein. Klassizismus und Italienisieren lagen trotzdem keineswegs in der Absicht Cranachs. Die Grundform des Monumentes sollte nur angetönt werden, vielleicht nebenbei angeregt durch Dürers Kupferstich des ideal proportionierten, «nackten» «Kleinen Pferdes» von 1505 (B. 96; F. Winzinger, in: Pantheon, XXIX, 1971, S. 17f.; Dürer-Kat. Nürnberg 1971, Nr. 500). Vermutlich hat Cranach seine Drucke auch in die Niederlande, wo er 1508 Maximilian begegnete, mitgenommen.

Technisch sind Cranachs Drucke offenbar die Vorstufe zur einfacheren, wirksameren Clair-obscur-Technik, die Burgkmair mit Jost de Negker ab 1508 und Cranach 1509 entwickelten (u.a. Cranachs «Venus» und «Christophorus»: Nr. 555 u. 402).

Gezeichnetes Reiterbildnis Cranachs: Nr. 24.

15   **Lukas Cranach d. Ä.**
Siegreicher hl. Georg zu Pferd   **Abb. 17**
Variante von Nr. 14: graublaue Untergrundfarbe mit dem Pinsel in horizontalen Strichen gefärbt, sodass der Himmel in differenzierter Dunkelheit gegeben werden konnte (räumliche Wirkung). Starker Goldglanz als feierliches Leuchten aus geheimnisvollem Dunkel.
London, British Museum, Department of Prints and Drawings (1 a-Zustand; 1895-1-22-264).

16   **Lukas Cranach d. Ä.**
Siegreicher hl. Georg zu Pferd
2. Zustand von Nr. 14: Schwarzdruck auf weissem Papier.
Bamberg, Staatsbibliothek (I. M. 55).

17   **Hans Burgkmair** (1473–1531)
Siegreicher hl. Georg zu Pferd   **Abb. 18**
1508. Holzschnitt mit schwarzer Linienplatte und einer (von Jost de Negker 1508 oder sehr bald danach hinzugefügten) grauen Tonplatte, aus der im Negativzeichnungs-Verfahren die linearen und tonigen Lichter herausgeschnitten wurden (3. Zustand). 32,5 × 23,0 cm.
Innsbruck, Universitätsbibliothek.

Ho. H. 253. – Dodgson II, S. 74f. u. 419. – T. Falk, in: Kat. Hans Burgkmair, Das graphische Werk, Augsburg/Stuttgart 1973, Nr. 21b. – Im übrigen s. Lit. bei Nr. 14 u. 12.

17   L. Cranach d. Ä., um 1507 (Nr. 15)

Burgkmairs Holzschnitt gibt quasi eine maximilianische Präzisierung und renaissance-hafte Korrektur des von Cranachs «Ritter Georg» (Nr. 14) Angedeuteten. Die Inschrift oben links besagt: «Heiliger (göttlicher) Georg, Vorkämpfer der christlichen Streiter». Der hl. Georg trägt als Helmzier auf dem Harnisch und auf der Pferdedecke das Kreuz in der speziellen Form, die die Mitglieder des von Kaiser Maximilian erneuerten Georgs-Ritterordens auszeichnete (vgl. A. Altdorfers Holzschnitt aus Maximilians «Ehrenpforte»: Winzinger, Nr. 67). Der Ritter Georg oder Georgs-Ritter, Kämpfer gegen das Böse und die aggressiven Heiden (Türken), erscheint als Sieger unter einem antikisch-renaissancehaften Triumphbogen (über dem Datum 1508 – «M. D. VIII.» – das siegbringende, Feindliches abwehrende Christogramm). Die befreite Königstochter ist blosses Attribut und darf froh sein über des göttlichen Georg Heldentat. Cranachs Kunst (und Ikonographie) tendierte nie auf eine so betont klassische und christlich-imperiale Form, die sich speziell im Augsburg der Fugger mit ihren nach Italien geknüpften Handelsbeziehungen ausbildete (auch H. Holbein d. J. stammte aus Augsburg). Cranach übernahm von Burgkmair und de Negker aber die Technik des ausgereiften, vereinfachten Helldunkel-Tonplattenholzschnittes.

Pendant zum «Hl. Georg» ist Burgkmairs farbiger Tonholzschnitt «Kaiser Maximilian zu Pferd» von 1508, also wahrscheinlich nach der Annahme des Kaisertitels durch Maximilian in Trient am 4. Februar 1508 entstanden (H. Burgkmair, Kat. Augsburg/Stuttgart 1973, Nr. 22; vgl. «Hl. Georg mit den Bildniszügen des Kaisers Maximilian», Relief des Augsburgers Hans Daucher: L. v. Baldass, in: Jb. d. Kunsthist. Sammlungen d. ah. Kaiserhauses, XXXI, 1913/14, Taf. neben S. 318; Renaissance, Kat. Wien 1966, Nr. 250, Abb. 40). Maximilian wollte sich eigentlich vom Papst in Rom krönen lassen: «... gen Rom und da dannen in St. Jorgenbruderschafft an die ungloubigen ziechen» (Frankfurts Reichscorrespondenz, hrsg. v. J. Janssen, II/2, Freiburg i. Br. 1872, S. 740; Maximilians Schreiben 1507 an die Reichsstände: Anna Coreth, Maximilians I. politische Ideen im Spiegel der Kunst, Diss. Wien 1940, Maschinenschrift, S. 139 ff.).

18 Lukas Cranach d. Ä.
Ritter nach rechts reitend in Landschaft
Bez. LC, dat. 1506. Holzschnitt. 17,4 × 11,8 cm.
Karlsruhe, Kupferstichkabinett der Staatlichen Kunsthalle.

Ho. H. 111. – Pass. 169. – Dodgson II, S. 285, Nr. 11. – G. 628. – Weimar 1953, Nr. 266. – Kronach-Coburg 1972, Nr. 82. – Berlin 1973, Nr. 85.

Wohl eine abgekürzte Devise am Arm des Ritters (ähnlich häufig bei Porträts, z. B. bei demjenigen Scheurls von 1509: Nr. 164) deutet darauf, dass eine bestimmte Person dargestellt oder angesprochen ist. Um den Helm, der das Gesicht fast ganz verschwinden lässt (Nase und Kinn leuchten vor einer schwarzen Felspartie), ist ein Brautkranz geschlungen. Hat der Ritter etwas mit des Kurfürsten politisch motivierter Werbung um Maria von Jülich-Berg zu tun (vgl. Zeittafel unter 1508; Koepplin, Fürstenbildnisse, S. 33, Anm. 43)? Herold oder werbender Fürst mit Kommandostab? Eher das erste, im Holzschnitt-Bild vorausschickbar.

Die räumliche Entfaltung und Akzentuierung der Komposition stimmt besser, wenn man den Druck im Spiegel betrachtet, also im Sinn der Vorzeichnung Cranachs auf dem Holzstock. Zum «Reitenden Georg», der kein Datum trägt (Nr. 14), bildet der bräutliche Ritter eine zierliche, vielleicht etwas humoristisch-schmeichelhaft gemeinte Vorstufe (grösster Kontrast: Dürers «Ritter, Tod und Teufel» von 1513 und auch Burgkmairs «Maximilian» und «Georg» von 1508, Nr. 17). Gezeichnete Teilkopie 1973 bei Hauswedell & Nolte, Hamburg (30,2 × 19 cm).

18   Hans Burgkmair, 1508 (Nr. 17)   19   L. Cranach d. Ä., 1506 (Nr. 19)

19   Lukas Cranach d. Ä.
Adliges Paar zur Jagd ausreitend (oder von ihr zurückkehrend) **Abb. 19**
Bez. LC, dat. 1506. Holzschnitt (2. Zustand). 17,2 × 12,3 cm.
Basel, Kupferstichkabinett des Kunstmuseums.

Ho. H. 114. – B. 117. – Dodgson II, S. 284, Nr. 10. – G. 626. – Weimar 1953, Nr. 105.
– Jahn, S. 21. – Bielefeld 1972, Nr. 10. – Kronach-Coburg 1972, Nr. 85.

Das Motiv samt seiner erotischen, nicht allzu wörtlich und ausschliesslich zu nehmen-
den Symbolik, die auf gewissen Abdrucken durch Verse verdeutlicht wurde (Schuchardt
II, S. 280f., Nr. 127; R. Piper, Das Liebespaar in der Kunst, München 1916, S. 55f.:
tage- und nächtelange Jagd nach der Hindin, die schliesslich ins Netz fällt und den
andern Jägern entrissen werden konnte), hat alte mittelalterliche Tradition: Schon
die Manesse-Handschrift (Zürich um 1320) zeigt im Rahmen von höfischem Liebesdienst
das reitende Paar (auf zwei Pferden), die Dame mit dem Jagdfalken auf der Hand.
Vgl. auch den Stich «Zur Jagd ausreitende Gesellschaft» vom Hausbuchmeister (Lehrs
VIII, 1932, Nr. 77; A. Stange, Der Hausbuchmeister, 1958, Nr. 77). Die Deutung der
friedlichen Darstellung Cranachs, die den grossen «Jagd»-Holzschnitt von 1506 begleitet (Nr. 138), wird uns von Cranach (in den frühen Drucken, die noch keine Begleit-
verse tragen) nicht einseitig aufgedrängt – auch nicht in der Art der typologisch ähnlichen Radierung des Monogrammisten C B von 1531, auf der eine Inschrifttafel über der
Szene hängt und verkündet: «Hoffart get vor dem verderben her und stoltzer muot
vor dem fall, Spruch Salomo XVI» (E. Bock, Die deutsche Graphik, München 1922,
Abb. 169; Baldung in seinem frühen Täfelchen, Oettinger/Knappe, Nr. 4, Farbtaf. IX,
stellt «Reiter mit Mädchen und Tod» noch nicht moralisierend dar). Die «Auf geht's»-
Gebärde des Mannes auf dieser Eisenradierung, das auffordernde Heben des Armes,
kennt man von einem Stich ähnlicher Grundform vom Monogrammisten M Z (Lehrs,

VIII, S. 363, Nr. 14; vgl. Dürers Stich «Der kleine Kurier», B. 80), von Zeichnungen Dürers (Winkler, Nr. 16, 54, 164, 217, 253...), Baldungs (Zeichnung 1505 in Basel: Koch, Nr. 13; Oettinger/Knappe, Nr. 27), Schäufeleins, Kulmbachs, Urs Grafs (Major/ Gradmann, Abb. 10; Koegler, Nr. 19), Burgkmairs (Bauernturnier, Münchner Jb. d. bild. Kunst, 1962, Abb. S. 120; Hinweis F.) sowie von mehreren graphischen Werken Cranachs (Nr. 20–22). Für die Jagd-Liebe-Treue-Ikonographie verweist M. Vonder Mühll (vgl. S. 16) ferner auf Israhel van Meckenems Stich G. 382 mit Inschrift.

20   **Lukas Cranach d. Ä.**
Reitender Prinz (Johann Friedrich?) **vor der Veste Coburg**
Bez. LC, dat. 1506. Holzschnitt (2. Zustand). 18,2 × 12,2 cm.
Hamburg, Kupferstichkabinett der Kunsthalle.

Ho. H. 110. – B. 116. – Lindau, S. 44. – G. 627. – Weimar 1953, Nr. 106. – W. Föhl, Die Geschichte der Veste Coburg, Coburg 1954, S. 20. – Jahn, S. 22. – Das Bild der Veste Coburg, Kat. Coburg 1961, Nr. 1. – Bielefeld 1972, Nr. 9. – Berlin 1973, Nr. 84. – Koepplin, Fürstenbildnisse, S. 29 mit Anm. 36f.

Zur Geste s. Bemerkung zu Nr. 19. Das Reittier ist ein kleinrassiges Pferd, der Reiter vermutlich der 6jährige Johann Friedrich (vgl. Nr. 597), nach anderer Vermutung der 8jährige Prinz Johann, Sohn des Herzogs Georg des Bärtigen (Lindau und Föhl). Charakteristisch die formalen Einbindungen: der Kopf in die Silhouette der Burg, der Pferdehals in den waldigen Hintergrund, sogar die erhobene Hand in die Linie des ansteigenden Berges. Friedrich Thöne (brieflich) liest auf der Brustborte des Prinzen die Ligatur AV und vermutet Abkürzung einer Devise (vgl. Nr. 18).

21   **Lukas Cranach d. Ä.**
Landsknecht und Dame   **Abb. 20**
Um 1505. Holzschnitt. Je 24,2 × 8,9 cm (zwei Holzschnitte auf ein Blatt gedruckt).
Wien, Graphische Sammlung Albertina.

Ho. H. 109. – B. 120–121. – Flechsig, Cranachstudien, S. 15. – Dodgson II, S .281†. – G. 629–630. – Weimar 1953, Nr. 264–265. – Jahn, S. 19. – Berlin 1973, Nr. 81.

Mit der frühen Signaturform wie bei Nr. 7, (noch) ohne die kursächsischen Wappen, nach Flechsig darum, und weil von den Wittenberger Holzschnitten «am frischesten und urwüchsigsten», wohl der erste Holzschnitt, den Cranach nach seiner Ankunft in Wittenberg 1505 oder gar noch 1504, vor dem Antritt der Hofmalerstellung, geschaffen hat. Die beiden Figuren stehen in enger Rahmung, die den Vergleich mit Altarflügeln provoziert (vgl. z.B. Abb. 11), auf hintergrundslosen Bodenstücken, die den Figuren gemäss differenziert sind: unter dem Mann rauh und karg, unter der Frau kräuterreich. Die junge Dame präsentiert dem alten Soldaten, der in Begeisterung ausbricht, zwei Blümchen. Angeschlagen sind die Themen des «Ungleichen Liebespaares» (vgl. die späteren Gemälde Cranachs) und der Kontrast-Beziehung zwischen dem Galanten und dem Soldatischen, das Dürer in humanistischem Sinn nobilitiert hat (in der von Celtis gegen 1500 in Wien herausgegebenen «Germania» des Tacitus konnte man Wunderbares über die kriegerischen Qualitäten der deutschen Vorfahren lesen: Dürer-Kat. Nürnberg 1971, Nr. 284; Dürers Holzschnitt «Ritter mit dem Landsknecht [B. 131] und andere Graphiken Dürers, Altdorfers usw. propagieren wohl Ähnliches). Das

20   L. Cranach d. Ä., um 1505 (Nr. 21)

Fräulein ist die Vorform späterer Gemälde Cranachs mit Hoffräulein (FR. 150 und
Nr. 484), auch etwa der Scheurl-Wappenhalterin (Nr. 135). Zur leicht satirischen Note
bemerkt Schade (Cranach-Kat. Bukarest 1973, Nr. 2): «Die lächerliche Rolle des alten
Mannes wird betont durch den prahlerischen Aufputz und das zwischen die Beine
gerutschte [?] Schwert.» Vgl. Hellebardier auf dem Holzschnitt der «Johannes-Ent-
hauptung» (Nr. 416). Die Geste des Mannes (vgl. Bemerkungen zu Nr. 19) könnte –
wie bei Baldungs «Landsknecht»-Zeichnung von 1505 – risikofreudige Befreiung, eine
Art von Gruss an die offene Welt ausdrücken, versinkt aber bei Cranach im Federbusch
des Hutes. Solches «Misslingen», wie es Cranach liebevoll und leicht grotesk zeigt,
wirkt komisch und zugleich – in einer tieferen Schicht – sehr ernst. (Man erlaube mir,
den Weimarer Katalog von 1953 zu zitieren: «Beide Blätter ohne eigentlichen Inhalt,
doch in der Zeichnung sehr wirksam.»)

22   Lukas Cranach d. Ä.
Vornehmer Mann mit Dame spazierend
1505/10. Zeichnung mit Feder in Braun, grau laviert. 18,5 × 13,3 cm.
Stuttgart, Graphische Sammlung der Staatsgalerie (Nr. 4).

R. 19. – Girshausen, S. 26f. u. Nr. 18.

Das Federbarett ist abgestreift und hängt am Rücken. Zur Geste des Mannes, dem
seine Dame artig zuhört, s. Bemerkungen zu Nr. 21 und 19. Kann auch als soziale Abwandlung zu dem ähnlich «Spazierenden Bauernpaar» auf Dürers Kupferstich der
Jahre gegen 1500 (B. 83) betrachtet werden (Dürer-Kat. Nürnberg 1971, Nr. 423).

23   Lukas Cranach d. Ä.
Ritter standbildhaft zu Pferd, «G» auf der Schabracke   **Abb. 21**
Um 1509. Holzschnitt. 24,7 × 16,6 cm (Blattgrösse: 27,4 × 16,6 cm).
Veste Coburg, Kupferstichkabinett der Kunstsammlungen.

Ho. H. 112. – B. 123. – Dodgson II, S. 309, Nr. 87. – G. 624. – Weimar 1953, Nr. 268.
– Kronach-Coburg 1972, Nr. 83.

Der mit hochgeklapptem Visier auftretende Ritter auf diesem mit Schlangenzeichen
signierten, nicht datierten Holzschnitt hält einen Kommandostab in der Rechten, ist
also eher ein Feldherr als ein Turnierritter – obwohl derselbe Ritter gemeint sein kann,
der mit «G» auf der Pferdedecke an betonter Stelle auf Cranachs zweitem «Turnier»-
Holzschnitt von 1509 seinen Gegner besiegt und auch am Schwertkampf-Turnier teil-
nimmt (Nr. 111 u. 112). Vor leicht bewölktem Himmel «an der frischen Luft» wie 1521
«Luther als Junker Jörg» (Nr. 42) und der «Betende Spalatin» (Nr. 343), die Wolken-
bildung aber noch ähnlicher auf dem «Venus»-Holzschnitt (Nr. 555). Die zweimal sechs
Zeilen von «C. M. O.», die auf dem Coburger Blatt darunterstehen, verkünden eine
erst später hinzugedichtete Moral: Wo war der Edelmann, als Adam bereute und Eva
spann?; Adel ist trotzdem gottgewollt und zu achten; aber der Adel möge daran den-
ken «Wie Keiser Maximilian: Ich bin gleich wie ein ander Man, Nur das mir Gott die
Ehre gan» (Schuchardt II, S. 278f., Nr. 125). Von solcher Reflexion ist Cranachs
Ritter-Standbild offenbar ziemlich frei. Der Kopf mit den verschobenen, schlauen
Augen und dem etwas vorstehenden Mund hat Porträtcharakter. Das Pferd, das das
Maul aufsperrt, wird straff gezügelt.

L. Cranach d. Ä., um 1502/03 (Nr. 86)

21 L. Cranach d. Ä., um 1509
    (Nr. 23)

22 L. Cranach d. Ä., Werkstatt, um 1525/27
    (Nr. 24)

24 Lukas Cranach d. Ä., Werkstatt
Reiterbildnis des Ritters Ascanius von Cramm   **Abb. 22**
Um 1525/27. Zeichnung mit Feder in Braun, grau, braun laviert und
(im Gesicht) rot aquarelliert. 26,7 × 20,9 cm.
Nürnberg, Kupferstichkabinett des Germanischen Nationalmuseums (Hz 59).

Fritz Zink, Die deutschen Handzeichnungen, I (Kataloge des German. Nationalmuseums), Nürnberg 1968, S. 148–150, Nr. 118 mit Abb. u. Lit.

Reiterbildnisse Cranachs sollen nach Schade (Cranach-Kat. Bukarest 1973, Nr. 7)
literarisch überliefert sein. Zum Porträtierten s. Zeittafel beim Jahr 1526 (Bauernkrieg,
Luther). Die Zeichnung hat Korrekturen (Abdeckungen mit Weiss), die nur sinnvoll
waren, wenn an eine Umsetzung – vielleicht in ein Gemälde – gedacht wurde. Der
Hauptmann trägt attributhaft einen Streithammer in der Rechten (wenn es sich um einen
Entwurf zu einem Holzschnitt handeln würde, hätte der Hammer in die Linke kommen
müssen), ist aber nicht als Kämpfer gezeigt: Pfauenfederhut. Auf der Pferdedecke
sprühen Funken. Vgl. dagegen den unfeierlichen, aggressiv-nüchternen Ritter mit
Streithammer, den Urs Graf gegen 1519 im kompromisslosen Profil «all'italiana»
gezeichnet hat (Basel U. X. 112; Koegler, Nr. 87). Cranachs Hauptmann wendet seinen
Kopf dem Betrachter zu. Vgl. Prinzenbildnis in Rüstung, Dreiviertelfigur, FR. 121:
Nr. 606. Zum Typus des Reitermonumentes vgl. Nr. 14 und 31 a; zu Leonardo in Mailand 1506/12: L. H. Heydenreich, in: Fs. Th. Müller, München 1965, Nr. 179 ff.

Wenn man es genau analysiert, so war eigentlich alles, was Cranach malte, zeichnete und für den Holzschnitt entwarf, auf die Individualität der Auftraggeber oder Adressaten mehr oder minder augenscheinlich bezogen. Selbst die «Karte des Heiligen Landes» (Nr. 10) ist ein geheimes Stück Porträt des auftraggebenden Kurfürsten Friedrich von Sachsen. Nur selten arbeitete Cranach (und darin unterscheidet er sich von Dürer oder z.B. von dem spezialisierten Zeichner Urs Graf[52]) auf Vorrat oder gar «ziellos» aus eigenem Antrieb. Seine Tafelbilder pflegte der Kurfürst Friedrich zuweilen als Geschenke zu verwenden und musste sie in Bereitschaft haben. So schreibt Friedrich am 28. Mai 1519 aus Weimar nach Frankreich, er sei sehr erfreut, dass die durchlauchte Frau Königin von Frankreich und die Königinmutter «so gut Gefallen ob unserem Vornehmen ihnen etliche Täfelein von unserm Maler gemalt zu schicken, entfahen haben, und wenn sie zu uns kommen, wellen wir sie auch übersenden...[?] auch ihrer Lieben zuhanden zustellen. Dass auch die Frau Königin und Kgl. Maj. Mutter sich so freundlich erbieten, uns dagegen etliche Stück hochwürdiges Heiltum, zuvor [?] dess wir bisher nicht gehabt, zuschicken, ist uns so fast annehm, dass uns annehmlicheres und lieberes nicht möcht begegnen...[53].»

Cranachs Kunst ist hier Mittel zur Diplomatie und Tauschgegenstand gegen fromme Reliquien (vgl. Nr. 95). Friedrich der Weise war vor Luthers Auftreten ein noch leidenschaftlicherer Reliquiensammler als der Kardinal Albrecht von Brandenburg, der Erzfeind Luthers (vgl. Nr. 34). Bei den Reliquien spielte nicht nur der Inhalt eine Rolle und nicht nur das zu gewinnende Ablassgeld, sondern mindestens so sehr die kunstvolle Fassung durch ein Goldschmiedewerk, das durch das Edelmetall quasi Geldreserve war und zugleich künstlerische Ambitionen erfüllte. Es verschmelzen ineinander der fromme Gehalt, der Geldwert als Metall und die künstlerische Form in Objekten, die gesammelt wurden, wobei man in diesem Sammeleifer eine Vorform des Kunstsammelns moderner Prägung erblicken kann. Auch viele Bilder Cranachs, vor allem die früheren, besassen nicht bloss ein schönes Aussehen, sondern auch frommen Inhalt, ja man begann solche Stücke sogar allmählich als Wertgegenstände einzusetzen, sonst hätte Kurfürst Friedrich nicht Reliquien gegen Bilder Cranachs eintauschen können.

Aus eigenem Antrieb hat Cranach um 1512 ein mittelgrosses Altarbild mit der «Hl. Sippe» gemalt (Abb. 23). Freilich ist auch dies keineswegs bloss ein artistisches Stück ohne weitere Funktion. Die Tafel gehörte auf einen Altar und war eine fromme Stiftung durch den Maler Cranach. Sein Selbstbildnis am linken Rand ist zugleich Stifterbildnis, wie es solche im Prinzip schon durch das ganze Mittelalter hindurch gegeben hat. Das Wappen oben rechts soll reden: die ineinandergelegten Hände spielen auf die Eheschliessung Cranachs an, die damals stattgefunden haben muss[54]. Cranachs Frau war nicht mehr ganz jung und dürfte in der sitzenden Figur rechts von der Mitte, in der Maria Salome, zu erblicken sein. Sie trägt eine Haube, wie sie verheirateten Frauen zusteht. Ihre Amme links säugt ein Kind und heisst hier (gemäss «Legenda aurea») Maria Kleophas[55]. Nach dieser Deutung wäre rechts neben ihr Zebedäus, der Gatte der Maria Salome alias Barbara Cranach-Brengbier, in Wirklichkeit (oder Unwirklichkeit) Cranachs Schwiegervater, ein Patrizier aus Gotha. Cranach selber als Alphaeus würde die

23   L. Cranach d. Ä., um 1512 (Anm. 90)

Rolle des Gatten der «falschen Frau» versehen. Seine eigene Frau Barbara wollte er wohl nicht säugend blossstellen. Das ideelle Zentrum des Bildes, die Gruppe «Anna selbdritt», besetzt zwar räumlich die Mitte des Bildes, erscheint aber gegenüber den Porträtfiguren in den Hintergrund geschoben. Auf der Brüstung oben drängen sich Joachim und die späteren Gatten der hl. Anna zusammen, während sich der hl. Joseph zur Ruhe gesetzt hat, weil ihm im Traum der Engel erscheinen sollte, der ihn zur Flucht nach Ägypten aufforderte (dieser Vorgang sollte nach traditioneller Ikonographie angedeutet werden). Unten am Bildrand hat Cranach gross seine Signatur hingesetzt: die drachengeflügelte Schlange. Sie ist sein Wappen und Siegelbild, das ihm der Kurfürst Friedrich 1508 verlieh, was übrigens keine Erhöhung in den Adelsstand bedeutete, aber doch Cranach (nach moderner Terminologie) «unterschriftsberechtigt» machte[56] und im Zusammenhang mit einer in jenem Jahr bevorstehenden diplomatischen Mission Cranachs in die Niederlande zu Kaiser Maximilian stand[57]. Eine «Hl. Sippe» mit Bildnissen hatte Cranach kurz nach der Rückkehr aus den Niederlanden 1509 auf einem grossen Triptychon bereits dargestellt, hier mit den Porträts des Kurfürsten Friedrich und seines mitregierenden Bruders, des Herzogs Johann des Beständigen von Sachsen (Abb. 24)[58]. Diesen Altar signierte Cranach, wie 1508 schon Dürer auf der «Marter der 10000 Christen»[59] und wie 1498 Adriano da Fiorentino auf der Büste Friedrichs des Weisen (Nr. 27), in der vom Humanisten Christoph Scheurl (vgl. Nr. 164) empfohlenen lateinischen Vergangenheitsform, im Imperfekt, mit dem merkwürdig latinisierten Namen Chronus: «Lucas Chronus faciebat anno 1509»[60]. Möglicherweise soll damit an den griechischen Gott der Zeit, Chronos, an die Vergänglichkeit und an den gefährlichen, aber gerade deshalb von den Humanisten ideell verehrten Kronos-Saturn erinnert werden. Cranachs Wappenzeichen und Signet seit 1508, die Schlange mit den Fledermausflügeln, erklärt sich vielleicht aus diesem Gedankenkreis[61]. Der Planet Saturn verursacht Melancholie, wie sie Dürer in seinem berühmten Kupferstich von 1514 dargestellt hat (Nr. 173)[62].

Als Assistenzfigur und nicht etwa in besonders vorteilhaften Rollen, sondern z. B. als Hellebardenträger innerhalb einer «Enthauptung Johannes des Täufers» 1515[63] hat sich Cranach noch einige weitere Male, und nun wohl nicht mehr als Stifter, sondern höchstens als Bekenner in bezug zum Inhalt der Bilder selbst porträtiert. Dem Thema «Lucas Cranachs Selbstbildnisse und die Cranach-Bildnisse» ist Walther Scheidig 1953 nachgegangen[64]. Das 1550 datierte Bildnis Cranachs in den Uffizien in Florenz sowie das Cranach-Bildnis auf dem grossen Altar in der Weimarer Stadtkirche, 1555 datiert, galten lange als Selbstbildnisse, bis sie als Werke von Lukas Cranach d. J. erkannt wurden[65]. Vor kurzem entdeckte Werner Schade ein echtes Selbstbildnis Cranachs auf Schloss Stolzenfels bei Koblenz (Nr. 25). Die schräge Kopfhaltung und das Alter des Gesichtes stimmen ziemlich genau mit Cranachs Assistenz-Selbstbildnis am Rand der grossen, 1531 datierten Szene mit «Judith an der Tafel des Holofernes» in Gotha überein (Nr. 478). Das ist nicht nur ein Anhaltspunkt für die Datierung, sondern macht auch wahrscheinlich, dass die schlechterhaltene Tafel in Schloss Stolzenfels ein Fragment einer grösseren Komposition ist, und nicht, wie Schade meint, «ein [autonomes] grosses Brustbild ohne Hände mit eigenwilliger Wendung des

24   L. Cranach d. Ä., 1509 (Anm. 90)

Gesichts[66]». Freilich besteht die Schwierigkeit sich vorzustellen, von welchem Typus und von welchen Ausmassen die Komposition gewesen ist, aus der das Selbstbildnis ausgeschnitten wurde. Man könnte an ein querformatiges Halbfiguren-Gruppenbild venezianischer Art denken, z.B. an eine Komposition «Christus und die Ehebrecherin», wie sie Cranach öfter formuliert hat[67].

Werner Schade: «Die Zeichnung Dürers [Abb. 26] und auch das Gemälde des jüngeren Cranach [1550, Uffizien] heben die tätige Seite des Künstlers hervor, seine Energie, die Geradlinigkeit des Wesens. Die Selbstbildnisse [wie dasjenige auf Schloss Stolzenfels] zeigen dagegen einen stillen Cranach, weich gestimmt, von düsterer Ahnung umgeben: betonen die melancholischen Züge, die nach humanistischer Auffassung Bestandteil der Künstlerpersönlichkeit sind[68].» Das von Schade erwähnte, von Dürer mit dem Silberstift gezeichnete, 1524 datierte Porträt Cranachs (Abb. 26) zeigt uns vertraute Gesichtszüge, aber eine geistig ganz anders fundierte Gestalt.

Dürer kannte Cranach sicher seit langem, mindestens wohl seit 1505 oder 1508[69]. Aber jetzt, 1524, musste ihm Cranach vor allem als Freund Luthers und Friedrichs des Weisen erscheinen. Kurfürst Friedrich als Haupt der deutschen Fürsten verhandelte damals am Nürnberger Reichstag mit dem päpstlichen Legaten Campegio erfolglos, bis Kaiser Karl V. den Reichstag nach Esslingen verlegte. Alle Beteiligten und nicht zuletzt Friedrich der Weise glaubten bei der Einberufung des Reichstages nach Nürnberg 1522 und in der folgenden Zeit noch an eine Beilegung des durch Luther in Wittenberg entfachten Glaubensstreites. 1524 verschärften sich die Gegensätze und bildeten die Parteien härtere Fronten[70]. Dürer hat 1524 auch den Kurfürsten Friedrich von Sachsen mit dem Silberstift gezeichnet[71] und diese Studie dem 1524 datierten Porträtstich zugrunde gelegt (Nr. 26). Unter

25   L. Cranach d. Ä., um 1530 (Nr. 25)   26   Dürer, 1524 (Anm. 90)

die Büste des sächsischen Kurfürsten brachte er nach dem Typus antik-römischer Porträtbüsten eine Inschrifttafel an mit dem Wortlaut (hier aus dem Lateinischen übersetzt): «Christus geweiht, er liebte das Wort Gottes in grosser Frömmigkeit, würdig, verehrt zu werden in alle Zukunft. Dem Herrn Friedrich, Herzog von Sachsen, des Heiligen Römischen Reiches Erzmarschall, schuf es Albrecht Dürer aus Nürnberg. Dem Hochverdienten schuf er es als Lebender dem Lebenden 1524[72].» Pathetischer und deutlicher auf Luther bezogen geht es nicht, und man spürt dahinter nicht nur die Ansichten des Kurfürsten, sondern auch den Mitteilungsdrang Dürers.

25   Lukas Cranach d. Ä.
Selbstbildnis   Abb. 25
Um 1530. Auf Rotbuchenholz. 45,2 × 36,0 cm.
Schloss Stolzenfels bei Koblenz (verwaltet vom Landesamt für Denkmalpflege Rheinland-Pfalz, Staatliche Schlösser, Mainz).

Werner Schade: Das unbekannte Selbstbildnis Cranachs, in: Dezennium 2, Zwanzig Jahre VEB Verlag der Kunst, Dresden 1972, S. 368–375, mit Farbtafel.

Schade, dem die Bestimmung des sehr schlecht erhaltenen Bildes nach einer Photographie gelang, behandelt es als ein autonomes Selbstbildnis, was zweifelhaft ist (vgl. W. Scheidig, in: Cranachs-Fs. 1953, S. 128 ff.). Schwarzer Grund (über Braun?, Blasen durch Hitzeeinwirkung?). Dunkelbraunes Pelzgewand (übermalt?). Braune Haare, grauer Bart, braune Augen. Vgl. Nr. 478.

Wenn man die Genealogie des von Dürer vorgetragenen Bildnistypus mit den sockelförmigen Inschrifttafeln zurückverfolgt, so begegnet man einer bunten Gesellschaft, die sich gerade damals zur heftigsten Feindschaft formierte. Am Anfang steht nicht von ungefähr ein vollplastisches Werk, eine Bronzebüste eines Florentiner Renaissancekünstlers: die 1498 datierte Büste des «Kurfürsten Friedrich des Weisen» von Adriano Fiorentino (Nr. 27). Dieser Schüler des bekannteren Florentiners Bertoldo stand kurz vor seinem 1499 eingetretenen Tod wohl indirekt im Dienst Friedrichs des Weisen als Bildhauer und Giesser und (in spe – es kam jedenfalls erst später durch Cranach und die Nürnberger Medailleure zu Resultaten: Nr. 30 f.) als Medailleur. Im «deutschen Medium» der Druckgraphik [73] folgte typologisch das von Hans Burgkmair 1507 gezeichnete und in Holz geschnittene «Sterbebild des Konrad Celtis», also ein Bildnis des von Peutinger und Kaiser Maximilian wie auch besonders von Friedrich dem Weisen gestützten Humanisten [74]. Reiner wird die Büste über der Inschrifttafel von Dürer 1519 formuliert in dem gestochenen Bildnis des «Kardinals Albrecht von Brandenburg», Erzbischofs von Mainz (Nr. 33). Dürers Porträtstich des «Kardinals Albrecht» hat Cranach, der auch sonst für diesen Gegenspieler des sächsischen Kurfürsten zahlreiche Arbeiten ausführte (vgl. Nr. 288), 1520 in einem Kupferstich wohl nach neuer Porträtaufnahme wiederholt (Nr. 34). Aus demselben Jahr 1520 stammt dann, wieder in dieser Disposition, das in Kupfer gestochene, von Cranach mit dem Schlangenzeichen signierte Porträt «Martin Luthers als Augustinermönch» (Nr. 35, 36, 38, 43).

Luther erhebt zuversichtlich und in unaufdringlicher Andacht leicht die Augen [75]. Die gleiche Andeutung eines halb demütigen, halb erleuchteten Himmelswärts-Blickes stellt auch ein gemaltes «Luther»-Porträt Cranachs (Nr. 43) in die lange Tradition von Devotionsbildern [76]. Bezeichnenderweise ist von dem schlichten, uns heute besonders beeindruckenden «Luther»-Stich (Nr. 35) keine Auflage gedruckt worden [77]. Kurfürst Friedrich oder sein Ratgeber Georg Spalatin (vgl. Nr. 343) wünschten von Cranach offenbar ein zugleich repräsentativeres oder ikonographisch klarer sprechendes Bildnis des Mannes, der dem Papst Leo X. (1517–1521) und dem Kardinal Albrecht von Brandenburg das Geschäft verdarb; Albrecht hatte 1515 vom Papst auf acht Jahre die Einkünfte aus einem Plenarablass zugesprochen erhalten [78]. Lukas Cranach selber – und nicht etwa ein Werkstattgenosse, denn die Sensibilität des Strichgefüges ist nicht geringer – musste das Bildnis Luthers 1520 noch einmal stechen, nun (auch antikisch) in eine Nische gestellt, die Bibel in der Hand und predigend (Nr. 36). Diese inhaltlich geschärfte Fassung fand sofortige Verbreitung und wurde oft kopiert. Zur Illustration von gedruckten Luther-Schriften zeichnete Hans Baldung 1520 [79] und 1521 zwei Kopien nach Cranachs Luther-Stich mit der Nische, das zweite Mal provokativ erweitert durch die Taube des Heiligen Geistes über dem Kopf Luthers und durch die Ersetzung der Nische durch einen mächtigen Glorienschein (Nr. 37) [80]. Die von Cranach und Baldung publizierten Porträts haben im wörtlichsten Wortsinn gezündet. Selbstverständlich durfte Cranach einen solchen Druck nicht eigenmächtig in die Welt setzen, sondern nur mit einer Erlaubnis des Kurfürsten und seiner Ratgeber, die praktisch Befehl war. Der kursächsische Rat Spalatin hatte

27   Dürer, 1524 (Nr. 26)   28   Adriano Fiorentino, 1498 (Nr. 27)

offenbar die Verse unter dem Bildnis von Luther verfasst. 1521 folgte von Cranach das streng ins Profil gesetzte Kupferstichbildnis «Luthers» (Nr. 38) und 1522 der in Holz geschnittene, vor den Himmel gesetzte «Luther als Junker Jörg» (Nr. 42), der 1521/22 in dieser Verkleidung von Friedrich dem Weisen auf der Wartburg verborgen wurde; im September 1522 erschien das von Luther auf der Wartburg übersetzte «Newe Testament Deutzsch» mit Cranachs Holzschnitten (Nr. 221), und Cranachs Holzschnitt von 1522 sollte nicht zuletzt den Autor der «Septemberbibel» in seiner durch den päpstlichen Bann erzwungenen und von Kurfürst Friedrich gelinderten grotesken Situation vor Augen stellen[81].

Es ist keine Ironie, sondern drückt eine ungebrochene Hochschätzung der Menschenwürde und eine nicht in Frage gestellte Untertänigkeit aus, wenn Albrecht Dürer 1523 auch den «Kardinal Albrecht von Brandenburg» in der Profilstellung, die von antiken Münzen her typologisch überliefert und in der italienischen Renaissance reaktiviert worden war (vgl. Nr. 41), porträtiert und in die Kupferplatte gestochen hat (Nr. 40). Und diesem etwas eitlen Albrecht-Bildnis schlossen sich Dürers Porträtstiche des «Kurfürsten Friedrich» von 1524 (Nr. 26) und des humanistisch orientierten Reformators und Lutherfreundes «Philipp Melanchthon» von 1526 (Nr. 48) an. Dürers Kupferstich-Bildnis des «Schreibenden Erasmus von Rotterdam» (Nr. 44) ist ebenfalls 1526 datiert und lehnt sich an die Form eines von Massys gemalten Bildnisses und an Dürers Stich des «Hl. Hieronymus in der Studierstube» (Nr. 46) an[82]. Die Inschrifttafel auf Dürers Bildnis des Erasmus, den später auch Cranach (nach Holbeins Modell) gemalt hat (Nr. 174), ist seitlich vom Porträtkopf angebracht und trägt unter den lateinischen zwei griechische Zeilen. Sie besagen: «Besser zeigen ihn seine Bücher[83].» An Cranachs «Luther» zurückdenkend könnte man sagen: Sehr schön und deutlich zeigen Luther seine Augen (deren Vergleich übrigens mit den Augen des 1502 durch Cranach gemalten Humanisten Cuspinian [Abb. 55] nicht uninteressant ist[84]).

Die fundierte Freundschaft zwischen Luther und Cranach ist oft hervorgehoben und nachgewiesen worden; wir wollen sie hier nur als eine bedeutende historische Tatsache festhalten[85]. Wenn Cranach auf Anweisung Luthers gewisse religiöse Themen neu dargestellt hat (vgl. Nr. 353 u.a.)[86], so war dies mehr die Konsequenz aus seiner Hofmaler-Stellung als aus seiner eigentlich tiefergehenden privaten Verbindung mit Luther (vgl. Nr. 612). Diese scheint schwächer gewesen zu sein zwischen Cranach und Melanchthon, den Lukas Cranach d.Ä. und sein Sohn Lukas d.J. öfter porträtiert haben (Nr. 170, 639f., 647f.).

Aus einer Schrift Melanchthons, die 1531 gedruckt wurde, zitiert man gern ein vergleichendes Urteil über Dürer, Cranach und Grünewald. Auch wir wollen es hierher setzen, weil es in einfachster Formulierung etwas Richtiges über die drei bedeutendsten Maler des damaligen Deutschland aussagt, zudem über drei Maler, die alle für die sächsischen Kurfürsten und ihre dynastisch verwandten Gegenspieler gearbeitet haben.

Melanchthon wollte in einer Schrift über literarische Ausdrucksweise drei Formen auseinanderhalten: Auch in der Malerei könne man, wie in der Literatur, zwei gegensätzliche «genera dicendi» und eine mittlere unterscheiden. «Dürer beispielsweise malte alles erhaben und bedeutend, differenziert durch reiche Linienführung. Cranachs Bilder dagegen sind schlicht, und obwohl sie einen einschmeichelnden Charakter haben, so offenbart der Vergleich mit Dürers Wer-

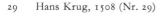

29   Hans Krug, 1508 (Nr. 29)   30   Hans Kraft d. Ä., 1513 (Nr. 31)

31   Kopie nach L. Cranach d. Ä., 1507 (Nr. 32)

ken dennoch den grossen Abstand. Grünewald steht irgendwie in der Mitte[87].» Interessant an Melanchthons Exemplifizierung ist vor allem das Wörtchen «tamen»: «dennoch» gibt es einen grossen Abstand zwischen Dürers und Cranachs Bildern, nämlich ein Gefälle der Bedeutung und Qualität. Wie Melanchthon ist es den späteren Beurteilern Cranachs immer wieder ergangen. Sie fanden Cranachs Gemälde so reizend und liessen sich von ihnen, besonders von den Darstellungen der «Venus» und ähnlichen Dingen, so gern einnehmen, dass viele unter ihnen sich zur Entschuldigung veranlasst fühlten: Wir wissen ja, dass der heroische Dürer unendlich viel höher gestellt werden muss. Das ging so von Celtis und Friedrich dem Weisen bis zu Max J. Friedländer, der 1932 zusammen mit Jakob Rosenberg den massgeblichen Gesamtkatalog der Gemälde Cranachs publiziert hat und doch noch 1902 sich zu der vernichtenden Bemerkung verpflichtet fühlte: «Alle charakteristischen Gemälde Cranachs sind Arbeiten der schlimmsten Manier, Abgüsse gleichsam aus abgenutzten Formen, kaltherzig und selbst sinnwidrig zusammengestellte Fabrikate[88].»

Dürer selber wusste es wohl besser. Er porträtierte Cranach als Freund Luthers mit klarsichtiger Schärfe und offenbar mit Sympathie für die ernsthaften und leicht verträumten Augen des sächsischen Hofmalers. Der Humanist Johann Stigel überlieferte in einer 1538 gedruckten Schrift zum Gedächtnis des frühverstorbenen älteren Sohnes Cranachs, Hans Cranachs, ein Urteil von Dürer über Cranach: Dürer hatte Cranach über alle zeitgenössischen Maler wegen seiner Anmut (venustas), Leichtigkeit und Gefälligkeit (facilitas) gerühmt[89]. In solcher Qualität liegt zweifellos die Lebendigkeit der Kunst Cranachs bis in unsere Tage begründet.

26 Albrecht Dürer (1471–1528)
Kurfürst Friedrich der Weise von Sachsen   Abb. 27
1524. Kupferstich. 19,2 × 12,7 cm.
Basel, Kupferstichkabinett des Kunstmuseums.

B. 104. – Meder 102. – Panofsky 211. – Erasmus-Kat. Rotterdam 1969, Nr. 305. – Dürer-Kat. Nürnberg 1971, Nr. 547. – Deutsche Kunst der Dürer-Zeit, Kat. Dresden 1971/72, Nr. 361.

Dürer hat Kurfürst Friedrich (1463–1525) schon 1496 in Nürnberg porträtiert, in Tempera auf Leinwand (Anzelewsky, Dürer, S. 125 ff., Nr. 19; Buchner, Bildnis, S. 148 f., Nr. 169, vgl. auch Nr. 145: Jugendbildnis des Kurfürsten Friedrich von Hans Traut, und Nr. 191: um 1490 entstandenes Bildnis des Herzogs Johann, des Bruders Friedrichs). 1524 stand Friedrich der Weise in Gefahr, dass der Papst den Bann gegen ihn aussprechen könnte (Kirn, S. 148 u. 158). Schon 1520 befürchtete Kurfürst Friedrich den päpstlichen Bann. In diesem Jahr liess Friedrich ein Büchlein Luthers an Dürer schicken (Kirn, S. 139: Dankbrief Dürers an Spalatin, den Ratgeber des Kurfürsten Friedrich, Dürer würde gern Luthers Bildnis stechen...; Nr. 660).

Eine Dürer-Zeichnung mit Kurfürst Friedrich im Schutz des hl. Bartholomäus in Ottawa: Dürer in America, Kat. Washington 1971, Nr. XXII (darauf könnte bezogen werden, was C. Dodgson berichtet in: Repert. f. Kunstwiss., XXVI, 1903, S. 234).

27 Adriano Fiorentino (1440/50–1499)
Büste des Kurfürsten Friedrich von Sachsen   Abb. 28
1498. Messinggelbe Bronze. 62,7 cm hoch, 50 cm breit.
Dresden, Skulpturensammlung der Staatlichen Kunstsammlungen.

C. v. Fabriczy, Adriano Fiorentino, in: Jb. d. kgl. preuss. Kunstsammlungen, XXIV, 1903, S. 83–88. – Bruck, S. 99–101. – W. v. Bode, Bertoldo und Lorenzo Medici, Freiburg i. Br. 1925, S. 88–90 u. Abb. S. 129. – P. Grotemeyer, in: Münchner Jb. d. bild. Kunst, 1970, S. 147 mit Anm. 31.

Stammt aus Schloss Hartenfels über Torgau und hatte wohl hier seinen ersten Platz (kurfürstliche Residenz, die auch von Cranach ausgestattet wurde: s. Zeittafel unter den Jahren 1513, 1526/27, 1534/36, 1545). Es ist wenig wahrscheinlich, dass Adriano, der als Schüler des Donatello-Schülers und Vorstehers der Mediceischen Sammlungen Bertoldo an verschiedenen italienischen Höfen tätig war und 1499 in Florenz starb, die Büste in Sachsen modelliert und gegossen hat. 1497/98 weilte Kurfürst Friedrich meist in der Umgebung des Königs Maximilian, im Januar 1497 in Innsbruck, 1498 in Freiburg usw. (H. Ulmann, Kaiser Maximilian I., Bd. I, Stuttgart 1884, S. 512, 574, 577, 587, 593–620, 825 ff.; vgl. Nr. 41). Im Zusammenhang mit der Büste und etwa zur gleichen Zeit schuf Adriano eine Gussmedaille des kursächsischen Kämmerers Degenhart Pfeffinger, der Kurfürst Friedrich 1493 ins Heilige Land begleitete und für den Cranach um 1515 eine «Anbetung der Könige» malte (Nr. 374, vgl. Nr. 129); Pfeffinger, der 1519 starb, wurde von Cranach auch auf dem «Katharinen-Altar» von 1506 (Abb. 12) porträtiert. Adrianos Pfeffinger-Medaille gab 1507 die Anregung zu den Gussmedaillen des Kurfürsten Friedrich, zu denen Cranach die Steinmodelle geschnitten hat (Nr. 31). Italienische Renaissance-Plakette von Cranach 1507 für einen Holzschnitt verwendet: Nr. 518. Plaketten, Medaillen, auch grössere Bronzeplastiken wurden gern von Fürst zu Fürst als Geschenke ausgetauscht, so schon zwischen Lorenzo il Magnifico und dem (1490 gestorbenen) König Matthias Corvinus von Ungarn (Bode, S. 33).

28 Hans Krug (gest. 1519)
Münze mit dem Bildnis des Kurfürsten Friedrich von Sachsen (mit offenem Haar)
1507/08. Silber (im Wert eines Schreckenbergers). Durchmesser 2,75 cm.
Basel, Privatbesitz.

P. Grotemeyer, Die Statthaltermedaillen des Kurfürsten Friedrich des Weisen von Sachsen, in: Münchner Jb. d. bild. Kunst, 1970, S. 143–166, bes. S. 145–147 u. Anm. 29, Taf. I Nr. 7 (dort die umfangreiche ältere Lit.).

Die Inschrift besagt, dass Kurfürst Friedrich Reichsgeneralstatthalter (Erzmarschall) war, also Stellvertreter des Königs Maximilian in Reichsgeschäften. Schon ab 1495 war Friedrich im Hofrat Maximilians dessen Statthalter, 1498 gab es Schwierigkeiten, 1507 erfolgte am Konstanzer Reichstag die Ernennung Friedrichs zum Reichsstatthalter auf die Bitte des Reichstages hin (H. Ulmann, Kaiser Maximilian I., Bd. I, Stuttgart 1884, S. 823 ff.; II, 1891, S. 314). Seit 1500 war Friedrich Vertreter des in Nürnberg residierenden Reichsregiments (L. Grote, Die Tucher, München 1961, S. 78). Hans Krug war 1494–1509 Münzmeister und Stempelschneider der Reichsstadt Nürnberg, daneben Goldschmied und Vater des als Goldschmied besonders erfolgreichen, mit A. Dürer – dem Goldschmiedsohn – zusammenarbeitenden Ludwig Krug (Kohlhaussen, zit.

bei Nr. 31). Der Entwurf zum Münzbild dürfte von Cranach stammen (vgl. Nr. 31). 1507 ging der Münze Friedrichs von Sachsen eine münzenartige Bronzemedaille mit dem Selbstbildnis-Profilkopf des Nürnberger Rottgiessers Hermann Vischer d. J. voraus (R. Zeitler, Frühe deutsche Medaillen, in: Figura, I, Stockholm 1951, S. 77ff.; P. Grotemeyer, «Da ich het die gestalt», Deutsche Bildnismedaillen des 16. Jahrhunderts, München 1957, Abb. 7–8; über die Tätigkeit der Vischer-Werkstatt für Friedrich von Sachsen s. Bruck, S. 84ff.). Vgl. auch H. Burgkmair-Kat., Augsburg/Stuttgart 1973, Nr. 18: Holzschnitt-Bildnismedaillon des Konrad Celtis von 1507. «Von Malern gebührt neben Dürer und Burgkmayr vor allem [zeitlich zuerst] Lukas Cranach ein Platz in der Geschichte der deutschen Medaille» (G. Habich, in: Pantheon, IV/2, 1929, S. 312). Die Maler haben den Medailleuren die Entwürfe zu den historisch wichtigsten Medaillen gegeben: von Pisano (um 1440; B. Degenhart, in: Pantheon, XXX, 1972, S. 193ff.) bis zu Quentin Massys (1519 Entwurf zu Erasmus-Medaillen) und weiter. Die fürstlichen und humanistischen Auftraggeber massen dieser antikischen Renaissance-Kunstgattung höchste Bedeutung zu.

29 **Hans Krug** (gest. 1519)
Münze mit dem Bildnis des Kurfürsten Friedrich von Sachsen (mit eingehaubtem Haar) **Abb. 29**
1508. Silber. Durchmesser 2,95 cm.
Basel, Privatbesitz.

Grotemeyer (zit. bei Nr. 28), S. 145–147 u. Anm. 30 (b), Taf. I Nr. 5.

Diese Münze wurde nicht nur als silbernes Kursgeld (wie Nr. 28), sondern auch zu Geschenkzwecken in Gold geprägt. Vorbild wohl auch hier von Cranach, wenigstens für den Kopf, vielleicht auch für die dekorative Bereicherung (Geschlinge über dem Kopf vgl. Nimbus bei Nr. 49). 1507 änderte Friedrich die Haartracht (vgl. FR. 18; Abb. 24, linker Flügel).

30 **Hans Kraft d. Ä.** (gest. 1542/43)
Prägemedaille des Kurfürsten Friedrich von Sachsen
1513. Silber. Durchmesser 4,4 cm.
Basel, Historisches Museum (aus dem Nachlass des Erasmus).

Grotemeyer (zit. bei Nr. 28), S. 148 (Gruppe II), 156f. u. 161 Nr. 7, Taf. II Nr. 2.

1509–1512 war Hans Kraft d. Ä. Münzmeister und Stempelschneider der Reichsstadt Nürnberg, daneben Goldschmied. Das Flachgepräge lag im August 1513 vor und ging der erhaben-plastischen Prägemedaille (Nr. 31) voraus, wohl als Notlösung. Am 6. Juli 1520 schrieb Erasmus an Spalatin, Kurfürst Friedrich habe ihm eine goldene und eine silberne Medaille von sich geschickt, wofür Erasmus ihm die seinige in Bronze sende (Allen IV, 119; Grotemeyer, S. 157 mit Anm. 77; dazu wäre ergänzend zu bemerken, dass im Historischen Museum in Basel aus dem Amerbachkabinett, in das der Nachlass des Erasmus eingegangen war, noch die Grotemeyer-Nummern 9, 13 und 15 vorhanden sind).

31   Hans Kraft d. Ä. (gest. 1542/43)
Prägemedaille des Kurfürsten Friedrich von Sachsen   Abb. 30
1513. Silber. Durchmesser 5 cm.
Nürnberg, Germanisches Nationalmuseum (Med. 461).

Grotemeyer (zit. bei Nr. 28), S. 153 f. u. 161 Nr. 10, Taf. III Nr. 1. – H. Kohlhaussen,
Nürnberger Goldschmiedekunst des Mittelalters und der Dürerzeit, 1240 bis 1540,
Berlin 1968, S. 430 f. u. 434, Nr. 448, Abb. 635. – Dürer-Kat. Nürnberg 1971, Nr. 268/1.

Diese geprägte (nicht gegossene) Medaille zeichnet sich durch besondere Tiefe des
Fonds gegenüber dem Rand (mit erhabenen Wappen) und der plastischen Bildnisbüste
aus. Cranach hat schon 1508 ein Steinrelief geschnitten und nach Nürnberg zur Ver-
wertung geschickt: danach wurden zunächst Gussmedaillen von Hans Krug hergestellt
(Grotemeyer, Taf. I), Prägung war technisch nicht möglich. Den Wunsch nach plastischen Medaillen (also nicht blossen Münzen wie Nr. 28, 29) weckte wohl das Vorbild
der um 1498 entstandenen gegossenen Pfeffinger-Medaille von Adriano Fiorentino
(s. Nr. 27), den Anlass gab die Ernennung Friedrichs zum Reichsstatthalter (s. Nr. 28).
Erst 1512/13 gelangen nach vielen vergeblichen Versuchen plastische Medaillen Friedrichs, die nun nicht mehr gegossen, sondern geprägt wurden. Zunächst hatte sich
Friedrich 1512, nach den unbefriedigenden Erfahrungen in Nürnberg, nach Innsbruck
an Ulrich Ursenthaler, den Stempelschneider des Kaisers Maximilian, gewandt. Ursenthaler lieferte auch wirklich eine Prägemedaille nach dem Cranach-Typus (Nr. 31 a).
Diese Medaille bildete das Vorbild für die Medaille Krafts von 1513, die im Relief noch
tiefer ist als jene Ursenthalers und einen neuen Steinschnitt Cranachs zum Modell hatte.
Im Dezember 1513 wurden 74 Stücke geprägt, bis das Prägeeisen wegen der zu grossen
Relieftiefe zerbrach, die Cranachs Modell diktierte. Ein neues Eisen mit leicht flacherem
Relief wurde 1514 hergestellt und zur weiteren Prägung verwendet (1518/19 danach
Neuprägungen). 1522 folgten Medaillen nach neuem Modell – Friedrich von Sachsen
(Kirn, S. 18) und Pfeffinger waren eifrige Sammler antiker Münzen.

31a   Ulrich Ursenthaler (1481–1562)
Prägemedaille des Kurfürsten Friedrich von Sachsen
1512. Silber. Durchmesser 4,8 cm.
Basel, Münzen und Medaillen AG.

Grotemeyer (zit. bei Nr. 28), S. 152 f. u. 160 Nr. 5, Taf. II Nr. 1.

Vgl. Kommentar zu Nr. 31. Ursenthaler war in der staatlichen Münze in Hall in Tirol
tätig, seit 1508 als Eisenschneider, seit 1512 als Wardein (Münzprüfer) und seit 1535
als Münzmeister. 1509 schuf er eine Medaille mit Kaiser Maximilian zu Pferd (Maximilian I., Kat. Wien 1959, Nr. 640; P. Halm, in: Fs. Theodor Müller, München 1965,
S. 202; Maximilian I., Kat. Innsbruck 1969, Nr. 317,12, Abb. 56; Thieme/Becker,
XXXIV, 1940, S. 4).

31b   Friedrich Hagenauer (?) (tätig um 1520/25–1545)
Sterbemedaille des Kurfürsten Friedrich von Sachsen
1525 oder kurz danach. Blei, gegossen. Durchmesser 3,8 cm.
Nürnberg, Germanisches Nationalmuseum (Med. 462).

Dürer-Kat. Nürnberg 1971, Nr. 268, 7. – Habich I/2, S. LIX, Abb. 81.

Im Typus mit der Schrift ohne erhabene Randlinien gleicht die Medaille seitenverkehrt
den frühesten Gussmedaillen Friedrichs, die 1507/08 nach Cranachs Entwurf von Hans
Krug in Nürnberg ausgeführt wurden (allerdings mit viel höherem Relief des Kopfes).

32 Kopie nach Lukas Cranach d. Ä.
Kurfürst Friedrich von Sachsen im Gebet
mit dem Rosenkranz Abb. 31
Vorbild 1507, Kopie Ende 16. Jh. ? Auf Lindenholz. 111 × 88 cm.
Nürnberg, Eigentum der Stadt, Depositum im Germanischen National-
museum (223).

FR. (57). – Flechsig, Cranachstudien, S. 84f. – E. Lutze/E. Wiegand, Die Gemälde des
13. bis 16. Jahrhunderts (Kataloge des Germanischen Nationalmuseums zu Nürnberg),
Leipzig 1937, S. 45, Nr. 223 u. Abb. 374.

Die Inschrift unter dieser lebensgrossen Darstellung des am Betpult knienden, den
Rosenkranz betenden und gläubig aufblickenden Kurfürsten Friedrich hebt den 1507
erworbenen Titel des «Reichs-Erzmarschalls» hervor (Statthalter des Königs, vgl. Bemerkungen zu Nr. 28). Friedrich hat das Bild der Stadt Nürnberg geschenkt. Unsere
Kopie stammt aus der Nürnberger Dominikanerkirche. Dem ikonographischen Typus
nach – wozu nicht zuletzt das lebensgrosse Format gehört – ist aus der deutschen
Malerei kein Vorgänger für dieses bedeutende, leider nur so überlieferte Werk Cranachs
bekannt (Flechsig hielt es für ein Original Cranachs). Spezifisch ist die Verbindung des
Betens mit der Monumentalität, die sich in der basisartigen Inschrift (vgl. Nr. 27) und
in der Berechnung der Untersicht ausdrückt (oder meint Cranach nur, das Gebetbuch
liege auf einer Schräge des quergestellten, goldbrokatbezogenen Betpultes?). Die Figur
leitet sich am ehesten von den voll- oder reliefplastischen Grab- und Stifterfiguren des
Spätmittelalters her (in Frankreich vollplastisch bereits seit dem späten 13. Jahrhundert:
A. Weckwerth, in: Zs. f. Kunstgesch., XX, 1957, S. 162), die aber die Hände falten und
nicht im «zuständlichen» Gebet mit dem Rosenkranz, der auf Bildnistafeln häufig vorkommt, verharren (vgl. die Statuen des betenden, knienden Kurfürsten Friedrich und
des Herzogs Johann in der Wittenberger Schlosskirche: Bruck, S. 76–78 u. Taf. 4, neuer
Wittenberger Inventarband im Erscheinen begriffen; zum Typus vgl. Ph. M. Halm,
Studien zur süddeutschen Plastik, I, 1926, Abb. 44, Abb. 141; Abb. 116: Grabrelief
des Pfarrers Johannes Faber in der Kirche von Strass bei Neuburg a.D., 1501 von Hans
Beierlein: der Pfarrer am Betpult vor einem geöffneten Andachtsbuch; ausserdem Halm,
II, 1927, Abb. 133; vgl. ferner Leo Bruhns, Das Motiv der ewigen Anbetung in der
römischen Grabplastik des 16., 17. und 18. Jahrhunderts, in: Röm. Jb. f. Kunstgesch.,
IV, 1940, S. 253ff., bes. Abb. 192).

In der lebensgrossen Beter-Figur Friedrichs hat sich nicht nur frommer Sinn,
sondern auch das artistische Verlangen niedergeschlagen, dem Betrachter eine lebens-
grosse Figur gegenüberzustellen, der er illusionär begegnet. Scheurl (Nr. 164) 1509:
«Unseren vortrefflichen Fürsten Johannes [den Bruder des Kurfürsten Friedrich] hast
Du aber so getreu gemalt, dass nicht einmal, sondern wiederholt die Einwohner von
Lochau, wenn sie zum Schloss kamen und durch das Fenster den oberen Teil des
Bildes erblickten, mit entblösstem Haupt – wie es Sitte ist – betroffen die Knie beugten.
Gleiche Ehre erwies Rupert Hundt dem Gemälde, als Du es in dem fürstlichen Schlosshof vor Dir hertrugst» (Lüdecke, S. 51f.; Schuchardt I, S. 30f.). Es könnte sich um ein
lebensgrosses Ganzfigurenbildnis gehandelt haben, wie Cranach – als erster Deutscher –
zwei im Jahr 1514 gemalt hat (FR. 53–54; auf ein lebensgrosses Männerbildnis in Dreiviertelfigur in Dresden machten Hentschel und Schade aufmerksam: Neue Museums-
kunde, XVI, 1/1973, S. 23 mit Abb.; vgl. Buchner, Bildnis, Nr. 40–43; K. Feuchtmayr,
in: Fs. Hans Vollmer, Leipzig 1957, S. 116; K. Löcher, Jakob Seisenegger, München/
Berlin 1962, S. 38).

Eine mässige Kopie nach dem Nürnberger Bild oder seiner originalen Vorlage
wurde am 29. Nov. 1968 in Köln bei Lempertz versteigert (Kat. 500 A, Nr. 15, Taf. 17)
Kurfürst Friedrich in Adoration: vgl. Nr. 338ff.

33 **Albrecht Dürer** (1471–1528)
Kardinal Albrecht von Brandenburg,
Erzbischof von Magdeburg und Mainz
1519. Kupferstich. 14,6 × 9,6 cm.
Basel, Kupferstichkabinett des Kunstmuseums.

B. 102. – Meder 100. – W. A. Luz, in: Repert. f. Kunstwiss., XLV, 1925, S. 46 ff. –
Panofsky 209. – Erasmus-Kat. Rotterdam 1969, Nr. 298. – Dürer-Kat. Nürnberg 1971,
Nr. 539.

Dürer schickte dem Kardinal 1519/20 200 Abdrucke samt der Platte; dies teilte er
Januar–Februar 1520 in einem Brief an Spalatin, den Ratgeber des Kurfürsten Friedrich,
mit, zugleich mit dem Wunsch, das Porträt des verehrten M. Luther in Kupfer zu
stechen (H. Rupprich, Dürer, Schriftlicher Nachlass, I, Berlin 1956, S. 85 ff.; Brief in der
Univ.-Bibl. Basel; Nr. 660). Der Kupferstich diente 1520 als Titelblatt für das Holz-
schnitt-Büchlein des Hallischen Heiligtumsbuches (Meister um A. Dürer, Kat. Nürnberg
1961, Nr. 393; Lindau, S. 169 ff.), das typologisch das Wittenberger Heiligtumsbuch
Cranachs von 1509 zum Vorbild hatte (Nr. 95 ff.).

34 **Lukas Cranach d. Ä.**
Kardinal Albrecht von Brandenburg   Abb. 245
1520. Kupferstich. 16,8 × 11,5 cm.
Braunschweig, Kupferstichkabinett des Herzog Anton Ulrich-Museums.

Ho. K. 2. – B. 4. – Flechsig, Cranachstudien, S. 59 u. 250. – Glaser 1921, S. 134–136. –
W. A. Luz, in: Repert. f. Kunstwiss., XLIV, 1925, S. 55 f. – Weimar 1953, Nr. 143. –
Cranach-Fs. 1953, S. 62. – Jahn, S. 61 f. – Berlin 1973, Nr. 60.

Schuchardt (II, S. 188 f., Nr. 5) hat nicht unrecht, wenn er es bedenklich findet, Cranachs
Stich einfach als Kopie nach Dürer (Nr. 33) zu betrachten. In Typus und Inschrift
musste sich Cranach auf Wunsch seines Auftraggebers (Kurfürst Friedrich von Sachsen
oder der Porträtierte?) an Dürers Modell halten; das Gesicht hat Dürer aber so pointiert
gezeichnet, dass es dem Kardinal vielleicht nicht ganz gefiel (wie man von Erasmus
weiss, dass er sich von Dürer 1526 nicht «getroffen» fühlte: Nr. 44). Cranach ist dem
Kardinal gewiss mehrmals persönlich begegnet und könnte ihn nach der Natur gezeichnet haben. Die geforderte Übernahme der Anordnung Dürers wäre um so be-
merkenswerter. Cranachs Porträtaufnahme blieb gültig auch für seine gemalten Bildnisse
des Kardinals (Nr. 45, Farbtaf. 12). Auch Flechsig glaubt an die Verwendung einer neuen
Porträtzeichnung Cranachs (was Steigerwald, Cranach-Kat. Berlin 1973, ablehnt),
schreibt aber den Kupferstich samt dem Luther-Stich Nr. 36 einem Mitarbeiter Cranachs
zu («Hans Cranach», eine von Flechsig später aufgegebene These). Jahn: nur Cranach-
Werkstatt. Das Schwebende, Sinnierende, vordringliche Renaissance-Ideale Relativie-
rende der Porträtkunst Cranachs scheint – besonders wenn mit Dürer verglichen – noch
heute nicht verstanden zu werden.

L. Cranach d. Ä., um 1510 (Nr. 414)

35   Lukas Cranach d. Ä.
Martin Luther als Augustinermönch, Büste über Inschrifttafel
1520. Kupferstich. 13,8 × 9,7 cm.

a. *1. Zustand:* Vor der zweiten waagerechten Linie und senkrechter Schraffierung unmittelbar über der ersten Schriftzeile. Vor Hinzufügung des
Profilkopfes links oben. – Wasserzeichen-Fragment: Stange und Dreieck,
als Anhänger einer Ochsenkopf(?)-Marke.
Wien, Graphische Sammlung Albertina.   **Abb. 32**
b. *2. Zustand:* Mit der zweiten waagerechten Linie über der Schrift. Ein-
fügung eines Profilkopfes in der linken oberen Ecke. – Wasserzeichen:
kleiner laufender Bär mit Halsband (nicht so bei Briquet). Schwer erkennbar,
daher nicht exakt zu bestimmen. «Der Typ darf jedoch zwischen 1540–1550
angesetzt werden. Provenienz: Oberrhein/Vogesen.» (Freundl. Auskunft
von Prof. G. Piccard, Hauptstaatsarchiv Stuttgart.)
Weimar, Schlossmuseum (Unikum).   **Abb. 33**
c. *3. Zustand:* Der Profilkopf links oben zum grossen Teil getilgt, Spuren des
Umrisses schwach sichtbar. – Wasserzeichen: kleines sächsisches Wappen
(verwandt Briquet 1203).
Wien, Graphische Sammlung Albertina.

Zu den 3 Zuständen (F): Eine aus einem Cranach-Seminar mit Basler Studenten unter
Prof. Dr. Hanspeter Landolt hervorgegangene Rundfrage des Kupferstichkabinetts Basel
von 1972, gerichtet an ca. 60 Museen und Bibliotheken, bestätigte die bereits von Schuchardt (II, S. 189f.) vermutete Existenz von drei Plattenzuständen. Der 1. Zustand ist
ausser in Wien in einem Exemplar in Jenkintown (USA), Alverthorpe Gallery, Sammlung
Lessing J. Rosenwald, erhalten. Im 2. Zustand (Unikum in Weimar) ist, entsprechend
dem Lutherbildnis im Profil von 1521 (Nr. 38), durch Einfügen einer zweiten waagerechten Linie und kleiner Schattenschraffur über dem Text, das unräumliche Schriftfeld
zu einer Schrift-«Tafel» abgeändert. Links oben ein bärtiger kleiner Kopf, von dem
Strahlen (?) gegen die Stirn Luthers ausgehen, im Profil nach rechts. Der Kopf dürfte
eher von fremder Hand hinzugefügt sein und ist keinesfalls ein Selbstbildnis Cranachs,
wie manchmal behauptet (Ficker, Lankheit). Im 3. Zustand (etwa 30 Exemplare nachzuweisen) ist der Kopf fast gänzlich getilgt. In London, British Museum (1867-6-16-363),
ein Zwischenzustand: Konturen und Bart des Kopfes noch deutlich sichtbar, starke
senkrechte und diagonale Kratzlinien. Da die überwiegende Zahl der Exemplare im
3. Zustand ein Wasserzeichen Sächsisches Wappen (verwandt Briquet 1203, Dresden
ca. 1570–90) aufweist, ist erwiesen, dass eine breite Auflage des Kupferstiches erst nach
Luthers und Cranachs Tod gedruckt wurde. (Allen Sammlungen sei an dieser Stelle
für ihre Auskünfte bestens gedankt.)

Ho. K. 6. – B. 5. – Flechsig, Cranachstudien, S. 56f. – Glaser 1921, S. 151. – J. Ficker,
Die Erstgestalt von Cranachs erstem Lutherbildnis, in: Studien und Kritiken zur Theo-
logie, CIII, 1931, S. 285–91. – Ders. in: Luther-Jb., XVI, 1934, S. 103ff., bes. S. 115. –
K. Lankheit, Das Freundschaftsbild der Romantik, Heidelberg 1952, S. 26. – Weimar
1953, Nr. 141. – Jahn, S. 58f. – Deutsche Kunst der Dürer-Zeit, Kat. Dresden 1971/72,
Nr. 130. – Bielefeld 1972, Nr. 49. – Kronach-Coburg 1972, Nr. 5. – Berlin 1973, Nr. 61.

(K) Inschrift übersetzt: Ein ewiges Abbild seines Geistes brachte Luther selbst zum
Ausdruck, Cranach zeichnete das vergängliche Gesicht. – Es ist das früheste Luther-
Bildnis Cranachs, als Druck zur Verbreitung (also demonstrativ) geplant. Der Kupfer-
stich kam aber zunächst nicht zum Ausdruck, vielmehr wurde ein zweiter Luther-Stich

1520 hergestellt und aufgelegt (Nr. 36). Erst diese zweite Fassung erhielt das offizielle, in erster Linie von Spalatin, dem Ratgeber des Kurfürsten in religiösen Dingen, zu erteilende «Gut zum Druck», während die Publikation der ersten Version in den Jahren nach 1520 anscheinend geradezu verhindert wurde; es sind auch keine alten Kopien davon bekannt. Hindernd wirkte sich offenbar genau das aus, was wir heute bewundern: die physiognomische Prägnanz und künstlerische Ökonomie, die Absenz aller leeren Äusserlichkeit. Vor der Dramatisierung der Erstfassung (Worringer, S. 117: «Das Bild des von Nachtwachen erschöpften Augustinermönchs. Unter den mächtigen Stirnwulsten liegen, wie kranke Tiere in tiefen Höhlen, die Augen mit dem verschleierten scheuen Blick, in dem heimlich noch die Asche schmerzlicher Verzückung glüht...»; ähnlich Lilienfein, S. 49) sollte man sich ebenso hüten wie vor der unhistorisch begründeten Missachtung der Variante Nr. 36.

Cranach legte mit dem Kupferstich nicht bloss ein persönliches Bekenntnis zu seinem Freund Luther ab, sondern erfüllte mehr noch den Wunsch einer unübersehbaren Menge von Leuten, die (wie Dürer: s. Nr. 33) nach dem Bild des berühmt gewordenen, gegen den Papst auftretenden Mannes verlangten. Im September 1520 war die päpstliche Bannbulle gegen Luther in Sachsen und Brandenburg verkündet worden, während sich Kurfürst Friedrich in Köln befand und wenig später mit dem neugewählten Kaiser Karl vereinbarte, Luther dürfe nicht ungehört verdammt, sondern solle an einem baldigen Reichstag verhört werden. Am 10. Dezember 1520 verbrannte Luther die Bannbulle und die päpstlichen Rechtsbücher (Kirn, S. 140). 1520 ist auch das Erscheinungsjahr der reformatorischen Hauptschriften Luthers (vgl. Zeittafel). Über das Verhältnis zwischen Luther, der 1520/21 in bester Verfassung war und endlich schärfer vorgehen wollte, und dem mässigenden Spalatin, der dem eher ängstlichen Kurfürsten diente und zugleich Luther vertraute, s. I. Höss, Georg Spalatin, Weimar 1956, S. 184 ff.

Die Position der antikischen Inschrifttafel unter dem Bildnis erscheint schon bei Jan van Eyck ausgebildet: «Timotheos»-Bildnis (E. Panofsky, Early Netherlandish Painting, Cambridge, Mass., 1953, Abb. 261).

36   Lukas Cranach d. Ä.
Martin Luther als Mönch predigend oder lehrend mit Buch, vor eine Nische gesetzt   Abb. 34

Bez. mit Schlange, dat. 1520. Kupferstich. 16,5 × 11,5 cm.
München, Staatliche Graphische Sammlung.

Ho. K. 7. – Pass. 8. – Flechsig, Cranachstudien, S. 57–59. – Jahn, S. 59 f. – Weimar 1953, Nr. 140. – Weitere Lit.: s. Nr. 35.

Mit derselben Inschrift wie Nr. 35. Es scheint mir, dass dieser zweite Luther-Stich Cranachs aus Verkennung der Funktion von politisch-offizieller Kunst von der Notenverteilungs-Kunsthistorie i. allg. fälschlicherweise als Werkstatt-Produkt eingestuft worden ist (nicht von Schuchardt und Lippmann, dann aber von Flechsig bis zu Steigerwald im Cranach-Kat. Berlin 1973; Scheidig, Cranach-Kat. Weimar 1953 und Schade, Cranach-Kat. Bukarest 1973, Nr. 72, urteilen pro Cranach). Das heutige Publikum und vermutlich Cranach selber mögen die künstlerisch-ökonomische erste Fassung (Nr. 35) vorgezogen haben. Spalatin, des Kurfürsten Friedrich Ratgeber, und wer sonst ein Wort dazu zu sagen hatte, wünschten aber offenbar eine würdigere Aufmachung. Man weiss, dass Luther in einem nach Worms geschickten Brief vom 7. März 1521 an Spalatin folgende Bitte richtete (übersetzt aus dem Lateinischen): «Cranach bat mich, diese Bildnisse [die dem Brief beiliegen] mit Unterschriften zu versehen; ich sende sie Dir zu, Du mögest sie besorgen» (lat. bei Flechsig). Der Brief wird auf das Luther-Bildnis im Profil bezogen (Nr. 38). Er zeigt, dass Luther Spalatins «Vers dazu» wollte und den Brief nach

32   L. Cranach d. Ä., 1520 (Nr. 35)   33   L. Cranach d. Ä., 1520 (Nr. 35)

34   L. Cranach d. Ä., 1520 (Nr. 36)   35   L. Cranach d. Ä., 1521 (Nr. 38)

Worms (wo er bald darauf am 18. April 1521 vor dem Kaiser Red und Antwort stand) zu schicken für angebracht hielt. Cranachs Luther-Stiche von 1520/21 sind durchaus im Kräftefeld Sachsen–Worms entstanden und hatten als Bilder Anteil an der lutherischen Staatsaffäre. Der Stich mit Luther vor der Nische ist das erste offizielle Bildnis Luthers und wurde auch sofort und mehrfach kopiert, z.B. 1520 und 1521 von Baldung (Nr. 37; Holzschnittkopie mit hinzugefügtem Doktorhut: H. Lilje, Martin Luther, Eine Bildmonographie, Hamburg 1964, Abb. S. 116). Gegenüber der Büstenform (Nr. 35) sind die Augen vergrössert und beruhigt, bildet die Nische einen vornehmen Hintergrund (wie für eine Heiligenfigur: Abb. 240f.; vgl. Anzelewsky, Dürer, S. 112f.; auch in der Bildnismalerei Nische vorkommend Ende 15. Jh.: Buchner, Bildnis, Abb. 49) und wird mit der sprechenden Hand und dem Buch gezeigt, dass Luther ein theologischer Lehrer, Prediger und Disputierer von Format ist. Cranach war verantwortungsbewusst genug, dass er die Erfordernisse eines aktuellen Luther-Bildnisses im zweiten Anlauf, der nicht mehr die Direktheit des ersten haben konnte, erfüllte. Die handwerkliche Qualität ist dieselbe geblieben. Zu der betont zurückhaltenden, ernsten, aber gewiss nicht überzeugenden Gestik vgl. Abb. 112.

37   Hans Baldung Grien (1484/85–1545)
Martin Luther lehrend, unter der Taube des Heiligen Geistes
Bez. HBG (verbunden), dat. 1521. Formschneidersignatur: HERMAN. – Holzschnitt. 15,4 × 11,5 cm.
Einzelblatt, aus: M. Luther, Auf das überchristlich... Buch Bocks Emsers Antwort [Strassburg, Johann Schott 1521]. (Benzing 869).
Basel, Kupferstichkabinett des Kunstmuseums.

B. 39. – Ho. 270. – Baldung-Kat. Karlsruhe 1959, S. 375f., Nr. II B XXXVII. – M. C. Oldenbourg, Die Buchholzschnitte des Hans Baldung Grien, Baden-Baden/Strassburg 1962, S. 125, Nr. 358 (L. 193). – Erasmus-Kat. Rotterdam 1969, Nr. 320. – Dürer-Kat. Nürnberg 1971, Nr. 385.

Schon 1520 hat Baldung (?) als Illustration zu einer in Strassburg gedruckten Luther-Schrift (De captivitate babylonica ecclesiae) Cranachs Kupferstich mit Luther vor der Nische frei kopiert (Kat. Karlsruhe, Nr. II B XXXIII), nun fügt er noch die Taube des Heiligen Geistes hinzu und ersetzt kühn die Nische durch einen Glorienschein (den hl. Thomas von Aquino inspirierende Taube: Gemälde von Niklaus Manuel Deutsch, «Hl. Thomas bei König Ludwig dem Heiligen», um 1518, Kunstmuseum Basel: M. Moullet, in: Zs. f. Schweiz. Archäol. u. Kunstgesch., V, 1943, S. 193–210). Der Nuntius Hieronymus Aleander entsetzte sich am Wormser Reichstag über die von einigen geäusserte Ansicht, Luther sei ohne Sünde und ohne Irrtum und stehe deshalb über Augustin; es gebe Darstellungen Luthers mit der Taube über dem Kopf und mit dem Strahlenkranz. Das müssen nicht Abzüge von Baldungs Holzschnitt gewesen sein, sondern eventuell während des Reichstages in Worms improvisierte Vorbilder für Baldungs Formulierung. Die provokative, kämpferische, ja freche Aussage des Baldung-Holzschnittes (oder seiner Vorlage) entfernten sich von Luthers Geist und Cranachs Kupferstich, und sie verdeutlichen das Hinauswachsen der Bewegung über die Person Luthers. – Lovis Corinth (1858–1925) kopierte Baldungs Holzschnitt in einer Farblithographie, die das Titelblatt zu der 1920 erschienenen Folge «Martin Luther» bildet.

38 Lukas Cranach d. Ä.
Profilbildnis des Martin Luther mit Doktorhut
Bez. mit Schlange, dat. 1521. Kupferstich. 20,5 × 15,0 cm.

a. *1. Zustand:* Vor den kurzen senkrechten Schraffen über der ersten Schriftzeile; vor Schraffierung des Hintergrundes. – Wasserzeichen: Ochsenkopf
mit Schlangenstab.
Veste Coburg, Kupferstichkabinett der Kunstsammlungen (Unikum). **Abb. 35**
b. *2. Zustand:* Mit den erwähnten Schraffierungen.
Wien, Graphische Sammlung Albertina.

Ho. K. 8. – B. 6. – Flechsig, Cranachstudien, S. 55 f. – Weimar 1953, Nr. 142. – Jahn,
S. 60. – Erasmus-Kat. Rotterdam 1969, Nr. 319. – Kronach-Coburg 1972, Nr. 6–7. –
Berlin 1973, Nr. 62.

Der lateinische Zweizeiler variiert denjenigen der beiden Kupferstichbildnisse Luthers
aus dem Jahr 1521 und wurde sehr wahrscheinlich von Spalatin verfasst (s. Bemerkung
zu Nr. 36): Cranachs Werk ist diese sterbliche Gestalt Luthers, das ewige Bildnis seines
Geistes hat er selber geformt. Das Profilbildnis hat ein grösseres Format als die Stiche
von 1520 und erhebt typologisch einen verstärkten idealischen, auf Dauerhaftigkeit
gerichteten Monument-Anspruch, wiederum (wie bei Nr. 35) in der antikischen Büstenform, nun aber verbunden mit der von Münzen (es gibt eine entspr. Luther-Medaille:
Jb. d. Preuss. Kunstsammlungen, XXI, 1900, Abb. S. 274) und von italienischen Bildnissen übernommenen Profil-Ansicht. Diese leitet sich für Deutschland aus der Augsburger Kunst (Burgkmair: Nr. 39) und aus dem partiell italienisierenden Kunstkreis
des Maximilian-Porträtisten Bernhard Strigel her (Nr. 41); Dürer schloss sich 1523 an
(Nr. 40). Werner Schade (Cranach-Kat. Bukarest 1973, Nr. 73) verweist auf das wenig
ältere, medaillenartige Profilbildnis Karls V., das der Augsburger Daniel Hopfer
radiert hat. Wichtiger war vielleicht als Vorbild Cranachs das von Hopfer bald nach
1516 radierte Profilbildnis des Predigers Hieronymus von Siena, der 1516 in Mailand
Aufsehen erregte und von dem Hopfer wohl eine italienische Vorlage kopierte; Thoman
Burgkmairs Profilbildnis des italienischen Busspredigers Johannes Capistranus bezieht
sich in ähnlicher Weise auf ein italienisches Modell (Buchner, Bildnis, Nr. 83; E. Tietze-
Conrat, in: Jb. d. kunsthist. Sammlungen in Wien, NF IX, 1935, S. 101–103; vgl.
Maximilian I., Kat. Innsbruck 1969, Abb. 61). Hopfer hat auch Cranachs «Luther im
Profil» als Radierung 1523 kopiert (mit hinzugefügten Strahlen um den Kopf: vgl.
Nr. 37), danach dann Albrecht Altdorfers Stich der Zeit um 1525 (Winzinger, Nr. 171).
Entsprechende Medaille mit Luthers Profilkopf: Habich I/2, Nr. 956, Taf. CXVI, 10.
    Im 1. Zustand des Stiches, von dem nur der Abdruck in Coburg erhalten blieb
(also vor der Druckauflage), wird das mit höchster Disziplin schattierte und scharf
strukturierte Gesicht als vergeistigter Körper geformt, im 2. Zustand – mit der dichten
Schraffur des Grundes, der an manchen Stellen bekräftigten Schattierung des Gesichtes
und der plastischen Markierung der Inschrifttafel-Kante – leuchtet der Kopf aus dem
Dunkeln und wird vom Hintergrund zugleich festgehalten: Luther als feste Tatsache.
Auch hier vermute ich (wie bei der korrigierten Zweitfassung des Stiches von 1520,
Nr. 34), dass mehr ein politisch und humanistisch motivierter Repräsentationsdruck als
das Bedürfnis Luthers und Cranachs die Zutaten des 2. Zustandes herbeigeführt haben.
    Das Profil enthüllt das geistige Durchsetzungsvermögen Luthers, äusserlich die
fast primitiven Stirnhöcker über der Braue usw. (treffende Beschreibung bei Glaser 1921,
S. 152). Cranach konnte Luther 1521 wohl nur vor der Abreise zum Wormser Reichstag,
also vor dem 2. April 1521, porträtiert haben, und dazu passt die erhaltene Korrespondenz wegen der Unterschrift-Verse zwischen Luther und Spalatin vom 7. März (s. Nr. 36).
Nach dem Reichstag verschwand Luther auf der Wartburg (vgl. Brief Luthers an Cranach aus Frankfurt vom 28. April 1521: Cranach-Fs. 1953, S. 167, Nr. 38; Lindau, S. 179 f.).

36   Hans Burgkmair, um 1510/12 (Nr. 39)   37   Dürer, 1523 (Nr. 40)

39   Hans Burgkmair (1473–1531)
Profilbildnis des Jakob Fugger   **Abb. 36**
Um 1510/12. Holzschnitt von einer braun und von einer schwarz drucken-
den Platte. 21,2 × 14,3 cm (Blattgrösse).
Basel, Kupferstichkabinett des Kunstmuseums.

Ho. H. 315. – N. Lieb, Die Fugger und die Kunst im Zeitalter der Spätgotik und der
frühen Renaissance, München 1952, S. 268 u. 411 f. – T. Falk, Hans Burgkmair, München 1968, S. 57. – Erasmus-Kat. Rotterdam 1969, Nr. 279. – Hans Burgkmair, Das
graphische Werk, Kat. Augsburg/Stuttgart 1973, Nr. 73.

Latein. Inschrift: Jakob Fugger, Bürger von Augsburg («das genügt», kann man hin-
zudenken, obwohl J. Fugger 1511 von Kaiser Maximilian in den Freiherrnstand erhoben wurde!). Jakob Fugger II., «der Reiche», lebte 1459 bis 1525. Als Bankier be-
herrschte er den deutschen Geldverkehr und den Silber- und Kupferbergbau. Er gewann 1514 eine Monopolstellung in der Ablass- und Gebührenüberweisung an den
Papst. Kaiser Maximilian war dauernd in Schuld bei ihm, in dessen Haus er 1507/08
und 1510 zu wohnen nicht verschmähte. 1509 erhielt Maximilian 170000 Dukaten von
J. Fugger für den Krieg gegen Venedig. Die Faktoreien der Fugger befanden sich u.a.
in Venedig, Mailand, Rom, Innsbruck, Breslau, Leipzig (seit 1494/96), Antwerpen
(seit 1508). Für die Fürsten besonders wichtig war der von den Fuggern betriebene
Handel mit Metall (Erz für Geschützguss, Silber usw.), Textilien und Juwelen. Wohl
1518 malte Dürer sein Bildnis (Anzelewsky, Dürer, Nr. 143). 1530 sah der Humanist
Beatus Rhenanus im Haus Raymund Fuggers mehrere Gemälde Cranachs: ein «Frauenbildnis», einen «Sündenfall», eine «Hirschjagd» (für Karl V. gemalt), eine «Madonna»
(vermutlich FR. 138a) und eine «Melancholie»: «eine ablange Tafel, wie die Kindlein
fangen und scherzen und andere mehr Sachen, Lukas von Nürnberg [!], Melancholey»

(vgl. Farbtafel 13; N. Lieb, Die Fugger und die Kunst im Zeitalter der hohen Renaissance, München 1958, S. 43–45).

Technisch handelt es sich nicht um einen «Tonholzschnitt» in der üblichen Weise (vgl. Nr. 18), vielmehr werden mit beiden Platten Linien gedruckt: mit der braunen Platte die hauptsächliche Zeichnung, der schwarzen Platte die akzentuierenden Schattenstriche. Die drucktechnische Ausführung lag sehr wahrscheinlich in den Händen von Jost de Negker.

40   Albrecht Dürer (1471–1528)
Kardinal Albrecht von Brandenburg,
Erzbischof von Magdeburg und Mainz   **Abb. 37**
1523. Kupferstich. 17,4 × 12,6 cm.
Basel, Kupferstichkabinett des Kunstmuseums.

B. 103. – Meder 101. – W. A. Luz, in: Repert. f. Kunstwiss., XLV, 1925, S. 57ff. – Panofsky 210. – Erasmus-Kat. Rotterdam 1969, Nr. 300. – Dürer-Kat. Nürnberg 1971, Nr. 548.

Zur Unterscheidung von Dürers Kupferstich desselben Kirchenfürsten von 1519 (Nr. 33) allgemein «Der grosse Kardinal» genannt: jetzt im strengen Profil mit Schraffur des Hintergrundes nach dem Typus von Cranachs Luther-Stich von 1521 (Nr. 38b). Die Vorzeichnung Dürers ist erhalten; sie hält nur den Kopf fest. Albrecht weilte von November 1522 bis mindestens 8. Februar 1523 am Nürnberger Reichstag. Im Frühjahr 1523 stach Dürer die Platte und schickte 500 Abzüge an den Kardinal. Damals drohte dem Kurfürsten Friedrich wegen Luther die kaiserliche Acht und der Bann des Papstes (Kirn, S. 148), Albrecht vertrat am entschiedensten den päpstlichen Standpunkt, Dürer war ein erklärter Anhänger Luthers.

Dürer hatte Bildnisse im strengen Profil vordem nur gezeichnet, nicht gestochen oder gemalt (Winkler 72, 372, 374, 511, 652, 653, 657, 658 u.a.). Die Idealität der Profilstellung, die einen scharfen Umriss und messbare Proportionen ermöglicht, hatte Dürer z.B. an seinem Kupferstich des «Kleinen Pferdes» von 1505 (B. 96) erprobt.

41   Bernhard Strigel(?) (1460/61–1528)
Profilbildnis des Kaisers Maximilian I.
Auf Lindenholz. 46 × 32 cm.
Basel, Kunstmuseum (2276, Vermächtnis Dr. Max Hartmann 1952).

L. v. Baldass, Die Bildnisse Kaiser Maximilians I., in: Jb. d. Kunsthist. Sammlungen d. ah. Kaiserhauses, XXXI, 1913/14, S. 247–334, bes. S. 303f. u. Abb. 28 (vor der Restaurierung). – Öffentl. Kunstsammlung Basel, Jahresbericht 1952, S. 42 u. Abb. (nach der Rest.).

Maximilian (1459–1519, seit 1486 römischer König, 1508 Annahme des Kaisertitels) heiratete 1494 in erster Ehe Bianca Maria Sforza aus Mailand. Aus der Zeit der Heirat gibt es eine Zeichnung mit dem Profilbildnis Maximilians, die (unsicher) dem mailändischen Sforza-Hofmaler Ambrogio de Predis zugeschrieben wird (Dürer-Kat. Nürnberg 1971, Nr. 194). Man weiss, dass 1492 ein Abgesandter des Herzogs von Sachsen in Mailand erschien, um sich über Aussehen, Heiratsfähigkeit und Mitgift der Bianca Maria zu informieren und eine Porträtzeichnung Predis zu empfangen. Maximilian importierte nach seiner Heirat mit Bianca Maria aus Oberitalien nach Deutschland u.a. die Kunst der antikischen Münzen und Medaillen und der Bronzebüsten (vgl. Nr. 27), die Triumphzugidee und den von Strigel wie von den Augsburger Künstlern seit H. Holbein d. Ä. und Burgkmair gepflegten Typus des Profilbildnisses (vgl. allg. L. Baldass, Der Künstlerkreis Kaiser Maximilians, Wien 1923). Unser Bildnis, das Maximilian mit der Kette des Goldenen Vlieses zeigt, geht deutlich auf ein gemaltes Maximilian-Bildnis Predis von 1502 zurück (Maximilian I., Kat. Wien 1959, Nr. 527 u. Abb. 91; F. Malaguzzi-Valeri, La Corte di Lodovico il Moro, III, Mailand 1917, Abb. S. 39; Profilbildnis der Bianca Maria nach de Predis kopiert, Vorbild um 1495: Maximilian I., Kat. Innsbruck 1969, Nr. 532 u. Abb. 113).

Gertrud Otto (Bernhard Strigel, München/Berlin 1964) führt das Basler Bildnis nicht auf (vgl. auch H. v. Mackowitz, Der Maler Hans zu Schwaz, Innsbruck 1960, S. 25 ff.). Strigels Autorschaft ist auch nach der Restaurierung nicht gesichert, ebensowenig die Datierung (nach Maximilians Tod?).

42   Lukas Cranach d. Ä.
Martin Luther als Junker Jörg   **Abb. 38**
In Beischrift dat. 1522. Holzschnitt. Früher Zustand, nicht bei Hollstein. Oben drei Zeilen: Imago Martini Lutheri... 1522. Unten vier Verszeilen: Quaesitus toties... Rhoma vale. – Bildgrösse 28,3 × 20,2 cm. Bamberg, Staatsbibliothek (I. L. 44).

Ho. H. 132. – Lindau, S. 191. – Flechsig, Cranachstudien, S. 63 u. 108. – Dodgson II, S. 317, Nr. 124. – H. Preuss, Lutherbildnisse, Leipzig o. J. – G. 639. – Weimar 1953, Nr. 144. – Jahn, S. 60. – Erasmus-Kat. Rotterdam 1969, Nr. 321. – Kronach-Coburg 1972, Nr. 92. – Berlin 1973, Nr. 140.

«Cranach hatte wohl das Gefühl, dass der offene Himmelsraum diesem mächtigen Haupt besonders gemäss sei» (Jahn) – einem kämpferischen, reisigen, ritterlichen Mann, kann man präzisieren: vgl. den Himmel hinter dem «Ritter zu Pferd» (Nr. 18). Das Datum 1522 bezieht sich auf die Periode vom 4. Mai 1521 bis zum 3. März, als der gebannte und geächtete, äusserst gefährdete Luther auf der Wartburg verborgen gehalten wurde und hier (ab Dez. 1521) die deutsche Übersetzung des Neuen Testaments schrieb (Sept. 1522 erschienen: Nr. 221). Während Luther dort weilte, schritten Karlstadt (vgl. Nr. 351) und seine Anhänger in Wittenberg zu drastischen Reformen des Ritus. Luther war veranlasst, zwischen dem 4. und dem 10. Dezember in Wittenberg aufzutauchen und Anfang März 1522 dauernd dorthin zurückzukehren, um mit Predigten den Radikalismus einzudämmen (vgl. I. Höss, Georg Spalatin, Weimar 1956, S. 220ff.). Die Bildnisaufnahme Cranachs, die für den Holzschnitt und für mehrere, z.T. aus historischem Rückblick später geschaffene Gemälde die Vorlage bildete (FR. 125–126; L. Cust, in: Burlington Mag., XIV, 1908/09, S. 206–209), ist wahrscheinlich nicht im Dezember, sondern (wegen des vorhandenen Datums 1522!) unmittelbar nach dem 6. März 1522 entstanden, als Luther wie ein Ordner erschien (Cranach als Ratsherr, reicher Mann und Hofmaler stand sicher auf der Seite derjenigen, die Karlstadt loswerden wollten). Der bärtige Kopf des ritterlichen Luther wurde von Cranach so massiv angelegt und kräftig durchgezeichnet, das Wams so schmissig angegeben, dass das Bild Respekt einflössen sollte. Die Studenten, die Luther im März 1522 in Jena trafen, beschrieben ihn als «einen Reiter, der nach Landesgewohnheit dasass, mit einem roten Lederkäppel, in Hosen und Wams, ohne Rüstung, ein Schwert an der Seite, die rechte Hand auf des Schwertes Knopf, mit der andern das Heft umfassend» (Preuss, S. 4).

Kopie nach dem Halbfigurentypus der entsprechenden Gemälde Cranachs in einem 1522 datierten Holzschnitt des Nürnbergers Sebald Beham, der später (1525) «wegen atheistischen und anarchistischen Äusserungen» für kurze Zeit Nürnberg verlassen musste (G. 302; Meister um A. Dürer, Kat. Nürnberg 1971, Nr. 129).

39   L. Cranach d. Ä., um 1520 (Nr. 43)

38   L. Cranach d. Ä., 1522 (Nr. 42)

43   Lukas Cranach d. Ä.
Martin Luther als Augustinermönch mit Doktorhut   Abb. 39
Bez. links Mitte (Schlangenzeichen und Datum 1517 oben links sind falsch).
Um 1520 oder wenig später. Auf Holz. 40,3 × 26,5 cm.
Kreuzlingen (Schweiz), Sammlung Heinz Kisters.

Unpubliziert.

Die Büstenform, die bei Cranachs Bildnissen die Ausnahme bildet (1509 Spalatin,
FR. 23; 1525 Kurfürst Friedrich, FR. 152; stilistisch nahestehend: Ritter Sigmund
Kingsfeld, Privatbesitz New York), hat dieses Porträt mit dem ersten Luther-Stich
Cranachs (Nr. 35), die Kopfbedeckung mit dem Kupferstich von 1521 (Nr. 38) gemein.
Die Porträtaufnahme entspricht weitgehend den Stichen von 1520: Cranach dürfte
dieselbe Zeichnung verwendet haben. Das von fremder Hand hinzugefügte Datum
«1517» ist das des Thesenanschlages und für das Bildnis unwahrscheinlich. Vor dem
«Junker Jörg» von 1522 könnte das Bildnis entstanden sein, wenn auch noch die Zeit
bis zum Dezember 1524, bis zu Luthers Ablegung des Ordensgewandes, historisch und
stilistisch möglich ist. – Grüner Hintergrund, Kutte und Hut schwarz.

44   Albrecht Dürer (1471–1528)
Erasmus von Rotterdam an der schriftstellerischen Arbeit
Bez. u. dat. 1526. Kupferstich. 24,9 × 19,3 cm.
Basel, Kupferstichkabinett des Kunstmuseums.

B. 107. – Meder 105. – Panofsky 214. – E. Treu, Die Bildnisse des Erasmus von Rotter-
dam, Basel 1959, S. 34–38. – Erasmus-Kat. Rotterdam 1969, Nr. 351. – Dürer-Kat.
Nürnberg 1971, Nr. 278. – Deutsche Kunst der Dürer-Zeit, Kat. Dresden 1971/72,
Nr. 367.

1520 hat Dürer in den Niederlanden Erasmus gezeichnet für ein zu malendes Bildnis,
das nicht zustande kam. Am 8. Januar 1525 schrieb Erasmus an Pirckheimer und trug
an ihn den Wunsch heran, Dürer möge versuchen «an Hand einer Medaille oder nach
dem Gedächtnis» sein Bildnis zu machen «wie bei Dir», also wie das Kupferstich-
Bildnis, das Dürer 1524 von Pirckheimer gemacht hat (B. 106; Dürer-Kat. Nürnberg
1971, Nr. 293). Typologisch knüpfte Dürer an das 1517 gemalte Erasmus-Bildnis von
Quentin Massys und an die niederländische Tradition an, die am frühesten (um 1431 ?)
das Jan van Eyck zugeschriebene Täfelchen mit dem «Hl. Hieronymus in der Studierstube» vertritt (F. Winkler, in: Fs. für M. J. Friedländer, Leipzig 1927, S. 95 ff.; E. Panofsky, Early Netherlandish Painting, Cambridge, Mass., 1953, S. 189 f. u. 200 f.,
Abb. 258; E. P. Richardson, in: The Art Quarterly, XIX, 1956, S. 227–234; zur Typologie: A. Strümpeli, in: Marburger Jb. f. Kunstwiss., II, 1925/26, S. 173–252). Erasmus
soll mit Dürers Stich unzufrieden gewesen sein.

45   Lukas Cranach d. Ä.
Hl. Hieronymus in der Studierstube mit den Bildniszügen
des Kardinal Albrecht von Brandenburg   Farbtafel 12
Bez. mit Schlange, dat. 1525. Auf Lindenholz. 116,5 × 77,5 cm.
Darmstadt, Hessisches Landesmuseum (GK 71).

FR. 157. – Flechsig, Cranachstudien, S. 263 f. – P. Redlich, Cardinal Albrecht von Brandenburg und das Neue Stift zu Halle, 1520–1541, Mainz 1900, S. 196 f. – Glaser 1921, S. 136. – W. A. Luz, in: Repert. f. Kunstwiss., XLV, 1925, S. 62. – E. Wind, Studies in Allegorical Portraiture, in: Journal of the Warburg Inst., I, 1937/38, S. 150–153. – Erasmus-Kat. Rotterdam 1969, Nr. 210 u. Farbtaf. VIII. – Dürer-Kat. Nürnberg 1971, Nr. 274.

Die Bildniszüge des Heiligen gemäss Cranachs Kupferstich von 1520 (Nr. 34). Cranach hatte mit diesem Bildtypus Erfolg und musste ihn (wohl zu Geschenkzwecken) für Kardinal Albrecht wiederholen. Auch das Darmstädter Bild besitzt, trotz seiner Pracht, serienmässige Qualität. Von ähnlicher Anlage, im Detail etwas weniger ausgeglichen, gibt es eine 1526 datierte, gleichgrosse Variante im Ringling Museum of Art in Sarasota, Florida (FR. 158; Ch. L. Kuhn, A Catalogue of German Paintings... in American Collections, Cambridge, Mass., 1936, Nr. 95; farbige Abb. in: Art News, LX, Nr. 2, April 1961, S. 31). Bei beiden Darstellungen war Cranach vermutlich durch den Auftraggeber dazu gehalten, Dürers berühmten Kupferstich des «Hl. Hieronymus im Gehäuse» zum Vorbild zu nehmen (Nr. 46). Glaser beschreibt die charakteristischen Abweichungen: Lichtführung, räumliche Anlage (Aufsicht, Fluchtpunkt links ausserhalb des Bildfeldes), auf die Bildfläche bezogene Ordnung der Dinge, einfache Farbkontraste. Dürer hat den hl. Hieronymus, in den sich der Kardinal Albrecht als Einzelgestalt versetzt (nicht Porträt innerhalb einer vielfigurigen sakralen Szene, wie es seit etwa 1500 häufig in der deutschen Malerei vorkam: Abb. 3, 11, 12, 13, 23, 24), als Inbegriff der kontemplativen, konzentrierten Geistestätigkeit herausgestellt. Die christlichen Humanisten haben diesen Heiligen besonders hoch geschätzt (Strümpeli, zit. bei Nr. 46, S. 178; Koepplin, Cuspinian, S. 158, Anm. 447). Der Verehrung des Philologen-Heiligen durch Celtis, Erasmus u. a. wollte sich Albrecht von Brandenburg demonstrativ und – man könnte vielleicht sagen: in experimenteller Weise ohne Scheu (was an Schamlosigkeit grenzt) – anschliessen. Demonstriert wird aber auch wohl bewusst die Parteinahme für die Geisteshaltung eines Erasmus und gegen jene Luthers. Luther schrieb 1516 an Spalatin, Erasmus richte sich übermässig am hl. Hieronymus aus und sollte lieber den hl. Augustin, den er wenig beachtete, höher einschätzen lernen (I. Höss, Georg Spalatin, Weimar 1956, S. 98; zu Augustin s. Nr. 7–9). Luther bat Spalatin, damit zusammenhängende Gedanken Erasmus vorzutragen. An die Namen der beiden Kirchenväter knüpfte sich die gegensätzliche Geisteshaltung des Erasmus (zu seinen Anhängern gehörte entschieden auch Melanchthon) und des Reformators Luther.

In Dürers Stich wird der Totenschädel auf dem Fenstersims scharf angeleuchtet; in Cranachs Gemälde lenkt ein Früchtestilleben, das man in Kontrast zum hinten angebrachten Christuskopf auf dem Schweisstuch der Veronika und zu der rechts an der Wand hängenden Sanduhr sehen mag, den Blick zuerst auf sich. Der Kardinal liest nicht, sondern legt nur die Hände auf das geöffnete Buch: er stellt sich zur Schau – und ist zugleich raffiniert-bescheiden versteckt (unkenntlich für Uneingeweihte) in der Gestalt des hl. Hieronymus. Das Sich-Zurücksetzen sollte mindestens so sehr zählen wie das Sich-Zeigen. – Die Tiere neben dem legendären Löwen haben gewiss symbolische Bedeutung: der Hund ist der traditionelle Begleiter der Gelehrten, die gleich Jagdhunden der Wahrheit nachspüren (und ausserdem treu sind), die Fasanen könnten Stärke und Weisheit symbolisieren (W. Beeh).

Verwandte räumliche Disposition in den «Melancholie»-Bildern von 1528 und 1532 (Farbtafel 13) und auf den Evangelisten-Holzschnitten der Cranach-Werkstatt von 1529 (Ho. H. 45 ff.).

Der Kardinal vor dem Kruzifix: Abb. 53. Kardinal Albrecht als hl. Hieronymus: auch Nr. 47.

40   L. Cranach d. Ä., um 1527 (Nr. 47)

1526
VIVENTIS·POTVIT·DVRERIVS·ORA·PHILIPPI
MENTEM·NON·POTVIT·PINGERE·DOCTA
MANVS

41   Dürer, 1526 (Nr. 48)   42   Sächsischer Meister, 1543 (Nr. 49)

46   Albrecht Dürer (1471–1528)
Hl. Hieronymus in der Studierstube
Bez. u. dat. 1514. Kupferstich. 24,4 × 18,5 cm.
Basel, Kupferstichkabinett des Kunstmuseums.

B. 60. – Meder 59. – Panofsky 167. – A. Strümpeli, «Hieronymus im Gehäuse», in:
Marburger Jb. f. Kunstwiss., II, 1925/26, S. 173–252, bes. S. 226 ff. – Erasmus-Kat.
Rotterdam 1969, Nr. 206. – Dürer-Kat. Nürnberg 1971, Nr. 273. – Deutsche Kunst der
Dürer-Zeit, Kat. Dresden 1971/72, Nr. 333. – L. Behling, in: Pantheon, XXX, 1972,
S. 396–400.

Vgl. Nr. 45. Ein Monogrammist WS, dessen Œuvre bisher nicht abgegrenzt werden
konnte (Nagler, Monogrammisten, V, 1879, S. 379–381; Thieme/Becker, XXXVII, 1950,
S. 455), kopierte Dürers Stich und ersetzte den hl. Hieronymus pro-reformatorisch durch
Luther, den neuen Bibelübersetzer (der hl. Hieronymus hatte die lateinische, im Mittelalter allein gültige Bibelübersetzung, die Vulgata, geschaffen). Der Stich dürfte erst in
der 2. Hälfte des 16. Jahrhunderts entstanden sein (Von der Freiheit eines Christenmenschen, Kat. Berlin 1967, Nr. 152, Abb. S. 162; Erasmus-Kat. Rotterdam 1969,
Nr. 207, Taf. 133).

47   Lukas Cranach d. Ä.
Hl. Hieronymus lesend in der Landschaft mit den Bildniszügen
des Kardinals Albrecht von Brandenburg   Abb. 40
Um 1527. Auf Holz. 49 × 37 cm.
Zollikon bei Zürich, Privatbesitz.

FR. (156).

Vgl. Nr. 45. Eine etwas grössere und anspruchsvollere Variante mit zahlreichen Tieren und mit einer Nebenszene aus der Hieronymus-Legende im Hintergrund ist das 1527 datierte, signierte Gemälde in Berlin-Dahlem (57,0 × 37,6 cm; Cranach-Kat. Berlin 1973, Nr. 4). Auf dem Baumstrunk stützt ein Stein das kostbare Buch, von dem der hl. Hieronymus (der als Kardinal Albrecht den Blick nicht senkt) eine Seite umzublättern im Begriff steht. Schreibfutteral und Tintenfass liegen zur Arbeit bereit, ebenso rechts unten weitere Bücher. Unten rechts Rebhühner (wie auf «Quellnymphen»-Bildern Cranachs), links im Wald ein verhoffender Hirsch.

48   **Albrecht Dürer** (1471–1528)
     Philipp Melanchthon   Abb. 41
     Bez. u. dat. 1526. Kupferstich. 17,4 × 12,7 cm.
     Basel, Kupferstichkabinett des Kunstmuseums.

     B. 105. – Meder 104. – Panofsky 212. – Dürer-Kat. Nürnberg 1971, Nr. 409. – Deutsche
     Kunst der Dürer-Zeit, Kat. Dresden 1971/72, Nr. 366.

     Cranachs Bildnisse Melanchthons (1497–1560) setzen 1532 als Pendants zu Porträts Luthers ein (FR. 252; Miniatur 1531: Abb. 122). Dürers Stich des scharfäugigen Griechisch-Professors, der seit 1518 an der Wittenberger Universität lehrte, hatte eine Schulgründung in Nürnberg zum Anlass; Melanchthon nahm 1526 an der Eröffnung teil. In Kursachsen wurde 1526 Melanchthon zusammen mit dem Juristen Hieronymus Schurff als Universitätsvertreter zur Kirchen- und Schulvisitation, zu der Luther seit langem gedrängt hatte, vom Kurfürsten Johann bestellt (I. Höss, Georg Spalatin, Weimar 1956, S. 323).
          Typologisch neu gegenüber den früheren Bildnis-Kupferstichen Dürers ist die Andeutung von Himmel, von erhöhender freier Luft (vgl. Dürers Holzschnitt-Titelblatt zur «Grossen Passion» von 1511, «Verspotteter Schmerzensmann», B. 4). Vielleicht hat die Wolkenzeichnung auf Cranachs Holzschnitt «Luther als Junker Jörg» anregend gewirkt (Nr. 42).

49   **Unbekannter Meister aus der Umgebung Cranachs**
     Bildnis des siebzigjährigen Lukas Cranach d. Ä.
     als Bürgermeister der Stadt Wittenberg   Abb. 42
     Unbez., undat. (1543). Holzschnitt. 15,7 × 12,3 cm (architekton. Rahmen 32,7 × 26,0 cm).
     Dresden, Kupferstichkabinett der Staatlichen Kunstsammlungen.

     Heller 1854, S. 305 f., Nr. 818. – Lindau, S. 332 f. – Lüdecke 1953, Taf. 16. – Cranach-Fs.
     1953, Abb. 10. – Cranach-Kat. Wittenberg 1972, Nr. 179 (ohne Kommentar).

     Die (bei Lindau abgedruckten) Verse stammen von einem um 1600 schreibenden Balthasar Menzius (vgl. Schuchardt I, S. 40). Die Rahmung stammt wohl aus dieser späten Zeit. Vgl. Zeittafel 1543/44: Cranach dürfte Ende 1472 geboren sein, so dass er 1543, als er zum letzten Mal Bürgermeister wurde, sich noch siebzigjährig nennen konnte (falls die Inschrift zuverlässig ist).

IV. Cranach bis zum 32. Lebensjahr (K)

Cranachs Herkunft und seine Übersiedlung nach Wien

Lukas Cranach d. Ä. entstammte wie Dürer, Burgkmair und andere zeitgenössische Meister in Deutschland einer Familie von Kunsthandwerkern und erlangte im Bündnis mit Humanisten, die sich fürstlicher Gunst erfreuten, sozialen Aufstieg. Dürer gelang dies in einer Reichsstadt mit harter Konkurrenz[1], Cranach hat von seinem etwas abgelegenen Geburtsort Kronach aus vielleicht bald die Hofmaler-Stellung angestrebt, die er erreichte.

Kronach liegt nahe der thüringischen (seit Napoleon bayrischen) Stadt Coburg, deren Veste ein wichtiger Stützpunkt und Residenzort des kursächsischen Landes war und besonders gern von Herzog Johann dem Beständigen, dem mitregierenden Bruder des Kurfürsten Friedrich des Weisen, seit 1499 bewohnt wurde (Karten Abb. 43 und Nr. 401, Farbtafel 1)[2].

Kirchlich und in der weltlichen Verwaltung war Kronach dem Bischof von Bamberg unterstellt. Bamberg liegt von Kronach aus in südlicher Richtung auf halbem Weg nach Nürnberg, dessen Entfernung von Kronach in der Luftlinie etwa 90 km beträgt. Die Stadt Kronach selber, nach der sich der Maler seit 1504 mit dem auf seine Werke gesetzten Monogramm «LC» benannte, erlangte seit dem 14. Jahrhundert einige Bedeutung als nördliche Grenzfestung des Hochstiftes Bamberg und als Markt innerhalb einer relativ unwirtlichen Region[3]. Die Festung Rosenberg über Kronach diente dem fürstbischöflichen Hauptmann als militärischer Sitz. Dem (adligen) Hauptmann war der Stadtvogt von Kronach unterstellt. Dieser übte im Namen des Bamberger Hochstiftes die höhere Gerichtsbarkeit aus und nahm die Interessen des Bamberger Fürstbischofs z.B. an den forstwirtschaftlichen Einkünften wahr. Daneben gab es den Stadt-Rat, der u.a. das Gewerbe und den Markt beaufsichtigte, die Stadtkasse verwaltete und die vom Bamberger Fürstbischof verlangten Steuern auf die Stadtbewohner verteilte. Die Handwerker Kronachs waren – im Gegensatz zu jenen Nürnbergs – in Zünften organisiert, die im 15. Jahrhundert vom Bamberger Fürstbischof bestätigt worden waren. Um 1500 zählte Kronach rund 100 Einwohner (1550: 109), die ausserhalb der Mauern angesiedelten Leute nicht mitgezählt.

Dass Lukas Cranach und schon sein Vater Hans, der Maler («Kunst»-Maler, Anstreicher, Kartenmaler?) war, wirtschaftlich mit den adligen Familien, die im Bamberger Domkapitel sassen, in Verbindung stand, zeigen Akten über einen Vorgang aus den Jahren 1528/29, kurz nach dem Tod des Vaters Hans Maler. Auf den 24. Mai 1529 ist eine Quittung ausgestellt worden an «Lukas Maler zu Wittenberg», Matthes Maler, Michel Fleischmann, Hans Krauss und Barthel Sunder, alle zu Kronach, über den Empfang von 150 Gulden, welche ihnen Regina von Guttenberg, weiland Balthasar von Redwitz' selige Witwe, Schlossherrin zu Theyssenort (bei Kronach), zurückbezahlt habe[4]. Die Zahlung steht im Zusammenhang mit der Erbschaft des Vaters von Lukas Cranach. Fleischmann, Krauss und Sunder[5] waren die Männer von Schwestern des Lukas Cranach und seines

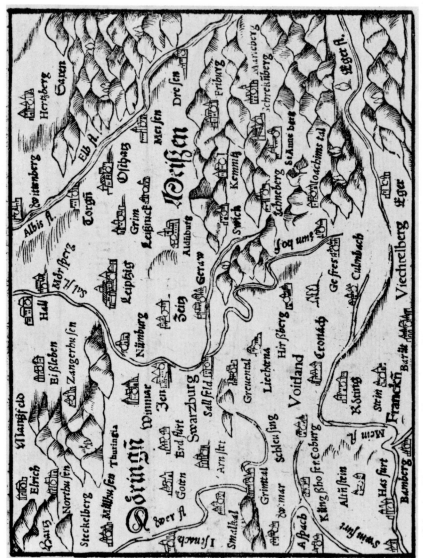

43   Sebastian Münster, 1550 (Anm. 147 und Nr. 114)

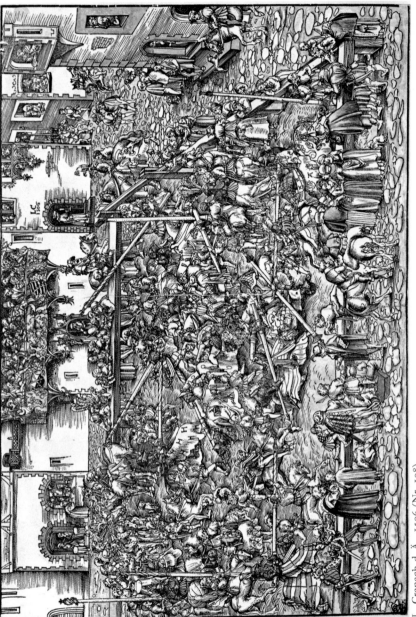

L. Cranach d. Ä., 1506 (Nr. 108)

Bruders Matthes. Mitglieder der adligen Familien von Guttenberg und von Redwitz gehörten dem Bamberger Domkapitel an[6].

In der wenig bedeutenden Stadt Kronach, von der aus ein Maler zuallererst nach den kulturellen Zentren Bamberg und Nürnberg blicken musste, lernte Lukas Cranach «artem graphicam» (zu übersetzen etwa mit «die Kunst des Zeichnens» oder «die Kunst des figürlichen Gestaltens») bei seinem Vater Hans Maler, der den Namen «Maler» oder «Moller» offenbar nicht bloss als Berufsbezeichnung, sondern bereits als Familiennamen führte[7]. Nach der Kronacher Zunftordnung kann man annehmen, dass die Lehrzeit zwei bis drei Jahre dauerte und mit einer Gesellenprüfung endete, nach welcher Lukas Cranach für etwa weitere zwei Jahre auf Wanderschaft ging. Cranachs Übersiedlung nach Wien um 1501/02 gehörte keineswegs zur «Wanderschaft», sondern bedeutete, dass sich Cranach ein neues, besseres oder vorübergehend günstiges Tätigkeitsfeld suchte. Wir wissen nicht, wohin Cranach als frischgebackener Geselle gewandert ist. Früher nahm man an, er habe in München im Kreis von Jan Polack entscheidende Eindrücke empfangen[8]. Seit der Entdeckung der in Österreich entstandenen Frühwerke des Augsburgers Jörg Breu, die einen den Werken Polacks verwandten Charakter haben und Cranach in Österreich vermutlich vor Augen gekommen sind (Nr. 61), entbehrt die These eines Münchner Aufenthaltes Cranachs der Grundlage[9].

Von bayrischer Stilart (vgl. Stiche des Mair von Landshut [Nr. 54], Monogrammisten M Z u. a.[10]) ist eine Steinplastik an der Stadtkirche in Kronach, auf die Jakob Rosenberg hingewiesen hat in der Meinung, dass hier andeutungsweise jene Kunst fassbar werde, an die sich die völlig unbekannten Frühwerke Cranachs irgendwie anschlossen[11]. Die Sandsteinfigur stellt «Johannes den Täufer» mit Buch und Lamm dar (Abb. 45). Sie schmückt das kühn gestaltete spätgotische Portal der Hauptkirche Kronachs, die dem Johannes Baptista geweiht war und, nach Erneuerung des Langhauses im 15. Jahrhundert, um 1498 ein neues Hauptportal erhielt, das man wenig später an einen zur Stadt schauenden, chorartigen Westbau verpflanzte (Abb. 44; typologisch verrät dieser Westbau Einflüsse von der Moritz-Kirche in Coburg und von obersächsischer Architektur[12]). Die Johannes-Figur trägt am Sockel das Datum 1498 und die Signatur eines sonst völlig unbekannten, nicht provinziellen Meisters Hans Hart[lin][13]. Jakob Rosenberg verglich die Statue mit Cranachs 1502 in Wien entstandenem Holzschnitt mit dem «Hl. Stephanus» (Nr. 50) und bemerkte mit Recht neben der allgemeinen Verwandtschaft in der Bewegtheit den Unterschied zwischen der körperlichen Schwere der von Cranach gezeichneten Figur und dem spätgotischen Lineament und Tanzschritt des «Johannes» von Kronach. Cranachs Holzschnitt ist in der Tat stärker geprägt von der neuen Graphik Dürers als von spätgotischer gesteigerter Zierhaftigkeit. Das lehrt ein Vergleich mit Dürers kurz nach 1500 entstandenem Holzschnitt, der «Heiligen Stephan, Sixtus und Laurentius» (Nr. 51). Das dämonisch aufgeladene Astwerk um die heiligen Gestalten kann man mit demjenigen auf Dürers Holzschnitt des «Hl. Sebald auf dem Säulenknauf»[14] oder mit dem 1502 in Nürnberg erschienenen Buchholzschnitt Dürers aus den «Quattuor libri amorum» des Konrad Celtis vergleichen, «Celtis vor dem Thron

45　　Hans Hartlin, 1498 (Anm. 147)

44　　Hans Hartlin, 1498 (Anm. 147)

47   Dürer, um 1500/01 (Nr. 51)

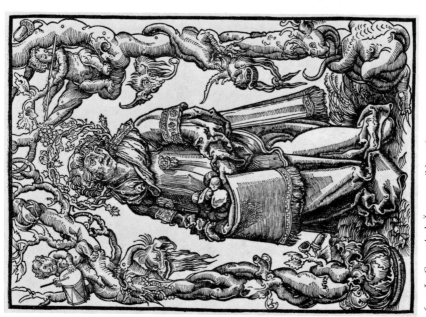

46   L. Cranach d. Ä., 1502 (Nr. 50)

des Kaisers Maximilian» (Nr. 52). Zweifellos tritt bei solcher Gegenüberstellung, die historisch naheliegt, Cranachs Eigenart deutlich zutage: der Akzent, der auf den Wachstumskräften und der «Leidensfähigkeit» der Cranachschen Gestalten liegt im Gegensatz zur reich gestuften Organisierung vom Pflanzlichen bis zum Menschlichen, vom Gewachsenen und Trieberfüllten bis zum Architektonischen und Abstrakten bei Dürer. Aber zugleich wird klar, dass besonders Cranachs Holzschnitte wesentlich und fast einzig von Dürers Vorbild abhängig und angespornt sind. Es gibt sonst nichts direkt Vergleichbares.

Kunstgeographisch bestehen von Kronach nicht nur Verbindungen zu Coburg, Bamberg, Nürnberg, Kulmbach und weiter dann zu Gera, dessen Gebiet an die bambergische, bis Kronach reichende Region angrenzt und das Land von Meissen, Leipzig, Halle und Wittenberg im Hintergrund hat[15] – man schaue die Karte von Thüringen und Meissen in der «Kosmographie» von Sebastian Münster von 1550 bzw. 1558 an (Nr. 114) –, sondern auch zum Kloster Prüfening vor den Toren der Stadt Regensburg. Das Gebiet von Kronach grenzte an den Tettauer Wald, der bereits 1194 dem Kloster Prüfening überlassen worden ist[16]. Dieser Tettauer Forst hiess auch Prüfeninger Wald und war aus dem Bamberger Territorium ausgeschlossen. Die Distanz zwischen Kronach und Regensburg beträgt in der Luftlinie etwa 135 km; der Weg dorthin führt über Nürnberg, und von Regensburg kann man nach Passau, Linz und Wien weiterreisen, wie es Cranach 1501/02 offenbar getan hat.

Merkwürdigerweise stammt aus dem Kloster Prüfening bei Regensburg eine bedeutende, 1504 datierte und mit dem verschlungenen Monogramm «LC» signierte Zeichnung Cranachs (Nr. 53). Das Monogramm besagt, dass sich Cranach bereits damals nach seinem Herkunftsort benannte und er sich also von Kronach und von seiner väterlichen Werkstatt, seiner ersten Ausbildungsstätte[17], gelöst hat. 1504 war Cranach wahrscheinlich bereits auf dem Rückweg von Wien in seine fränkische Heimat – ein Aufenthalt in Nürnberg 1505 ist bezeugt[18] –, um von dort nach Wittenberg überzusiedeln. Die Zeichnung war möglicherweise wirklich für Prüfening, das territorial mit Kronach sich berührte, bestimmt. Es ist ein miniatorisches Wunderwerk in der Helldunkel-Manier, die entweder von Mair von Landshut (Nr. 54) oder von Werken der Dürer-Werkstatt (Nr. 55) angeregt war[19]. Diese Technik ist später von dem als Miniator ausgebildeten Hauptmeister der «Donaukunst», von Albrecht Altdorfer, virtuos weiterentwickelt worden in Zeichnungen, die als finale Kunststücke gemeint waren (Nr. 56), genau wie die Zeichnung Cranachs mit dem «Hl. Martin und dem Bettler» von 1504 aus dem Kloster Prüfening. Cranachs Komposition ist versponnen, aber doch genau lesbar und kräftig im Kontrast zwischen der verkürzten Architektur (mit Untersicht auf ein Hausdach im Mittelgrund), der Figuren und dem Fernblick in die Landschaft mit Stadt und Burg. Das Architektonische aber, das von Licht- und Schattenflecken und von krallenförmigen Ästen und Blättern oder Helmfedern überwuchert wird, leitet sich von dem Meister her, mit dem Cranach in ständiger Auseinandersetzung und Konkurrenz stand: Dürers Holzschnitt der «Heimsuchung» aus dem «Marienleben» (Nr. 57) hat Cranach offenbar vorgelegen. Auch hier ist der Vergleich zwischen der Zeichnung Cranachs und dem

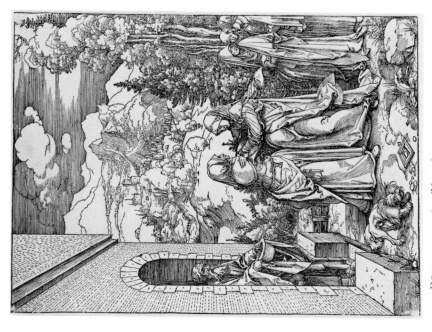

49   Dürer, um 1503/04 (Nr. 57)

48   L. Cranach d. Ä., 1504 (Nr. 53)

Holzschnitt Dürers geeignet, mehr den grundlegenden Unterschied im Charakter als das gemeinsame Gerüst des räumlichen Aufbaus (auf das sich Cranach gern abstützte) zu offenbaren. Während Dürer damals die Mittel des klärenden Lichtes mit steigender Konsequenz entwickelte, spürte Cranach Lebenskräften nach, die im Fluktuieren zwischen unvermuteten Helligkeiten und dem Dunkel, das fleckig oder in vitalen Kurzstrichen vorhanden ist, verborgen lagen und für ihn, bei aller Konkretheit und zuweilen Robustheit, ein hohes, zu respektierendes Geheimnis waren. Die Dürersche Schärfe, die Baldung und andere jüngere Meister weitertrieben, konnte ihm nicht direkt nachahmenswert erscheinen. Damals verband ihn mehr mit dem jüngeren Regensburger Meister Albrecht Altdorfer, mit dem er möglicherweise 1504 in Regensburg Kontakt aufgenommen hatte[20].

Unauffällig, aber konstant verarbeitete Cranach Eindrücke, die er von der Kunst Albrecht Dürers empfing. Dieser überragende Meister hatte schon in den Jahren vor 1500 einige wichtige Werke im Auftrag des sächsischen Kurfürsten Friedrich des Weisen ausgeführt. Und diesem Kurfürsten und seinem Bruder war Cranach vielleicht sehr früh nahegekommen, was seine Ausrichtung auf Dürer mit erklären könnte. In der Anfangszeit von Cranachs Hofmalerdienst (Berufung 1504, Antritt 1505) war Coburg, das von Cranachs Geburtsort Kronach knapp 25 km entfernt ist, offenbar der hauptsächliche Arbeitsort Cranachs. 1505 wurde er für Tischmalereien auf der Coburg bezahlt, wie sie übrigens Christoph Scheurl 1509 als «einstmals in Österreich» ausgeführte Malwerke ebenfalls erwähnt[21]. Derselbe Scheurl (Nr. 135 und Nr. 164) schreibt in dem Widmungsbrief an Cranach 1509: «Mein Lehrer Beroaldus[22] rühmt seinen Landsmann Francia von Bologna[23]; aber er hat nicht Deine Werke gesehen, nicht das herzogliche Gemach zu Coburg, wo Du Hirschgeweihe gemalt hast, nach denen oft Vögel hinfliegen, die zu Boden fallen, indem sie sich auf Zweigen niederzulassen meinten[24].» Auf mehreren Werken Cranachs aus dem Jahr 1506 erscheint die Veste Coburg in genauer topographischer Abbildung (vgl. Nr. 401). Nun haben Archivforschungen des Coburger Historikers Ernst Zapf, die Günther Feyler 1950 in einem Lokalblatt publizierte und die deswegen bis vor kurzem kaum beachtet wurden[25], ergeben, dass Cranach 1501 am Stadtgericht in Coburg einen Prozess über die Forderung von 20 Rheinischen Gulden für Malerarbeit abgeschlossen hat. Die Eintreibung der Schuld steht im Einklang mit dem Auftauchen Cranachs spätestens 1502 in Wien[26]. Damit ist Cranachs Tätigkeit für die sächsischen Fürsten in der Zeit vor 1502 nicht belegt, liegt aber im Bereich der Möglichkeit, ja ist wahrscheinlich. Seit 1499 residierte Herzog Johann von Sachsen, später der Beständige genannt (Nr. 596), auf der Veste Coburg[27]. Im Jahr 1500 brannte der Fürstenbau der Veste nieder und veranlasste ab 1501 den Neubau des Wohntraktes und den Ausbau der Kemenate sowie der Schlosskirche bis etwa 1504, mit weiteren Ausbauten bis 1508. Cranachs Arbeit auf der Coburg ab 1505 steht offensichtlich mit der Bauarbeit in Zusammenhang. Vielleicht schon um 1500/01 hat Cranach auf der Veste zu tun gehabt.

Soweit stehen wir auf historisch recht festem Boden. Wir dürfen eine frühe Beziehung Cranachs zum Kurfürsten von Sachsen und seinem Bruder Johann annehmen, wissen aber fast gar nichts über Cranachs frühere Tätigkeit und Aus-

50   Dürer, um 1495/96 (Anm. 147)

51   Unbekannter Meister, 1486 (Anm. 147)

bildung und über seine Gründe für den Wegzug nach Wien 1501/02. 1504 erreichte Cranach die Berufung nach Wittenberg, und im Jahr darauf hat er seine
Werkstatt dort eingerichtet, was ihm nicht ersparte, ständig reisend auf der
Coburg und auf anderen Schlössern der Wettiner verschiedenartige Arbeiten auszuführen oder wenigstens zu überwachen[28]. Statt dass wir uns der Fragen nach
den Anfängen Cranachs, die noch immer völlig undurchsichtig sind, weiter
annehmen, stellen wir hier eine Hypothese zur Diskussion, die Cranachs Verhältnis zu Dürer betrifft und sowohl für Cranach als auch in bezug auf den sächsischen Kurfürsten von grösster Bedeutung sein könnte.
     Das früheste Altarwerk Dürers, das von Kurfürst Friedrich dem Weisen in
Auftrag gegeben war (Abb. 50), zeigt eine typologische Ähnlichkeit mit dem
kühnsten Malwerk Cranachs aus seinen drei Wiener Jahren, mit der 1503 datierten
«Kreuzigung» in der Münchner Pinakothek (Abb. 52). Ich vermute, dass die
Ähnlichkeit in einer wirklichen historischen Abhängigkeit begründet liegt.
Cranachs Wiener Werke der Jahre 1502 bis 1504, nicht zuletzt seine Holzschnitte,
verstehen sich aus der Konkurrenz mit Dürer. Die Holzschnitte Dürers der Zeit
um 1498, die «Apokalypse» und die frühen grossen Passions-Holzschnitte u.a.,
wirkten im damaligen Deutschland und sogar in Italien und anderswo ähnlich re-
volutionär wie beispielsweise die früheste romanische Monumentalplastik in
Toulouse und Modena oder wie die Grundlegung des Kubismus durch die
«Demoiselles d'Avignon» Pablo Picassos von 1907[29]. Ich glaube, dass man
Cranachs Werke aus der Zeit vor 1502 darum bisher nicht als seine Arbeiten erkannt hat, weil sie von der revolutionierenden Ausstrahlung der Graphik Dürers
von 1498–1501/02 noch nicht erfasst worden sind und deswegen so anders aus-

52   L. Cranach d. Ä., 1503 (Anm. 147)

sehen, dass es bisher nicht gelang, sie dem bekannten Œuvre Cranachs anzuschliessen. Statistische Überlegungen müssen zur Annahme führen, Cranachs
Werke vor 1502 seien nicht allesamt untergegangen, sondern segelten unter falschem Namen, unter einem Zusatznamen «Meister X Y», dessen Identität mit
Cranach noch nicht bemerkt werden konnte. Da ich seit vielen Jahren erfolglos
darauf lauere, der irgendwann wohl möglichen Identifizierung auf die Spur zu
kommen, sehe ich in dieser Ausstellung und in diesem Katalog davon ab, eine
ziemlich willkürlich ausgewählte Menge von Werken heranzuziehen, die für die
Frage der Anfänge Cranachs eventuell relevant sind (Ausnahme: Nr. 68 u. 71).
Ich beschränke mich faute de mieux auf das offenbar Wichtigste ab 1502, auf die
Konkurrenz Cranachs mit Dürer. Darüber hinaus nur soviel: Selbstverständlich
hat der junge Cranach die in den nahen Kunstzentren Bamberg und Nürnberg
blühende Kunst verfolgt, und es ist, weil Kronach unter der geistlichen und
weltlichen Verwaltung des Bamberger Bischofs stand, im besonderen naheliegend,
dass Cranach seine erste Schulung nicht nur bei seinem malenden Vater, wie
überliefert ist[30], sondern auch in einer Bamberger Werkstatt empfangen hat[31].
Weiterhin scheint mir der Bezug zum jungen Hans Wertinger (1498 datierte
«Sigismund»-Tafel in der Domsakristei von Freising) bemerkenswert[32]. Die
Spezialisten muss ich aber enttäuschen, wenn ich diese Fragen einer späteren Spe-
kulation überlasse und mich auf die wichtigste historische Grösse, die wir mit
Bestimmtheit fassen können, konzentriere: auf Dürer.

Cranach arbeitete bestimmt nicht in der frühen, ab 1495 allmählich auf-
gebauten Werkstatt des gleichaltrigen Dürer, sonst hätte es Scheurl in seiner Epi-
stel von 1509, wo Cranach mit Dürer mehrfach verglichen wird, überliefert[33].
Cranachs Pinselschrift, etwa seine Art, wie er Blattformen mit breitem Pinsel hin-
drückt und ausstreut, hat nichts mit der malerischen Dürerschulung zu tun, nur
mit der Druckgraphik Dürers (vgl. Abb. 1 und Abb. 2). Ekhart Knab: «Cranachs Pinselstrich übersetzt sehr unmittelbar die ausdrucksgeladenen Formen der
Graphik Albrecht Dürers in die Malerei[34].» Cranachs grosses Gemälde der
«Kreuzigung» von 1503 (Abb. 52) scheint mir aber zu beweisen, dass er wenigstens ein Malwerk Dürers gekannt hat, weil es für den sächsischen Kurfürsten
Friedrich bestimmt war und in irgendeiner Weise, die uns unbekannt ist, die aber
wohl mit Friedrich als Auftraggeber zusammenhängt, Cranach vor Augen gekommen ist. Ich meine Dürers Komposition der «Sieben Schmerzen Mariae», die
1588 aus dem Besitz Lukas Cranachs III. für die Dresdener Gemäldegalerie erworben wurde.

Sowohl nach den «Sieben Schmerzen» als auch nach den «Sieben Freuden
Mariae» Dürers gibt es gezeichnete Kopie aus der Cranach-Werkstatt (Nr. 58, 59).
Der Zyklus der «Freuden» ist im Original verlorengegangen. Die «Sieben
Schmerzen Mariae», die sich in Dresden erhalten haben und Szenen aus dem
Leben und aus der Passion Christi darstellen, ordnen sich um die in München auf-
bewahrte grosse Nischenfigur der «Schmerzensreichen Maria» (vgl. auch
Abb. 51)[35]. Die Nachzeichnungen der Cranach-Werkstatt beweisen nur, dass sich
die beiden Bildergruppierungen Dürers im sächsischen Bereich Cranachs be-
funden haben. Dagegen scheint es nicht möglich zu sein, die in Dresden erhaltenen

53   L. Cranach d. Ä., um 1525 (Anm. 147)   54   L. Cranach d. Ä., 153[8] (Anm. 147)

Dürer-Gemälde mit dem grossen Altar in der Wittenberger Schlosskirche gleich-zusetzen, der auf zwei Flügeln in ähnlicher Weise die «Freuden und Schmerzen Mariae» zeigte und 1717 von Matthaeus Faber genau beschrieben wurde – ohne Erwähnung eines Künstlernamens und mit einigen Abweichungen gegenüber den erhaltenen Bildern. Ende 1496 bezahlte die Wittenberger Schlossverwaltung an «einen Maler von Nürnberg» – wahrscheinlich Dürer – 100 Gulden für eine «Neue Tafel, die mein gnädiger Herr Herzog Friedrich zu machen bestellt hat», dazu Auszahlung für den Transport dieser Tafel (in einer verschlossenen Kiste selbstverständlich) von Nürnberg nach Leipzig und von Leipzig nach Weimar[36]. Das Datum 1496 und die Höhe des Betrages passen zu den erhaltenen Tafeln in Dresden und München. 1494 hatte der Papst die Verehrung der Schmerzen Mariae bestätigt[37].

Innerhalb des Schmerzen-Zyklus steht die «Marienklage unter dem Kreuz» als sechsfigurige Szene mit schräggestelltem Kruzifix (Abb. 50). Schon früher haben Andachtsbücher, z.B. ein 1486 in Magdeburg gedrucktes und mit Holz-schnitten geziertes Gebetbuch[38], unterschieden zwischen den Bildern der eigent-lichen «Kreuzigung» und der «Klage Mariae». Der Holzschnitt aus dem Büchlein von 1486 (Abb. 51) zeigt nur drei Figuren: den Gekreuzigten, der seine Mutter dem Lieblingsjünger Johannes anvertraut und dann verscheidet[39]. Gegenüber einem solchen Holzschnitt fügte Cranach auf seiner grossformatigen Tafel von 1503 (Abb. 52) die gegeneinander gerichteten Kreuze der Schächer hinzu, so dass Maria und Johannes in der Mitte der drei Gekreuzigten qualvoll fixiert werden;

gegenüber Dürer, mit dem er die heroische Verkörperung Christi[40] und die
pathetische Schrägstellung des Kreuzes und Verkürzung der gespannten Arme
gemein hat, liess er alle anderen Zeugen des Vorganges weg. Nimmt man an, dass
Cranach die Bildergruppe Dürers und die Magdeburger Holzschnitte von 1486
oder ähnliche bescheidene Darstellungen dieser Art gekannt hat, so stellt sich seine
Leistung folgendermassen dar: Cranach fand es richtig und hatte den Mut dazu,
ein Teilstück aus einer Andachtsbilder-Folge, die in der schmerzreichen Maria
zentriert war, herauszubrechen und zu monumentalisieren als Neufassung der
«Kreuzigung», für die bisher Frontalität und Symmetrie sanktionierte Tradition gewesen war[41]. Auf Dürer und auf einer unbedeutenden Illustration eines
Gebetbuches fussend, ging Cranach einen Riesenschritt wagemutig, fast unbedenklich voran. Es entstand eine Mischform zwischen der «Kreuzigung», der
«Marienklage», die ja in den regelmässig aufgeführten spätmittelalterlichen Pas-
sionsspielen breit ausgeführt wurde[42], und einem monumentalen Andachtsbild.
Der Betrachter kann sich dem schmerzlichen Aufblicken Mariae zu Christus
geistig anschliessen, freilich, wegen des neuen Pathos des Bildes, nicht mehr in
der Vertraulichkeit oder Neugierde-Haltung den heiligen Gestalten gegenüber, die
für das 15. Jahrhundert charakteristisch waren[43]. In ähnlichem Sinne, nun in
würdiger, intellektueller Begegnung, liess sich später der Kardinal Albrecht von
Brandenburg unter dem Gekreuzigten von Cranach porträtieren, in reformatorischem Vertrauen auf den «Gnädigen Gott» um 1538 ein unbekannter Gläubiger
(Abb. 54; vgl. Nr. 343, Abb. 271).

Die 1503 auf einem Zettelchen vorn am Bildrand datierte[44] «Kreuzigung»,
die 1,38 m hoch ist, war wohl Cranachs Hauptwerk aus den Wiener Jahren 1501/02
bis 1504 – wo hat er es gemalt, in einer Werkstatt eines Wiener Malers, der ihm
Gastrecht gewährte[45]? Hat Cranach in dem Wiener Haus gewohnt (Wollzeile 26),
das einem Ulrich Cronacher, vielleicht einem Verwandten des Lukas Cranach,
gehörte[46]? Ulrich Cronacher war der Sohn von einem um 1500 in Ofen (Budapest) gestorbenen Albrecht Cronacher. Dessen Gattin Martha Kirchhaimer besass das Haus zunächst; sie war die Tochter eines ehemals in Wien angesehenen,
von dort aus politischen Gründen zur Auswanderung nach Ofen gezwungenen
Arztes. Ulrich Cronacher zog von Ofen nach Wien und wurde hier spätestens 1511
Bürger durch Heirat mit der 1509 in Wien verwitweten Margret, der ehemaligen
Gattin des Wiener Apothekers Augustin Hold. Richard Perger, der auf diese
Dinge 1966 aufmerksam gemacht hat, hält es für möglich, dass Cranach wegen
einer verwandtschaftlichen Bindung mit Ulrich Cronacher 1501/02 in Ofen zu
Besuch war, was die ungarischen Typen auf der «Schotten-Kreuzigung» Cra-
nachs[47] erklären würde.

Verwandtenbesuch in Budapest und Wien? Würde man dies auch hypothetisch gelten lassen, so erfasst man damit bestimmt noch nicht die hauptsächlichen
Gründe für Cranachs Wegzug nach Wien. Cranachs Wiener Werke geben bessere
Anhaltspunkte: seine Holzschnitte und seine Humanisten-Bildnisse. Cranach hat
in Wien eine Lücke gefüllt. Seit 1493 gab es in Wien einen Buchdrucker, aber
keine fähigen Zeichner für den Holzschnitt – für diesen Drucker Johannes
Winterburger schuf Cranach eine Reihe von Holzschnitten (Nr. 50). Dürersche

Modernität, die Cranach in den Holzschnitten und in den Gemälden vorzutragen wusste, passte zum humanistischen Milieu Wiens seit der Aktivität von Johannes Fuchsmagen, für den Cranach möglicherweise seinen «Büssenden Hieronymus» mit dem Datum 1502[48] und sicher die Monatsdarstellungen nach einer spätantiken Filocalus-Handschrift gezeichnet hat (Nr. 69), zum Wirken des – wie Cranach – aus Ostfranken zugewanderten Arztes und Poeten Johannes Cuspinian, den Cranach 1502/03 zusammen mit seiner frisch angetrauten Gattin porträtierte (Abb. 55 f.)[49], und zur Ausstrahlung des «deutschen Erzhumanisten» Konrad Celtis, den wir als Freund des Kurfürsten Friedrich von Sachsen und der Künstler Albrecht Dürer und Hans Burgkmair bereits kennengelernt haben (Nr. 2). Celtis war 1497 von Kaiser Maximilian auf eine neuerrichtete Lehrkanzel für Poetik und Rhetorik nach Wien berufen worden. Cuspinian, wie Celtis «poeta laureatus», begrüsste Celtis 1497 mit einem Gedicht[50]. Im Oktober des Jahres 1501 gründete Kaiser Maximilian eine eigentliche Humanisten-Fakultät an der Universität von Wien, das «Collegium poetarum et mathematicorum». Er ernannte Celtis zum Leiter des Kolleges; Cuspinian war des Celtis Stellvertreter und übernahm 1508, nach dem Tod des Celtis, dessen Lektorat. Mit anderen Worten: Maximilian versuchte der Universität Wien ein Zentrum humanistischer Lehrtätigkeit anzugliedern und Wien so aufzuwerten (vgl. Nr. 52). Cranach scheint gemerkt zu haben, dass in Wien ein Maler von Dürerscher Progressivität guten Boden finden konnte. Es gab praktisch keine Konkurrenz, abgesehen von dem wahrscheinlich ausserhalb Wiens tätigen Augsburger Künstler Jörg Breu, der 1500/02 in Österreich drei grosse Altäre z. T. unter Verwendung von Graphikvorlagen Dürers ausführte[51]. Breu hatte als erster, aber nicht entfernt mit der Sicherheit Cranachs, einen pathetischen Ton und eine stürmische Erregtheit in die Malerei jener Region, die bislang von spätgotischer Sauberkeit und Zierlichkeit getragen war, eingeführt (Nr. 61). Vielleicht hat er an der Seite des rheinischen Stechers PW, der damals ebenfalls in die Fremde gezogen war, in der Frueauf-Werkstatt in Passau gearbeitet[52]. Auch hier war es Dürer, der Jörg Breu künstlerisch auf die Sprünge geholfen hatte. Aber den Humanisten Wiens konnte mit Recht nur Cranach als ein ernst zu nehmender Gleichgesinnter erscheinen.

Der geistesgeschichtliche Rahmen für Cranachs Tätigkeit in Wien scheint deutlich festlegbar[53]. Wir wenden uns einigen Werken zu, die neben dem Hauptstück, der 1503 datierten «Kreuzigung» (Abb. 52), von Cranach 1502 bis 1504 gemalt und gezeichnet wurden.

50   **Lukas Cranach d. Ä.**
Hl. Stephanus als erster christlicher Märtyrer
und als Patron Wiens und der Diözese Passau   **Abb. 46**
Dat. 1502. Holzschnitt. 21,8 × 15,1 cm (Blattgrösse 32,2 × 21,3 cm).
Titelblatt aus: Missale Pataviense, Wien, Johannes Winterburger 1503
«Octavo kalendas maii» (mit Besitzereintragung von 1504, zeitgenöss.
Ledereinband, ohne den «Kreuzigungs»-Holzschnitt, vgl. Nr. 64–66).
Schweizer Privatbesitz.

Ho. H. 89. – Dodgson II, S. 277, Nr. 1. – H. Voss, Der Ursprung des Donaustiles,
Leipzig 1907, S. 101 f. – Th. Müller, in: Kunstchronik, IV, 1951, S. 297. – Berlin 1973,
Nr. 66 (dort Lit.). – Koepplin, Cuspinian, S. 231 ff.

Der 1502 datierte und 1503 im Passauer-Wiener-Messbuch erschienene (oft kolorierte)
Holzschnitt könnte zunächst als Flugblatt konzipiert gewesen sein – ähnlich wie Dürers
Holzschnitt des Nürnberger Stadtheiligen St. Sebald, der 1501 als Illustration zu des
Celtis «Norimberga» und als Flugblatt mit einem Celtis-Gedicht auf den Heiligen er-
schienen ist (B. app. 20; Meder 234; Panofsky 388). Auf diesen Holzschnitt und viel-
leicht auf einen andern Holzschnitt Dürers (Nr. 51) in architektonischem Rahmen
(B. 108; Meder 235; Panofsky 328, «um 1504») bezog sich Cranach wohl bewusst, in-
dem er zugunsten des von Dämonen besetzten Astwerkrahmens alle architektonischen
Elemente zurückdrängte. Sogar der Heiligenschein wurde verpflanzlicht (vgl. Münze
Friedrichs von Sachsen 1508: Nr. 29). Cranach steigerte auf der einen Seite Dürers
Verpflanzlichung des halbarchitektonischen Astwerks (exemplarisch und Cranach sehr
wahrscheinlich bekannt der 1502 erschienene Holzschnitt Nr. 52; vgl. H. Kohlhaussen,
Nürnberger Goldschmiedekunst..., Berlin 1968, S. 351 ff.; M. Braun-Reichenbacher,
Das Ast- und Laubwerk, Nürnberg 1966), auf der andern Seite verhalf er dem aus dem
Mittelalter hergebrachten, ungegenständlich-expressiven Schlingwerk, wie es Hartlin
in später Ausformung vorträgt (Abb. 44, 45), zum kräftigen Weiterleben. Man kann
dies «Gotisieren» nennen; jedenfalls egalisiert Cranach den neuartigen Ausdruck des
ernsten, aktionsfähigen und der Spannungen sich bewussten «freien» Renaissance-
Menschen mit Bildformeln des «Über-den-Kopf-Wachsens» von Dingen, die irratio-
nale, übermächtige Bindungen bewirken.
      F. Winkler (Zs. f. Kunstwiss., XV, 1961, S. 156 ff.) beschrieb das Astwerk des
«Stephanus» als Vorform des Astwerks um das kursächsische Wappen in Cranachs
«Heiligtumsbuch» von 1509 (Nr. 101), die als moderne Fassung der Astwerkrahmung
«die konsequenteste unter den bisher bekanntgewordenen» sei. Wilde Putten im Geäst:
vgl. Cranachs Holzschnitt von 1509 mit «Christus vor Herodes» (Nr. 314).
      Die übrigen Holzschnitte des «Missale Pataviense» Nr. 64–66.

51   **Albrecht Dürer** (1471–1528)
Die Heiligen Stephanus, Sixtus und Laurentius   **Abb. 47**
Um 1500/01. Holzschnitt. 21,3 × 14,3 cm.
Basel, Kupferstichkabinett des Kunstmuseums.

B. 108. – Meder 235. – E. Flechsig, Albrecht Dürer, I, Berlin 1928, S. 291 f. – Panofsky
328. – F. Winkler, Albrecht Dürer, Berlin 1957, S. 123.

Kommentar bei Nr. 50. Winkler datiert 1500/01, Flechsig 1502 (oder 1501/02), Panofsky
um 1508. Kopftypen: vgl. Cranachs «Franziskus» (Farbtafel 4) oder die Zeichnung mit
dem «Auftritt der Toten» (Nr. 309).

52 **Albrecht Dürer** (1471–1528)
Celtis überreicht König Maximilian seine Liebesdichtung
Holzschnitt. 21,7 × 14,7 cm.
Aus: Conrad Celtis, Quatuor libri amorum secundum quatuor latera Germaniae, Nürnberg, 5. April 1502. Mit 12 Holzschnitten Dürers und Kulmbachs.
Basel, Universitätsbibliothek.

B. 217. – Meder 244 u. S. 280, Nr. XV. – Dodgson I, S. 279f., Nr. 23. – Panofsky 412. – Dürer-Kat. Nürnberg 1971, Nr. 289. – F. Hieronymus, Oberrheinische Buchillustration, Kat. Basel UB 1972, Nr. 213. – Hans Burgkmair, Kat. Augsburg/Stuttgart 1973, bei Nr. 17. – Koepplin, Cuspinian, S. 91 ff.

Das gekrönte Wappen mit dem Kaiseradler oben, die Wappen von Österreich und Flandern seitlich und das Wappen der Stadt Wien unten (seit 1501/02 lehrte Celtis in Wien an dem von Maximilian für Celtis neu gegründeten «Collegium poetarum et mathematicorum»).

53 **Lukas Cranach d. Ä**
Der hl. Martin teilt mit einem Bettler seinen Mantel **Abb. 48**
Bez. LC, dat. 1504. Auf graublau grundiertem Papier mit der Feder schwarz gezeichnet und mit dem Pinsel grau laviert und weiss gehöht. 18,5 × 12,5 cm.
München, Staatliche Graphische Sammlung (36).

R. 4. – Girshausen, Nr. 5 u. S. 13 f. – M. Weinberger, in: Zs. f. Kunstgesch., II, 1933, S. 10 ff. – G. Lill, Hans Leinberger, München 1942, S. 242. – P. Halm/B. Degenhart/ W. Wegner, Hundert Meisterzeichnungen aus der Staatlichen Graphischen Sammlung München, München 1958, Nr. 30. – Die Kunst der Donauschule, Kat. Linz 1965, Nr. 31. – Zeichnungen der Dürerzeit, Kat. München 1968. – Schade, Zeichnungen, S. 35. – Koepplin, Cuspinian, S. 51 f.

Erstmals «LC»-Signatur wie auf dem 1504 datierten Gemälde der «Heiligen Familie in der Landschaft» (FR. 10; vgl. Nr. 56). Die bildhafte, miniatorische Zeichnung, die Albrecht und Erhard Altdorfer bekannt geworden sein dürfte und in der «Donaukunst» eine bedeutende Entwicklung einleitete (darüber Winzinger, Oettinger, Baldass, Benesch, Stange: Lit. angegeben bei Koepplin, Cuspinian, S. 19–23), hat technisch (Nr. 55) und motivisch (Nr. 57) hauptsächlich Dürers Schaffen zur Basis, vielleicht aber auch italienische Zeichnungen, die über Südtirol (vgl. O. Benesch, Österr. Handzeichnungen des XV. u. XVI. Jhs., 1936, Nr. 6) nach Wien gelangten. Trotz des zunächst verwirrenden Reichtums hat die Zeichnung nichts Rauschhaftes (wie die Werke Altdorfers) und erschliesst sich durch die klare Anlage und die ruhig «geschriebene» Ausführung. Cranach zwingt den Betrachter zum geduldigen Eindringen in ein lebenserfülltes, gegenständlich simples, geheimnisvolles Wunderwerk. Neben dem fusslosen Bettler eine Schale, Hund, hockende Frau mit drei Löffeln, Kind nebenan: eine Familie ist zu ernähren. Die ausrückenden Ritter wollen nichts bemerken. Der hl. Martin fast standbildhaft: vgl. motivisch und technisch Nr. 14 ff. – Celtis hat ein Gedicht auf den hl. Martin geschrieben (Ep. III, 24).

In Helldunkel-Manier zeichnete Cranach auch mit der Kreide: zwei Schächer um 1502 (R. 2–3; Berlin 1973, Nr. 33–34). Vgl. Abb. 14.

54   **Mair von Landshut**
      Christi Geburt, in architektonischer Rahmung
      Bez. MAIR, dat. 1499. Kupferstich auf dunkelbraun grundiertes Papier ge-
      druckt, mit dem Pinsel weiss und gelb gehöht. 20,3 × 13,6 cm.
      Basel, Kupferstichkabinett des Kunstmuseums.

Lehrs VIII, 1932, S. 298–300, Nr. 5. – A. Stange, Deutsche Malerei der Gotik, X,
Berlin 1960, S. 111 ff., bes. S. 124 ff. u. 130.

Mair, der eine vordürerische, spätgotische Kunst vertritt, war in Freising, München
(hier 1490 bezeugt) und zuletzt in Landshut tätig; letzte datierte Werke von 1504.
Cranach ist möglicherweise 1501/02 oder 1504/05 über Landshut gereist und hätte
Werke von Mair und von Hans Wertinger kennenlernen können. In Landshut residier-
ten die Wittelsbacher Herzöge von Bayern (nach dem Tod Georgs Bayrischer Erb-
folgekrieg: vgl. Zs. d. dt. Ver. f. Kunstwiss., XX, 1966, S. 79 f. mit Anm. 12). Vgl.
Abb. 75.

55   **Albrecht Dürer(?)** (1471–1528)
      Kreuzigung Christi (grosser Kalvarienberg)
      Von fremder Hand bez. u. dat. 1502, um 1505 ? Auf grau grundiertem Papier
      mit Feder in Schwarz, mit dem Pinsel schwarz laviert und weiss gehöht.
      47,0 × 32,9 cm.
      Basel, Kupferstichkabinett des Kunstmuseums (1849.37).

Winkler 319. – Bruck, S. 160. – Panofsky 476. – F. Winkler, Albrecht Dürer, Berlin 1957,
S. 176 f. – Meister um A. Dürer, Kat. Nürnberg 1961, Nr. 402. – F. Winzinger, in:
Pantheon, XX, 1962, S. 275 ff.

Nach Panofsky und anderen Kopie (Röttgen: Kopie nach Schäufeleins Redaktion?),
nach Winkler und Friedländer Original Dürers der Zeit um 1505 für ein von Kurfürst
Friedrich von Sachsen 1504/05 bei Dürer bestelltes Altarwerk, das der Dürer-Schüler
Hans Schäufelein bis 1508 ausführte (Ober-St. Veiter Altar in Wien, Erzbischöfl. Dom-
u. Diözesanmuseum; zu den Pestheiligen auf den Flügeln des Altars vgl. Nr. 7). Winkler
begründete die Unmöglichkeit des Datums 1502 hauptsächlich mit der Entlehnung der
Reiterfigur vorn links aus Dürers Kupferstich des «Hl. Georg zu Pferd» von 1505/08
(Nr. 13). Aber diese Reiterfigur ist schon in einer 1498 datierten Studie vorbereitet
(Winkler 176). Zwei Studien zu Schächern sind 1505 datiert; damals waren die Entwürfe reif zur Ausführung (Dürer reiste nach Italien, Schäufelein musste die Ausführung übernehmen). Einer der Schächer (Winkler 324; W. Koschatzky/A. Strobl, Die
Dürerzeichnungen der Albertina, Salzburg 1971, Nr. 161: Baldung nach Dürer) erinnert
merkwürdig an den sich aufbäumenden Schächer rechts auf Cranachs «Schotten-Kreuzigung», die in Wien um 1502 entstanden sein muss (FR. 1). Wenn Cranach wegen
seiner vermutlichen frühen Beziehung zum kursächsischen Hof (1501 ist er in Coburg
bezeugt) um 1501 bereits vorhandene Entwürfe zum Ober-St. Veiter Altar gesehen hat (was gewiss nicht wahrscheinlich ist), dann leitet sich der Schächer auf der
«Schotten-Kreuzigung» wohl von Dürers Holzschnitt B. 59 her, der kompositionell
mit dem Mittelbild des Ober-St.-Veiter Altars verwandt ist (Meder 180; Panofsky 279).
Der «Kalvarienberg»-Holzschnitt Dürers wird von Winkler (A. Dürer, 1957, S. 126)
um 1500/01, von Panofsky um 1504/05 datiert. – Die (biblische) Verfinsterung des
Himmels, die Dürer und Cranach dramatisch vortragen, war in der deutschen Malerei
so noch unüblich und entspricht niederländischer Tradition.

L. Cranach d. J., um 1570 (Nr. 154)

Für die Entstehungsgeschichte der Helldunkel-Technik Dürers, die sich radikal von derjenigen eines Mair von Landshut (Nr. 54) unterscheidet und im Prinzip die Technik Cranachs vorbereitet, spielt das für Dürer umstrittene, meist ihm abgeschriebene Blatt der «Drei Lebenden und drei Toten» eine besondere Rolle, von der sich das undatierte Original(?) und eine 1497 datierte Kopie erhalten haben (Winkler 162; Koschatzky/ Strobl, Nr. 168; sonstige Helldunkelblätter: Winkler 251, 260, 267, 300ff.). Etwa gleichzeitig mit Cranach griff Baldung die von Dürer entwickelte moderne Helldunkel-manier auf (Nr. 1; Oettinger/Knappe, zit. bei Nr. 1, S. 9ff., bes. S. 13), 1506 dann auch Albrecht Altdorfer (vgl. Nr. 56).

56 Albrecht Altdorfer (um 1480–1538)
Heilige Familie in der Landschaft
Bez. A. A., dat. 1512. Auf graubraun grundiertem Papier Feder in Schwarz, mit dem Pinsel grau laviert und weiss gehöht. 19,3 × 13,8 cm.
Basel, Kupferstichkabinett des Kunstmuseums (1959.111).

F. Winzinger, Albrecht Altdorfer, Zeichnungen, München 1952, Nr. 35. – F. Winzinger, Zeichnungen altdeutscher Meister aus dem Besitz der CIBA AG Basel, 1956 (Maschinenschrift), Nr. XI, S. 41–43. – G. Schmidt, 15 Handzeichnungen deutscher und schweizerischer Meister des 15. und 16. Jahrhunderts, Basel 1959, S. 41 f. – K. Oettinger, Altdorfer-Studien, Nürnberg 1959, S. 51 f. – Die Kunst der Donauschule 1490–1540, Kat. Linz 1965, Nr. 70.

Im Kalligraphischen und Atmosphärischen von Cranach grundverschieden. Für die Weisszeichnung der Wolken und Pflanzen prägte Friedländer den Ausdruck «Eisläufer-figuren»: frei aus der Handbewegung. Das Motiv des dicken Baumstammes, das Alt-dorfer erstmals um 1509 verwendete (F. Winzinger, Albrecht Altdorfer, Graphik, München 1963, Anhang Nr. 3), schreibt sich wohl von Cranachs Holzschnitt dieses Jahres mit «David und Abigail» her (Ho. H. 3; Nr. 457).
    Thematisch ist hier – ähnlich wie bei Cranachs berühmtem Gemälde von 1504 (FR. 10; Berlin 1973, Nr. 1) – nicht spezifisch eine «Ruhe auf der Flucht» als Historie dargestellt, vielmehr eine Heilige Familie (ohne Esel, ohne Korb) in einer erhöhenden Landschaft (Cranach betonte ihren paradiesischen Charakter und fügte die Reinheits-symbolik des Quellwassers hinzu). Der gebückte Joseph scheint immerhin von Cranachs Holzschnitt der eigentlichen «Ruhe auf der Flucht» entlehnt zu sein (Ho. H. 7). Erst allmählich – und man sollte die gleitenden Übergänge bemerken – bildete sich aus den «Heiligen Familien in der Landschaft» die «Ruhe auf der Flucht», die früher ikono-graphisch ganz anders aussah, als idyllische Historienform heraus (Patenier usw.; Beispiele von wirklicher «Ruhe auf der Flucht» im 15. Jh.: Schwäbischer Meister, Städel-Jb., NF I, 1967, Abb. S. 184, oder Memling, Pantheon, VII, 1931, S. 185 ff., oder in «Kindheit-Jesu»-Büchlein, Augsburg 1476, Schramm, Bilderschmuck, IV, Nr. 194; am Anfang, klar historienmässig, Meister Bertram auf dem Grabower Altar von 1379, Stange II, Abb. 171). Für die Transformierung der Ikonographie vor Cra-nachs Bild von 1504 war Dürers Holzschnitt der «Heiligen Familie im hortus con-clusus», B. 102, besonders wichtig, dann auch der Dürer-Holzschnitt B. 99.

57 **Albrecht Dürer** (1471–1528)
Heimsuchung (die schwangeren Maria und Elisabeth
begegnen sich vor dem Haus des Zacharias)   **Abb. 49**
Bez. Um 1503/04. Holzschnitt. 30,0 × 21,1 cm.
Basel, Kupferstichkabinett des Kunstmuseums.

B. 84. – Meder 196. – Panofsky 304. – Dürer-Kat. Nürnberg 1971, Nr. 601,9.

Aus der Holzschnittfolge des «Marienlebens», die erst 1511 in Buchform gedruckt
wurde. Die Gruppe der 1505/07 entstandenen frühen Blätter (eines trägt das Datum
1504) erschien einzeln vorweg, wie frühe Verwendungen durch andere Künstler beweisen. Auch Cranach dürfte einen Frühdruck für seine «Martins»-Zeichnung benutzt
haben (Nr. 53).

58 **L. Cranach d. Ä., Werkstatt**
Sechs Kopien nach Albrecht Dürers «Sieben Schmerzen Mariae»
Um 1530 oder etwas später. Falsche Dürer-Monogramme. Feder, grau und
blass farbig laviert.
  a. *Beschneidung* (21,0 × 21,2 cm). – b. *Flucht nach Ägypten* (22,4 × 18,0 cm). –
  c. *Kreuztragung* (20,7 × 21,4 cm). – d. *Kreuzanheftung* (24,1 × 21,5 cm). –
  e. *Kreuzigung* (25,6 × 21,5 cm). – f. *Beweinung* (22,2 × 17,8 cm).
Erlangen, Graphische Sammlung der Universitätsbibliothek.

E. Bock, Die Zeichnungen in der Universitätsbibliothek Erlangen, Frankfurt a. M. 1929,
S. 308ff., Nr. 1300–1305 u. Taf. 260–262. – Girshausen, Nr. 126a. – Anzelewsky, Dürer,
S. 127ff., Nr. 20–27. – Dürer-Kat. Nürnberg 1971, Nr. 587. – Zu Dürers Vorbildern
ferner: E. Brand, in: Albrecht Dürer, Kunst im Aufbruch, Leipzig 1973, S. 99–105, und
D. Kuhrmann, in: Kunstchronik, XXVI, 1973, S. 297f.

Dürers Altar (Abb. 50) entstand sehr wahrscheinlich im Auftrag des Kurfürsten Friedrich von Sachsen in der Zeit um 1494/96. Das Mittelstück (Schmerzensmutter) befindet
sich seit 1804 in München, die Passions-Teile wurden 1588 aus dem Nachlass eines
Enkels Cranachs, des Torgauer Bürgers «Lucas Krannigken», für die Dresdener
Kunstkammer erworben. Der Altar scheint nicht für die Wittenberger Schlosskirche,
sondern eher für die Weimarer Residenz des sächsischen Kurfürsten oder für eine Weimarer Kirche bestimmt gewesen zu sein.
      Eine Zeichnung Dürers zur Schmerzensmutter und zur Kreuzigung lässt erken-
nen, dass Dürer das Kreuz Christi zuerst frontal-mittelständig geplant und erst bei
zweiter, definitiver Überlegung seitlich schräg gestellt hat: als Marienklage unter dem
Kreuz (Winkler 150; Brand, S. 102).

59 **L. Cranach d. Ä., Werkstatt**
Fünf Kopien nach Albrecht Dürers «Sieben Freuden Mariae»
Um 1530 oder etwas später. Falsche Dürer-Monogramme. Feder, grau und
blass farbig laviert.
  a. *Verkündigung* (22,9 × 20,8 cm). – b. *Geburt Christi* (19,6 × 21,4 cm). –
  c. *Christus erscheint seiner Mutter* (20,6 × 20,8 cm). – d. *Pfingstfest*
  (20,3 × 23,7 cm). – e. *Krönung Mariae* (20,8 × 20,9 cm).
Erlangen, Graphische Sammlung der Universitätsbibliothek.

E. Bock (zit. bei Nr. 58), Nr. 1306–1310 u. Taf. 263–265. – Vgl. Lit. bei Nr. 58; ausserdem: O. Benesch, in: Jb. d. Kunsthist. Sammlungen in Wien, NF II, 1928, S. 89 ff.

Erna Brand (S. 100): «Die Erlanger Zeichnungen... zeigen, dass zur Sieben-Schmerzen-Mariä-Tafel eine entsprechende mit den sieben Freuden Mariä als Gegenstück gehörte, die gänzlich verschollen ist. Von ihr geben fünf... Nachzeichnungen Kunde.»

60 L. Cranach d. Ä., Werkstatt
Kopie nach Albrecht Dürers «Anbetung der Könige» von 1504
Um 1530 oder etwas später. Feder laviert. 21,5 × 28,5 cm.
Erlangen, Graphische Sammlung der Universitätsbibliothek.

E. Bock (zit. bei Nr. 58), S. 311, Nr. 1311 u. Taf. 265. – Anzelewsky, Dürer, S. 184f., Nr. 82. – D. Kuhrmann, in: Kunstchronik, XXVI, 1973, S. 305.

Die von einem Cranach-Schüler abgezeichnete Tafel Dürers entstand im Auftrag des Kurfürsten Friedrich von Sachsen (jetzt in Florenz, Uffizien). Vgl. die Nachzeichnung nach Dürers «Jabach-Altar» (R. A 6: Nr. 470).

2. *Wiener Werke Cranachs 1502 bis 1504*

Jacob Burckhardt notierte in seinen «Weltgeschichtlichen Betrachtungen» 1868/71:
«Enorm aber ist der Wert des Gleichartigen in der Kunst für die Bildung der
Stile; es enthält die Aufforderung, im Längstdargestellten ewig jung und neu zu
sein und dennoch dem Heiligtum gemäss und monumental, woher es denn kommt,
dass die tausendmal dargestellten Madonnen und Kreuzabnahmen nicht das
Müdeste, sondern das Beste in der ganzen Blütezeit sind. Keine profane Aufgabe
gewährt von ferne diesen Vorteil. An ihnen, die eo ipso stets wechseln, würde sich
nie ein Stil gebildet haben[54].» Cranachs verschiedene Neuformulierungen des
Themas «Kreuzigung Christi» sind Belege für Burckhardts These (Nr. 62).
Wenn Jacob Burckhardt die tausend Madonnen und Kreuzigungen, deren Grund-
thema sich gleich bleibt bei wechselnder, am Widerstand sich profilierender Form,
der profanen Kunst gegenüberstellt, bei der der Zwang zur Kontinuität weitgehend wegfällt, so scheint mir wesentlich zu sein, nz bemerken, dass Cranachs
Stärke darin lag, dass er bei den von ihm aufgegriffenen profanen Themen ebenfalls etwas Elementares und damit der Konstanz Verpflichtetes ansteuerte, wenn
er uns beispielsweise die «Venus» oder die «Schlafende Quellnymphe» vor Augen stellt. Pablo Picasso sagte einmal zu Françoise Gilot[55]: «Wenn du die Geschichte der Malerei verfolgst, wirst du höchstens zwanzig grosse Themen ent-
decken. Eins davon ist Christi Geburt. [...] Innerhalb verschiedener Zivilisationen
und Religionen wiederholen sich immer wieder Themen, die einen auf gemeinsa-
mer menschlicher Erfahrung beruhenden biologischen Aspekt darstellen und im
Rahmen der herrschenden Ideologie der Zeit und des Ortes behandeln. Ein
Thema ist, wie du siehst, etwas Universelles. Es verkörpert notwendigerweise
eine wichtige Phase der menschlichen Entwicklung. Geburt, Leiden, Tod: Das
sind grosse Themen. [...] Auf jedes Thema kommen Tausende von Sujets, vielleicht noch mehr. Das Sujet ist eine der gültigen Phasen innerhalb eines Themas,
das übrige ist nur Anekdote. Und für jedes neue Sujet gibt es einen neuen Maler.
Der Maler, der einen Schritt vorwärts bezeichnet in der Geschichte der Malerei,
ist derjenige, der ein neues Sujet entdeckt hat.» Klar, dass Cranach zu diesen
Malern gehört. Picasso differenziert Burckhardt dahin, dass eine «Madonna mit
Kind» eines der «zwanzig grossen Themen» ist, eine «Venus mit Cupido», wie
sie Cranach erfunden hat, aber weit über das Anekdotische geht und im Grunde
am «tausendmal Dargestellten» teilhat – darum hier stilbildend.

   Aus den Wiener Jahren Cranachs haben sich keine profanen Darstellungen
erhalten, ausser einer Zeichnung eines «Liebespaares» (Nr. 78) und den Zeichnungen, die Cranach im Auftrag des Wiener Humanisten und niederösterreichi-
schen Regenten Dr. Johannes Fuchsmagen nach den zwölf spätantiken Monatsdarstellungen des Filocalus von 354 kopierte (Nr. 69). Nach dem Tod Fuchs-
magens erbte Cuspinian, den Cranach 1502/03 porträtierte (Abb. 55), die Kopien
Cranachs. Jakob Rosenberg 1960: «Dass diese Monatsdarstellungen nicht ganz
den freien Zug und die Eigenwilligkeit der Cranachschen Linien in des Künstlers
Frühzeit zeigen, kann wohl durch die Beschränkung, die eine Kopistentätigkeit
auferlegt, erklärt werden[56].» Unsere Gegenüberstellung einer der Zeichnungen,

55　L. Cranach d. Ä., um 1502/03　　　56　L. Cranach d. Ä., um 1502/03
　　(Anm. 147)　　　　　　　　　　　　　　(Nr. 147)

der Figur zum Januar, mit Cranachs Holzschnitt des «Hl. Judas Thaddäus» aus der Serie der stehenden Apostel von etwa 1510/15 (Abb. 63) mag verdeutlichen, dass Cranach eine Standfigur später auch dann blockhaft aufrichtete und hart-schwülstig drapierte, wenn er durch kein Vorbild in seiner künstlerischen Freiheit eingeschränkt war. Sonst allerdings leitet sehr wenig von diesen spätantiken Modellen zum späteren Schaffen Cranachs hinüber, höchstens einigermassen die Bildung der Pflanzen und der Tiere. Die Filocalus-Zeichnungen sind ein Dokument dafür, dass Cranach im Gegensatz zu Dürer mit der Antike im wesentlichen nichts anfangen wollte. Ein weiteres Zeugnis dafür wäre, falls es wirklich auf Cranach zurückginge, was nicht unmöglich erscheint, eine Kopie nach dem antiken «Jüngling vom Helenenberg»[57]. Das vielleicht von Cranach gezeichnete Vorbild dieser Kopie nach einer antiken Statue, die 1502 von einem Bauern beim Pflügen in Kärnten gefunden wurde, wäre zeitgenössisch mit der berühmten «Apollo»-Zeichnung Albrecht Dürers, die ein antikes Standbild ebenfalls astrologisch umdeutete, aber doch dem antiken Geist ungleich näherstand als das vermutlich auf Cranach zurückzuführende Dokument[58].

Mit einigen der Filocalus-Zeichnungen entwickelte Cranach aus dem spätantiken Vorbild Ansätze zu jenem «Parallelfalten-Stil», den die «Donauschule» (sowohl die Malerei und Graphik der beiden Altdorfer und alles, was darauf folgte, auch die Skulptur) mehr als ein stimmungsmachendes denn ein konstruktives Mittel in der Gestaltung der Kleider anwandte. Dem kühl-pathetischen und konstruierenden Dürer ist dies fremd. Cranach gestaltet «Parallelfalten» als erster sehr eindrücklich in der Helldunkel-Zeichnung einer «Törichten Jungfrau»

(Nr. 70). Girshausen spricht von «wurzelhaft verwachsenen Falten des Gewandes»[59], aber man muss hier auch die Grosszügigkeit und Klarheit der
Zusammenfassung eines Gewandes und einer ganzen Figur bewundern, die etwa
an das «Sonnenweib vor dem siebenköpfigen Drachen» aus Dürers «Apokalypse»
von 1498 denken lassen[60]. Diese Zeichnung erlaubt möglicherweise eine Brücke
zu schlagen zu einem zweiteiligen Holzschnitt zu «Die Best Practica», die der
Leipziger Konrad Kachelofen wohl kurz vor 1500 gedruckt hat (Nr. 71). Liegt
hier ein bisher unerkanntes Frühwerk Cranachs vor? Wir wagen selber keine
Antwort.

Soliden Boden betreten wir mit einigen Holzschnitten, die Cranach 1502/03
in Wien geschaffen hat und von denen einige in einem 1503 in Wien von Johannes
Winterburger gedruckten «Passauer Missale» erschienen (Nr. 50, 64–66). Drei dieser Holzschnitte sind ähnlich grossformatig wie Dürers Holzschnitte zur «Apokalypse» und zur «Grossen Passion»: zwei «Kreuzigungen», von denen eine 1502
datiert und mit einer Art von Steinmetzzeichen signiert ist (Nr. 62 und Nr. 63),
und ein «Christus am Ölberg» (Nr. 73). Vielleicht hatte Cranach mit den Holzschnitten eine grosse Passions-Serie in Angriff genommen, die wegen seines Weg-
zuges von Wien bei den ikonographischen Hauptblättern stehenblieb. Niemand
ausser Dürer hatte vorher so grosse Holzschnitte in so differenzierter Zeichnung
gemacht. Cranachs Wetteifer mit dem berühmt gewordenen Nürnberger Meister
lässt sich hier am besten fassen. Aufschlussreich etwa der Vergleich zwischen dem
im Winde hochgeblasenen Mantel eines Mannes im Mittelgrund der «Marter der
hl. Katharina» von Dürer (Nr. 72) mit dem Mantel des Johannes, der in Cranachs
1502 datierten «Kreuzigung» (Nr. 62) die zusammengebrochene Maria stützt.

Alle Wiener Holzschnitte Cranachs unterscheiden sich von den wenig
älteren Stücken Dürers nicht nur durch ihre gesteigerte Erregtheit und kon-
tinuierliche Beweglichkeit, die die Leidenschaft mit einer krausen Lebendigkeit
und oft Zierlichkeit paart, auch nicht nur durch die verschmelzende Plastizität, die
die Einzelfiguren vom Hintergrund nicht streng abhebt, sondern vor allem durch
eine andere Lichthaltigkeit. Bei Cranach gibt es bei diesen Holzschnitten sowohl
schwarze, zeichnende Linien als auch Lichtzüge, die zwischen den schwarzen
Linien zu einem Eigenleben drängen[61]. Das lässt sich eigentlich in sämtlichen
Partien, die man genauer ins Auge fasst, beobachten, am allerdeutlichsten aber in
der Aufhellung der Höhle, vor der «Christus im Gebet am Ölberg» (Nr. 73) die
Arme auseinanderreisst und aufschreit. Hier zeichnete nun Cranach nicht mehr
mit schwarzen Linien, sondern mit weissen Strichen, die er durch Schnitte in die
druckende Holzfläche erzeugte. Da der Künstler, der die Zeichnung auf den
Holzstock aufträgt, diese Wirkung mit der schwarz angebenden Feder garnicht
vorschreiben kann, da also dieser Effekt vom Holzschneider selbst konzipiert und
verwirklicht wird, scheint mir hier ein starkes Indiz für die These vorzuliegen,
dass Cranach diese Holzschnitte eigenhändig gezeichnet und auch geschnitten
hat[62].

«Christus am Ölberg» ist wohl Cranachs ausgereiftester und einprägsamster
Holzschnitt aus der Wiener Zeit (Nr. 73). Bis heute hat sich nur ein einziges, erst
1926 bekannt gewordenes Exemplar erhalten; und doch gibt es nach dieser offen-

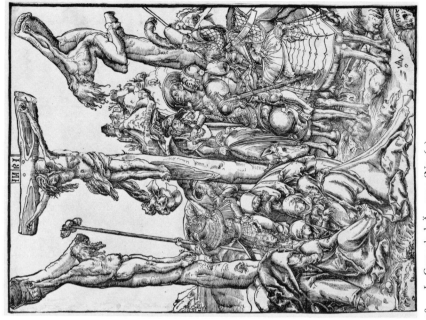

58   L. Cranach d. Ä., 1502 (Nr. 62)

57   Jörg Breu, um 1500/01 (Nr. 61)

bar nicht in grosser Auflage gedruckten Komposition eine freie Kopie von einem
bedeutenden Wiener Maler der «Donauschule» um 1520, vom «Meister der
Historia Friderici et Maximiliani» bzw. einem Gehilfen dieses Meisters (Pulkauer
Altar). Der schlafende Jünger, gegen einen hochaufragenden, das ganze Bild-
feld durchmessenden Baum geneigt, erinnert in manchen Zügen an den betenden
«Johannes vor den sieben Leuchtern» aus Dürers «Apokalypse» von 1498
(Nr. 223). Der Baum selber, mit dem Cranach Raumgliederung und Stimmung fast
brutal erzwingt, muss ebenfalls auf Dürer zurückgeführt werden, nämlich auf ver-
schiedene frühe Holzschnitte und auf den um 1495 entstandenen Kupferstich
«Der Spaziergang» (Nr. 81), auf den wir zurückkommen werden.

Cranachs «Ölberg»-Holzschnitt bilden wir ausnahmsweise seitenverkehrt ab,
also im Sinn der Vorzeichnung auf den Holzstock und nicht im Sinn des Ab-
druckes, der die spiegelbildliche Veränderung bewirkt. Je mehr eine Komposition
dynamisch gerichtet ist, und je weniger es bei ihr dem Künstler auf eine kon-
struktive Ausbalancierung ankam (wie beispielsweise Dürer), desto empfindlicher
wird sie von der Seitenverkehrung betroffen, die bei der Druckgraphik zur künstlerischen Rechnung gehört. Fast alle älteren Meister, auch Cranach, lassen nor-
malerweise das Licht von links oben nach rechts unten einfallen. Darauf haben,
was Dürers Graphik angeht, Flechsig[63], was Cranach betrifft, Thöne hingewiesen[64]. Thöne zu Cranach: «Seine Holzschnitte darf man wohl als genaue, aber
seitenvertauschte Wiedergaben seiner Risse ansehen. Seitenvertauscht ist aber
auch die Lichtführung – bis auf Ausnahmen der Zeit von 1509 bis etwa 1514.»
Cranach hat also gegen 1509 das Bewusstsein erhalten, dass ein bildhafter Holzschnitt gegenüber der Vorzeichnung nicht nur dadurch korrigiert werden muss,
dass man einem Jäger, der einen Eber tötet (Nr. 137), das Schwert im Entwurf in
die linke Hand geben muss, sondern dass man auch auf eine «richtige» Lichtführung, die nicht «gegen den Strich läuft», Bedacht nehmen sollte. Wer machte
ihm dies bewusst? Ein weiteres Mal hat Cranach etwas von Dürer gelernt und
übernommen: Ab 1504, und das hängt deutlich mit Dürers damaliger Tendenz
zur «Klärung» im wörtlichsten Sinn und auf verschiedenen Gestaltungsebenen
zusammen, beleuchtete Dürer seine Bildgegenstände in der Druckgraphik von
links, sodass die Schatten sich rechts ansetzen; nur drei Blätter machen eine Ausnahme[65]. Flechsig konnte folgern: «Demnach müssen die Entwürfe zu den
Kupferstichen und Holzschnitten bis um 1502 (die wenigen Ausnahmen ab-
gerechnet) das Licht immer von links, die Entwürfe von 1504 ab das Licht von
rechts haben[66].» Eigentlich wäre der Versuch fällig, sämtliche druckgraphischen
Werke von Dürer, Cranach und anderen Meistern jener Zeit, die eine «falsche»
Lichtführung aufweisen, probeweise einmal seitenverkehrt zu publizieren zur
Überprüfung der künstlerischen Absicht. Es ist freilich denkbar, dass ein Künstler,
auch wenn er die Lichtführung vernachlässigt, trotzdem beim Entwurf der
Komposition innerlich eine gewisse Umsetzung einrechnet.

Cranachs «Ölberg» scheint mir nur bei seitenvertauschter Reproduktion zur
vollen Wirkung zu gelangen. Jetzt bäumt sich Christus nach links auf, von welcher
Seite bei unserer traditionellen Lesung von links nach rechts der grössere Druck
ausgeübt wird, und er empfängt den Kelch mit der heftigsten Verzweiflung. Der

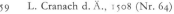

59   L. Cranach d. Ä., 1508 (Nr. 64)   60   Unbekannter Meister im Umkreis
                                                     Dürers, 1500 (Anm. 147)

weisse, ausgefranste Bildrand links hat nun nichts Störendes mehr. Der Baum
rechts pflanzt sich monumental vor den Ausblick in die Landschaft des Mittel-
grundes, von wo Judas mit der Kriegerschar naht. Und im Detail stimmt nun die
Handschrift: Die extreme Schnelligkeit des Zeichnens und der flatternde Strich
in Schräglagen prägt sich mit voller Intensität ein.

Mit dem Kriterium der Handschriftlichkeit, die bei den Zeichnungen und
Holzschnitten Dürers in revolutionärer Weise geadelt wurde (mit der humanistischen Bewertung des Improvisierens, Briefe-Schreibens usw. geistesgeschichtlich
in Parallele zu setzen), erfasst man einerseits die «humanistische» Gleichgesinnt-
heit Cranachs mit Dürer wie auch andererseits den Wesensunterschied zwischen
den beiden Künstlern besonders drastisch. Wir konfrontieren daher die Reproduktion des «Ölbergs» Cranachs mit einem Ausschnitt aus Dürers Holzschnitt der
«Grablegung» von etwa 1498 (Abb. 69)[67]. Bereits in der Zeit vor 1500 arbeitete
Dürer eine Baumkrone als Lichtkörper und als präzise Rhythmusfigur heraus,
während Cranach die gewellten Striche mit ungebändigter Ausdruckskraft hin-
warf und sich überlagern liess. Das Lichte und das Schattige sind für Cranach
Qualitäten, die nicht voneinander abgetrennt, sondern durcheinandergewirbelt
werden sollen.

Dürerisch ist im übrigen das Hauptmotiv des «Ölberg»-Holzschnittes, der
Baum, der im Vordergrund aufwächst und das ganze Bildfeld durchmisst. Nur
setzt Cranach diesen Baumstamm hemmungsloser, also auch mit einer gewissen
Unbeschwertheit ein.

61   L. Cranach d. Ä., um 1502/03 (Nr. 67)

62   Unbekannter Meister im Umkreis Dürers, 1500 (Nr. 68)

Was Cranachs Holzschnitt des «Ölberg-Christus» (Nr. 73) von dem ebenso grossformatigen, um 1498 entstandenen Holzschnitt Dürers aus der «Grossen Passion» (Nr. 74) am auffälligsten unterscheidet, das ist Christi Gestus, die ausgebreiteten Arme in Verbindung mit dem schreiend geöffneten Mund. Cranachs Erfindung? Nicht unbedingt, aber in dieser Ausformung selbstverständlich erstmalig und einmalig trotz der breiten Nachfolge, auch innerhalb des Holzschnitt-Werkes von Cranach selber (Bemerkung bei Nr. 73) und im Gefolge des 1507 erschienenen kleinen Holzschnittes von Hans Baldung im «Speculum Passionis» des Ulrich Pinder (Nr. 75). Baldungs Holzschnitt illustriert einen Abschnitt «Über den Blutschweiss Christi». Mit vom Kopf herniedertropfendem Blut und der gleichen Geste der ausgebreiteten Arme erscheint Christus auf einer Zeichnung im sogenannten «Skizzenbuch Wolgemuts». Die Darstellung stammt aber nicht von Wolgemut selber, sondern vom «Zeichner D». Richard Bellm 1959: «Es ist möglich, dass das geheftete Skizzenbuch aus der Wolgemut-Werkstatt über den Auftraggeber in die Hand des Zeichners D gelangte[68].» Dass Cranach dieses Skizzenbuch kannte, das in Nürnberg von vier Meistern vollgezeichnet wurde, lässt sich natürlich in keiner Weise belegen. Die beiden Hauptmeister des Skizzenbuches sind Wolgemut und sein Nürnberger Kollege Wilhelm Pleydenwurff, Sohn eines Bamberger Malers, dessen Witwe 1473 Michael Wolgemut heiratete, nicht zuletzt zur Verbindung der beiden bedeutenden Malerwerkstätten. Auch Pleydenwurff hat, wie Wolgemut, viele Holzschnitte der Schedelschen «Weltchronik» gezeichnet (Nr. 437). Wilhelm Pleydenwurff, der um 1458 geborene Stiefsohn Wolgemuts, starb jung 1494, Michael Wolgemut erst 1519. Von beiden Künstlern – ebenso von Cranach und seiner Werkstatt – gibt es Zeichnungen in dem merkwürdigen Sammlungsbestand der Universitätsbibliothek Erlangen[69],

63   L. Cranach d. Ä., 1510/15 (Nr. 449)   64   L. Cranach d. Ä., um 1503 (Nr. 69)

darunter auch ein mit ausgebreiteten Armen am Boden liegender «Christus am Ölberg», ähnlich einer Darstellung Dürers, einem Holzschnitt um 1509. Ich habe den Verdacht, dass die Erlanger Zeichnungen (samt den Blättern von Hans Traut aus Speyer, der mit einem für Kurfürst Friedrich den Weisen tätigen Maler dieses Namens wohl identisch ist[70]) einem raffinierten Forscher eines Tages ermöglichen werden, in die Anfänge Cranachs hineinzuleuchten.

Der Typus des «Ölberg-Christus» mit ausgebreiteten Armen ist sonst sehr selten. Er wird durch eine Hans Hirtz von Strassburg (Meister der Karlsruher Passion) zugeschriebene Zeichnung in der Sammlung von Coburg belegt[71], ausserdem durch ein 1502 datiertes Steinrelief an der Pfarrkirche von Melk, was wegen der geographischen Lage in Österreich vielleicht auch nicht ohne Belang ist. Textlich und liturgisch ist die Geste begründet etwa durch Tertullian «Wir erheben nicht nur unsere Hände, sondern breiten sie auch aus zum Andenken an das Leiden Christi[72]» und durch die seit dem 12. und 13. Jahrhundert gepflegte Gewohnheit des Priesters bei der Messe, mit ausgebreiteten Armen zu sprechen: «Bitte, dass Gott die Opfergabe durch seinen Engel emportragen lasse auf seinen himmlischen Opfertisch[73].»

Typologisch ähnlich und dem Bibeltext (Matth. 26, 39) getreu folgend, erscheint «Christus am Ölberg», der mit ausgebreiteten Armen am Boden liegt (also nicht kniet), schon im 11. Jahrhundert auf der Holztür von St. Maria im

65   L. Cranach d. Ä., um 1503 (Nr. 69)

66   L. Cranach d. Ä., um 1503 (Nr. 70)

Pratica „ mein trifft an alle menschē gemein.

Angel⁹ der böß Engel: Angel⁹ der gūt Engel
Sich disen spiegel frölich ann. O mēsch betracht zū aller frist
du schönes wyb du stoltzer mā. Also wirdstu als diß ding ist.
Sich wie kün du bist geschaffē Kiet ker dich an deß tüfels rot
Folg mynē rot vñ nit dē pfaffē Sin spiegel bringet der selen dot
Zier dich mit cleid vñ ouch am So du menst am beste …

67 Unbekannter Künstler, um 1499 (Nr. 71)

Kapitol in Köln[74], dann auf einem kleinen Holzschnitt von 1457 samt Varianten[75], auf einem Buchholzschnitt Lübeck 1496, auf einer um 1500 entstandenen Zeichnung in Coburg[76], am Chorgestühl des Wiener Stephansdomes um 1485 und auf einem Relief mit der 6. Kreuzwegstation von Adam Kraft[77], schliesslich u.a. 1509 auf einem Holzschnitt von Urs Graf[78] und bei Dürer auf einer späten Zeichnung[79]. Dass diese Ausdrucksform, die Cranach als Nebenszene einer gemalten «Gefangennahme Christi» 1515 aufgriff[80], das dritte von drei Gebeten Christi am Ölberg, zwischen denen er seine Jünger schlafend angetroffen hat, als Kulminationspunkt meint, erweist ein Gemälde der Donauschule, das das Gebet dreimal nebeneinander vor Augen führt: Christus zuerst kniend im Gebet, dann kniend mit ausgebreiteten Armen und schliesslich am Boden liegend mit zur Seite gestreckten Armen[81]. Schon in dem «Wolgemut-Skizzenbuch» stehen zwei Darstellungen hintereinander, wobei Christus das eine Mal kniend betet und das andere Mal die Arme ausstreckt. Cranach hat also aus den drei Gebeten Christi am Ölberg das eine, verzweifeltste herausgegriffen und als das dramatischste Geschehen innerhalb des Ablaufes monumentalisiert – ähnlich wie er bei der «Kreuzigung» von 1503 (Abb. 52) die Klage Mariae aus dem Kreuzigungsgeschehen oder aus den «Sieben Schmerzen Mariae» isolierte und zum autonomen Bild steigerte. Etwas gebunden Vorhandenes nehmen, es verselbständigen und gross herausbringen: das war ein Erfolgsrezept, das Cranach später auch mit der «Ruhenden Quellnymphe» und anderen Themen praktizierte.

Es schien mir der Mühe wert, die renaissancehafte «Pathosformel»[82], die Cranach mit dem «Christus am Ölberg» grossartig geprägt hat, nicht nur in ihrer Neuheit zu sehen und nicht nur gefühlsmässig zu würdigen, sondern auch den historischen Bezügen einmal ziemlich genau nachzugehen. Vermutlich, wie gesagt, könnte man bei solcher Untersuchung gerade hier noch weiter vordringen.

Der Anlage des «Ölbergs» entsprechend sind die meisten anderen Werke Cranachs aus seinen Wiener Jahren offenkundig oder versteckt als diagonal ausgerichtete Kompositionen angelegt. Dazu zählt in erster Linie die grosse, 1503 datierte «Kreuzigung», von der bereits die Rede war (Abb. 52). Diagonal verspannt sind am augenfälligsten das 1502 datierte Gemälde mit dem «Büssenden hl. Hieronymus», dessen Besteller eher Fuchsmagen als Cuspinian gewesen ist[83], zwei Altarflügel mit der «Stigmatisierung des hl. Franziskus» (Farbtafel 4) und mit dem «Hl. Valentin mit Stifter» (Farbtafel 3), weiter auch eine bildmässige Helldunkel-Zeichnung mit «Johannes dem Täufer in der Einöde» (Farbtafel 2), und dann aus der späteren Wittenberger Zeit immer wieder Hauptwerke Cranachs, bei denen das Aufblicken eines Stifters oder ein anderes, weniger forderndes Motiv die Schräge bildet. Wie anders, zentrierter und gleichmässiger ausgewogen man einen Bildgegenstand, bei dem die Diagonale vorgegeben zu sein scheint, gestalten kann, lehrt etwa der Vergleich zwischen Cranachs «Büssendem Hieronymus» und derselben Figur auf Dürers Kupferstich von etwa 1495/96 (den übrigens ein Meister der Donauschule, der Monogrammist H, um 1515 in interessanter Weise dynamisierte[84]). Dieser «Hieronymus»-Stich Dürers, in den der Künstler exakte Naturstudien eingebaut hat (Nr. 76), war Cranach wahrscheinlich bekannt, als er mit seiner Zeichnung den «Johannes Baptista» – den Namenspatron des Johannes Cuspinian[85] – in eine fast nur aus flackernden Lichtern bestehende Landschaft einfügte (Farbtafel 2).

Angesichts der «Johannes»-Zeichnung hat Franz Winzinger von einem «Monolog» gesprochen, «der kaum für Zuhörer berechnet war[86].» Gewiss kündigt sich in einem solchen Blatt, das mit seiner Schmissigkeit ein artistisches Bravourstück darstellt, der folgenreiche Weg zu «l'art pour l'art» an. Im grossen Zusammenhang einer «Sozialgeschichte der Kunst und Literatur» bemerkt Arnold Hauser: «Für das Mittelalter hatte das Kunstwerk nur einen gegenständlichen Wert, die Renaissance legte ihm auch einen Persönlichkeitswert bei. Die Zeichnung aber wurde für sie gerade zur Formel der künstlerischen Schöpfung, denn sie brachte das Fragmentarische, Unvollendete und Unvollendbare, das schliesslich jedem Kunstwerk anhaftet, am auffallendsten zur Geltung. Die Erhebung der Leistungsfähigkeit über die Leistung, dieser Grundzug des Geniebegriffs, bedeutet eben, dass man die Genialität nicht für restlos realisierbar hält, und diese Auffassung erklärt es, warum man in der Zeichnung mit ihrer Lückenhaftigkeit eine typische Form der Kunst erblickt[87].» Das sind sehr allgemeine Worte, die sich primär auf italienische Zeichnungskunst und die Anfänge des Sammelns von Zeichnungen[88] beziehen. Konkret und historisch einwandfrei dürfte das folgende Zitat eines Humanisten sein, der über seine «dichterische

L. Cranach d. Ä., 1509 (Nr. 596, 597)

68   Dürer, um 1496/97 (Nr. 72)

Wut»[89] 1502 schrieb, als er ein kleines, lateinisch verfasstes Schauspiel in Druck
gab. Wir zitieren (übersetzt von Martha Lethner) aus dem Vorwort des in Ingolstadt wirkenden schwäbischen Humanisten Jakob Locher Philomusus zu seinem
für Studenten geschriebenen «Urteil des Paris über den goldenen Apfel». In
seiner Widmung an Georg von Sintzenhofen, Doktor des Kirchenrechtes und
Kanoniker in Regensburg, schrieb Locher, er habe ein schönes Thema gefunden
(bei Fulgentius) und sich überlegt, «ob es wohl verstattet wäre, den gedrängten
Stoff in feinen Versen zu verbreitern und in die Form eines Schauspiels zu übertragen. Zugleich waren die Bedenken verworfen, ich griff zur Feder, bereitete
ägyptisches Papier [Pergament], und nachdem ich den Beistand der Musen an-
gerufen hatte, geriet ich über meinem Dichtwerk in heftigen Schweiss. Plötzlich
hatte mich die Leidenschaft des Dichtens überfallen, und unter ihrem Drängen
habe ich in kürzester Zeit[90] so viele Verse, als du siehst, geschrieben. Sie sind
gleichwohl noch nicht hinlänglich gereift und ausgefeilt. Dennoch, sie sind
Erzeugnisse meines Geistes, geschaffen aus eigener Kraft und aus meinem Griffel
hinterlassen, durch angeborene Eleganz liebenswert[91].»
      Die Qualität, die ein Humanist für sich in Anspruch nimmt, «durch Leich-
tigkeit liebenswert», «facilitate amabile», kommt auch Cranachs schnell hin-
geworfener und soweit vollendeter Zeichnung zu. Dieses graphische Bild wird
nicht nur durch Unbändigkeit oder gar Genialität und Dämonie des Zwielichtigen
gekennzeichnet (Feder in Schwarz auf braun eingefärbtem Papier, mit dem Pinsel
weiss gehöht), sondern auch durch Lieblichkeit und durch eine brave Ordnung,

69   Dürer, 1500 (Anm. 147)

der sich die Dinge und züngelnden Formen unterwerfen. Links, dichter modelliert, sitzt Johannes in teilweise härenem Gewand und liest, rechts wartet das Lamm mit dem feinen, angelehnten Kreuzstamm. Dem Johannes diagonal gegenüber lässt ein Baum seine Äste in erstaunlich freier Bewegung und zugleich mit milder Weichheit herunterhängen, während links ein Berg mit Burg das symmetrische Gleichgewicht herstellt. Eine am Kopf des Johannes ansetzende Schattenzone des Berges kontrastiert mit der weissen Kuppe des Gebirges im Hintergrund. Man sollte nicht nur die als historische Leistung unerhörte Impulsivität würdigen, sondern auch die Vernunft, die hier waltet, und die milde Vitalität. Solchem blieb Cranach sein Leben lang unter wechselnden, sich entwickelnden Formen treu. Von der Süchtigkeit der Kunst Altdorfers ist Cranachs Zeichnung ebenso weit entfernt, wie auf der anderen Seite von der Klarsicht, der scharfen Plastizität und dem kontrollierten Pathos[92] der graphischen Kunstwerke Dürers. Technisch fand Cranach bei Dürer (Nr. 55) wenig vorbereitet für seinen Vorstoss, und er erreichte eine Position, von der aus hier, wie bei der Helldunkel-Zeichnung mit dem «Hl. Martin» von 1504 (Nr. 53), Altdorfer und sein Kreis weiterarbeiten konnten. Möglicherweise haben die Wiener Humanisten Cranach mit italienischen Helldunkel-Blättern bekannt gemacht oder sie ihm im Prinzip geschildert[93]. Mair von Landshut hat wohl ebenfalls Cranach angeregt (Nr. 54). Man versteht jedenfalls von solchen Zeichnungen Cranachs her das Bedürfnis des Meisters, wenige Jahre später einen gleichen bildhaften und «improvisierten» Effekt drucktechnisch mit dem Holzschnitt zu erreichen (Nr. 14, 15).

70   L. Cranach d. Ä., um 1502/03 (Nr. 73)

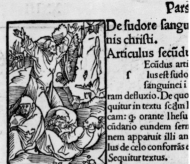

71   L. Cranach d. Ä., gegen 1509   72   Hans Baldung, 1507 (Nr. 75)
      (Nr. 275)

Nach der Technik und der Kompositionsform müssten wir noch die Ikonographie präzisieren. Zum christlichen Humanismus, den Johannes Cuspinian und
seine Freunde vertraten, würde «Johannes Baptista» insofern passen, als der
spätantike lateinische Dichter Aurelius Prudentius in seinen Hymnen, die Cuspinian 1494 in Wien herausgegeben hat und von Johann (wieder ein Mann mit
diesem Vornamen!) Winterburger, für den Cranach 1502/03 Holzschnitte geschaffen hat (Nr. 64), drucken und verlegen liess, den Johannes den Täufer als
Beispiel für reinigendes Fasten in der Wüste hingestellt hat (7. Hymnus). Auch
Christus selber habe 40 Tage in der Wüste gefastet. Beim Fasten möge körperliche
Lüsternheit zurückgedrängt werden, damit des Geistes Schwungkraft sich neu
belebe und im Flug der Andacht sich zum Schöpfer der Natur erhebe. Dafür
zitiert Prudentius einige Beispiele: Elias, der in den Himmel gefahren ist, Moses
in seiner Gottesschau nach dem Fasten und eben Johannes, der in der Wüste
alten Irrtum abgelegt habe und zum Herold Christi geworden sei. Wenn die
«genialische» Technik humanistisch genannt werden kann, so ist nicht unwesent-
lich zu bemerken, dass auch der christliche und gar asketische Gehalt (Askese
durch Naturverbundenheit freilich gemildert) in der Gedankenwelt der Humanisten um Cuspinian und Celtis an guter Stelle Platz hatte.

Den Gegenpol bildet die Erotik der Humanisten und die philosophischen Gebäude, die sie ihr anhingen (oder umgekehrt, es sei dahingestellt)[94]. Dass auch eine Liebesszene von unheimlicher Dramatik und von der Gegenwart des Todes durchsetzt sein kann, zeigt eine 1503 datierte bildhafte Federzeichnung, die hier Cranach zugeschrieben wird (Nr. 78). Sie galt bisher als «Oberdeutsch 1503» und trägt ein offensichtlich falsches Dürer-Monogramm, das unter die echte, mit andern Zahlformen auf Werken Cranachs sich gut vertragende Jahrzahl 1503 hinzugefügt wurde[95]. Die Datierung besagt auch ohne Signatur, dass der Künstler diese Zeichnung als ein finales Werk betrachtet hat. Es gibt im ganzen Œuvre Cranachs keine Zeichnung, die in dieser Technik, die sich an Dürer orientiert, vergleichbar wäre[96]. Darum hauptsächlich hat man sie bisher übergangen oder nicht als das Werk eines Künstlers sehen können, der sonst fast immer den Pinsel mit der Feder kombinierte. Die Bildzeichnung verbindet Cranachsche Ordentlichkeit mit einer dramatischen Sperrigkeit in der formalen Durchführung wie auch im thematischen Konzept. Ein Liebespaar wird vom Tod überrascht. Mit siegesbewusst erhobener Sichel und mit flatterndem Gewand stürmt eine winzige, darum umso eindrücklichere Todesgestalt nach links hinter dem Brunnen hervor, der traditionsgemäss zur erotischen Szenerie gehört. Der schräg stürmende, perfide Tod kontrastiert mit allem Aufgerichteten und mit allem Lieblichen, Dekorativen und Deutlichen im Bild. Verbindung nimmt er mit dem Liebespaar auf, das sich hinter dem in der Mitte aufgepflanzten, hart sich vordrängenden Baum knäuelhaft umarmt. Es wird beobachtet von drei Frauen links oben auf der Burg. Eine der Frauen weist mit ausgestrecktem Arm (wohl anklagend, weil Ehebruch vorliegt) zu dem Liebespaar oder zum hinten angebundenen Pferd[97] hinunter. Ein bärtiger Mann tritt aus dem Tor der Burg heraus. Unheil liegt in der Luft, und man weiss nicht recht, ob die flackernde Bewegung der Blätter mehr von Lebenskräften oder von drohender Katastrophe zeugt.

Es verlangte ein grosses Mass an Kühnheit und zeichnerischer Sicherheit, ein wild sich liebkosendes Paar so hart hinter den Baumstamm zu plazieren, der eine im übrigen gleichmässig und locker ausstaffierte Szenerie gewaltsam verstellt. Der junge Edelmann mit den langen Locken (ganz ähnlich den Jüngern auf dem «Ölberg»-Holzschnitt; Nr. 73) hat sein Schwert und sein Federbarett abgelegt, die Frau ihre Schuhe. Sie trägt nach Art verheirateter Frauen eine hohe Ballonhaube, die halb hinter dem Baum hervorschaut und ihr kaum erkennbares Gesicht beschattet. Ihr Kinn ist verdeckt von ihrem rechten Arm, mit dem sie liebesgierig unter das Wams des Mannes greift. Der Mann küsst mit gedrehtem Kopf die Frau, hebt ihren Rock mit der Linken und stützt sich mit der erhobenen Rechten an den Baum. Die Erregung der Frau zeichnet sich bis in ihre Beine ab.

Für die Darstellung eines leidenschaftlichen Liebespaares gibt es in der damaligen Kunst nur schüchterne, verbürgerlicht-späthöfische Vorgänger, etwa den kleinen Kupferstich des Meisters E S (Nr. 79). Das «Liebespaar in freier Landschaft» des Monogrammisten M Z ist daneben idyllisch entspannt (Nr. 80), ebenso die altertümlicheren Darstellungen des «Meisters der Liebesgärten»[98], die noch jener spätmittelalterlichen, von Huizinga beschriebenen «Stilisierung der Liebe» entsprechen[99]. Cranachs Zeichnung kann geradezu ein «Anti-Liebesgarten» genannt werden. In der spätmittelalterlichen Bilderwelt betritt der Tod zwar oft und eindringlich die Szene, aber immer in aller Offenheit und in klarer Gegenüberstellung zu den noch im Leben stehenden Menschen. Bewusste Konfrontationen finden statt, so in der Fabel mit der Begegnung der «Drei Lebenden und der drei Toten»[100], so im «Totentanz»[101]. Im ummauerten, abgeschiedenen Liebesgarten des «Roman de la Rose» hat der Tod nichts zu suchen. Wo sich in spätmittelalterlichen Bildern der Tod ausnahmsweise einem Liebespaar nähert – wie auf der um 1480 in Süddeutschland entstandenen «Allegorie von Leben und Tod» auf zwei Flügeln eines Hausaltärchens[102] oder auf einer zierlichen deutschen Terrakotta-Plakette aus der Zeit um 1440/50 oder dann auf einem Florentiner Kupferstich von etwa 1465/70[103], der einen moderneren Gehalt hat –, da überrascht er niemand, sondern ruft sich als ein feststehendes Gesetz in Erinnerung. In klarem Gegensatz dazu hat Cranach vielleicht als Erster den Moment wild aufflackernder Leidenschaft mit dem unerwarteten, grausamen und vor allem bis zuletzt unbemerkten, durch masslose Leidenschaft provozierten[104] Auftauchen des Todes verknüpft. Freilich lässt sich auch hier eine Anregungsquelle nicht übersehen: wir müssen ein weiteres Mal auf ein Werk Albrecht Dürers hinweisen.

Dürer formulierte mit seinem allgemein «Der Spaziergang» genannten Kupferstich der Zeit um 1496 (Nr. 81) in schlichter, bahnbrechender Weise die Herausforderung des heimtückischen Todes durch Sorglosigkeit und Lebenszugewandtheit. Es gibt eine spiegelverkehrte Kupferstich-Kopie von Israhel van Meckenem mit der Beischrift in dem Sinn: Nichts ist für alle Zeit feststehend, der Tod kommt und bringt den Abend[105]. Altertümlicher, ikonographisch aber vergleichbar ist der 1499 datierte Stich des Mair von Landshut[106], der mehrere Liebespaare bei Musik und Tanz zeigt, in der Mitte ein Paar in sachtem Tanzschritt, der Jüngling mit einladender Handbewegung seinem Fräulein sich nähernd, im Hintergrund aber tückisch der Tod, der einen Pfeil anlegt und den Bogen spannt (Abb. 75)[107]. Niemand sieht den Tod, der plötzlich hinter der Mauer hervortritt und aus dem Hinterhalt angreift. Auch Dürers isoliertes und monumentalisiertes Paar, dem kein Musikant aufspielt, schreitet so daher, dass einem traditionsbewussten Betrachter das Grundmotiv des Tanzes, auch des Totentanzes, in den Sinn kommt. Cranach verzichtet ganz auf die Anknüpfung an die rituelle Vorstellung des Tanzes. Formal erinnert seine sichelschwingende Todesgestalt so deutlich an Dürers Tod, der hinter dem Baum die Sanduhr vorweist und sich höhnisch auf den Kopf setzt, dass man für Cranach die Kenntnis dieses Werkes Dürers voraussetzen muss. Das von Dürer um 1496 und von Cranach 1503 neu- oder umgeprägte Thema «Liebespaar und Tod» bekam im frühen 16. Jahrhundert bei Baldung, Burgkmair (Nr. 82) und andern Meistern eine hohe Bedeutung als ein humanistisches Leitmotiv[108].

Bei den zahlreichen modern-«humanistischen» Fassungen des Themas «Liebespaar und Tod» aus der 1. Hälfte des 16. Jahrhunderts[109] ging es weniger um die Erotik, die dem späten Mittelalter durchaus nicht fremd war, als um die Gestaltung des tragischen Verhängnisses und der Spannung zwischen Leben und Tod, die sich gegenseitig herausfordern. Zaghaft, noch im Anschluss an die «Liebes-

73   L. Cranach d. Ä., 1503 (Nr. 78)

gärten» hat Mair von Landshut diesen neuen Gehalt formuliert (Abb. 75), freier als Dürer in der «Die Freuden der Welt» genannten Zeichnung von etwa 1496/97 oder etwas früher (Abb. 76)[110]. Janson interpretierte die Szene, die nicht nur besinnlich «konstatiert» wie der Kupferstich Mairs, sondern von einer zitternden Dramatik erfüllt ist – man bemerkt erst allmählich den von einem Hund angebellten, sonst ungesehen anwesenden Tod in der rechten unteren Ecke – als eine breit angelegte Allegorie, die in Dürers Kupferstich «Der Spaziergang» und in einigen Zeichnungen von Hans Kulmbach fortgesetzt wurde[111]. Dürers Zeichnung, im Gegensatz zum Stich «Der Spaziergang», braucht Cranach nicht bekannt gewesen zu sein. Merkwürdigerweise pflanzte auch Dürer zwei stangenförmige Baumstämme so in den Bildraum, dass die Baumkronen weitgehend vom oberen Bildrand abgeschnitten sind und der Betrachter sich darum in den Bildraum hineinversetzt fühlt. Etwas mehr in den Hintergrund gerückt und perspektivisch gestaffelt, der Braunschweiger Zeichnung Cranachs nicht unvergleichbar, öffnen solche Bäume den Landschaftsraum bereits auf Dürers Zeichnung der «Hl. Familie» von etwa 1493/94[112] und auf dem Cranach vielleicht bekannten Gemälde Dürers mit der «Flucht nach Ägypten» innerhalb der für Friedrich den Weisen ausgeführten «Sieben Schmerzen Mariae» (Abb. 50)[113].

Das Merkwürdigste an der «Liebespaar»-Zeichnung von 1503 ist die inkonsequente Durchführung der Perspektive, die sich doch auf Dürer beruft. Die scharfen (Dürerschen[114]) Überschneidungen, besonders im Hauptmotiv des Liebespaares hinter dem mittleren Baum, an den der Betrachter anstösst und der räumliche «Hinterhalte» schafft, verbinden sich mit einer spätgotischen Parzellierung und zusammensetzenden Behandlung der verkürzt gezeichneten Gegenstände. Der Brunnen mit seinem hochgezogenen, anhängselhaften Becken hat mehr ornamentale als architektonische Qualität. Man vergleiche aber z.B. den Brunnen hinter der «Ruhenden Quellnymphe» von etwa 1515 (Nr. 543), und man wird die erstaunliche Unbekümmertheit Cranachs gegenüber Problemen feststellen, die für ihn gewiss lösbar gewesen wären, hätte er hier Korrektheit wirklich angestrebt. Nicht von ungefähr scheute Cranach, wo immer er konnte, die bildbeherrschende Darstellung von Architektur. Und wo er trotzdem damit arbeitete – wie im «Bethlehemitischen Kindermord» (Nr. 397) –, da benutzte er seine «Schwäche», nämlich den irrationalen Wechsel von der Aufsicht zur Untersicht, zu einer kurzrhythmischen Expressivität, die man auch etwa als «naive Dramatik» bezeichnen könnte. Selbst die berühmte «Kreuzigung» von 1503 (Abb. 52) ist räumlich additiv gestaltet, wenn man genau hinsieht. Mantegna und Pacher (die zu Altdorfer führen) wurden nicht benutzt[115]. Hier wie in der gleichzeitigen Zeichnung des «Liebespaares mit dem Tod» wird der Bildraum in naivem Zugriff erzwungen und paart sich mit völlig flächig empfundenen Partien (besonders deutlich im säuberlichen Hereinschieben der Mittelgruppe und speziell etwa im ornamentalen Gekräusel des auf dem Boden sich stauenden Mantels Mariae). Das gibt selbst der grossformatigen «Kreuzigung» den Charakter der Kleinlichkeit, positiv gesagt: der Intimität und Wärme. Ein kalter Rechner der Perspektive wollte Cranach trotz aller Herausforderung durch Dürer niemals werden. Es hinderte ihn nicht, die Staffelung von stangenartigen Bäumen in seinem Holz-

74   Dürer, um 1496   75   Mair von Landshut, 1499 (Anm. 147)
      (Nr. 81)

76   Dürer, um 1496/97 (Anm. 147)

schnitt mit dem «Büssenden Hieronymus» von 1509 (Nr. 405) bald wenigstens
soweit zu klären, dass innerhalb des von den Bäumen freigemachten Raumes die
kleinteilige Vegetation, ein sprudelnder Quell, ein Weg mit Wanderern usw. frei
und ohne Bedrängnis untergebracht werden konnten. Die scharfe Bindung der
Kapelle links im Hintergrund an den davorstehenden Baumstamm erinnert
freilich immer noch an die Zeichnung von 1503: an die eigenartige Verdeckung
einer Gelenkachse der Burgarchitektur durch den mittleren Baum und andere
Koppelungen. Noch auf dem 1516 datierten Holzschnitt der «Predigt Johannes

des Täufers» (Nr. 420) und auf dem 1529 datierten Gemälde «Simson und Delila» (Nr. 471) oder einem um 1515 gemalten «Hieronymus» (Nr. 408) ist das Verhältnis der Stangenbäume zu den eingeschobenen Figuren ähnlich wie auf der Zeichnung von 1503.

Das sind einige Vergleiche, die uns zu einem besseren Verständnis der Kunst Cranachs führen mögen. Dass wir in der 1503 datierten Zeichnung wirklich ein Werk Cranachs vor uns haben, lässt sich positiv aber fast nur graphologisch nachweisen. Als Vergleichsstück bietet sich der Holzschnitt mit «Christus am Ölberg» an, wenn man ihn, wie hier geschehen, seitenverkehrt reproduziert und so die Zeichnung Cranachs vor dem Umdruck etwa zurückerhält (Nr. 73). Man vergleiche nun weniger solche Partien miteinander, bei denen im Holzschnitt von der Schneidetechnik her eine grössere Disziplin und Systematik angezeigt war (Modellierung der Felsen oder der Gewänder), vielmehr aus der Hand geschüttelte Formeln wie die Blätter, die in ihrem Wellen- und Zackenfluss besonders rasch und unbedenklich hingeschrieben wurden. Die Schwierigkeit des Vergleichs liegt aber, abgesehen von der verschiedenen Technik, darin, dass der Holzschnitt mit «Christus am Ölberg» in der Fläche rund doppelt so gross ist wie die Zeichnung. Etwa dementsprechend haben wir einige Details isoliert und zusammengestellt (Abb. 77). Die Abbildung möge für sich sprechen. Es sei noch darauf hingewiesen, dass die Maserung der Bretter, die ein Rasenstück an der vorderen Seite des Brunnens stützen, in dieser nervösen Sensibilität bei Dürer, der schärfer zeichnet, keine Parallele hat, wohl aber bei Cranach wiederkehrt, so auf der expressiv gesteigerten Zeichnung des Holzbalkens, an dem Christus hängt, auf dem Kanonblatt des 1503 in Wien gedruckten Passauer Messbuches (Nr. 64). Die Baumkulisse am rechten Rand dieses «Kreuzigungs»-Holzschnittes zeigt in der Engführung von Zackenlinien, die sich ineinander verkrallen und überschneiden, und in den Nestern von kurzen Schraffuren nochmals vergleichbare Züge.

Dürers kalligraphische Technik und das strenge Herausarbeiten von Lichtzonen steht der Zeichnungskunst Cranachs viel ferner als gewisse Holzschnitte und Handzeichnungen von Michael Wolgemut und seinem Kreis[116]. Auch die «eiligen» frühen Zeichnungen Dürers setzen sich davon durch ihren an Schongauer orientierten Willen zur Plastizität ab, wenngleich in dieser Zeichnungsgruppe noch Eindrücke von Wolgemut weiterzuwirken scheinen. Hanspeter Landolt hat das Wolgemut-Element dieser frühen Zeichnungen Dürers abgehoben von der Schulung durch Schongauer und durch den Strichel-Stil des Hausbuchmeisters, und er unterliess es nicht zu bemerken, dass nur wenige Zeichnungen Dürers diese Tradition Wolgemuts verraten (die viel deutlicher bei der «Liebespaar»-Zeichnung Cranachs lebendig ist: s. Abb. 77 eines seitenverkehrten Blätter-Details aus der 60. Figur des 1491 in Nürnberg gedruckten «Schatzbehalters»[117]); «alle sind sie überdies undatiert und durch keine Signatur als Werke Dürers positiv gesichert[118]». Ich will hier entschieden nicht so weit gehen, diese für Dürer nicht gesicherten Blätter dem jungen Cranach zuzuschreiben (vgl. immerhin Bemerkungen zu Nr. 62).

Wenn Cranach wirklich der Autor der 1503 datierten Zeichnung «Liebespaar und Tod» ist, so wäre damit die einzige finale Bildzeichnung für Cranach

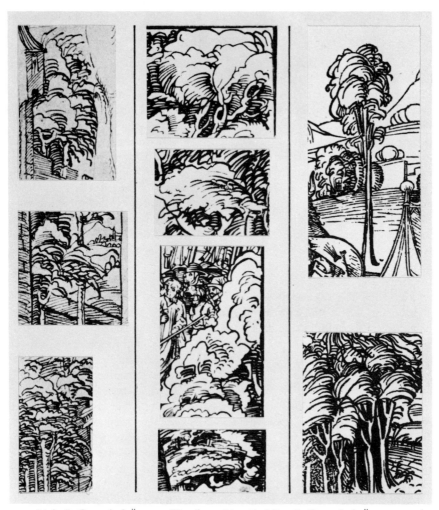

77   Links L. Cranach d. Ä., 1503 (Details aus Nr. 78); Mitte L. Cranach d. Ä., um 1502/03
(Details aus Nr. 73, seitenverkehrt); rechts Michael Wolgemut (Details aus dem 60. Holzschnitt des «Schatzbehalters», Nürnberg 1491, seitenverkehrt)

gewonnen, die sich den vorangegangenen Blättern Dürers an die Seite stellen
darf. Ein mit der Feder gezeichnetes «Liebespaar in der Landschaft» (ohne Tod)
von 1504, das man früher versuchsweise Cranach zugeschrieben hat, erwies sich
als Frühwerk Albrecht Altdorfers[119]. Die rieselnde Struktur kündigt die miniatorische Zeichnungsweise Altdorfers an, hält sich aber noch streng an Dürers Vorbilder – ob Cranach dem jungen Altdorfer damals begegnet war, wüsste man
gern[120]. Altdorfers Zeichnung setzt die ikonographische Tradition des Kupferstiches vom Monogrammisten MZ fort (Nr. 80). Weitere Stufen der Artikulie-
rung des Themas erreichte Altdorfer mit seiner 1508 datierten Zeichnung eines
auf die Fahne des Landsknechtes gelagerten «Liebespaares im Kornfeld» (Nr. 83)

und mit seinem «Liebespaar»-Holzschnitt von 1511 (Nr. 84). Cranachs Zeichnung
unterscheidet sich von den zarten und lyrisch-«süchtigen» Werken Altdorfers,
die das von einzelnen Dürer-Stichen angeschlagene Landschafts-Thema mit
Humanistischem und Volkstümlichem verschmelzen[121], ebenso deutlich wie von
der klassizistischen Theatralik des Tonholzschnittes von Hans Burgkmair 1510
«Der Tod überfällt ein Liebespaar» (Nr. 82). Man könnte die Vergleiche fortsetzen
und würde nur immer deutlicher die künstlerische und geistesgeschichtlich/
ikonographische Bedeutung der Zeichnung Cranachs von 1503 erkennen. Wiederum ist es entscheidend zu beobachten, wie sich Cranach von Dürer absetzt
und wie er mit ihm rivalisiert. In der Intensität und packenden Zwielichtigkeit
stellt sich das «Liebespaar» dem Helldunkel-Blatt mit «Johannes dem Täufer»
(Nr. 77) gleichwertig zur Seite. In der Helldunkel-Zeichnung «Der hl. Martin
und der Bettler» von 1504 (Nr. 53) verfeinerte sich dann Cranachs Ausdrucksweise in der Gattung der Zeichnung ähnlich wie in derjenigen der Malerei und
parallel zu einem Stilwandel Dürers (Holzschnitte des «Marienlebens»). Das
Hauptstück des Jahres 1504 und eines der feinsten, reichsten und zu Recht
berühmtesten Werke Cranachs ist das Gemälde der «Hl. Familie in paradiesischer
Landschaft» (fälschlicherweise «Ruhe auf der Flucht» betitelt; vgl. Nr. 56).

Innerhalb der Wiener Jahre ab 1501/02 legte Cranach einen ungeheuer weiten
Weg bis zur «Hl. Familie» von 1504 zurück. In der Mitte dieser Entwicklung
stehen die Altarflügel mit dem «Hl. Valentin mit Stifter» (Nr. 85, Farbtafel 4)
und der «Stigmatisierung des hl. Franziskus» (Nr. 86, Farbtafel 3). Der in
betender Haltung porträtierte Stifter führte wahrscheinlich den Vornamen Valentin. Der ganze dreiteilige Altar, dessen Mittelstück (eventuell ein Holzrelief)
verloren oder verschollen ist, könnte einmal im Franziskanerkloster (Minoritenkirche) von Wien gestanden haben. Dieses Kloster erlangte vor allem seit den
von Kaiser Friedrich III. gewünschten Predigten des bekannten italienischen
Franziskaners Johannes von Capestrano 1451 grosse Bedeutung[122]. Auch Humanisten fanden sich unter den Wiener Minoritenbrüdern, so der aus Padua 1497
gleichzeitig mit Celtis an die Wiener Universität berufene Theologieprofessor
Johannes Lukas Camers, der achtmal Dekan der theologischen Fakultät in Wien
war und von Kaiser Maximilian 1503/04 als Diplomat zu Papst Julius II. nach
Rom geschickt wurde[123]. Da der Vorname Valentin nicht eben häufig ist, liesse
sich die Persönlichkeit, die den Altar ins Franziskanerkloster gestiftet hat, vielleicht eines Tages bestimmen[124].

Modern sind die beiden Tafeln mit «Franziskus» und «Valentin» vor allem
durch ihre als Reifezustand neugewonnene Primitivität. Sie erklärt sich nicht allein
durch die Fernsicht, die ein Künstler bei einem Altar in Rechnung zu stellen hatte[125].
Benesch[126]: «St. Valentin wird von seinem Pluviale ummauert.» Die äusserste
Vereinfachung und Massivität entspringt einem künstlerischen Entschluss. Cranach vollzog damit eine radikale Abkehr von der hell-bunten, detailreichen,
zierlichen Malerei all jener fränkischen oder österreichischen Maler, die um 1500
die Ideale der Niederländer kultivierten, wie der Passauer Rueland Frueauf d. J.,
der 1496 für Klosterneuburg bei Wien eine figurenreiche «Kreuzigung» und
wenig später die Flügelbilder eines «Johannes-Altares» lieferte[127]. Die märchen-

hafte Heiterkeit dieser Werke Frueaufs und ähnlich gesinnter Maler wurde in Österreich zuerst erschüttert durch den von Augsburg und Landshut (?) hergereisten Jörg Breu, der 1500, 1501 und 1502 drei grosse Altarwerke für Kloster Zwettl, Aggsbach und Kloster Melk schuf[128]. Die pathetische Bewegung der Breu-Altäre resultierte aus einer Kreuzung zwischen augsburgischen und bayrischen Gegebenheiten (Hans Wertinger, Monogrammist MZ u.a.) und der frühen Graphik Dürers, die Breu für seinen Melker Altar bei einzelnen Szenen sogar als direkte Kompositionsvorlagen benutzte. In der Zeichnung, etwa in der Studie zur «Dornenkrönung» des Melker Altares (Nr. 61), kommt aber die aus der expressiven Spätgotik stammende Beweglichkeit, ja tänzerische Gestik noch immer zum Vorschein. Cranachs «Franziskus» ist neuartig durch den völligen Mangel an dieser Leichtigkeit, die durch extreme Steigerung vergeblich einen Anschluss an Dürers Pathos zu finden suchte (dasselbe gilt für den hektischen «Franziskus» des Hans Fries, der möglicherweise mit Breu Kontakt hatte[129]).

Auf solchem Hintergrund lernt man Cranachs Simplizität, seine Schwere und seinen Ernst historisch einschätzen. Erstaunlicherweise dürfte sich in der Blockhaftigkeit der Figuren sogar ein bewusster Bezug auf die Antike ausdrücken: Wir haben früher auf die antikischen Gewandfiguren nach den Kalenderdarstellungen des Filocalus und auf das Weiterwirken etwa in Cranachs «Apostel»-Holzschnitten hingewiesen (Nr. 69, Abb. 64, 65). In die Reihe stellt sich auch der schwermütige «Hl. Stephanus», ein 1502 datierter Holzschnitt Cranachs, der wohl zuerst als Flugblatt einzeln und dann als Beigabe zum 1503 in Wien gedruckten «Missale Pataviense» verbreitet wurde (Nr. 50). Und hier wird auch sofort wieder Dürers Vorbild sichtbar, besonders die beiden wohl kurz nach 1500 entstandenen, allerdings nicht datierten Holzschnitte mit den «Heiligen Stephan, Sixtus und Laurentius» (Nr. 51) und den drei «Bischöfen Nikolaus, Ulrich und Erasmus». Die «Practica»-Holzschnitte, die wir als vage-mögliche Frühwerke Cranachs angeführt haben (Nr. 71) und die «Johannes»-Statue an der Kronacher Kirche (Abb. 45) vertreten eine ältere Stilstufe.

Undatiert ist auch Dürers Holzschnitt der «Stigmatisierung des hl. Franziskus» (Nr. 87), der unter der Darstellung einen lateinischen Zweizeiler humanistischer Prägung trägt (zu übersetzen: Die Wunden, die du um Christi willen empfangen hast, rufe ich an, o Franziskus, sie mögen Heilmittel gegen unsere Sünden sein). Auch wenn Cranach diesen Holzschnitt Dürers vielleicht noch nicht gekannt haben konnte, spürt man hier (oder etwa in Dürers um 1500 gezeichnetem Scheibenriss desselben Themas[130]) die gleiche radikale Einstellung und den gleichen Mut zur Vereinfachung.

Nach dem Kriterium der «freien Räumlichkeit» wären Cranachs Altarflügel gemessen an Breu und gar an Frueauf das Gegenteil von fortschrittlich. Cranach gewinnt Intensität gerade aus der Enge und Zusammenballung. Der Kopf eines aufschreienden Epileptikers hinter dem «Hl. Valentin» beeindruckt uns nicht bloss durch seine Physiognomie, die ähnlich auch bei Breu und anderen Meistern anzutreffen ist (vgl. Nr. 61), sondern auch wegen seiner qualvollen Isolierung im Rücken der Heiligenfigur und unter dem leidenschaftlich pinselgezeichneten Busch, was kontrastiert mit der «jenseitigen» Stellung des betenden Stifters,

78   L. Cranach d. Ä., 1503 (Nr. 88)

79   L. Cranach d. Ä., 1503 (Nr. 89)

dessen gläubiges Aufblicken eine Entsprechung in der hochstrebenden Burg findet. Eine äusserst kühne Erfindung Cranachs war es, die aufs Knie gedrückte Figur des hl. Franziskus auf der Enge des Geländes noch durch einen Baumstamm zu verdecken. Wir haben dieses Motiv beim «Ölberg»-Holzschnitt (Nr. 73) und bei der Zeichnung eines «Liebespaares mit Tod» von 1503 (Nr. 78) kennengelernt. Eleganter, aber im Grunde noch vom gleichen Ernst und von einer ähnlichen Leidenschaft erfüllt, kehrt dieser Baum noch in den späten Werken Cranachs wieder, so auf mehreren Fassungen des «Paris-Urteils» der Zeit gegen 1530[131]. Mit dem Motiv lebte aber auch etwas vom Gehalt der Wiener Werke Cranachs weiter.

Cranachs Gemälde bewahrten bis in die Spätzeit koloristisch eine emailhafte Tiefe und starke Kontrastierung von wenigen, durch Lasur differenzierten Farbstufen. Cranachs Kolorit erinnert mehr an dasjenige Grünewalds als an Dürers kühle Farbigkeit. Otto Benesch hat der Farbigkeit Cranachs, die er teilweise von jener des Pacher-Schülers Marx Reichlich historisch ableiten wollte[132], berechtigte Aufmerksamkeit geschenkt. Zum «Hl. Franziskus» schreibt Benesch: «In der Landschaft ist die Technik, die durchsichtige Lasuren und wasserhelle Firnisschichten zwischen solche opaker Farben spannt, schon stark entwickelt. In den Cuspinian-Bildnissen sollte sie ihren Höhepunkt erreichen. Cranach kann mit Fug ihr Schöpfer genannt werden; jedenfalls wendet sie keiner vor ihm an[133].» Und er fährt zum «Cuspinian»-Bildnis (Abb. 55, 56) fort: «Die Verwendung wasserheller Firnisschichten erreicht in dem schwarzgrünen Laubwerk ein Ausmass, das in der ganzen Donauschule einzigartig dasteht; sie gewinnen die Stärke mehrerer Millimeter, so dass tatsächlich die dunklen Kronen und hellen Lichter vor- und übereinanderschweben und die Deckung der Schichten beim Wechsel des Beschauerstandpunkts sich optisch verschiebt. Eine unvergleichliche Tiefe und Anschaulichkeit der Raumwirkung wird dadurch erzielt. Ähnliches, jedoch in viel zurückhaltenderer Weise, findet sich später auf der Auferstehung von Altdorfers St. Florianer Altar[134].»

Die von Benesch beschriebene Maltechnik des dreissigjährigen Cranach steht in engem Zusammenhang mit der Helldunkel-Technik der «Johannes»-Zeichnung (Nr. 77, Farbtafel 2), die etwa einer (bei Cranach oft durchscheinenden[135]) Pinselvorzeichnung für ein Holztafelbild entspricht, allerdings eine eigene Bildhaftigkeit als graphisches Kunstwerk erreichen soll. In der Wittenberger Zeit Cranachs ab 1505 wird der Farbauftrag noch durchsichtiger, zugleich ruhiger, feiner und virtuoser. Das Prinzip der weichen, schwellenden Modellierung bleibt bestehen (vgl. den «Hl. Christophorus» Nr. 403). «Tiefe» ist für Cranach nicht eine Frage der perspektivischen Konstruktion, vielmehr der von inneren Kräften bewegten Plastizität und einer Art von malerischem Herauswachsen der Gestalten aus dem Grund. Das Verhältnis zwischen Grundierung und sich überlagernden Malschichten, der Ausdruck des darin eingebetteten einzelnen Pinselstriches, ziehen den Betrachter in die tiefe Realität des Bildes. Solches haben nicht zuletzt Künstler des 20. Jahrhunderts bei Cranach als eine einzigartige Qualität gespürt.

Cranachs besprochene «Tiefe» erscheint in seinen Wiener Humanisten-Bildnissen auch als eine Dumpfheit oder Gebundenheit, die wegen der intensiven

L. Cranach d. Ä., 1525 (Nr. 177, 178)

80   Francesco Francia, um 1490   81   Dürer, um 1497/98 (Nr. 91)
      (Anm. 147)

Verbindung mit dem humanistischen Willen zur Bewusstwerdung und zur menschlichen Freiheit eine existentielle Spannweite neuer Art anzuzeigen vermag. Die genauere Untersuchung des Ehebildnisses des Wiener Celtis-Freundes «Johannes Cuspinian» (Abb. 55f.) hat vor allem ergeben, dass dieser Humanist mit dem Buch in der Hand, der sich mit seiner Frau auf Rasenbänke setzen und «mit der Welt» in einen lebensnotwendigen Kontakt bringen liess, nicht so sehr eine erobernde Forscherhaltung zur Schau tragen wollte, sondern als inspirierter Poet und Arzt («physicus») Christ bleiben wollte. Cuspinian erhebt die Augen ehrfürchtig zum Stern Christi über seinem Haupt und zur antithetischen Eule, die uns tagesblind wie ein Dämon frontal anschaut und mit ihrer Beute von Tagvögeln verfolgt wird[136]. Der bethlehemitische Stern steht auch in einer spannungsvollen und nicht durchaus unharmonischen Beziehung zu der merkwürdig dunklen Erscheinung Apollos im Rücken Cuspinians und zu allem «Weltlichen», das die Bilder offen oder versteckt darbieten. Cuspinians Bildnis enthält in sich gebunden hohe Geheimnisse, die fast nur Cuspinian und seine «eingeweihten» Freunde verstanden. Celtis verkündete in Übereinstimmung mit italienischen Humanisten bei seiner Antrittsrede an der Ingolstädter Universität 1492: Die alten Dichter hätten mit ihren Gestalten, Figuren und Fabeln so die Natur der Dinge umschrieben, dass die Erkenntnis des Heiligen der uneingeweihten Menge verborgen bleiben sollte; denn diese Dichter hätten gewusst, dass eine entblössende Zurschaustellung der tiefsten Erkenntnisse naturwidrig wäre, weshalb man solches Wissen unter einer geziemenden Verschleierung verkünden müsse[137]. Vadian, Schüler von Celtis und von Cuspinian in Wien, fügte hinzu: Nur den Weisen sei

es erlaubt, den Schleier der natürlichen und göttlichen Geheimnisse zu lüften und
damit zu durchschauen, was die einfachen Seelen dank der dichterischen Bilder
doch wenigstens zu ahnen versuchen[138]. Mit solchem humanistischen Gedankengut konnte sich Cranachs Kunst, die selbstverständlich aus anderen Quellen
bereits zu einem hohen Reifegrad herangewachsen war – ohne dass wir bisher den
Weg erkennen können –, verbünden, und die Wiener Humanisten haben ihrerseits die Gelegenheit des Bündnisses schnell wahrgenommen (es sei hier die Bemerkung erlaubt, dass die Schnelligkeit der geistigen Aktion und der künstlerischen Entwicklungen keineswegs eine Besonderheit unserer modernen Zeit ist,
sondern dass es andere Kriterien sein müssen, durch die sich die heutigen Evolu-
tionen und Revolutionen von denjenigen z.B. des frühen 16. Jahrhunderts unterscheiden).

Der von Cranach 1503 zusammen mit seiner Frau porträtierte Gelehrte, bei
dem es sich entgegen früherer Annahme nicht um den aus Konstanz stammenden
Juristen Stephan Reuss, der 1504 Rektor der Wiener Universität war, handeln
kann, sitzt ganz ähnlich wie Cuspinian auf einer Rasenbank, stützt sich optisch an
einen Baumstamm (Nr. 88, 89). Die Form des verkrüppelten und doch kraftvollen
Baumes, dessen Kahlheit symbolisch gemeint sein könnte (vgl. Nr. 353), ist von
Dürers früher Graphik hergeleitet, beispielsweise von dem um 1497/98 entstandenen Holzschnitt «Der Ritter mit dem Landsknecht» (Nr. 90), auf dem neben
belaubten Bäumen in der Mitte auch ein kahler aufragt (wie auch auf anderen
Holzschnitten Dürers vor 1500, ohne dass sich eine bestimmte Symbolik immer
aufdrängt). Als Ausdrucksträger erscheint ein krüppelhafter Baumstamm von
noch phantastischerer und beängstigenderer Form im Rücken des einen Schächers
auf dem undatierten grossen «Kreuzigungs»-Holzschnitt der Zeit um 1502
(Nr. 63). Die Rahmung des Gelehrtenkopfes durch den kahlen Baumstamm und
einer jungen, im Saft stehenden Baumgruppe, dazu das Ansetzen von weissen,
irrlichterhaften Wolken am oberen Hutrand haben jedenfalls weit mehr als
dekorative Funktion. Mit der Erweiterung des Bewusstseins, die mit dem geöffneten Buch und mit der ganzen Landschaftsdarstellung veranschaulicht wird,
sind auch die Gefühle der Bindung an hohe Gewalten gewachsen. Damit ist dieses
Porträtpaar – genauso wie die «Bildnisse Cuspinians und seiner Frau» – im Grunde
religiöse Kunst samt ihrer humanistischen «Weltlichkeit» (samt Landschaft).

Bildnisse mit Landschaftshintergrund gab es früher in der deutschen Malerei
nur ganz vereinzelt. Kein Maler überhaupt ist vor Cranach auf die Idee gekommen,
den Porträtierten in reichlicher Halbfigur auf eine Rasenbank, mithin in die
Landschaft hineinzusetzen und zwischen der Porträtfigur und der Hintergrunds-
landschaft zu vermitteln durch die Bäume, die plastisch und räumlich die Porträt-
gestalt eng an die Landschaft binden. Wiederum benutzte Cranach bei diesen
Bäumen, unter deren Dach sich die Porträtierten stellen, Vorbilder aus der Graphik Dürers und entwickelte daraus eine neue Bildaussage.

Ein einziges deutsches, älteres Bildnis mit Landschaftshintergrund lässt sich
mit Cranachs Porträts von 1502/03 vergleichen. Es ist das vieldiskutierte Porträt
eines dunkel gekleideten jungen Mannes mit Rosenkranz, das auf der Rückseite
in einer Schrift des 16. oder 17. Jahrhunderts die Bezeichnung trägt (moderni-

82 L. Cranach d. Ä., um 1525   83 L. Cranach d. Ä., um 1525
    (Nr. 93)   (Anm. 147)

siert): Von Anton Neubaurers Hand, soll Albrecht Dürer sein, wie er jung gewesen ist (Nr. 91). Buchner[139] schrieb das Porträt, das in der Höhe etwa 8 cm weniger misst als Cranachs Bildnis des rot gekleideten Gelehrten (Nr. 88, vgl. Abb. 55), Dürer zu und datierte es um 1490/92. Wir schliessen uns dieser Zuschreibung an wegen der zeichnerischen, parallel-strichelnden Modellierung etwa der plastischen Stauwülste am Gewand oder auf den Lippen und wegen der feinen, charakteristischen Höhungstechnik bei den Bäumen und Büschen des Hintergrundes. Das widerspricht jedenfalls völlig der flüssigen, lasierenden Modellierung und den flammen- und tropfenförmigen Blätterformen auf Cranachs Wiener Werken. Im übrigen verweisen wir auf Buchners Argumente. Bloss aus der schnelleren Arbeitsweise, die nichts mit künstlerischer Qualität zu tun hat, scheint uns erklärbar, was Anzelewsky bemerkt, der das Bild um 1497 datiert: «Alle Einzelheiten des Bildes sind etwas trockener und flüchtiger als bei Dürer[140].» Dürer könnte das Bild nach seiner Rückkehr aus Venedig gemalt haben, was auch den Anschluss an italienische Bildnisse mit Landschaftshintergrund erklären würde (Memlings Bildnisse dieses Typus stehen weiter entfernt[141]). Die typologische Ähnlichkeit zwischen dem «Neubaurer», der um 1610 im Praunschen Kabinett in Nürnberg verzeichnet ist, mit den Wiener Bildnissen Cranachs scheint verständlich durch den gemeinsamen Bezug auf italienische Vorbilder. Als eines von vielen italienischen Exemplaren nennen wir das gegen 1490 entstandene «Bildnis des Bartolommeo Bianchini» des Bolognesers Francesco Francia (Abb. 80), den manche nach Italien reisende deutsche Studenten wegen seiner Verbindung mit Professoren der Universität Bologna bemerkt haben (Christoph Scheurl; vgl. S. 114). Das «Bianchini»-Porträt unterscheidet sich von Dürers «Neubaurer» vor allem durch die scharfe Grenze des vorderen Bildrandes, die durch die daraufgelegte Hand mit dem Zettel betont und durch den frontalen, willensstarken Blick kompensiert wird. Hinter dieser Schwelle verschwindet der Oberkörper des Dargestellten. Dürer füllt das Bildfeld mit den Armen des Dargestellten aus. Cranach aber vollzieht einen weiteren Schritt, indem er die der Landschaft selber angehörende Rasenbank einführt. Damit opfert Cranach gern die kühle Distanzierung von der Landschaft, die dem Porträtierten «zu Füssen liegt», und die Abgrenzung gegen den Bildbetrachter. Er verliert Strenge und gewinnt die Möglichkeit eines direkteren Sympathisierens. Cranach, der gleich Cuspinian nie in Italien war, hat vielleicht keine italienischen Bildnisse mit Landschaftshintergrund selber gesehen, sondern musste sich mit der Beschreibung durch den Italien-Fahrer Celtis oder durch einen Italiener, der an der Wiener Universität dozierte[142], begnügen. Die relativ schlechte Information nutzte Cranach beim «Cuspinian» (Abb. 55 f.) zur einzigartigen Realisierung einer reichen, offenbar von Cuspinian selber gewünschten Ikonographie, die eine Landschaft als Hintergrund unbedingt erforderte und bei dem lesenden Gelehrten von 1503 und seiner Frau zu einer Ballung der figuralen und landschaftlichen Elemente analog zum «Hl. Franziskus» führte.

Eine gewisse Fortsetzung fand Dürers «Neubaurer»-Bildnis etwa in dem von seinem Schüler Hans Schäufelein um 1506/07 oder wenig später gemalten «Bildnis eines Mannes mit roter Mütze» (Nr. 92). Cranach hat den mit «Cuspinian» und mit dem «Gelehrten mit Buch» von 1503 geprägten Typus nur noch einmal – abgesehen von einigen Bildnissen mit distanzierter, niedrighorizontiger Landschaft (Nr. 626) und von dem Holzschnitt des ganzfigurigen «Luther in der Landschaft» (Nr. 637) aufgegriffen, nämlich mit der Figur einer «Hl. Barbara» von etwa 1525 (Nr. 93). In jener späten Zeit hatte Cranach wohl zusätzliche Kenntnis von niederländischen Halbfigurenbildern heiliger Frauen vor einer Landschaft[143]. Darauf nehmen vermutlich auch die ganzfigurigen Gestalten der «Hl. Magdalena in der Landschaft»[144] Bezug, ebenso die ein Kind auf dem Arm haltende Frau aus der Zeit um 1525, bei der Werner Schade[145] die erstaunliche Beobachtung machte, dass es sich um die «Vom hl. Johannes Chrysostomus missbrauchte Königstochter mit ihrem neugeborenen Kind» handelt (Abb. 83), also um dieselbe Figur, die Cranach 1509 (in freier Abwandlung eines Kupferstiches von Dürer [Nr. 487]) auf einem Kupferstich nackt, wie es der Legende entspricht, gezeigt hat (Nr. 486). Nun trägt die verwilderte Königstochter plötzlich eine reiche Hofkleidung, und der büssende Heilige kriecht hinten in der Landschaft herum. Es ist nicht einmal unmöglich, dass diese verklausulierte Heiligengestalt sogar die Porträtzüge einer bestimmten Dame des Hofes oder sonst eines bekannten Modelles Cranachs trägt. Frauenbildnisse mit ähnlicher Rollenübernahme waren in Italien in Mode gekommen und könnten Cranach oder seinen Auftraggeber angeregt haben[146]. Cranachs Kunst ist höfisch geworden, offenbart aber einem aufmerksamen Betrachter noch immer den Ernst und die Tiefe, um deren fast brutale Gestaltung Cranach in den Wiener Werken sich bemüht hat.

85　Kopie nach L. Cranach d. Ä., 1. H. 16. Jh. (Nr. 94)

84　L. Cranach d. Ä., Detail aus Abb. 12

Wenigstens durch eine Kopie, wie es scheint, wurde auch ein Bildnis mit neutralem Hintergrund aus Cranachs Wiener Jahren überliefert: «Im Jar 1503 ist zu Wienn abkunnderfecht worden Jeronimus Tedenhamer» (Nr. 94). Die Inschrift auf dem Bildnis eines jungen Mannes besagt, dass das Ereignis der Porträtierung an einem andern, inzwischen vom Porträtierten verlassenen Ort stattfand. Tatsächlich finden wir Tedenhamer, dessen Identifizierung das Wappen (Einhorn) bestätigt, später in Ingolstadt. Dort starb 1543 «Hieronimus Tettenhamer gewessen firstlicher Ratt zu Ingelstatt». Er liess sich und seiner Frau von Loy Hering wohl noch vor seinem Tod ein reich gebildhauertes Steinepitaph ausführen für die Minoritenkirche in Ingolstadt. Auf dem gemalten Bildnis stammen die Inschrift und das Wappen nicht aus der Zeit von 1503. Wenn sie nicht später aufgesetzt wurden, was technisch untersucht werden könnte, müsste man das ganze Stück später ansetzen und also für eine Wiederholung des Originals halten. Damit wäre die für Cranach wirklich abzulehnende Unsensibilität der Pinselschrift kein Hindernis für die Annahme, dass ein Original Cranachs dahintersteht. Die wellige Konturierung der seitwärts gestemmten Arme findet bei Cranach Parallelen, ebenso die Technik der schwarzen Pinselzeichnung auf Gold im Brustband mit dem Treuhand-Emblem und ein so spezifisches Detail wie das Glanzlicht unter der Wange des Bildniskopfes – die Frau Cuspinians zeigt ganz ähnliche Reflexe an Wange und Hals (bei Breu viel gröber). Man muss sich davor hüten, Cranach einseitig von den zwei glutvollen Bildnis-Diptychen aus den Jahren 1502/03 her typologisch und koloristisch festzulegen. Von den späteren Bildnisköpfen Cranachs, die sich farblich gern auf Grau- und Braunwerte beschränken, bietet sich zum Vergleich etwa der junge Lanzenträger links auf dem Mittelbild des 1506 datierten «Katharinenaltares» an, der offensichtlich Porträtzüge trägt (Abb. 84, Detail aus Abb. 12).

Das von Friedländer Cranach zugeschriebene «Tettenhamer»-Bildnis verdient gewiss mehr Aufmerksamkeit, und wir wollen es erneut zur Diskussion stellen. Sein Gehalt liegt wohl in der Verschmelzung der willensbetonten, fast trotzigen Geste der gespreizten Arme mit dem Gesichtsausdruck des leicht schwermütigen Zögerns und mit einer weichen, «unwillentlichen» Malweise.

Alle Wiener Werke Cranachs verbindet eine intensive, an Dürers Heroik orientierte Spannung zwischen Freiheit und Bindung, zwischen dramatischer Bewegung und gewachsener Zuständlichkeit, zwischen Wachheit (das offene Buch vor dem Gelehrten von 1503) und fast angsterfüllter Dumpfheit, die sich höheren Mächten unterworfen weiss. Die heftigsten Gebärden, die wir angetroffen haben – bei «Christus am Ölberg» und bei dem «Hl. Franziskus», auf andere Weise beim vom Tod bedrohten «Liebespaar» – sind Ausdruck eines Erleidens. Sie werden allemal gekoppelt mit dem Cranach-Leitmotiv des vorn aufragenden Baumes, der die agierende Menschenfigur mit ursprünglicheren, dem Menschenwillen entzogenen Wachstumskräften in Parallele setzt. Hinzu kommt bei «Franziskus», bei «Christus am Ölberg» wie auch bei «Cuspinian» (Stern der Epiphanie Christi) der christlich-religiöse Bezugspunkt; beim «Liebespaar» wird er ersetzt durch die in neuartiger Weise unfassbare Gestalt des Todes.

61   Jörg Breu (um 1475/76–1537)
Dornenkrönung Christi   Abb. 57
Um 1500/01. Feder. 21,7 × 14,3 cm.
München, Staatliche Graphische Sammlung (Nr. 38009).

E. Buchner, Der ältere Breu als Maler, in: Beiträge zur Gesch. d. deutschen Kunst, II,
Augsburg 1928, S. 304. – O. Benesch, in: Jb. d. Kunsthist. Sammlungen in Wien, NF II,
1928, S. 101. – A. Altdorfer u. sein Kreis, Kat. München 1938, Nr. 387. – L. v. Baldass,
in: Jb. d. Kunsthist. Sammlungen in Wien, NF XII, 1938, S. 131 f. – Deutsche Zeichnungen 1400–1900, Kat. München 1956, Nr. 39. – E. Baumeister, in: Zs. f. Kunstwiss., XI,
1957, S. 45. – A. Stange, Malerei der Donauschule, München 1964, S. 138 (Lit. zum
frühen Breu). – Zeichnungen der Dürerzeit, Kat. München 1968, Nr. 9.

Entwurf zur «Dornenkrönung» auf Breus umfangreichem Melker Altar von 1501/02
(Abb. auch in: Pantheon, XXV, 1940, S. 9). Für diesen Altar verwendete Breu druckgraphische Vorlagen von Schongauer und Dürer, wie es sich Cranach nie in dieser
ausbeutenden Weise erlaubte.

62   Lukas Cranach d. Ä.
Kreuzigung Christi   Abb. 58
Bez. mit Hausmarkenzeichen, dat. 1502. Holzschnitt. 40,5 × 29,2 cm.
Berlin, Stiftung Preussischer Kulturbesitz, Staatliche Museen, Kupferstich-
kabinett.

Ho. H. 25. – Pass. IV, S. 40, Nr. 1. – Flechsig, Cranachstudien, S. 6–8. – Dodgson II,
S. 280. – G. 559. – Weimar 1953, Nr. 262. – Berlin 1973, Nr. 63.

Es existieren zwei Abdrucke, der Berliner und einer in New York (Metrop. Mus. Bull.,
XXII, 1927, S. 269 f.; wir bilden das etwas vollständiger erhaltene New Yorker Exem-
plar ab). Cranachs Stolz äussert sich darin, dass dieser Holzschnitt allein unter den
Wiener Werken ein Signum trägt, das nach Ansicht von A. Giesecke (Zs. f. Kunstwiss.,
IX, 1955, S. 184) verzerrt die Buchstaben LM = Lucas Maler verbindet. Hausmarken
und Steinmetzzeichen, also niedrige Formen des Wappens, zeigen allgemein ähnliche
Verläufe und meist anhaftende Kreuze, ohne dass man darin jedesmal versteckte Initialen
erblicken sollte. (Beispiel auf einer Zeichnung Kulmbachs, um 1510/15: F. Winkler,
Die Zeichnungen H. S. von Kulmbachs…, Berlin 1942, Nr. 101; Beispiel einer Initiale
mit angesetztem Kreuz, 1509: Jb. d. preuss. Kunstsammlungen, LIV, 1933, Abb. S. 140;
Humanisten-Signet ähnlicher Form, 1519: H. Ankwicz-Kleehoven, Der Wiener Humanist Johannes Cuspinian, Graz/Köln 1959, Taf. neben S. 64; viele Varianten:
K. Gerstenberg, Die deutschen Baumeisterbildnisse des Mittelalters, Berlin 1966.) Bei
einem Holzschnitt, der zur Verbreitung bestimmt war, hatte der Urheberschutz durch
Signatur besonderen Sinn.
    Diese Kreuzigung und eine weitere (Nr. 63) sowie der «Ölberg» (Nr. 73) haben
dasselbe Format, das Dürer mit seinen Holzschnitten zur «Apokalypse» und zur
«Passion» 1498 aufsehenerregend eingeführt hatte. Auch zeichnerisch und kompositionell treten Cranachs Blätter in Konkurrenz mit Dürer (zum gebauschten Mantel des
Johannes vgl. Nr. 72). Der für Cranach auch späterhin typische Burgberg begegnet auf
der Fläche dramatisch den wirr herabhängenden Haaren des Schächers rechts, der mit
dem Baumkreuz eine expressive, undürerische Einheit bildet. Vitales und Tödliches
bedrängen sich, gefährdende Hast und Liebe zum Detail gehen zusammen. – Zwei in
Wien gezeichnete Studien zu Schächern: R. 2–3; Berlin 1973, Nr. 33–34.

63   Lukas Cranach d. Ä.
(Faksimile nach:) **Kreuzigung Christi**
Unbez. Holzschnitt. 39,8 × 28,4 cm.
Berlin, Stiftung Preussischer Kulturbesitz, Staatliche Museen, Kupferstich-
kabinett.

Ho. H. 26. – Pass. IV, S. 40, Nr. 2. – Flechsig, Cranachstudien, S. 8 f. – Dodgson II,
S. 280. – G. 558. – Weimar 1953, Nr. 261. – Berlin 1973, Nr. 64.

Unikum. Nach Flechsig «selbstverständlich früher als die von 1502» (Nr. 62), wohl
etwa gleichzeitig mit der gemalten Kreuzigung aus der Bildersammlung des Wiener
Schottenklosters (FR. 1; erwähnt bei Nr. 55). Entgegen Dürers Raumöffnung versucht
Cranach die vorn zusammengedrängte Figurengruppe mit scharfen Durchblicken auf
die Landschaft und auf eine Burg mit niedrigem Horizont gewaltsam zu kontrastieren.
Rechts aussen ein Magyar, links vom Kreuz Christi ein sich umarmendes Paar (Speer-
träger). Der rücklings über den Kreuzbalken gebogene Schächer – hier in extremer
Brutalität mit einem Seil um den Hals verknotet und die Füsse angenagelt – wurde von
Cranach aus spätgotischer, speziell bayrisch-österreichischer Tradition weitergebildet
(das Seil verrät wohl Kenntnis der 1496 datierten «Kreuzigung» des Passauer Malers
Frueauf im Stift Klosterneuburg bei Wien, dessen Stiftsarzt Cuspinian – vgl. Abb. 55 –
war: A. Stange, Rueland Frueauf d. J., Salzburg 1971, Nr. 1).

64   Lukas Cranach d. Ä.
Maria und Johannes unter dem Gekreuzigten   **Abb. 59**
Holzschnitt auf Pergament, bunt koloriert (grün und gelb abgestuft, rot und
braun abgestuft, blauer Himmel fast gänzlich verblasst), die Nimben mit
aufgelegtem Blattgold (die Kolorierung 1508 dat.). 21,0 × 15,4 cm.
Einzelblatt, aus: Missale Pataviense, Wien, Johannes Winterburger, 25. Mai
1503.
Basel, Kupferstichkabinett des Kunstmuseums.

Ho. H. 29. – Dodgson, in: Jb. d. preuss. Kunstsammlungen, XXIV, 1903, S. 289. –
F. Dörnhöffer, in: Jb. d. k. k. Zentral-Komm. f.... Kunst- und Hist. Denkmale, II/2,
1904, Sp. 182–185. – J. Beth, in: Repert. f. Kunstwiss., XXX, 1907, S. 501–513. –
Dodgson II, S. 278, Nr. 6. – F. Stadler, Michael Wolgemut und der Nürnberger Holzschnitt..., Strassburg 1913, S. 247 ff. – H. Gollob, Der Wiener Holzschnitt in den Jahren
von 1490 bis 1550, Wien 1926, S. 16 f. – L. v. Baldass, in: Jb. d. Kunsthist. Sammlungen
in Wien, NF XII, 1938, S. 134 f.

Die dreifigurige «Kreuzigung» steht im Messbuch vor dem Kanon, der oft auf Pergament gedruckt wurde. Die Kolorierung soll den Charakter einer Miniatur herstellen.
Der Holzschnitt wurde 1505 im Messbuch von Olmütz, dem Missale Olomucense,
wiederverwendet (Beth). 1509 hat man in Wien eine Kopie nach der Kreuzigung und
eine dreifigurig erweiterte Variante des «Hl. Stephanus» (Nr. 50) hergestellt (Die Kunst
der Donauschule, Kat. Linz 1965, Nr. 433; Gollob, Abb. S. 33; Rumbler, Frankfurt a. M., Kat. 3, 1972, Nr. 31).
    Vorgebildet ist die Gestik der Maria und des Johannes im dreifigurigen «Kreuzi-
gungs»-Holzschnitt (Abb. 60) aus den 1500 in Nürnberg erschienenen «Revelationes
Sanctae Birgittae» (Dürer-Kat. Nürnberg 1971, Nr. 365; 24,7 × 17,0 cm), die betonte
Funktion der Landschaft in dem vielfigurigen «Kreuzigungs»-Holzschnitt aus dem

Messbuch von Würzburg, 1493 bei Georg Reyser erschienen (Schramm, Bilderschmuck, XVI, Taf. 109; 29,7 × 21,0 cm). Undatiert ist ein Wiener «Kreuzigungs»-Holzschnitt mit Landschaft (Gollob, Abb. 15). Den 1500 in Nürnberg gedruckten Holzschnitt schreibt heute kaum mehr jemand, wie es Winkler getan hat, Dürer zu, höchstens den Entwurf dazu; Stadler, den man nie sehr ernst genommen hat, denkt an Cranach (vgl. Lossnitzer, in: Monatshefte f. Kunstwiss., VII, 1914, S. 73). Es fällt schwer, dieser Attribution zu folgen; aber man möge sich daran erinnern: Cranachs vor 1502 entstandene Werke fehlen uns ganz, und dies gewiss nicht wegen ihrer Inexistenz, sondern weil uns ihre Andersartigkeit zur Konstruktion eines «Meisters mit Notnamen» (Panofsky 401, operiert bei den Birgitten-Holzschnitten mit dem «Benedikt-Meister») geführt hat. Das Problem des «Birgitten-Meisters» ist ebenso ungelöst wie dasjenige des frühen Cranach. Vgl. Nr. 68.

65   Lukas Cranach d. Ä.
Scheibe zur Auffindung der Sonntagsbuchstaben

Holzschnitt. 16,0 × 15,1 cm (Blattgrösse 32,2 × 21,3 cm).
Aus: Missale Pataviense, Wien 1503 (vgl. Nr. 50, 64, 66), im Registerteil am Anfang des Buches.
Wien, Österreichische Nationalbibliothek (22. B. 14).

Ho.: nicht aufgeführt. – Lit. bei Nr. 64. – Abb. bei Dörnhöffer, Gollob und Koepplin.

66   Lukas Cranach d. Ä.
Initialen im «Missale Pataviense»   Abb. 168a

Wien, 1503 gedruckt (vgl. Nr. 50, 64, 65). Holzschnitte, rot gedruckt.
Je ca. 4,5 × 4,0 cm.
Wien, Österreichische Nationalbibliothek (22. B. 14).

Ho.: nicht aufgeführt. – Lit. bei Nr. 64. – Ausserdem bes. zu den Initialen: M. M. Zykan, in: Werden und Wandlung, Studien zur Kunst der Donauschule, Linz 1967, S. 37 ff. – Koepplin, Cuspinian, S. 231 ff. mit Anm. 683 u. Taf. 18.

Von Cranach stammen alle reicher gebildeten Initialen, nämlich die figural oder pflanzlich-ornamental geschmückten Buchstaben A, B, C, D, E, L, O, P, R, S, T, V (alle ausser E sind abgebildet bei Gollob, Zykan oder Koepplin). Die Reservedoppel D, R und T nicht von Cranach.
     Die Cranach-Initialen sind technisch angeregt von venezianischen und augsburgischen Holzschnitten, deren Ornamentik hell aus dem dunklen Grund leuchtet. Cranachs Wildheit der Erfindung und die zeichnerische Vehemenz sind aber ganz neuartig. Der Drucker Winterburger brachte 1497 auch Werke von Celtis und Cuspinian heraus (Abb. 55). Er dürfte auch Holzschneider gewesen sein, da ihn ein Humanist 1509 als «Bildhauer» feierte (Koepplin, Cuspinian, S. 38; vgl. Kapitel «Buchgraphik», Exkurs am Schluss des 4. Abschnitts, mit Anm. 68). Die Passauer Messbücher wurden vor dem Winterburger-Cranach-Druck in Augsburg produziert, 1494 bei E. Ratdolt mit Farbholzschnitt von Hans Burgkmair (F. Winkler, in: Zs. f. Kunstwiss., I, 1947, S. 44 ff.; H. Burgkmair-Kat. Augsburg/Stuttgart 1973, Nr. 4, Farbtaf.).

67   **Lukas Cranach d. Ä.**
     Maria und Johannes unter dem Gekreuzigten   Abb. 61
     Um 1502/03. – Holzschnitt, bunt koloriert, Nimben mit Blattgold.
     21,7 × 15,4 cm.
     Dresden, Kupferstichkabinett der Staatlichen Kunstsammlungen.

     Ho. H. 28. – Dodgson, in: Jb. d. preuss. Kunstsammlungen, XXIV, 1903, S. 285–288. –
     Jahn, S. 15. – Cranach-Kat. Bukarest 1973 (W. Schade), Nr. 1.

     Ein kolorierter Druck auf Pergament in Wien (ehem. Slg. Friedrich August II., Dresden);
     in Berlin kein Ex. (entgegen Angabe von Hollstein). Ein kolorierter Druck auf Papier
     kam kürzlich aus der Sammlung Goethes zum Vorschein (Weimar, Forschungs- und
     Gedenkstätten); einen weiteren, stark kolorierten, fand W. Schade eingeklebt in ein
     Missale Cracoviense, Nürnberg, Georg Stuchs, 1495/96 (aufbewahrt in der Bibl.
     Krakau). Schade: «Der ungewöhnliche Wolkenhimmel im Anschluss an Dürers
     Apokalypse», aber nicht nur geballt und gekräuselt, sondern aktiv nach rechts stossend,
     vergleichbar den Flammen z.B. auf Dürers Holzschnitt des «Katharinen-Martyriums»
     der Zeit um 1498 (Nr. 72) und auf einem der «Birgitten»-Holzschnitte (Nr. 68; Schramm
     615). Zur Verdunkelung des Himmels vgl. Nr. 55. Der lange Mantel des Johannes
     verfängt sich am Kreuzstamm.
        Der schlechter, nach Benesch darum von Cranach selber geschnittene, besonders
     kühn gezeichnete Holzschnitt ist entweder «noch nicht» vom Nürnberger «Birgitta»-
     Holzschnitt des Jahres 1500 (erwähnt bei Nr. 64) beeinflusst, oder er ist «nicht mehr»
     davon abhängig und geht in der Dramatisierung durch hochragende Felsen und Bäume
     und durch die Verfinsterung des Himmels darüber hinaus (so sieht es L. v. Baldass von
     Altdorfer her: Jb. d. kunsthist. Sammlungen in Wien, NF XII, 1938, S. 135; dagegen
     u.a. Glaser 1921, S. 33). Scheinbar widersprüchlich dazu muss man aber auch auf die
     zeichnerische Verwandtschaft mit den übrigen «Birgitta»-Holzschnitten hinweisen:
     Nr. 68.
        Dreifigurige Kreuzigungen Cranachs aus der frühen Wittenberger Zeit: Nr. 102f.,
     Abb. 90f.

68   **Unbekannter Meister im Umkreis A. Dürers**
     Acht mit kolorierten Holzschnitten illustrierte Seiten aus den **« Revelationes
     Sanctae Birgittae»** (Offenbarungen der hl. Birgitta von Schweden), Nürn-
     berg, Anton Koberger (auf Veranlassung des Kaisers Maximilian), 21. Sept.
     1500.   **Abb. 62**
     Bildseiten (z. T. mit mehreren Holzschnitten bedruckt) je ca. 23,3 × 15,0 cm.
     Basel, Kupferstichkabinett des Kunstmuseums.

     Schramm, Bilderschmuck, XVII, Nr. 603 (daraus unsere Abb.), 605, 606, 607, 612, 615,
     616 (= 600). – Panofsky 401 d, f, g, h, n, q, r. – Meister um A. Dürer, Kat. Nürnberg
     1961, Nr. 397. – Dürer-Kat. Nürnberg 1971, Nr. 365.

     Die illustrativen Holzschnitte – nicht die bei Nr. 64 erwähnte «Kreuzigung» – schliessen
     sich frei an einen robusten Lübecker Druck von 1492 an (Schramm, Bilderschmuck,
     XII, Nr. 16–29, Taf. 5–11). In der zeichnerischen Feinheit und Nervosität entfernen
     sie sich aber weit vom typologischen Vorbild und wollen auch nicht zu Dürer passen,
     dem sie Winkler früher zuschrieb (später erwog er die Autorschaft des Dürer-Schülers
     Kulmbach). Im Anschluss an das zur «Kreuzigung» bei Nr. 64 Gesagte und wegen der
     Nähe zu Cranachs undatiertem kleinem «Kreuzigungs»-Holzschnitt Nr. 67 möchten wir
     zur Diskussion stellen, ob diese Holzschnitt-Gruppe – und vielleicht manche andere

Werke des «Dürer-Doppelgängers» – nicht Cranach zuzuschreiben sei. Die Probleme, die damit zusammenhängen, sind freilich so vielfältig und rühren an einen so langwierigen Gelehrtenstreit (vgl. Bemerkung zu Nr. 122), dass ich mich fast zu schämen habe, wenn ich die Spezialisten auffordere, in H. Röttingers Buch über «Dürers Doppelgänger» (Strassburg 1926) und dann in F. Winklers Corpus der Dürer-Zeichnungen zu blättern mit Cranach im Kopf. Ich habe es versucht und bin nicht klug geworden. Ich meine, dass nach statistischer Wahrscheinlichkeit Cranachs Frühwerke aus den Jahren 1490–1502 nicht alle als Verluste oder als unauffällige Dinge abgeschrieben werden können. Man sieht sie unter falschem Namen, entweder weil Cranach damals ganz anders oder weil er täuschend ähnlich wie Dürer gearbeitet hat. Eine Auseinandersetzung mit Dürer hat irgendwann eingesetzt, vermutlich nicht erst in Wien, hier nur in freierer Weise. – Vgl. Nr. 71.

Die Vergleichbarkeit mit dem «Kreuzigungs»-Holzschnitt Nr. 67 erstreckt sich u. a. auf die Zeichnung der Baumkronen, die eng und lang geführten Parallellinien in den Gewändern, die leicht verwilderte, feine und wenig plastische Angabe der Haare, die kurzen Parallelschraffuren in den Gesichtern. Hier weiter ins Detail zu gehen, scheint im Moment nicht sinnvoll. Vielmehr sei schliesslich nicht verschwiegen, dass Jahn (als einziger, S. 15) den Holzschnitt Nr. 67 interessant findet, «ohne dass aber die Bestimmung auf Cranach unmittelbar einleuchtete»!

Falls Cranach die «Birgitta»-Holzschnitte gezeichnet hätte, wäre dies im Auftrag des Königs Maximilian geschehen, der seinen Sekretär Florian Waldauf von Waldenstein mit der Edition betraute. Cranach hätte so gegen 1500 Kontakt mit einem einflussreichen Österreicher der Umgebung Maximilians bekommen. Waldauf war seit den 1480er Jahren mit Fuchsmagen befreundet (s. Nr. 69; K. Grossmann, in: Jb. f. Landeskunde von Niederösterreich, NF XXII, 1929, S. 273 ff.) und beauftragte 1507/09 Burgkmair mit den Holzschnitten zum Heiligtumsbuch von Hall in Tirol (T. Falk, H. Burgkmair, München 1968, S. 62–64).

69 **Lukas Cranach d. Ä.**
Nachzeichnungen nach den spätantiken 12 Monatsdarstellungen des
Chronographen von 354, Furius Dionysius Filocalus   Abb. 64,65
Um 1503. Feder, grau laviert. Je ca. 23,2 × 16,2 cm.
Wien, Österreichische Nationalbibliothek (3416, Hist. prof. 452).

R. A 1. – F. Winkler, in: Jb. d. preuss. Kunstsammlungen, LVII, 1936, S. 141–155. – Die Kunst der Donauschule, Kat. Linz 1965, Nr. 416. – Koepplin, Cuspinian, S. 38. – Zum Chronographen auch: A. Warburg, Gesammelte Schriften, II, Leipzig/Berlin 1932, S. 507.

Das mehrfach kopierte Original ist verloren. Die antiken Figuren und ihre astrologischen Symbole weckten das Interesse der Humanisten. Auftraggeber zu Cranachs Nachzeichnungen war der Rat des Königs Maximilian und Freund Cuspinians (Abb. 55) Dr. Johannes Fuchsmagen, der römische Inschriften und Münzen sammelte. Für Fuchsmagen hat Cranach vermutlich sein Gemälde des «Büssenden hl. Hieronymus» von 1502 gemalt (FR. 4; Koepplin, Cuspinian, S. 39 u. 253, Anm. 753). Fuchsmagen war mit Waldauf von Waldenstein befreundet (s. Nr. 68) und setzte die Berufung des Konrad Celtis nach Wien durch.

Die Togafiguren des Filocalus scheinen auch den bayrischen Meister von Mühldorf beeinflusst zu haben: Zeichnung des «Apollo» gegen 1520 (F. Winzinger, in: Zs. d. dt. Ver. f. Kunstwiss., XXII, 1968, Abb. S. 19).

70   **Lukas Cranach d. Ä.**
     Eine törichte Jungfrau   **Abb. 66**
Um 1503. Auf dünn-hellbraun grundiertes Papier mit Feder; mit dem Pinsel
grau laviert und weiss gehöht. 19,1 × 12,1 cm.
Nürnberg, Kupferstichkabinett des Germanischen Nationalmuseums (Hz. 56).

R. 1. – F. Zink, Die deutschen Handzeichnungen, I (Kataloge des Germ. Nationalmuseums Nürnberg), Nürnberg 1968, S. 145 f., Nr. 116 (dort Lit.).

Stellt sich den Kupferstichen Schongauers mit den Einzelfiguren der «Klugen und
törichten Jungfrauen» zur Seite und bereitet Cranachs spätere Hoffräulein vor (FR. 150
u. a.). Dürer gelangte von Studien der «Klugen Jungfrauen» (Winkler 31, 71) nicht zu
Hoffräulein, sondern zu seinen individuell präzisierten Trachtenstudien (vgl. Nr. 81).
    Der Rest des Öls rinnt aus der ausgebrannten Lampe. Die linke Hand sollte nach
der ersten Idee, die mit dem Pinsel flüchtig in Grau angegeben ist, wohl einen Gegenstand (Kranz?) halten. Technisch ist es Hinweis darauf, dass eine erste Graulavierung
der fixierenden Federzeichnung voranging (vgl. R. A 20). Die Helldunkel-Manier
verfeinerte Cranach in der 1504 datierten Zeichnung Nr. 53. Vgl. die Zeichnung eines
«Hl. Georg» Abb. 14, vgl. Nr. 77.

71   **Unbekannter Künstler**
     Die Best Practica   **Abb. 67**
Um 1499. Einblattdruck mit zwei kolorierten Holzschnitten. Je ca. 8,6 × 8,6
cm. – Drucker: Konrad Kachelofen, Leipzig.
Stuttgart, Württembergische Landesbibliothek, Abt. Alte Drucke
(Xyl. Nr. 16).

W. L. Schreiber, Holzschnitte des fünfzehnten Jahrhunderts in der kgl. Landesbiblio-
thek zu Stuttgart (Einblattdrucke, hrsg. v. P. Heitz, Bd. 6), Stuttgart 1907, Nr. 7. –
Schramm, Bilderschmuck, XIII, Nr. 106. – K. Pfister, Die primitiven Holzschnitte,
München 1922, Taf. 37.

Den astrologischen Praktiken (Voraussagen und Verhaltensregeln) wird hier eine
«bessere» gegenübergestellt, die «trifft an alle menschen gemein». Der Teufel macht
einem jungen Paar günstige Vorspiegelungen und fordert zum unbeschwerten Lebens-
genuss auf, während der Engel zum Bewusstsein mahnt, dass der Tod jederzeit das
diesseitige Leben abbrechen kann. Er sagt zu den drei älteren Leuten: Verachte die
weltliche Üppigkeit, so wird deine Seele zu Gott bereit; dies mag dein Herz erfreuen,
und Gott wird dir des Himmels Krone geben. Zum Spiegel mit dem Totenkopf vgl.
Baldungs Täfelchen «Schönheit und Tod» der Zeit um 1509 und Furtenagels Burgk-
mair-Bildnis (v. d. Osten, in: Wallraf-Richartz-Jb., XXXIV, 1972, S. 105 ff.; sonst
G. F. Hartlaub, Zauber des Spiegels, München 1951, Abb. 156 ff.; F. Winkler, Dürer
und die Illustrationen zum Narrenschiff, Berlin 1951, Taf. 17 u. 45). Was hier spät-
mittelalterlich auf das Bedenken des Todes ausgerichtet ist, wandelt die Renaissance,
an den Ruhm denkend, zum Thema «Herkules am Scheideweg» und zum «Urteil des
Paris»: vgl. Nr. 528 f.
    Die Attribution des Holzschnittes an Cranach wird fast unmöglich, falls man
Cranachs Autorschaft bei Nr. 68 annimmt. Dürers Holzschnitte von 1498 dürften dem
Zeichner bereits bekannt gewesen sein.

72   **Albrecht Dürer** (1471–1528)
      Martyrium der hl. Katharina   Abb. 68
      Um 1496/99. Holzschnitt (Zustand Meder e). 39,3 × 28,7 cm.
      Basel, Kupferstichkabinett des Kunstmuseums.

B. 120. – Meder 236. – Panofsky 340. – Dürer-Kat. Nürnberg 1971, Nr. 354. – Deutsche
Kunst der Dürer-Zeit, Kat. Dresden 1971/72, Nr. 206.

Die hl. Katharina war Patronin der Artistenfakultät an Universitäten, z.B. an der 1506
gegründeten Universität Frankfurt a.d.Oder (Michael Rysch hielt 1506 dort eine
«Oratio in laudem divinae Catharinae», vgl. Abb. 12). Vgl. Farbtafel 5.

73   **Lukas Cranach d. Ä.**
      (Faksimile nach:) **Christi Gebet am Ölberg**   Abb. 70 (seitenverkehrt)
      Um 1502/03. – Holzschnitt (Unikum). – Wasserzeichen: Waage im Kreis,
      ähnlich Briquet 2488. 38,9 × 28,1 cm.
      New York, Metropolitan Museum of Art (27.54.3).

Ho. H. 24. – G. 557. – M. Geisberg, in: Der Cicerone, XIX, 1927, S. 171–173. – Bull.
of the Metropolitan Mus. of Art New York, XXII, 1927, S. 270f. – Benesch, in:
Jb. d. Kunsthistor. Sammlungen in Wien, NF II, 1928, S. 98. – L. v. Baldass, in: Jb. d.
preuss. Kunstsammlungen, IL, 1928, S. 78f. – L. v. Baldass, in: Jb. d. Kunsthistor.
Sammlungen in Wien, NF XII, 1938, S. 135. – Weimar 1953, Nr. 260. – Jahn, in:
Cranach-Fs. 1953, S. 28. – Jahn, S. 15. – O. Benesch/E. M. Auer, Die Historia Friderici
et Maximiliani, Berlin 1957, S. 63ff. – Rosenberg, Appreciation, S. 33. – Die Reproduk-
tionen bei Geisberg, Jahn, Hollstein u.a. sind retuschiert wie schon diejenige im
Boerner-Kat. Leipzig 1927; beste grosse Reproduktion bei F. Baumgart, Lucas Cranach,
Incisioni, Firenze (La Nuova Italia) 1970, Taf. IV, gut auch bei Benesch/Auer, S. 64.

Es wurde keine grössere Auflage gedruckt: nur ein Exemplar hat sich erhalten. Cranach
nahm den Holzstock vielleicht nach Wittenberg mit, wo er ihn nicht mehr aktuell fand,
besonders nicht nach der Neufassung des Themas 1509 (Ho. H. 10 und kleiner «Ölberg»-
Holzschnitt – wieder mit Christus, der vor einer eingewölbten Felswand die Arme aus-
breitet [Abb. 71] –, Ho. H. 103, 1, verwendet im «Lustgertlin der Seelen», Wittenberg
bei G. Rhau 1548 (Nr. 275), wohl schon um 1509 entstanden; 4,2 × 4,8 cm). Freie Verwendung des frühen Cranach-Holzschnittes um 1520 in Wien, Pulkauer Altar: Benesch/
Auer, Abb. 30.

74   **Albrecht Dürer** (1471–1528)
      Gebet Christi am Ölberg
      Um 1496/97. – Holzschnitt (Zustand Meder a). 39,2 × 28,2 cm.
      Basel, Kupferstichkabinett des Kunstmuseums.

B. 6. – Meder 115. – Panofsky 226. – Dürer-Kat. Nürnberg 1971, Nr. 597, 3.

Ikonographisch und vermutlich auch der Entstehungszeit nach das erste Blatt der
«Grossen Holzschnitt-Passion», die als Buch 1511 von Dürer herausgegeben wurde,
deren Einzelblätter aber früher erschienen.

75   **Hans Baldung Grien** (1484/85–1545)
     Das Blutschwitzen Christi am Ölberg   Abb. 72
     Holzschnitt. 5,5 × 3,9 cm.
     Aus: Ulrich Pinder, Speculum passionis domini nostri Ihesu christi...,
     Nürnberg [U. Pinder] 1507.
     Basel, Kupferstichkabinett des Kunstmuseums.

     Baldung-Kat. Karlsruhe 1959, S. 305 ff. – M. C. Oldenbourg, Die Buchholzschnitte des
     Hans Baldung Grien, Baden-Baden/Strassburg 1962, L 7, Nr. 206. – K. Oettinger/K.-A.
     Knappe, Hans Baldung Grien und Albrecht Dürer in Nürnberg, Nürnberg 1963, S. 25.

     Im Text wird der Leser aufgefordert, er möge so inbrüstig beten, dass er quasi Blut
     schwitze und Tränen vergiesse.

76   **Albrecht Dürer** (1471–1528)
     Hl. Hieronymus büssend in der Einöde
     Um 1497. Kupferstich (Zustand Meder c). 31,0 × 22,4 cm.
     Basel, Kupferstichkabinett des Kunstmuseums.

     B. 61. – Meder 57. – Panofsky 168. – Dürer-Kat. Nürnberg 1971, Nr. 352. – Deutsche
     Kunst der Dürer-Zeit, Kat. Dresden 1971/72, Nr. 187.

     Cranach begann erst 1509 in Wittenberg mit Kupferstichen. Die Exaktheit der Technik
     verleitete Dürer zur Einarbeitung von Naturstudien (Fels) – etwas, was bei Cranach
     nie in dieser lokalisierbaren Form vorkommt.

77   **Lukas Cranach d. Ä.**
     Hl. Johannes der Täufer in der Einöde   Farbtafel 2
     Um 1503. Auf braun getöntem Papier mit der Feder, mit dem Pinsel grau
     laviert und weiss gehöht. 23,5 × 17,7 cm.
     Lille, Musée des Beaux-Arts.

     R. 4. – FR. S. 5. – M. Weinberger, in: Zs. f. Kunstgesch., II, 1933, S. 12–14. – Girshau-
     sen, S. 14–16. – F. Winzinger, Albrecht Altdorfer, Zeichnungen, München 1952,
     S. 21 f. – K. Oettinger, Altdorfer-Studien, Nürnberg 1959, S. 25, 27, 63, 70, 111. –
     Le XVIe siècle Européen, Kat. Paris (Petit Palais) 1965/66, Nr. 106. – Koepplin,
     Cuspinian, S. 41, Anm. 107. – Schade, Zeichnungen, S. 34 f.

     Das Blatt könnte für Johannes Cuspinian (Abb. 55) bestimmt gewesen sein, der seinen
     Namenspatron Johannes Baptista auf einem Steinaltar darstellen liess. Johannes der
     Täufer in der Einöde mit dem Lamm-Attribut war vereinzelt Bildgegenstand von
     Kupferstichen des 15. Jahrhunderts (W. Krönig, in: Das Münster, III, 1950, S. 198 ff.).
     Zum Technischen vgl. Nr. 53–56 und 70 (dazu Abb. 14); anders hier die Dominanz der
     weissen Pinselzeichnung und – damit verbunden – des Landschaftlichen. Der 1504
     datierte «Hl. Martin» bringt eine neue miniatorisch-zeichnerische Detailpflege.
          Cranach-Einfluss, vielleicht von dieser «Johannes»-Zeichnung, wird vermutet
     bei A. Altdorfers um 1512 gemalter Tafel mit den «Zwei hl. Johannes in der Land-
     schaft» (Oettinger, S. 62 f.; L. v. Baldass, Albrecht Altdorfer, Zürich 1941, S. 64 f. u.
     Abb. S. 237).

78 **Lukas Cranach d. Ä.** (hier zugeschrieben)
    Liebespaar und Tod   Abb. 73
    Dat. 1503. Feder. 27,3 × 20,7 cm.
    Braunschweig, Herzog Anton Ulrich-Museum.

E. Flechsig, Zeichnungen alter Meister im Landesmuseum zu Braunschweig, I: Deut-
sche, Frankfurt a. M. 1920/22, Nr. 10. – H. W. Schmidt, Die deutschen Handzeichnungen
bis zur Mitte des 16. Jahrhunderts (Kunsthefte des Herzog Anton Ulrich-Museums,
Heft 9), Braunschweig 1955, S. 27, Nr. 59. – L. Oehler, in: Städel-Jb., NF III, 1971,
S. 102, Abb. 28 (ohne Kommentar bei «Cranach-Werkstatt»). – D. Koepplin, in:
Kunstchronik, XXV, 1972, S. 347f.

In der humanistischen Liebesdichtung, die den geistesgeschichtlichen Hintergrund zur
unhöfischen Dramatisierung des Themas bildet, scheint der Tod nicht unmittelbar auf-
zutreten; die Humanisten (z.B. der Celtis- und Cuspinian-Schüler Vadian in Wien)
haben aber in neuer Weise begriffen, dass der Tod nicht eigentlich ein Feind, sondern
ein Begleiter des Lebens ist (Koepplin, Cuspinian, S. 236f.; hier S. 111ff. zur Liebesdichtung des Celtis u.a. und zu ihrer naturphilosophisch-religiösen Begründung;
vgl. Nr. 52).

79 **Monogrammist ES** (tätig um 1450 bis 1467)
    Sich küssendes Paar
    Um 1465. Kupferstich. 10,3 × 6,8 cm.
    Basel, Kupferstichkabinett des Kunstmuseums.

Lehrs II, 1910, S. 298f., Nr. 209. – Thieme/Becker, XXXVII, 1950, S. 389ff.

Der Meister war in der Gegend Schweiz – Oberrhein tätig.

80 **Monogrammist MZ** (tätig um 1500)
    Liebespaar in Landschaft
    Um 1501/02. Kupferstich. 14,8 × 12,2 cm.
    Basel, Kupferstichkabinett des Kunstmuseums.

Lehrs VIII, 1932, S. 364f., Nr. 15. – Ders., in: The Print Collector's Quarterly, XVI,
1929, S. 227, Abb. S. 236. – Thieme/Becker, XXXVII, 1950, S. 437f. – Angelika Lenz,
Der Meister MZ, ein Münchner Kupferstecher der frühen Dürerzeit, Diss. München
1971, Giessen 1972.

81 **Albrecht Dürer** (1471–1528)
    Spazierendes Paar und Tod hinter einem Baum   Abb. 74
    Um 1496. Kupferstich (Zustand Meder 1 e). 19,5 × 12,1 cm.
    Basel, Kupferstichkabinett des Kunstmuseums.

B. 94. – Meder 83. – Panofsky 201. – H. W. Janson, in: Journal of the Warburg and
Courtauld Institutes, III, 1939/40, S. 243. – Dürer-Kat. Nürnberg 1971, Nr. 464. –
Deutsche Kunst der Dürer-Zeit, Kat. Dresden 1971/72, Nr. 194.

Dürer verwendete eine 1495 entstandene Zeichnung mit einer Frau in venezianischer
Tracht (Winkler 75); vgl. Kommentar zu Nr. 70.

82   Hans Burgkmair (1473–1531)
Der Tod überfällt ein Liebespaar
Bez., entstanden 1510. Holzschnitt mit schwarzer Linienplatte und Tonplatten in zwei Brauntönen (3. Zustand). 21,3 × 15,3 cm.
Basel, Kupferstichkabinett des Kunstmuseums.

Ho. 724. – Dodgson II, S. 85 f., Nr. 46. – H. Burgkmair-Kat., Augsburg/Stuttgart 1973, Nr. 41.

Der vom Tod gewürgte Liebhaber trägt einen römisch-antiken Panzer. Der merkwürdigerweise geflügelte Tod, der plötzlich daherfliegen kann, beisst in das Gewand der Geliebten. Deren Entsetzensgestik und Ausfallbewegung zitieren Quellen der Antike und der italienischen Renaissance. Italianisierend auch die Architektur, deren Perfektion in der Verbindung mit dem Tod Vanitas-Bedeutung erhält (vgl. die spätmittelalterliche Vanitas-Fassung Nr. 71). Im Gebälk des triumphalen Torbogens links oben sind gekreuzte Knochen und ein Totenschädel eingesetzt. Burgkmairs Klassizismus fand Rückhalt in der Italien zugewandten Stadt der Fugger (vgl. Nr. 39) und wurde von H. Holbein d. J. fortgesetzt; Cranach hielt nach der Konkurrenz mit «Georg-Reiterbildern» von 1507/08 (vgl. Nr. 14–17) keine Verbindung damit aufrecht (vgl. aber Nr. 217).

83   Albrecht Altdorfer (um 1480–1538)
Liebespaar im Kornfeld
Bez. AA, dat. 1508. Feder. 22,1 × 14,8 cm.
Basel, Kupferstichkabinett des Kunstmuseums (U.XVI.31).

F. Winzinger, Albrecht Altdorfer, Zeichnungen, München 1952, Nr. 11. – K. Oettinger, Altdorfer-Studien, Nürnberg 1959, S. 15–17 u. 26.

Die glückliche Gelöstheit des Paares steht zwischen dem Kirchturm als «Lauscher» mit zwei Fenster-«Augen» (Winzinger) und der Fahne, die zusammen mit dem abgelegten Schwert den Pol des Kampfes und des Todes-Risikos andeutet. Das Thema des Landsknechts (vgl. Nr. 21), der sein Leben riskiert, gewinnt bei Altdorfer, Huber und den Schweizern grosse Bedeutung – bei all jenen Zeichnern, die mit ihren eiligen Strichen besonders «risikofreudig» Bildwirkung anstreben.

84   Albrecht Altdorfer (um 1480–1538)
Liebespaar am Waldrand
Bez. AA, dat. 1511. Holzschnitt. 13,6 × 10,1 cm.
Basel, Kupferstichkabinett des Kunstmuseums.

F. Winzinger, Albrecht Altdorfer, Graphik, München 1963, Nr. 17. – D. Koepplin, in: Alte u. mod. Kunst, Heft 84, Jan.–Febr. 1966, S. 7.

L. Cranach d. Ä., um 1510 (Nr. 166)

85 **Lukas Cranach d.Ä.**
Hl. Valentin mit Stifter Farbtafel 3
Um 1502/03. Auf Fichtenholz. 91 × 49 cm.
Wien, Gemäldegalerie der Akademie der Bildenden Künste (549).

FR. 2. – Dörnhöffer (zit. bei Nr. 64). – Glaser 1921, S. 37 u. 46. – Benesch u. v. Baldass
(zit. bei Nr. 73). – H. Hutter, Lucas Cranach d. Ä. in der Akad. d. Bild. Künste in Wien,
Wien 1972, S. 4 ff.

Glaser: «Schlingpflanzen gleich wuchert das spätgotisch krause [im Sinne Dürers
durchaus moderne: Kohlhaussen, zit. bei Nr. 31] Goldschmiedewerk des Krummstabes,
den er vor sich hält, ähnlich dem aus lebendigen Zweigen geflochtenen Heiligenschein
des Stephanus» (Nr. 50, Abb. 46).

86 **Lukas Cranach d.Ä.**
Stigmatisation des hl. Franziskus Farbtafel 4
Um 1502/03. Auf Fichtenholz. 86,8 × 47,5 cm.
Wien, als Depositum der Österreichischen Galerie (1273) in der Gemälde-
galerie der Akademie der Bildenden Künste.

FR. 3. – B. Grimschitz, in: Die bild. Künste, IV, 1921, S. 148f. – Sonst Lit. wie bei
Nr. 85.

Die Wendung des Heiligen nach rechts widerspricht in keiner Weise der Annahme, dass
es sich um einen rechten Flügel des Altares handelt, zu dem Nr. 85 den linken Flügel
bildete. Aus einer falschen Hinwende-Vorstellung waren bei FR. die Flügel des Katharinenaltares von 1506 (FR. 12–13) und die Flügel in Wörlitz-Dessau (FR. 34) verkehrt
angeordnet worden. Die Mitte kann von einem Holzrelief besetzt gewesen sein.
    Als Franziskus am Berg Alverna betete, erschien ihm ein Seraph mit sechs
Flügeln, zwischen denen sich das Bild des Gekreuzigten befand. Davon erhielt er
Wundmale an Händen und Füssen und an der Brust, zunächst unbemerkt vom schlafenden Begleiter.

87 **Albrecht Dürer** (1471–1528)
Stigmatisation des hl. Franziskus
Bez. Um 1502. Holzschnitt (Zustand Meder a). 21,9 × 14,5 cm.
Basel, Kupferstichkabinett des Kunstmuseums.

B. 110. – Meder 224. – Panofsky 330. – F. Winkler, Albrecht Dürer, Berlin 1957, S. 126. –
Dürer-Kat. Nürnberg 1971, Nr. 342.

Meder datiert 1503/05, Panofsky um 1504, Winkler um 1500 oder kurz danach. Die
1501/02 erschienenen Holzschnitte zu Büchern von Celtis zeigen enge Verwandtschaft
(Nr. 2, 50).

87a Jörg Breu (?) (um 1475/76–1537)
Aufblickender Männerkopf in Verkürzung
(Scherge aus einer Passionsszene?)
Um 1500 oder kurz danach. Schwarze Kreide. 30,8 × 21,2 cm.
Basel, Kupferstichkabinett des Kunstmuseums (U.VI.29).

E. Buchner, in: Beiträge zur Geschichte der deutschen Kunst, II, Augsburg 1928,
S. 314 mit Abb. – W. Hugelshofer, ebda., S. 386. – C. Sommer, in: Zs. f. Kunstwiss., III,
1936, S. 265.

Der expressive Kopf ist gegenüber Cranach und Dürer noch stärker der übertreibenden
Spätgotik verpflichtet. D. Burckhardt-Werthemann, H. A. Schmid u.a. versuchten die
Zeichnung den in Basel aufbewahrten, signierten Blättern des Monogrammisten HF
(Hans Franck) anzuschliessen, was dem Stil nach nicht überzeugt. Buchners Zuweisung
an den frühen, in Österreich tätigen Augsburger Jörg Breu (vgl. Nr. 61) hat mehr für
sich und passt auch besser zur ungefähren Datierung und Lokalisierung, die das Wasserzeichen des Papiers ermöglicht (nach T. Falks Feststellung oberitalienisches Papier um
1500, aus Tirol leicht nach Österreich gelangend; Wasserzeichen sehr ähnlich Briquet
3401). Sommer denkt an den Bildschnitzer des Breisacher Hochaltars.

88 Lukas Cranach d.Ä.
Bildnis eines 41jährigen Gelehrten   Abb. 78
Dat. 1503. Auf Tannenholz. 54,1 × 39 cm.
Nürnberg, Germanisches Nationalmuseum (Gm. 207).

FR. 8. – W. Schmidt, in: Zs. f. bild. Kunst, NF III, 1892, S. 118. – Flechsig, Cranach-
studien, S. 71, 37, 284–287. – M. J. Friedländer, in: Jb. d. preuss. Kunstsammlungen,
XXIII, 1902, S. 232f. – K. Woermann, in: Zs. f. bild. Kunst, LXI, 1927/28, S. 26f. –
E. Lutze/E. Wiegand, Die Gemälde des 13. bis 16. Jhs. (Kataloge d. German. National-
museums zu Nürnberg), Leipzig 1937, S. 77. – Buchner, Bildnis, Nr. 187 (Weibl.
Gegenstück: Nr. 188). – Koepplin, Cuspinian, S. 266–272. – Farbabb. bei Thöne 1965,
S. 32.

89 Lukas Cranach d.Ä.
Bildnis der Frau des 41jährigen Gelehrten   Abb. 79
Auf Linden(?)holz, 52,5 × 36,2 cm.
Berlin, Staatliche Museen Preussischer Kulturbesitz, Gemäldegalerie (1907).

FR. 9. – Berlin 1973, Nr. 17. – Sonst Lit. wie bei Nr. 88.

Nr. 88–89 bildeten ein Diptychon und entstanden gleichzeitig; die nach den Museums-
katalogen angegebene Holzart stimmt wohl überein, je senkrechte Fugen. Die früher
angenommene Identifizierung mit «Stephan Reuss» ist nicht haltbar. Die Tracht des
Mannes könnte die eines Juristen sein. Das geöffnete Buch vor sich und das «offene
Buch der Natur» im Hintergrund zeichnen ihn als humanistischen Gelehrten aus. Die
Bildnisse Abb. 55–56 müssen kurz vorher entstanden sein.

90   **Albrecht Dürer** (1471–1528)
Ritter und laufender Landsknecht mit Hellebarde
Bez. Um 1497/98. Holzschnitt (Zustand Meder IIa). 38,9 × 28,3 cm.
Basel, Kupferstichkabinett des Kunstmuseums.

B. 131. – Meder 265. – Panofsky 351. – F. Winkler, Albrecht Dürer, Berlin 1957,
S. 100. – Deutsche Kunst der Dürer-Zeit, Kat. Dresden 1971/72, Nr. 202.

Bäume: vgl. Nr. 88, Nr. 78 u. Abb. 69 (vgl. F. Winkler, Der sogenannte Doppelgänger
und sein Verhältnis zu Dürer, in: Münchner Jb. d. bild. Kunst, 1950, Abb. S. 183). –
Thematisch ist der vom Landsknecht begleitete Ritter herausgegriffen aus dem Mittelgrund der Dürer-Zeichnung Abb. 76 und monumentalisiert. Winkler vermutet Illustration eines Sprichwortes. Zum Landsknecht-Thema vgl. Nr. 21.

91   **Albrecht Dürer (?)** (1471–1528)
Bildnis eines jungen Mannes
mit Rosenkranz (Anton Neubaurer ?)   **Abb. 81**
Um 1496. Auf Fichtenholz. 46 × 33 cm.
Privatbesitz.

A. Lehmann, Das Bildnis bei den altdeutschen Meistern bis auf Dürer, Leipzig 1900,
S. 189f. u. 228. – M. J. Friedländer, in: Repert. f. Kunstwiss., XXIV, 1901, S. 325. –
F. Winkler/V. Scherer, Dürer (Klassiker der Kunst), Berlin/Leipzig 1928, S. 420. –
Buchner, Bildnis, Nr. 167. – Anzelewsky, Dürer, S. 31. – Dürer-Kat. Nürnberg 1971,
Nr. 75 (Strieder) u. Farbtafel nach S. 96. – G. Goldberg, in: Pantheon, XXIX, 1971,
S. 338. – Koepplin, Cuspinian, S. 83–85.

Lehmann: Frühwerk Dürers. Friedländer: «steht den Bildnissen, die Dürer zwischen
1496 und 1500 ausführte, sehr nahe»; aber doch wohl nicht von Dürer selber: «Es fehlt
die höhere Belebung und die Energie des Ausdrucks. Vielleicht haben wir eine alte
Copie vor uns.» Ähnlich Flechsig und Anzelewsky, der aber nicht an eine Kopie denkt
und mit Werken Dürers von etwa 1497 vergleicht. Winkler: vom Meister des Heils-
bronner Hochaltars (vgl. Thieme/Becker, XXXVII, 1950, S. 146). Buchner: «Keine
Kopie und kein Werk aus zweiter Hand. Es zeigt eine künstlerische Handschrift von
kerniger Kraft», Dürer um 1490/92. Strieder: vielleicht erst kurz nach 1500 und «in
unmittelbarer Verbindung mit Cranach»? Goldberg: mittelrheinisch? Koepplin: nach
der Malweise und räumlichen Anlagen (keine Rasenbank, kein rahmender Baum) Cranach ganz fern; italienische Bildnisse mit Landschaftshintergrund waren dem Maler
bekannt: wohl von Dürer kurz nach der Rückkehr aus Venedig (um 1496). Bei jedem
Maler muss man jedenfalls verschiedene Geschwindigkeiten der Ausführung in Rechnung stellen. Bei der Hypothese einer Spätdatierung (Strieder) wäre weniger auf Cranach als auf den Dürer-Schüler Hans Schäufelein zu blicken: Nr. 92.

92   **Hans Schäufelein** (1480/85–1538/40)
Bildnis eines Mannes mit roter Mütze
Um 1505 ? Auf Lindenholz. 42,5 × 31,5 cm.
Basel, Kunstmuseum (1243).

F. Winkler, in: Fs. f. M. J. Friedländer, Leipzig 1927, S. 75. – Meister um A. Dürer,
Kat. Nürnberg 1961, Nr. 301 (Strieder). – K.-A. Knappe, in: Zs. f. Kunstgesch., XXIV,
1961, S. 255.

Winkler: kurz vor oder um 1508. Strieder hält Entstehung um 1510 oder gar noch etwas später für möglich. Knappe: «Die Ähnlichkeit der Staffage zu Dürers Porträts von 1499 ist zu gross, als dass man sich gut vorstellen könnte, Schäufelein habe es erst nach seiner Nürnberger Zeit gemacht.» Schäufelein weilte, nach den Erscheinungsdaten der Holzschnitte zu schliessen, spätestens ab 1503/04 bis etwa 1507 in Dürers Werkstatt (darauf kurze Zeit in der Werkstatt H. Holbeins d. Ä.: Strieder, in: Pantheon, XIX, 1961, S. 100). Vgl. Nr. 55 u. 91.

93   Lukas Cranach d.Ä.
Hl. Barbara auf einer Rasenbank sitzend   **Abb. 82**
Um 1525. Auf Holz. 73,0 × 56,5 cm.
Privatbesitz.

FR. 140. – Koepplin, Cuspinian, S. 80f.

Das normale, von Cranach öfter angebrachte Attribut der Heiligen ist der Turm mit den drei Fenstern, die Barbara zu Ehren der Trinität listig anbringen liess (Nr. 594). Ihr Vater, ein reicher Heide, sperrte sie wegen ihrer anziehenden Schönheit und zur Abschirmung von allen äusseren Einflüssen in einen Turm. Bei plastischen mittelalterlichen Figuren der hl. Barbara legte man gern das Sakrament in den als Behälter gestalteten Turm, um Sterbenden jederzeit die Hostie reichen zu können. Daraus entwickelte sich das Kelch-Attribut (mit Kelch und Hostie, ohne Turm, erscheint die hl. Barbara neben der Madonna z. B. im Halleschen Heiligtumsbuch, das 1520 für Kardinal Albrecht gedruckt wurde; vgl. Nr. 33). Cranachs hl. Barbara ist in ihrer Schönheit pikanterweise nicht nur nicht in den Turm gesperrt, sondern bietet sich in freier Landschaft den Blikken aller dar, die ihre Schönheit sehen wollen. Im Hintergrund links von der rechten Schulter zwei schmucke Reiter: Barbaras Vater und ein Begleiter? Eine turmartige Burg rechts hinten zur Seite eines palastartigen Gebäudes. Cranach will uns die gegenständliche Deutung nicht leicht machen. Typologisch ist das Bild ganz von Cranach, und zwar vom frühen ableitbar, doch könnte es sich wetteifernd beziehen auf italienische oder niederländische Halbfiguren von höfisch aussehenden heiligen Frauen (Orley, Massys, Meister der Mansi-Magdalena u.a.).

94   Kopie nach Lukas Cranach d.Ä.
Bildnis des Hieronymus Tedenhamer (Tettenhamer)   **Abb. 85**
Vorbild 1503, Kopie 1. Hälfte 16. Jahrhundert. Auf Lindenholz. 49 × 41 cm.
Wien. Kunsthisthorisches Museum, Gemäldegalerie (9107).

Nicht bei FR. – A. Stange, in: Jb. d. Staatl. Kunstsammlungen in Baden-Württemberg, IV, 1967, S. 23f. – Koepplin, Cuspinian, S. 33f. (dort die weitere Lit.).

Das Steinepitaph von Loy Hering zeigt H. Tettenhamer mit verwandten Gesichtszügen (kleine, aber recht scharfe Abbildung bei F. Mader, Loy Hering, München 1905, S. 109). Ein Georg Tetenhamer war «Diener» des Königs Maximilian I. in Linz (freundliche Mitteilung von Dr. Fritz Mayrhofer, Archiv Linz); ob er mit Hieronymus verwandt war, weiss man nicht.
   Die von A. Stange vorgeschlagene Zuschreibung fällt dahin, falls man die Inschrift ernst nimmt: 1503 in Wien porträtiert. 1502 installierte sich Breu, der vorher in Österreich arbeitete (vgl. Nr. 61), in seiner Vaterstadt Augsburg; er stellte 1502 und 1503 dort Lehrlinge vor. Auch stilistisch passt das gross gedachte Bildnis weniger zu Breus Altären als zu Cranach, dem es Friedländer zuschrieb (Expertise).

V. Humanistisch-höfische Repräsentation in Kursachsen seit 1505 (K)

Von 1505 bis 1547 und 1550 bis zu seinem Tod 1553 war Cranach Hofmaler der sächsischen Kurfürsten. Bei der Berufung durch Kurfürst Friedrich von Sachsen 1504/05 spielte vermutlich eine Rolle, dass Cranach bereits um 1500 in Coburg, das zum sächsischen Gebiet gehörte, tätig war und dass er in Wien bei einflussreichen Humanisten Erfolg hatte. Celtis, der Freund des von Cranach porträtierten Cuspinian (Abb. 55–56), könnte vermittelt haben; er war mit Dürer und anderen bedeutenden Künstlern ebenso bekannt wie mit Kurfürst Friedrich (Nr. 2) und mit König Maximilian (Nr. 52). Mit dem Wechsel der Tätigkeit von Wien nach Kursachsen blieb ein christlicher Humanismus als geistesgeschichtliche Basis erhalten. Anderes aber änderte sich so stark, dass der Wandel von Cranachs Stil ab 1505 offensichtlich damit zusammenhängt (von der Problematik des sich ändernden «Zeitstils» sehen wir hier ab). Cranach wurde in einer so intensiven Weise «Hofmaler» und erfüllte seine Aufgaben so perfekt und während einer so langen Zeit, wie dies früher nicht vorgekommen ist, weder in den Niederlanden seit Jan van Eyck, der 1425 Hofmaler Philipps des Guten wurde, noch in Italien, Deutschland oder Frankreich, wo die «Ecole de Fontainebleau» allmählich durch eine sehr gezielte Berufungspolitik herangebildet wurde (1516 Leonardo von König Franz I. nach Frankreich geholt, vgl. Zeittafel unter 1546). Die Künstler, die in Deutschland für Maximilian I. gearbeitet hatten, waren alle bloss nebenamtliche (und unregelmässig bezahlte) Hofmaler: Strigel (Nr. 41), Burgkmair (Nr. 17) und viele andere. Jeder deutsche Fürst hielt seinen Hofmaler oder vergab Aufträge ausserdem an Künstler, die nur locker mit dem Hof in Verbindung standen. Sowohl ein enges als auch ein loseres Verhältnis zum König oder Kaiser und zu Kurfürsten oder Herzögen führte oft dazu, dass dem Maler ein Wappenbild, mit dem er siegeln konnte, verbrieft wurde: Grünewald erhielt sein Wappen wahrscheinlich auf Vorschlag des Mainzer Kurfürsten Uriel von Gemmingen (des Vorgängers von Albrecht von Brandenburg) durch die kaiserliche Kanzlei ausgestellt; Burgkmair bekam sein Wappen, dessen Bild er gewiss selber erfand, von König Maximilian spätestens 1516[1]. 1524 widerfuhr Daniel Hopfer, der wie Burgkmair in Augsburg arbeitete und wegen seiner Waffenätzungen und den technisch davon abgeleiteten Bildnis-Radierungen dem Kaiser dienstbar erschien (vgl. Nr. 38), die Ehre, dass ihm Erzherzog Ferdinand in Vertretung des Kaisers Karl V. einen Wappenbrief und ein Kleinod verlieh, das er und seine Erben auf ewig in allen «redlichen Sachen» und im «Gestechen» gebrauchen mögen[2]. Trotzdem musste sich Hopfer viel eher als Bürger der reichen Stadt Augsburg denn als Diener des Kaisers fühlen. Dasselbe galt für Hans Baldung, der in Strassburg ein hochangesehener Bürger der Stadt und zuletzt Mitglied des Rates, daneben aber auch Hofmaler des Strassburger Bischofs war und den Markgrafen Christoph I. von Baden mehrfach porträtierte. In Deutschland wäre Cranachs Produktivität in Kursachsen am ehesten mit derjenigen des Hans Wertinger zu vergleichen, der seit etwa 1515 massenweise Bildnisse und andere Dinge (z.B. Hirsche auf Leinwand, 1523 sogar eine Kopie nach einem Madonnenbild Cra-

86   L. Cranach d. Ä., 1510 (Nr. 95)   87   Meister BR mit dem Anker,
                                                          um 1480/90 (Nr. 107)

nachs) im Auftrag der Wittelsbacher Herzöge malte[3]. Hans Holbeins d. J. Verhältnis zum englischen Königshof steht bereits auf einer historischen Stufe, die
die italianisierende Hofkunst Frankreichs zur Voraussetzung hat. Zwei Welten
müssen sich begegnet sein, als Cranach 1550/51 in Augsburg den von Karl V.
dorthin gerufenen Tizian im Auftrag des gefangenen Johann Friedrich des Grossmütigen porträtierte (vgl. Zeittafel unter 1550/52).

Der Hofmaler hatte den persönlichen Ruhm sowie die fromme und landes-
väterliche Gesinnung seines Herrn, seiner weiten adligen Verwandtschaft und
seiner höheren Beamtenschaft zu verkünden. Fast alle Holzschnitte Cranachs der
Zeit seit 1505 tragen die kursächsischen Wappen, gleichgültig was diese Holzschnitte darstellen (vgl. Nr. 7). Bei näherer Untersuchung stellt sich heraus, dass
fast alle diese Darstellungen mit fürstlichen Personen und mit personengebunde-
nen Ereignissen verknüpft waren – beispielsweise beim Holzschnitt der «Hl. Magdalena» (Nr. 6) oder bei dem vielteiligen, sehr grossen Holzschnitt mit der
«Karte des Heiligen Landes» (Nr. 10), die wir ein «verstecktes Bildnis» des
Kurfürsten Friedrich von Sachsen genannt haben. Seit Cranach in Kursachsen
seinen Dienst antrat und Bürger, später Ratsherr und Bürgermeister von Wittenberg wurde, drängte sich die offene und versteckte Bildniskunst in den Vordergrund.

Ein klassisches Beispiel der Verknüpfung des Bildnisses mit kirchlicher
Kunst bietet das Wittenberger Heiligtumsbuch (Nr. 95–102). 1509/10 erschien in
der Druckerei des Holzschneiders Symphorian Reinhart der mit weit über 100
Holzschnitten Cranachs geschmückte Katalog der 5005 Reliquien-Partikel und
ihrer Goldschmiedefassungen, die Kurfürst Friedrich und sein mitregierender

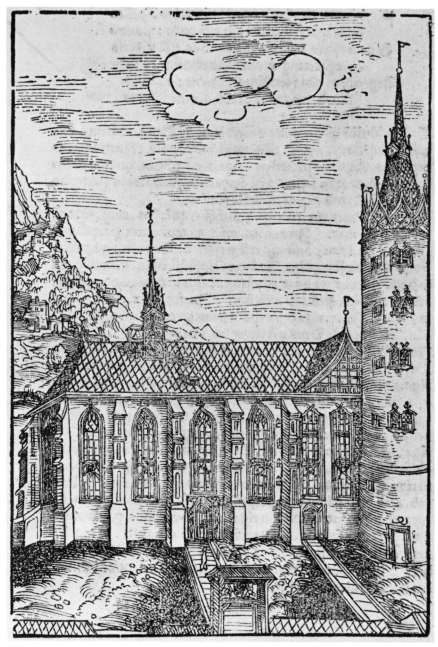

88   L. Cranach d. Ä., 1509 (Nr. 96)

89   L. Cranach d. Ä., 1509 (Nr. 101)

Bruder Herzog Johann von Sachsen in Fortsetzung der Bemühungen ihrer Vorfahren für die Stiftskirche in Wittenberg gesammelt hatten. Erstmals 1398 und später zu wiederholten Malen haben Päpste das Recht des Ablasses an die Geistlichen der Allerheiligenkirche in Wittenberg übertragen. Ablass zeitlicher Sündenstrafen, die auf Erden in Form von Kirchenbussen oder nach dem Tod im Fegfeuer zu büssen wären, wurde reuigen Sündern gewährt, wenn sie vor der Reliquienkammer beteten, wenn sie für das Seelenheil des Kurfürsten Friedrich und seines Bruders, des Herzogs Johann, beteten oder wenn sie Opfer brachten zugunsten des Kirchenbaus. Besondere Ablässe standen in Aussicht bei der – und das ist zugleich der Titel des Heiligtumsbuches von 1509 – alljährlich einmaligen «Zeigung des Hochlobwürdigen Heiligtums der Stiftskirche Allerheiligen zu Wittenberg». Kardinal Peraudi hatte 1503 auf Drängen Friedrichs des Weisen der Wittenberger Stiftskirche hohe Ablässe im Namen des Papstes verbrieft. Ein Viertel bis ein Drittel wird der römischen Kurie zugute gekommen sein, der Rest blieb beim Stift in Wittenberg. Davon profitierte die 1502 von Friedrich dem Weisen gegründete Universität in Wittenberg, mit der die Stiftskirche 1507 vereinigt wurde. Man muss sich darüber klar sein, dass auch die Universität als ein kirchliches Institut galt und von der Bestätigung durch den Papst abhängig war. Schon vor der Vereinigung des Allerheiligenstiftes mit der Universität war die ab 1493 vom Baumeister Konrad Pfluger[4] gebaute und reich mit Kunstwerken geschmückte Stiftskirche zum geistigen Zentrum der Universität ausersehen (vgl. Nr. 96). Peraudi hatte die Stiftskirche Ende Dezember 1502, also im Zusammenhang mit der Universitätsgründung, feierlich eingeweiht.

     Papst Julius II. verlieh in einer Bulle vom 8. April 1510 – und das ist auch das Datum des Doppelbildnisses am Anfang des Heiligtumsbuches – der Stifts-

91 · L. Cranach d. Ä., 1508 (Nr. 103)

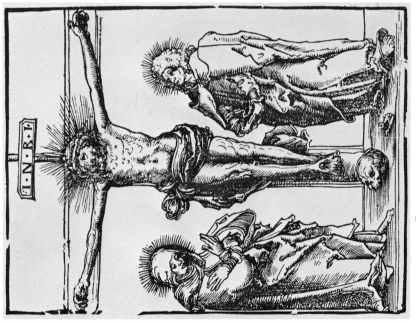

90　L. Cranach d. Ä., 1509 (Nr. 102)

kirche besonderen Ablass zur Verherrlichung der dem Kultus der Eucharistie, der hl. Maria und der hl. Anna gewidmeten Messen und Prozessionen. Cranachs Holzschnitte der «Hl. Sippe», deren Zentrum die hl. Anna bildet (Nr. 377 bis 381), und der zahlreichen Marien-Themen müssen mit diesem Hintergrund verstanden werden (Nr. 372 ff.). Die päpstliche Bulle vom 8. April 1510 bestimmte folgendes: «Einmal waren für die Feier der acht Marienfeste und die von vier allwöchentlichen Messen, einer am Dienstag zu Ehren der heiligen Anna, einer am Donnerstag zu Ehren des Fronleichnams, am Freitag zum Gedächtnis der Passion Christi, am Samstag zu Ehren der Jungfrau Maria bestimmte Einkünfte angewiesen worden; sodann sollte an den Vigilien, bei der Messe und Vesper, jener Feste ein kostbares Marienbild, in dem zahlreiche Reliquien ‹aus den Kleidern der Gottesmutter› aufbewahrt wurden, in Prozession von den Kerzen tragenden Gläubigen zum Hauptaltar und wieder zurück geleitet werden; dasselbe sollte vor und nach den für die Dienstage und Donnerstage gestifteten Messen mit dem ‹silbern übergüldten Bild S. Annen› mit deren Reliquien geschehen, worauf Samstags eine Verteilung von Almosen unter die Armen stattfand. Die feierliche Zeigung der Reliquien am Montag nach Misericordias Domini aber wurde besonders ausgezeichnet, indem für die Teilnahme an jenen Messen und Prozessionen bei vorhergehender reuiger Beichte nur je dreihundert Tage, für den Besuch des Reliquienfestes aber sieben Jahre und ebensoviel Quadragenen Nachlass von den auferlegten Bussen gewährt wurden[5].»

Die «Zeigung des Heiligtums» entwickelte sich zu einem frommen Volksfest im Schosse der Kirche und unter der Fürsorge des Landesfürsten, auf dessen Initiative hin für das Seelenheil der Gläubigen gesorgt wurde und zugleich das Geld zur Ausschmückung der Universitäts- und Stiftskirche zufloss. Im Jahr nach der Vereinigung der Stiftskirche mit der Universität (1507), im Herbst 1508 zum Fest Allerheiligen, gestaltete sich dieses Fest zu höchster Pracht. Alles Volk wollte den so reichlich wie kaum anderswo gespendeten Ablass gewinnen. Auch Fürsten fanden sich in Wittenberg ein, so Herzog Heinrich von Sachsen und Herzog Philipp von Braunschweig. Den fürstlichen Gästen gab Kurfürst Friedrich einige Tage nach dem Allerheiligenfest, an dem die Heiligtümer «gezeigt» worden waren, ein glänzendes Turnier (15. und 16. November 1508). Cranachs drei «Turnier»-Holzschnitte mit den Daten 1509 schildern dieses dreistufige Waffenspiel und stellen sich erstaunlicherweise in den Rahmen des frommen Festes zur Zeigung der Heiligtümer (Nr. 110–112). Das Turnier ist ideell eine Übung der Ritterschaft zur Vorbereitung des Kampfes gegen das Böse schlechthin, gegen die Heiden und gegen die Türken speziell, zu deren Bekämpfung König Maximilian ebenso Unterstützung (Geld) forderte wie der Papst. So konnte man sich auch mit der ritterlichen Tugend im Turnier christliche Verdienste erwerben, nicht nur durch Beichte, frommes Gebet und Verehrung der Reliquien. Das päpstliche Turnier-Verbot von 1313 war längst abgewehrt, ja die Päpste veranstalteten selber Turniere (vgl. Nr. 218). Friedrich der Weise von Sachsen pflegte das Turnier mit ausserordentlichem Eifer, und er «rannte» so lange, wie es ihm seine bald schlechter werdende Gesundheit erlaubte. Noch 1510 hatte er die Ehre, dass Kaiser Maximilian mit ihm zum Turnier antrat. Als Friedrich der Weise 1494 beim feierlichen

92   Manuel Deutsch, 1550 (Nr. 114)

Empfang der Bianca Maria Sforza durch Maximilian in Antwerpen zugegen war, nahm er an einem Turnier teil (vgl. Kommentar zu Nr. 110). Dauernd korrespondierte Friedrich mit seinem Bruder Johann über Vorkommnisse auf der Stechbahn, Bestellung von Turnierwaffen usw. Aus dem burgundischen Kulturkreis dürfte der eine Anstoss für die in Kursachsen intensiv gepflegten Turniersitten gekommen sein, der andere stammt aus dem Land selber. Die alten Chronisten waren der Ansicht, dass der «sächsische» Kaiser Heinrich I. im Jahr 934 zur Übung im Kampf gegen die Ungläubigen die Adligen seines Reiches zusammengerufen und das erste Turnier veranstaltet habe. So berichtet es Sebastian Münster in seiner Kosmographie unter der Beschreibung des Herzogtums Sachsen und der Stadt Wittenberg (Nr. 114).

Cranachs Turnier-Holzschnitte von 1509 und schon der Holzschnitt von 1506, von dem ein vielleicht eigenhändig von Cranach koloriertes Exemplar erhalten blieb (Nr. 108, Farbtafel 6), sind wiederum «versteckte Bildnisse». Der kundige Betrachter konnte die hervorragenden Kämpfer an den Insignien auf den Pferdedecken erkennen. Ein Ritter mit dem Buchstaben «G» auf der Schabracke tritt auf zwei der Holzschnitte von 1509 im Vordergrund auf und wurde auch in

93   L. Cranach d. Ä., um 1516/17 (Nr. 115)

94   L. Cranach d. Ä., Werkstatt, 1521–1534 (Nr. 117)

Einzelfigur hoch zu Ross und prächtig gerüstet von Cranach auf einem Holz-
schnitt porträtiert (Nr. 23). Aus dem Turnierwesen leitete sich schliesslich die
Betonung der Wappen her, die Cranach oft zu malen, zu zeichnen und für den
Holzschnitt zu entwerfen hatte (Nr. 122 ff.).

Beim Turnier zeigt sich deutlich die Parallelität zwischen dem Hofmaleramt
und der Funktion des humanistisch gebildeten Hofpoeten. Das von Cranach in
den drei Holzschnitten von 1509 vor Augen geführte Turnier wurde vom Witten-

berger Poeten Georgius Sibutus Daripinus, der früher von Maximilian den Dichterlorbeer empfangen hatte, in heroischen Versen beschrieben. Seine Dichtung erschien in Wittenberg 1511 mit einem Bildnisholzschnitt des Autors. Auf den Holzschnitt hat Gustav Bauch 1894 hingewiesen (Nr. 159) in der Meinung, er stamme gewiss aus der Werkstatt Cranachs, «wenn nicht von Cranach selbst». Sibutus beschrieb das Turnier in allen Phasen samt anschliessendem Bankett und Tanz (vgl. Nr. 118, 119) sowie der Preisverleihung. Er berichtet auch darüber, dass am Tag nach dem Turnier ein festlicher Akt in der Stiftskirche stattfand. Dabei promovierte Christoph Scheurl – Cranach porträtierte ihn 1509 – zwei Kanoniker und Universitätslehrer zu juristischen Doktoren und hielt eine glänzende Rede zum Lob der Allerheiligenkirche. Diese Rede erschien im folgenden Jahr 1509 gedruckt mit einer Widmung an Lukas Cranach (Nr. 96). Die Widmung enthält eine eingehende Würdigung der malerischen Leistungen Cranachs und ist oft wiedergegeben worden. Sie gibt u.a. Nachricht von Cranachs Reise in die Niederlande zu Kaiser Maximilian 1508. Scheurl erwähnt in seinem Widmungsbrief an Cranach, dass Kurfürst Friedrich und sein Bruder immer gern Cranachs Atelier besuchten und die hier entstehenden Meisterwerke lobten, «wenn die Staatsgeschäfte und der Gottesdienst, denen die Fürsten einen grossen Teil des Tages und der Nacht widmen, es ihnen gestatten». Scheurl: «Soviel ich sehe, bist Du, ich will nicht sagen keinen Tag, sondern vielmehr nicht eine Stunde müssig; immer ist der Pinsel geschäftig. Sooft die Fürsten Dich mit zur Jagd nehmen, führst Du eine Tafel mit Dir, auf der Du inmitten der Jagd darstellst, wie Friedrich einen Hirsch aufspürt oder Johann einen Eber verfolgt, was bekanntlich den Fürsten kein geringeres Vergnügen gewährt als die Jagd selbst[6].» So zieht Scheurl

95   L. Cranach d. Ä., 1509 (Nr. 122)   96   L. Cranach d. Ä., Werkstatt (Nr. 131)

auch das Thema der Jagd, das Cranach zuerst auf einem Holzschnitt 1506 und
später in mehreren Gemälden und vielen Zeichnungen zur Anschauung gebracht
hat, in den Kreis der Themen ein, die den Ruhm der sächsischen Fürsten künden
(Nr. 137ff.). Auch die Jagd galt schliesslich als Kampfübung, in der ein Fürst seine
Tugend beweisen konnte. Jagd und Turnier ergänzen sich jedenfalls seit alters
in der höfischen Kleinkunst (französische Elfenbeinkästchen des 14. Jahrhunderts
usw.) und in der Wandmalerei auf Schlössern (Rathaus von S. Gimignano,
Lichtenberg, Schloss Runkelstein, Friedberg usw.)[7]. Im 15. Jahrhundert sind
Jagd, Turnier und andere Szenen nicht selten unter das Zeichen der verschiedenen
Planeten gestellt (Wandmalereien in Trient, Miniaturen). Auf einem astronomisch
ausgeklügelten Holzschnitt Cranachs mit Szenen, die den sieben Planeten zugeordnet sind (Nr. 120), erscheint das Turnier – zusammen mit dem wettkampf-
mässigen Ringen – nicht etwa unter dem Planeten Mars, sondern unter dem zentralen und astrologisch ausgeglichenen Zeichen des «Sol» (Sonne als Planet);
über diesem um 1515 entstandenen Holzschnitt schwingen zwei Putten Fahnen
mit den kursächsischen Wappen.

   Cranach und seine Vorgänger im Hofmaleramt, in einem ungewissen Ausmass wohl auch Jacopo de' Barbari, haben in den zahlreichen im Land verstreuten
Schlössern der sächsischen Fürsten viele dekorative Wandbilder und tapisserie-
artige Gemälde auf Tücher ausgeführt, von deren Existenz man nur aus den
Abrechnungen Kunde hat. Ein derartiges Tuch, das sicher von Cranach oder
seiner Werkstatt bebildert wurde, hängt auf dem einen Turnier-Holzschnitt von
der Zuschauertribüne herab (Nr. 110). Dargestellt ist Herkules im Kampf mit dem

97   L. Cranach d. Ä., um 1510 (Nr. 135)   98   L. Cranach d. Ä., 1526 (Nr. 484)

99   Cranach-Schule, um 1530/40 (Nr. 136)

Nemeischen Löwen – ein Thema, das auch auf einer (leider verschollenen) Zeichnung Cranachs zu einer Schlossdekoration vorkommt (Nr. 507). Der typische Vorgang, der sich in den künstlerischen Unternehmungen des Kaisers Maximilian wiederholen wird, ist nun aber der, dass die Bildgegenstände der Schlossdekorationen und der Kleinkunst in den publizierbaren, zeichnerisch präzisierten Holzschnitt oder in kleinere Gemälde übertragen werden. Cranachs Holzschnitte der kurfürstlichen Jagd und des Turniers sind Vorgänger des in Holz geschnittenen Triumphbogens und Triumphzuges, den später Dürer und seine Mitarbeiter für Kaiser Maximilian in aufwendiger Arbeit hergestellt haben – auch dort übrigens auf Grund von ikonographischen Vorstufen in der Wandmalerei und in der Kleinkunst der Miniaturen[8]. Für Cranach und seine Auftraggeber ist es bedeutsam, dass hier die Turniere und Jagden einen schlichten Realismus gewinnen: dass sie weder mittelalterlichen Sagenstoff weitertragen –

wie es Pisanello um 1450 mit seinem Tristan-Turnier auf einer Wandmalerei in Mantua tat[9] – noch diese Sagen zu aktualisieren versuchen, wie es Maximilian mit seinem «Theuerdank», «Weisskunig» und «Freydal» von Burgkmair und Dürer verlangte (Nr. 116).

Typologisch in Deutschland neuartig sind auch die mit dem Pinsel auf Papier gemalten Jagdstilleben – erlegte Hirsche, Eber, Vögel –, die Jacopo de' Barbari (Abb. 104) in Wittenberg eingeführt und zu denen er Dürer in Nürnberg angeregt hat (Abb. 102). Die Ursprünge dieser Gattung liegen in Italien (Pisanello). Ein frühes Jagdbild, ein Jagdfest des burgundischen Hofes, malte um 1431 Jan van Eyck[10]. Dem habsburgisch-burgundischen Hof, der mit der Frührenaissancekultur der italienischen Höfe rivalisierte, sollte Cranach imponieren, als er, wie Scheurl 1509 berichtet, dem König Maximilian 1508 ein Bild (es muss mehr gewesen sein als ein Aquarell) eines Ebers überbrachte, den Kurfürst Friedrich von Sachsen in der Gegend von Wittenberg erlegt hatte. Natürlich liess sich ein Jagdhund vom Abbild täuschen: er sträubte die Haare, bellte und ergriff die Flucht. Nach Scheurl hat Cranach auf Schloss Hartenfels über Torgau Hasen, Fasanen, Pfauen, Rebhühner, Enten, Wachteln und anderes Geflügel an der Wand hängend so wahrheitsgetreu gemalt, dass die Leute es von der Wand nehmen wollten. Das Schloss Hartenfels selbst erscheint im Hintergrund eines 1544 datierten «Jagd»-Gemäldes, das Lukas Cranach d. J. zugeschrieben wird (Abb. 106). Es ist eines jener riesenformatigen Stücke, die in der späteren Zeit Mode wurden und im Schlacht-Panorama (Belagerung Wolfenbüttels: Nr. 158) eine Parallele erhielten. Die Jagd auf dem Gemälde von 1544 findet jenseits der Elbe statt, über die eine Brücke geschlagen wurde, auf die der sächsische Kurfürst stolz war. Schon auf dem Holzschnitt von 1506 (Nr. 138) ist mit dem Gebäude im Hintergrund ein bestimmtes, uns nicht bekanntes kursächsisches Jagdschloss gemeint; in den späteren Jagd-Gemälden greift die Individualisierung auf die im Vordergrund postierten Jäger über: Fürstenbildnisse im grossen Rahmen der Jagd (Nr. 139, 140, 155, 157).

Das Gegenstück zum Hofmaler war der Orator, der Hofpoet, der grosse Ereignisse besang. Sibutus, Verfasser einer Dichtung über das Turnier vom November 1508 einige Tage nach dem Allerheiligenfest und nach der Zeigung der Reliquien, wird uns in einem sehr kleinen Holzschnitt persönlich vorgestellt, der seiner 1511 gedruckten Dichtung auf der letzten Seite beigegeben ist (Nr. 159); den Titelholzschnitt des Büchleins bildet das kursächsische Wappen, das erstmals im «Wittenberger Heiligtumsbuch» erschienen war (Nr. 101, Abb. 89). Wir reproduzieren hier zum ersten Mal diesen bemerkenswerten, im Format sehr kleinen Bildnisholzschnitt. Als «Poeta laureatus» trägt Sibutus einen Lorbeerkranz besonders struppiger Art im kleingelockten Haar – dem würdigeren Celtis oder massvolleren Dürer entsprach ein auf den Hut geflochtener, wohlgeordneter Kranz (Nr. 2, Abb. 4 und Nr. 52). Zu diesem krausen, echt cranachisch ausgebildeten Haarschmuck tritt ein anderes Attribut: die Gestik der Redner-Hände.

(Fortsetzung S. 207)

L. Cranach d. Ä., 1518 (Nr. 603)

100   L. Cranach d. Ä., um 1506 (Nr. 138)

101   L. Cranach d. Ä., um 1538/40 (Nr. 140)

102   Dürer, 1504 (Anm. 22)

103   L. Cranach d. Ä., um 1530 (Nr. 141)

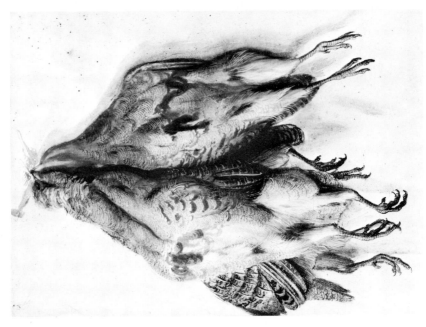

105   Hans Cranach(?), um 1530 (Nr. 144)

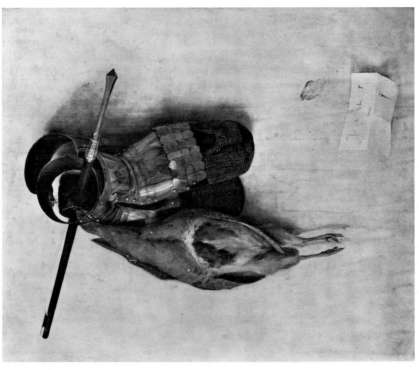

104   Jacopo de' Barbari, 1504 (Anm. 22)

106 L. Cranach d. J.(?), 1544, Detail: oberer Teil (Anm. 22)

107 L. Cranach d. Ä. oder d. J., Werkstatt, um 1540 (Nr. 148)

108   L. Cranach d. Ä., um 1530 (Nr. 149)

109   L. Cranach d. J., um 1570 (Nr. 155)

110   L. Cranach d. J., um 1570 (Nr. 152)

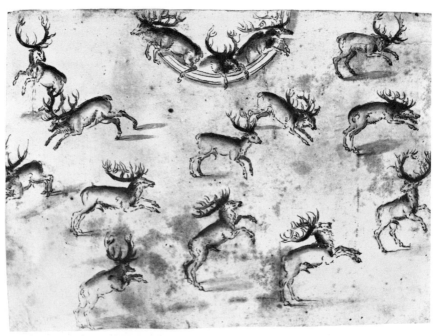

111   L. Cranach d. J., um 1570 (Nr. 153)

Der Mund bleibt verschlossen, und die Miene drückt eher Ängstlichkeit als das
Bewusstsein des grossen rednerischen Hervortretens aus. Gerade diese Diskre-
panz fasziniert bei näherer Betrachtung. Und wir stossen hier, ähnlich wie bei den
Wiener Werken Cranachs, etwa bei dem Bildnis eines lesenden Humanisten von
1503 (Nr. 88, Abb. 78), auf einen Charakterzug Cranachs von zentraler Bedeutung.
Immer dann, wenn die von Cranach dargestellten Menschen aktiv und selbst-
bewusst, also im Sinne des Humanismus auftreten, scheint es Cranach eigentlich
auf etwas scheinbar Gegensätzliches anzukommen: auf die Bewusstwerdung der
Gebundenheit, ja rührenden Hilflosigkeit menschlichen Tuns. Wenn Cranachs
Kunst oft Naivität nachgesagt wird, so mag diese Charakterisierung gelten, sofern
man die geistesgeschichtliche Position einer derartig «naiven» Kunst in der Renaissance begreift. Diese Epoche drängte auf das Gegenteil von Naivität, auf
Klarheit, Wachheit und heroische Grösse. Cranach zog sich von dieser epochalen
Tendenz nicht kommentarlos zurück – wir haben es beispielsweise bei seinen verschiedenen Gestaltungen des «Hl. Georg» im Vergleich mit Dürer und Burgkmair
sehen können (Nr. 11–17, Abb. 16–18). Er brachte es fertig, das vordergründige
Ideal der Willensstärke und Monumentalität zu relativieren mit demjenigen, was
immer übrigbleiben muss und zugleich eine Konstanz des Weiterlebens garan-
tiert: mit der Weichheit, Dumpfheit, Gebundenheit, Unkontrollierbarkeit und
sogar Schwäche gegenüber höheren Mächten. Ein dementsprechender religiöser
Gehalt spricht aus dem Bildnis des Sibutus, gerade weil man etwas anderes
erwartet von einem Redner, der seine selbstherrliche Eloquenz mit den Händen
beweist, und von einem kaiserlich gekrönten Dichter, dessen Kranz allerdings
mit seinen Haaren gleichsam zusammenzuwachsen und darin zu verschwinden
beginnt. Ein heroisches Monument ist dies nicht; hier steht nicht das Endgültige
und nicht der von den Humanisten ersehnte «ewige Nachruhm» im Vordergrund,
nicht das «Sterbebild», wie es Konrad Celtis in seinem Holzschnitt von 1507

112   L. Cranach d. Ä., 1511   113   Anonymer Meister, Erfurt 1502
      (Nr. 159)   (Anm. 22)

durch Burgkmair kurz vor seinem Tod zeichnen liess[11]. Vielmehr demonstriert uns dieser Sibutus einen schüchternen Anfang der Willensbildung oder vielmehr eine nächste, sich bescheidende Stufe humanistischen Menschentums. Sie wurde selbstverständlich nicht von Sibutus, sondern von dem ihn porträtierenden Cranach erreicht und gestaltet. In Cranachs Werk dringt die Überzeugung durch, dass – paradox gesagt – eine bewusst gewonnene Naivität mehr Entwicklungsmöglichkeit in sich birgt als unverdaute Aufgeklärtheit. Durch solche Kriterien dürfte begründet sein, dass Cranachs «naive» Kunst, sowohl seine heftigen Bilder aus den Wiener Jahren wie auch seine angeblich manieristischen Spätwerke, durch die Jahrhunderte besser überlebt haben als manche andere Werke, denen jedermann ohne zu zögern mehr Grösse zuspricht.

Bei dem kleinen «Sibutus» stellt sich überraschend heraus, dass Cranach oratorische Gestik zum ersten Mal in der deutschen Bildniskunst formuliert hat. Das historische Primat wird nur teilweise bestritten durch Dürers Darstellung des redenden Konrad Celtis innerhalb seines für Kurfürst Friedrich von Sachsen 1508 geschaffenen Gemäldes der «Marter der 10000 Christen» (Abb. 3). Dieses «Bildnis in Assistenz» war aber nicht an die strengeren Regeln der autonomen Bildniskunst gebunden. Den historisch genauen Vergleich findet man in einem Erfurter Druck von 1502, der Cranach wohl bekannt war: er enthält das Autoren- und Druckerbildnis des Humanisten Nikolaus Marschalk, der 1502 als Dozent und Inhaber einer Privatdruckerei nach Wittenberg an die neugegründete Universität kam (Abb. 113)[12]. Marschalks Gestik des beharrlichen Dozierens – nicht des inspirierten Redens – hat eine längere Tradition hinter sich (z.B. in Schedels Weltchronik «Der Pauker von Niklaushausen» oder die disputierenden Philosophen im Studio des Herzogs Federigo da Montefeltre in Urbino[13]). Cranachs «redende Hände» erinnern am meisten an niederländische Bildnisse von Joos van Cleve, Jan Gossaert und Quinten Massys, die aber alle erst etwas später entstanden sind und nun eine neue Absicht realisieren, die Cranach fernlag: das direkte Ansprechen des Betrachters und die Aufhebung der «Schranke zwischen Bild und Wirklichkeit»[14]. 1508 war Cranach in die Niederlande gereist. Der Verdacht liegt nahe, dass er von dort etwas heimbrachte und in dem «Sibutus»-Bildnis anwandte, was damals allerneueste Aktualität und fast noch im Entstehen begriffen war. Ich möchte die gewagte Vermutung aussprechen, dass Cranach die Anregung zur Gestik des Sibutus vom grossen Wunderkind der niederländischen Malerei übernommen hat: von Lucas van Leyden. Dieser Künstler zählte 1508 erst 14 Jahre und hat doch mit seinen um 1508 mit grösster technischer Perfektion und kompositorischer Kühnheit ausgeführten Stichen weiterhin Aufsehen erregt[15]. Er soll schon mit 12 Jahren 1506 ein bewundertes Meisterwerk geschaffen haben. Man muss sich diese Überlieferung merken, wenn man an die Frage geht, wann die frühesten Werke der beiden malenden Söhne Cranachs zu erwarten sind (ich rechne tatsächlich damit, dass ein in der väterlichen Werkstatt trainierter Malersohn etwa im Alter von 14 Jahren zu produzieren beginnt, und das würde für Lukas Cranach d. J. einen Anfang um 1529 und für Hans Cranach um 1527 bedeuten[16]). Von Lucas van Leyden haben sich zwar keine Bildnisse mit «redenden Händen» erhalten. Aber alle seine frühen Stiche der Zeit

114   L. Cranach d. Ä., 1523 (Nr. 160)

von 1508 und sein wahrscheinlich gleichzeitiges Gemälde der «Schachpartie»[17] zeichnen sich von der älteren Kunst durch die erregte Gestik und das raffinierte psychologisch-theatralische Beziehungsspiel der Blicke aus. Es scheint, dass auch später Werke von Lucas van Leyden Cranach angeregt haben, so das Bildchen mit «Lot und seinen Töchtern»[18]. Das Phänomen des Wunderkindes kündigt eine neue artistische Funktion der Kunst an. Von dieser Auffassung der «Kunst als Kunststück» distanzierte sich Cranach geistig im selben Masse, als er sich mit ihren Formen auseinandersetzte. Dies scheint für das ganze spätere Œuvre Cranachs zu gelten, im «Sibutus-Bildnis» von 1511 tritt es erstmals hervor.

Redende Gestik begegnet uns in den späteren Bildnissen Cranachs nur selten. Wo sie wieder aufgenommen wird, handelt es sich immer um druckgraphische Porträts, also um Stücke, die zur Publikation, mithin zu Reden bestimmt waren. Am Anfang der Reihe von späteren Porträt-Graphiken steht das 1520 datierte, gestochene Bildnis des lehrenden oder predigenden «Martin Luther vor der Nische» (Nr. 36, Abb. 34). Einerseits der Bezug auf das Bildnis des Sibutus, andererseits die Differenz zwischen dem Humanisten und dem mutigen Mönch und Theologie-Professor werden sofort klar. Während bei Sibutus die Hände dem Geist vorauseilen und diese Voreiligkeit das geistige Zentrum des Bildes ausmacht, scheint bei Luther eine Erkenntnis als fromm empfangene Erleuchtung heranzuwachsen und sich zu festigen (bereits nicht ohne Gefahr der Erstarrung im Bild Cranachs, das als offizielles Porträt – freilich ohne die kursächsischen Wappen – publiziert wurde). 1523 porträtierte Cranach den vertriebenen, zeitweise in Cranachs Wittenberger Haus wohnenden König Christian II. von Dänemark in zwei Holzschnitten unter triumphaler Architektur und mit gestikulierenden Händen, die etwa zum Ausdruck bringen, dass der König politisch nicht verstummen wollte (Nr. 160 und Nr. 238). Ein Jahr darauf interpretierte Cranach die «Verspottung Hiobs» als Auseinandersetzung zwischen dem Christus-ähnlich leidenden Aussätzigen und einem Redner, der mit lächerlicher Eloquenz die Hände verwirft und sein grosses Maul aufsperrt; Hiobs Frau zeigt auf ihren Gatten und schaut den Bildbetrachter vermittelnd an (Nr. 230, Abb. 184). Lukas Cranach d. J. hat auf zwei Porträt-Holzschnitten von 1537 und 1539 die von seinem Vater entwickelte, aber nur in bestimmtem Zusammenhang verwendete Orator-Gestik weitergeführt: auf dem Bildnis des Magdeburger Patriziers Johann Scheyring, der 1526 bis 1530 in Wittenberg und darauf in Bologna bis 1533 Jura studiert hatte und schon 1534 von Lukas Cranach (d. Ä. oder d. J.?) als redegewandter Jurist und wohl schon designierter Rat des Herzogs von Braunschweig (1535) gemalt wurde (Nr. 161), und des Fabian von Auerswald, des Autors des 1539 in Wittenberg gedruckten Buches über die «Ringerkunst» (Nr. 121). Fabian von Auerswald, der Ringer-Lehrer, hält mit seinen Händen zwar keine Ansprache, sondern weist uns nur demonstrativ sein adliges Wappen vor und greift mit der anderen Hand in seinen üppigen Pelzkragen – eine Formel für Willenskraft, die Lukas Cranach d. Ä. um 1510 erstmals vortrug (Nr. 166). – Die Bildnisse könnten uns, wenn wir den konkreten geistesgeschichtlichen Querverbindungen nun folgen würden, zu weiteren, zentralen Themenkreisen der Kunst Cranachs führen. Wir wollen dies hier nur andeuten.

Das grössere der beiden Holzschnitt-Porträts des Königs Christian von Dänemark aus dem Jahr 1523 ist ausgestattet mit einer Triumphbogen-Architektur, in der die Halbfigur des Königs irgendwo – eigentlich nirgendwo recht – Platz nimmt und in der das gekrönte Wappen, auf das der König mit seinem Zeigefinger hinweist, das politisch-ikonographische Zentrum bildet. Es entspricht einer älteren Tradition, dass dieses Wappen von zwei mit Keulen bewaffneten Wilden Männern bewacht wird. Auf den Zinnen der Architektur hält ein Wilde-Leute-Ehepaar ein Schriftband mit den verschiedenen Herrschaftstiteln des Porträtierten. Es gibt von Cranach aus der Zeit gegen 1530 mehrere Gemälde mit der «Satyrfamilie» oder «Wilde-Leute-Familie» (Nr. 500, Farbtafel 19). Das Thema solcher «Wilden Leute» war der gebundenen Kunst vorbehalten, d.h. der dekorativen Kunst jeder Art, der Buchgraphik usw. (Nr. 231f., 270). Cranach wagte es, die «Wilden Leute» aus ihrer Bindung an Wappen oder Buchtitel zu lösen und sie zum Gegenstand selbständiger, kleiner- oder grösserformatiger Gemälde zu erheben. Der Vorgang verrät System. Cranach war damals der einzige Künstler in Deutschland, der Bilder malte mit Themen, die für die grosse, anspruchsvolle Kunst noch gesperrt waren und auf deren Formulierung die Leute doch sehnlich zu warten schienen. All jene profanen Themenkreise, für die Cranach treffende Formulierungen fand und die oft archetypischen Charakter besitzen, lagen in der Kleinplastik, der Druckgraphik und der dekorativen Ausstattung von Architektur bereit, sie mussten nicht erfunden, nur nobilitiert werden. «Venus und Cupido», «Urteil des Paris», «Schlafende Quellnymphe», «Herkules und Antäus», «Silbernes Zeitalter», «Wilde-Leute-Familie» und ähnliches hat Cranach (vgl. Farbtafeln 15–17, 19) als erster gemalt und meistens in Serien von Bildern variiert – vor Dürer, Baldung, Burgkmair und den anderen Zeitgenossen. Er bewies damit weniger Erfindungsgabe als Gespür für das, was jetzt, im Zeitalter des Humanismus, zum Bild drängte und vielfältige Assoziationen auslösen konnte. Im Bereich der religiösen Thematik verfuhr Cranach schon 1503 in seiner «Kreuzigung» (Abb. 52) analog, als er aus der gebundenen Ikonographie der «Sieben Schmerzen Mariae» eine Szene, nämlich die wichtigste der Seitenszenen, aus Dürers Vorbild (Abb. 50) herausgriff, sie transformierte und monumentalisierte.

Auch die humanistischen Stoffe ordnen sich in der Regel der höfischen Repräsentationskunst ein. Die verhängnisvolle Wahl des Paris unter den drei Lebensweisen, die von den drei Göttinnen symbolisiert werden, also der zum Trojanischen Krieg führende Fehltritt des von der Liebesgöttin verführten Paris, sollte einem Fürsten als Bild der Mahnung vor Augen stehen. Cranachs Holzschnitt von 1508 (Nr. 528, Abb. 115) und seine vielen gemalten Bilder des «Paris-Urteils» als Vision im Traum basierten auf einigen dekorativen Werken der Kleinkunst des 15. Jahrhunderts (Nr. 530, Abb. 117, Nr. 529) und speziell auf einer 1504 in Wittenberg für die Studenten gedruckten Holzschnitt-Illustration zu einer kleinen Dichtung des Neapolitaner Humanisten Johannes Baptista Cantalicius (um 1450–1514) über das «Iudicium Paridis Trojani», eingeleitet durch eine vom Wittenberger Marschalk-Schüler Hermann Trebelius verfasste Warnung vor der gefährlichen Macht der Venus, die sich am fehlgeleiteten Paris erwiesen

115   L. Cranach d. Ä., 1508 (Nr. 528)

116 L. Cranach d. Ä., 1508
    (Nr. 528a)

117 Mittelrheinisch, um 1450/70 (Nr. 530)

habe (Nr. 528a, Abb. 116). Der Gräzist Marschalk selber hatte 1503 in Wittenberg eine akademische Rede auf das Parisurteil gehalten[19]. Das Thema lag seit dem 1502 gedruckten Ingolstädter Schuldrama des Jakob Locher Philomusus, der sich gleich Marschalk auf Fulgentius bezog und das «Paris-Urteil» allegorisch dramatisierte, in der Luft[20]. Aber nicht die moralisierenden humanistischen Texte, sondern erst Cranachs Gestaltungen haben ihm Leben verliehen. Der Stoff und eine schwache ikonographische Tradition standen zur Verfügung; Cranach griff am richtigen Ort zu und erfüllte mit Gehalt, was nach Entfaltung rief. Die Holzschnitte mit den Bildnissen Marschalks und Sibutus' stehen zueinander im selben Verhältnis wie die Cantalicius/Trebelius-Illustration zu Cranachs Holzschnitt von 1508 und seinen späteren Gemälden (Nr. 536, Farbtafel 16).

Auch Herkules in allen seinen Taten galt als Vorbild für fürstliche Tugend: Herkules kämpfend und «Herkules am Scheideweg» (in einer Wahl-Situation zwischen «Tugend» und «Sinnlichkeit» wie Paris vor den Göttinnen, vgl. Nr. 533f.). Venus oder die Quellnymphe, von der auf Cranachs Bildern die Inschrift besagt, man dürfe sie nicht wecken, sollten den Betrachter warnen und durch ihre Reize gleichsam auf die Probe stellen. Vorbildliche Tugendgestalten waren Lucretia, Judith u. a., abschreckend lasterhafte Figuren die Töchter des Lot und andere biblische wie auch antike Exempel. In fast unglaublichem Reichtum stand den Fürsten und ihren Gästen ein Katalog von nachahmenswerten oder beispielhaft üblen Historien an den Wänden der Schlösser vor Augen. Einen Begriff davon vermittelt der 1507 publizierte, lateinisch zur Übung für junge Studenten geschriebene Führer durch Wittenberg, den Magister Andreas Meinhart auf Wunsch des kurfürstlichen Leibarztes und ersten Rektors der Wittenberger Universität verfasste[21]. Der Autor besucht mit einem imaginierten Gesprächspartner das Wittenberger Schloss und sieht hier dargestellt Herkules im Kampf mit dem Löwen, Herkules den Antäus erdrückend, Herkules bei Omphale (vgl. Farbtafel 21), alle übrigen Taten des Herkules, die Heldentaten des Horatius Cocles und des Mucius Scaevola (vgl. Nr. 520f.), Pyramus und Thisbe (vgl. Kap. VII, 6), David und Bathseba (vgl. Nr. 474ff.), den von einem Narren verspotteten greisen Liebhaber (vgl. Nr. 462ff.) und beispielsweise im Schlafzimmer der verstorbenen Gemahlin des Herzogs Johann «fast unzählige Geschichten von ehelicher Liebe, von der Treue der Frauen gegen die Männer, von Sittsamkeit, von Keuschheit und, um mit wenig Worten alles zusammenzufassen, von fast allen Tugenden und Lastern überall in bildlicher Darstellung angebracht». Vermutlich handelte es sich bei diesen Darstellungen um dekorative, eilig ausgeführte Malereien auf Tücher aus der Zeit vor Cranachs Ankunft in Wittenberg 1505, als u.a. ein niederländischer Maler Jan und 1503–1505 Jacopo de' Barbari als Hofmaler im Dienst des Kurfürsten Friedrich von Sachsen standen. Auch Werke Dürers und einige frühe Gemälde Cranachs können sich darunter befunden haben. Erhalten hat sich von dieser Gattung der «Tücher», die in den Rechnungen Cranachs oft auftauchen, darum gar nichts, weil die mit Wasserfarben gemalten Bilder nur dann schlecht und recht überdauern konnten, wenn sie vor jedem Einfluss der Feuchtigkeit gut geschützt blieben. Nur einigen Bildern Dürers schenkte man jene Aufmerksamkeit, die die Erhaltung ermöglichte. Ein grossformatiges, 1500 datiertes Leinwandbild Dürers mit der Darstellung des «Herkules im Kampf gegen die stymphalischen Vögel» könnte aus dem Wittenberger Schloss stammen, was sich aber nicht beweisen lässt; die Vorzeichnung Dürers dazu oder eine Kopie Kulmbachs nach Dürers Entwurf (Nr. 522) verkörpert im Anschluss an die italienische Kunst (Pollaiuolo) den Tugendhelden monumenthaft in klassischer Ausfallstellung. Cranachs Bestreben richtete sich nicht auf solche antikische Monumentalität, vielmehr auf kleine Holztafelgemälde: auf Kabinettstücke. Die Endgültigkeit des Monumentalen war ihm wohl nicht nur unzugänglich, sondern suspekt. Cranachs grossformatige «Tücher» sind vermutlich zu Recht als blosse Gebrauchskunst behandelt und so mit der Zeit verdorben worden.

Wir beschliessen diese Bemerkungen zur humanistisch-höfischen Repräsentationskunst Cranachs mit dem Hinweis auf einen kleinformatigen Holzschnitt, der von einem Humanisten inspiriert wurde, wiederum von «Georgius Sibutus Daripinus, Poeta et Orator laureatus». Der kleine Holzschnitt, auf den Werner Schade hinwies, ziert die 1507 in Leipzig erschienene Schrift des auch als Arzt wirkenden Dichters mit dem Titel «Die Kilianische Fliege», «Carmen in tribus horis editum de musca Chilianea» (Nr. 163, Abb. 118). Das Gedicht enthält erstmals das Lob der Kunst Cranachs, die Sibutus sogar derjenigen Dürers vorzieht. Der Autor erzählt, dass Dürer kürzlich zum Scherz eine lebensgrosse Fliege so auf einem Gemälde (dem in Venedig 1506 gemalten «Rosenkranz-Fest») gemalt habe, dass der Betrachter oder etwa ein Vogel in die Versuchung kommen, sie zu verscheuchen oder zu schnappen. Dieser Malerscherz ist der antiken Literatur und niederländischen Kunstvorbildern entlehnt. Cranach hatte im Auftrag des Sibutus die Grasmücke im Holzschnitt darzustellen, die die grosse Stallfliege im Schnabel hält, darüber auf einem Fetzen Papier eine gemalte Fliege. Das Miniaturwerk erhebt gewiss keine hohen Ansprüche, soll aber nicht vergessen werden, wenn die Rede ist von Cranach und von jenen Hofpoeten, die dem Hof-

L. Cranach d. Ä., 1525 (Nr. 45)

118   L. Cranach d. Ä., 1507 (Nr. 163)   119   L. Cranach d. Ä., 1509 (Nr. 100)

maler funktionell gleichgestellt waren und die Stoffe vorbereiteten, denen der
Maler zur Anschaulichkeit verhalf. Mit dem geistreichen Scherz und der Laszivität
eröffneten sich die Humanisten neue Dimensionen, an denen auch Cranachs Kunst
wesentlich teilhat. Der Ausgleich zum humanistischen Pathos und eine neue
geistige Freiheit waren damit gewonnen. Die frühe Wittenberger Reformation hat
diese spielerische Allegorik nicht unterdrückt, wenigstens nicht im Umkreis des
Gräzisten und Reuchlin-Schülers Philipp Melanchthon (vgl. T. Falks Bemerkungen zum «Sophrosyne»-Holzschnitt von 1523, Nr. 251, Kapitel VII, 7).

95 Lukas Cranach d.Ä.
Doppelbildnis des Kurfürsten Friedrich von Sachsen
und seines mitregierenden Bruders Herzog Johann   Abb. 86

Bez. mit Schlange, dat. 1510. Kupferstich (Rückseite leer). 13,2 × 11,8 cm.
Geschaffen für das Titelblatt von: Wittenberger Heiligtumsbuch « 1509», Zweitausgabe von 1510 (siehe Nr. 97/98).
Schloss Wolfegg, Fürstliches Kupferstichkabinett.

Ho. K. 3 u. S. 76, Edition b. – B. 3. – Lindau, S. 19 ff., 60 ff. u. 85 ff. – Faksimile-Druck,
hrsg. von G. Hirth, München 1884 (Liebhaber-Bibliothek alter Illustratoren, VI). –
G. Bauch, in: Repert. f. Kunstwiss., XVII, 1894, S. 423 f. – Bruck, S. 43, 181, 208 ff.,
303. – P. Kalkoff, Ablass und Reliquienverehrung an der Schlosskirche zu Wittenberg
unter Friedrich dem Weisen, Gotha 1907. – Dodgson II, S. 290–292, Nr. 18–46 (die von
Schulte-Strathaus behandelte Erstausgabe ist erst später von London erworben worden). – P. Flemming, Zur Geschichte der Reliquiensammlung der Wittenberger
Schlosskirche unter Friedrich dem Weisen, in: Zs. d. Ver. f. Kirchengesch. d. Provinz
Sachsen, XIV, 1917, S. 87–92. – Zimmermann, Folgen, S. 18. – E. Schulte-Strathaus,
Die Wittenberger Heiligtumsbücher vom Jahre 1509 mit Holzschnitten von Lucas
Cranach, in: Gutenberg-Jb., V, 1930, S. 175–186. – Berlin 1967, Nr. 13. – Berlin 1973,
Nr. 59.

Mit Holzschnitten illustrierte Publikation von Heiligtümern (Reliquiensammlungen),
die bei der alljährlichen «Zeigung» Ablass versprachen (vgl. Zeittafel unter 1519).
Solche Publikationen wurden in bescheidenerer Form bereits früher andernorts gedruckt, meist – wie in Wittenberg (Bruck, S. 214 ff.) und in Halle (P. M. Halm/R. Berliner, Das Hallesche Heiltum, Berlin 1931; vgl. Nr. 33) aufgrund von zunächst handschriftlichen, mit Zeichnungen versehenen Verzeichnissen: Einblattdrucke Nürnberg
und Augsburg (Heitz, LXIV, Nr. 11 u. XVIII, Nr. 15; M. Hartig, Das Benediktiner-
Reichsstift Sankt Ulrich und Afra in Augsburg, Augsburg 1923, Abb. S. 86 f.), dann die
in Nürnberg gedruckten Büchlein mit den Heiligtümern von Würzburg 1483, Nürnberg
1487 und Bamberg 1493 (Schramm, Bilderschmuck, XVIII, 1935, Nr. 744–751;
Nr. 635–640, vgl. Nr. 743; Nr. 721–742), schliesslich als umfangreicheres Büchlein das
1502 in Wien von Winterburger gedruckte Wiener Heiligtumsbuch (hrsg. von F. Ritter,
Wien 1883). Dieses Wiener Heiligtumsbuch, das Cranach bekannt gewesen sein muss,
wollte Friedrich der Weise nicht nur umfangmässig, sondern auch in der Anordnung
und Grösse der Holzschnittillustrationen übertreffen. Das Wiener Heiligtumsbuch
bildete auf einer Seite vierreihig zwischen Strichen maximal 12 Reliquien ab, das Wittenberger 1–4 Reliquien auf einer Seite in möglichst wenig schematischer Anordnung
(zum Wiener Büchlein vgl. Zykan, zit. bei Nr. 66). – Handschriftliches Heiligtums- und
Ablassbuch des kurfürstlich-sächsischen Rates Degenhart Pfeffinger 1511/14: Spätgotik
in Salzburg, Kat. Salzburg 1972, Nr. 179; F. Winzinger, in: Zs. d. dt. Ver. f. Kunstwiss.,
XXII, 1968, Abb. S. 27; älteres handschriftliches Reliquienverzeichnis 15. Jahrhundert:
F. Stuttmann, Der Reliquienschatz der Goldenen Tafel des St. Michaelsklosters in
Nürnberg, 1937.
    So sehr Cranach in der Technik des Kupferstichs, die er erst seit 1509 anwendete,
von Dürer abhängig war, so ging er ihm doch im Porträtstich 1509 (Nr. 104) und 1510
voran; Dürers erstes gestochenes Bildnis ist dasjenige des Kardinals Albrecht von 1519,
das als Titelblatt für das 1520 gedruckte Hallesche Heiligtumbuch diente (Nr. 33).
Früheres Beispiel eines anderen Meisters: Nr. 107, Porträtstich in ein Buch bloss eingeklebt. Cranach druckte den Bildnisstich in ein sonst mit Holzschnitten illustriertes
Buch – eine für ihn typische Unverfrorenheit und «Erstleistung». In dieser Verwendung
trägt der Stich auf der Rückseite den Holzschnitt der Wittenberger Stiftskirche (Nr. 96);
es gab auch eine separate Auflage, aus der das ausgestellte Exemplar stammt.

96   Lukas Cranach d.Ä.
Stiftskirche Allerheiligen in Wittenberg   **Abb. 88**
Holzschnitt. 16,0 × 11,2 cm.
Aus: Christoph Scheurl, Oratio attingens litteraru(m) prestantiam, necnon laudem Ecclesie Collegiate Vittenburgensis. Leipzig, Martin Landsberg, Dez. 1509.
Privatbesitz.

Ho. H. 96 (vor der ersten Schuchardt-Unternummer). – Bruck, S. 43 f. – Dodgson II, S. 277, Nr. 4. – Schulte-Strathaus (zit. bei Nr. 95), S. 183.

Die Stiftskirche war 1493–1499 vom sächsischen Kurfürsten neben dem Wittenberger Schloss erbaut worden (Bruck, S. 42 ff.). Der Holzschnitt – mit Phantasieberg im Hintergrund – wurde auch verwendet im Wittenberger Heiligtumsbuch 1509/10 (siehe folgende Nr.) auf der Rückseite des Kupferstich-Doppelbildnisses Nr. 95. Hier schmückt er die Rede Scheurls, die er 1508 in der Stiftskirche hielt und 1509 mit einer Widmung an Cranach drucken liess. Der Widmungsbrief enthält ein ausführliches Lob der Kunst Cranachs, den Scheurl gleich hinter Dürer, den Grössten seiner Zeit, stellte (Lindau, S. 64 ff.; Schuchardt I, S. 27 ff. – falsch 1508 datiert; Lüdecke, S. 49 ff. u. 101 ff.; H. Rupprich, Dürer, Schriftlicher Nachlass, I, Berlin 1956, S. 292 f.). Die Rede selbst behandelte die ruhmvolle Gründung der Universität Wittenberg und des damit verbundenen Stiftes durch die sächsischen Fürsten, die Ausstattung der Stiftskirche mit Kunstwerken usw. Cranach porträtierte Scheurl 1509: Nr. 164.

97   Lukas Cranach d.Ä.
Reliquien der Stiftskirche Wittenberg
Holzschnitte, *aus:* Dye zaigung des hochlobwirdigen hailigthums der Stifftkirchen allerhailigen zu wittenburg, Wittenberg [Symphorian Reinhart aus Strassburg] 1509.
Aufgeschlagene Doppelseite: Dritter Gang der Zeigung, Stücke 2–5 (vgl. Nr. 95).
Privatbesitz.

Ho. H. 96 / Schuchardt-Unternummern 33, 34, 35, 36.

98   Lukas Cranach d.Ä.
Reliquien der Stiftskirche Wittenberg
Holzschnitte, *aus:* Wittenberger Heiligtumsbuch (siehe Nr. 97 u. 95).
Aufgeschlagene Doppelseite: Siebter Gang der Zeigung, Stücke 9–10.
Bamberg, Staatsbibliothek (I. H. IV. 93).

Ho. H. 96 / Schuchardt-Unternummern 102, 103.

Beim Reliquiar mit der «Wurzel Jesse» möchte man annehmen, dass Cranach (was eher die Ausnahme wäre) das Goldschmiedewerk selber entworfen hat. Die gravierte(?) Tafel mit «Christus am Ölberg» wurde sicher von Cranach gezeichnet: sie geht kompositorisch auf den Wiener Holzschnitt Cranachs um 1502/03 (Nr. 73) zurück und stimmt mit anderen Fassungen des Themas um 1509 überein (Nr. 310 und Abb. 71).

99   **Lukas Cranach d. Ä.**
Reliquien der Stiftskirche Wittenberg
Holzschnitte. *Einzelblätter, aus:* Wittenberger Heiligtumsbuch 1509 (siehe Nr. 97 u. 95).
a) *Fünf Apostelstatuetten*
b) *Drei Monstranzen*
München, Staatliche Graphische Sammlung.

Ho. H. 96 / Schuchardt-Unternummern 80, 84, 86, 87, 89 und 94, 102, 106.

100   **Lukas Cranach d. Ä.**
Reliquien der Stiftskirche Wittenberg   **Abb. 119**
Holzschnitte. *Einzelblätter, aus:* Wittenberger Heiligtumsbuch 1509 (siehe Nr. 97).
38 Blätter vorhanden.
Basel, Kupferstichkabinett des Kunstmuseums.

Ho. H. 96. – Unsere Abbildung zeigt die Schuchardt-Unternummer 22, Hahn aus Perl-
mutter mit Reliquien der hl. Emerantia und der hl. Constantia, Sockel von sechs Tier-
füssen getragen (8,3 × 5,6 cm), aus dem 2. Gang, 7. Stück. Zum Heiligtumsbuch s.
Nr. 95.

101   **Lukas Cranach d. Ä.**
Kursächsisches Wappen in Astwerkrahmen   **Abb. 89**
Holzschnitt. 12,8 × 10,5 cm.
Aus: Andreas Bodenstein von Karlstadt, VERBA DEI... Wittenberg, Melchior
Lotter d. J. 1520.
Geschaffen für: Wittenberger Heiligtumsbuch 1509 (siehe Nr. 97).
Basel, Universitätsbibliothek.

Ho. H. 96 / Schuchardt-Unternummer 117. – Pass. 208. – F. Winkler, in: Zs. f. Kunstwiss., XV, 1961, S. 156–158.

Erstverwendung in der 1. Ausgabe des Wittenberger Heiligtumsbuches 1509 zu Beginn
des Bandes, in der 2. Ausgabe am Schluss. In späteren Publikationen mehrfach wieder
gedruckt. – Zur kunsthistorischen Bedeutung des Astwerkrahmens mit den darin turnen-
den Putten vgl. Bemerkung zu Nr. 50.

102 **Lukas Cranach d.Ä.**
     Maria und Johannes unter dem Gekreuzigten   Abb. 90
     Holzschnitt. 12,9 × 9,3 cm.
     Aus: Eyn Sermon von der Betrachtung des heyligen leydens Christi,
     D. Martini Luther... Wittenberg [J. Grunenberg] 1519. (Benzing 312).
     Geschaffen für: Wittenberger Heiligtumsbuch 1509 (siehe Nr. 97).
     Bamberg, Staatsbibliothek (ad. 11 D 13).

     Ho. H. 95, erwähnt S. 76 als zugehörig zur ersten Ausgabe des Heiligtumsbuches 1509. –
     Dodgson II, S. 278, bei Nr. 10. – E. Schulte-Strathaus (zit. bei Nr. 95).

     In der 1. Ausgabe des Heiligtumsbuches (Unikum London) bildete diese erregt ge-
     zeichnete, plastisch dichte «Kreuzigung» das Schlussblatt, in der 2. Ausgabe wurde sie
     verdrängt vom kursächsischen Wappen, das seinerseits durch das gestochene Doppel-
     bildnis Nr. 95 ersetzt wurde. Andere Umstellungen bei den Reliquiar-Abbildungen
     waren nötig wegen der schnellen Vermehrung des Reliquienschatzes. Erst die be-
     reinigte Zweitausgabe druckte man in grösserer Auflage. Den «Kreuzigungs»-Holz-
     schnitt erwähnte Dodgson als bisher unbekanntes, freilich «nicht sehr gutes» Werk
     Cranachs. Schulte-Strathaus bildete ihn erstmals ab, registrierte ihn aber nur biblio-
     graphisch. Die Verwendung im Heiligtumsbuch 1509 ergibt eine Datierung von
     spätestens 1509, möglicherweise etwas früher.
        Der stilistische Abstand zu der angeblich 1508 gedruckten «Kanon-Kreuzigung»
     (Nr. 103) bereitet Schwierigkeiten. Interessant aber ist die Nähe zu den Wiener «Kreuzi-
     gungen» Nr. 64 und 67 (Abb. 59 u. 61), ebenso zur «Martins»-Zeichnung von 1504
     (Nr. 53, Abb. 48). Das Kreuz spannt sich signethaft ins Bildfeld und auf das Boden-
     stück, an das keine Landschaft anschliesst. Auch die Gestik beschränkt sich auf Zeichen.
     Christus erhebt die Augen – ein von Cranach erst um 1538 wieder aufgegriffenes Motiv
     (Nr. 334). Den Gekreuzigten als Sterbenden stellt «Dürer» (bzw. ein späterer Dürer-
     Nachahmer) auf dem berühmt-umstrittenen Dresdener Kruzifix mit dem angezweifelten
     Datum 1500 oder 1509 dar; die Inschrift zitiert dazu Lukas 23, 46 (lateinisch): Vater,
     ich befehle meinen Geist in deine Hände. Lukas Cranach d. J. variiert 1540 in einem
     Bildchen in Dublin (25 × 18 cm) das Stück von «Dürer». W. Schade (Deutsche Kunst
     der Dürer-Zeit, Kat. Dresden 1971/72, Nr. 144) möchte neu erwogen haben, ob das
     Dresdener Bildchen nicht trotz der vielen Einwände ein Werk Dürers von 1500 oder
     1509 sei, und ob es für Kurfürst Friedrich entstand (Nähe zur Theologie von Staupitz;
     zu Staupitz vgl. Nr. 7). Schade referiert die Diskussion über das Dresdener Bildchen
     und führt neue Argumente zugunsten einer Zuschreibung an Dürer an.

103 **Lukas Cranach d.Ä.**
     Maria und Johannes unter dem Gekreuzigten   Abb. 91
     Holzschnitt auf Pergament, koloriert. 26,5 × 16,7 cm (Blattgrösse
     31,3 × 19,7 cm).
     Kanonblatt, angeblich *aus:* Missale Pragense, Nürnberg (Georg Stuchs), 8.
     August 1508.
     Privatbesitz.

     Ho. H. 27. – J. Beth, in: Repert. f. Kunstwiss., XXX, 1907, S. 501–508. – Dodgson, in:
     Repert. f. Kunstwiss., XXXI, 1908, S. 247f. – Dodgson II, S. 277, Nr. 3 u. S. 289,
     Nr. 17. – Berlin 1973, Nr. 67.

Der Holzschnitt kommt auch in Drucken von 1516 (Brandenburger Messbuch, in Leipzig gedruckt) und 1522 vor. Dodgson 1908: Schwierigkeiten (die bei Nr. 102 erwähnt ist) bietet die Datierung, «denn der Holzschnitt erschien mir einem bedeutend späteren Entwicklungsstadium der Cranachschen Kunst anzugehören, welche Ansicht auch Flechsig vertrat, wie er mir brieflich mitteilte». Dodgson musste sich aber durch Korrespondenz mit Bücherfachleuten und durch eigene Feststellungen davon überzeugen lassen, dass doch nicht «nicht sein kann, was nicht sein darf». Die Cranach-Literatur (Hollstein ebenfalls) entschied sich also für die Annahme der Stuchs-«Kreuzigung» als 1508 datiertes, erstmals mit dem von Kurfürst Friedrich Cranach verliehenen Wappenzeichen signiertes Werk Cranachs und liess folglich – messerscharf schliessend – die «Kreuzigung» Nr. 102 stillschweigend fallen: man schrieb sie Cranach zwar ab, aber sie passte stilistisch nicht mehr neben Nr. 103, und deswegen wurde der Mantel des Schweigens und Nicht-Abbildens seit 1930 darüber gebreitet. Nicht bloss die locker-dekorativen Wolken, die Flechsig für 1508 störten, und nicht nur die statuarische Gelöstheit der Figuren im freien Bildraum, sondern am meisten die Nimbenform erscheinen mir schlechthin unmöglich im Jahr 1508. Die Form der Nimben zeigt bei Cranach eine strenge Entwicklung, die so grosse Abweichungen ausschliessen dürfte. Die kurzen, ohne Zwischenraum an den Köpfen ansetzenden Nimben von Nr. 102 entsprechen der bis 1509 streng geltenden Norm. Am liebsten verzichtete Cranach ganz auf den Nimbus und auf seine strahlende, unirdische Lichthaltigkeit. Erst im «Adam von Fulda» von 1512 (Nr. 324) rückte er die Strahlen, damit sie vom Körper isoliert würden und an Strahlung gewännen, sachte von den Köpfen ab. Unter dem Einfluss des «Immaculata»-Stiches Dürers von 1508 (H. Wölfflin, Die Kunst Albrecht Dürers, München 1905, S. 221; Hinweis Toshio Watanabe) und der Holzschnitte Dürers von 1510/12 (vgl. D. Koepplin, in: Werden und Wandlung, Studien zur Kunst der Donauschule, Linz 1967, S. 84ff.) und wohl speziell nach der Zusammenarbeit mit Dürer am Gebetbuch des Kaisers Maximilian 1515 übernahm Cranach in seinen 1515 ausgeführten Zeichnungen für dieses Gebetbuch (R. 26, 28) und in einigen Holzschnitten jener Zeit (bes. Ho. H. 6 und 70) die langgezogenen, Lichtfelder erzeugenden Nimbenstrahlen Dürers. Sie sind keine Äusserlichkeit, sondern bestimmen den Charakter des ganzen Bildes ebenso intensiv wie die plastisch-räumliche Komposition. Der Kunsthistoriker muss nochmals die Bibliographen auffordern zu prüfen, ob diese «Kanon-Kreuzigung» nicht doch erstmals 1516 im originalen Buchverband des Brandenburger Messbuches von Lotter in Leipzig verwendet und erst damals von Cranach geschaffen wurde.

104 Lukas Cranach d. Ä.
Bildnis des Kurfürsten Friedrich von Sachsen
Bez. mit Schlange und L C, dat. 1509. Kupferstich. 12,6 × 9,0 cm.
Berlin, Stiftung Preussischer Kulturbesitz, Staatliche Museen, Kupferstich-kabinett.

Ho. K. 5. – Flechsig, Cranachstudien, S. 39f. u. 51f. – E. Panofsky, in: The Art Bull., XXIV, 1942, S. 52. – Weimar 1953, Nr. 120. – Berlin 1973, Nr. 58.

Als Kupferstichbildnis denjenigen Dürers vorausgehend, Vorstufe zum Doppelporträt von 1510 (Nr. 95). Zu früherer Bildnis-Graphik s. Nr. 105 und Panofsky. Zwei gegenseitige Holzschnitt-Kopien nach Cranachs Stich bei Flechsig, S. 51f., aufgeführt. Die eine dieser Kopien ist 1510 datiert: Nr. 105.

105 Wolf Traut (um 1485–1520)
Bildnis des Kurfürsten Friedrich von Sachsen
Dat. 1510. Holzschnitt. 12,2 × 9,1 cm (mit der hier weggeschnittenen
zweiten Einfassungslinie 12,7 × 9,7 cm).
Schweizer Privatbesitz.

B. 134 (fälschlich als Cranach). – Flechsig, Cranachstudien, S. 52 (Kopie nach Cranach). –
Dodgson I, S. 507, Nr. 9 (W. Traut). – Meister um A. Dürer, Kat. Nürnberg 1961, bei
Nr. 389.

Kopie nach Cranachs Kupferstich von 1509, Nr. 104. Der Holzschnitt erschien in
einem 1510 in Nürnberg gedruckten Büchlein (Speculum Phlebothomye) des Ulrich
Pinder, der 1493 Leibarzt des Kurfürsten Friedrich und noch im selben Jahr Stadtarzt
von Nürnberg geworden war. In Nürnberg errichtete Pinder eine Druckerei. Es ist
umstritten, ob die wichtigen Celtis-Drucke von 1501/02 mit den Holzschnitten Dürers
(Nr. 2 u. 52) und Kulmbachs von Pinder oder von Hieronymus Höltzel gedruckt worden sind (G. Scheja, Über Ulrich Pinder, in: Fs. Wilhelm Pinder, Leipzig 1938, S. 434 bis
440; G. Benzing, Buchdrucker, S. 331 mit weiterer Lit.). Bis zu seinem Tod 1519 gab
Pinder manche medizinische und humanistisch-christliche Schriften heraus (mit Holzschnitten Baldungs: Nr. 75). Zwei Drucke mit dem Bildnis Friedrichs des Weisen von
1510 waren diesem Fürsten, der seit 1507 enger mit der Stadt Nürnberg verbunden war
(Nr. 28 ff. u. 32), gewidmet. 1513 druckte Pinder ein Buch über die Bruderschaft der
hl. Ursula – «durch Angebung des edlen... herrn Degenhart Pfeffinger», also des Rates
von Kurfürst Friedrich von Sachsen (vgl. Nr. 129) – mit einem kleinen Holzschnitt des
«Ursula-Schiffes» von Wolf Traut, den Hans Kulmbach kurz darauf in grösserem Format variierte: Nr. 106.
  1511 zeichnete Traut einen vielteiligen Holzschnitt, auf dem der Kurfürst Friedrich
von Sachsen die Madonna im Strahlenkranz und die Geburt Christi anbetet, oben 7
Passionsdarstellungen als «Sieben Schmerzen Mariae» (vgl. Abb. 50 u. Nr. 58); diesen
Holzschnitt schmücken die kursächsischen Wappen (G. 1405). Zu dem 1520 erschienenen Heiligtumsbuch von Halle zeichnete Traut für Kardinal Albrecht die Holzschnitte
(vgl. Nr. 33).

106 Hans Suess von Kulmbach (um 1480–1522)
**Das Schiff der hl. Ursula, angebetet von Kurfürst Friedrich von
Sachsen**
Um 1513/14. Holzschnitt. 35,6 × 42,6 cm.
Wien, Graphische Sammlung Albertina.

G. 757. – F. Winkler, in: Jb. d. preuss. Kunstsammlungen, LXII, 1941, S. 20f. –
F. Winkler, Hans von Kulmbach, Kulmbach 1959, S. 84. – Meister um A. Dürer, Kat.
Nürnberg 1961, Nr. 221. – E. M. Vetter, sant peters schifflin, in: Kunst in Hessen u. am
Mittelrhein, IX, 1969, S. 15.

Friedrich der Weise war Patron, der rechts kniende Georg Ransshauer von Braunau der Begründer der Braunauer Ursula-Bruderschaft, für die das Flugblatt wirbt. Neben dem Tisch mit Kelch und Hostien und neben dem Lebensbrunnen sitzt der hl. Petrus als Befehlshaber im Schiff; ein Kartäuser-Mönch hinter ihm hält das Steuerruder. Das Schiff, an das sich Friedrich der Weise hält, symbolisiert die Kirche mit dem Kruzifix als Schiffsmast, darunter die Madonna, seitlich die hl. Ursula und die anderen Heiligen, wesentlich dabei der Papst-Vorgänger Petrus. Unter den Eckbildern mit der Eucharistie und den Zeichen des Jüngsten Gerichtes (Engel mit den Martersymbolen) stehen die kursächsischen Wappen. Die lutherischen Propaganda-Holzschnitte, die Cranach später zu zeichnen hatte, sind Gegenbilder zu spätmittelalterlichen Allegorien solcher Art. Kulmbachs Holzschnitt geht motivisch auf eine 1512 datierte Buchillustration Wolf Trauts zurück, die ihrerseits einen Strassburger Buchholzschnitt von 1497 getreulich nachahmt (Feststellung von F. Hieronymus, in: Fs. Christoph Vischer, Universitätsbibliothek Basel 1973, S. 196–229; Schramm, Bilderschmuck, XX, 1937, Nr. 1803).

107 Meister B R mit dem Anker (tätig im letzten Drittel des 15. Jh.)
Bildnis des Kaisers Friedrich III.   **Abb. 87**
Um 1480/90. Kupferstich, leicht koloriert. 15,2 × 11,4 cm.
Auf fol. IV verso eingeklebt in: Livius, Historiae Romanae Decades, Rom (C. Sweynheim u. A. Pannartz) 1472. (Hain 10131).
München, Bayerische Staatsbibliothek (2° L. impr. c. n. mss. 39).

Max Lehrs, Der älteste Bildnisstich, in: Forum (Beilage zu: Belvedere, VII), 1925, S. 133–135. – Lehrs, VI, 1927, S. 312f., Nr. 17. – Inkunabeln, Kat. München 1957, Nr. 299 u. Abb. 16. – Friedrich III., Kat. Wiener Neustadt 1966, Nr. 127. – R. Stauber, Die Schedelsche Bibliothek, Freiburg i.Br. 1908 (Neudruck 1969), S. 238.

Der Nürnberger Humanist und Arzt Dr. Hartmann Schedel, der um 1493 Leibarzt des Kurfürsten Friedrich von Sachsen war und damals seine reich illustrierte Weltchronik herausgab, ein Freund Celtis' und Dürers, besass den Band, klebte das Kupferstichbildnis ein und versah es handschriftlich mit lateinischen Lobgedichten. Schedel zeichnete in seinen Livius-Band ferner ein Phantasieporträt des Autors. Der Stecher B R war am Niederrhein tätig. Nur sechs seiner Stiche tragen das Monogramm, die übrigen elf sind unbezeichnet und lehnen sich z.T. an Schongauers Stiche an. Das Bildnis des Kaisers Friedrich III. (gest. 1493) ist nur in diesem Abdruck erhalten. Der Stich könnte Friedrich den Weisen veranlasst haben, von seinem Hofmaler Cranach ein ähnliches Werk ausführen zu lassen. Der um 1490 entstandene Kupferstich mit dem Selbstbildnis des Israhel van Meckenem mit seiner Frau bildet zu Cranachs Werk keine Vorstufe (eng gerahmte, dekorative Büstenform; Lehrs, IX, 1934, S. 1–3, Nr. 1; Fifteenth Century Engravings of Northern Europe, Kat. Washington 1967/68, Nr. 244). Typologisch andersartig (quasi eine Übersetzung eines Steinreliefs in die Graphik) ist das im Holzschnittdruck publizierte «Epitaph-Bildnis des Konrad Celtis» von Hans Burgkmair 1507 (H. Burgkmair, Kat. Augsburg/Stuttgart 1973, Nr. 19; E. Panofsky, in: The Art Bull., XXIV, 1942, S. 39ff. u. 382f.). Druckgraphische Bildnisse in der Buchgraphik des 15. Jahrhunderts erheben kaum Anspruch auf individuelle Gestaltung (s. T. A. Mesenzewa, in: Cranach-Colloquium, Wittenberg 1973, S. 97; vgl. Nr. 2, 52 und 159).

L. Cranach d. Ä., 1532 (Nr. 172)

108　Lukas Cranach d. Ä.
Massenturnier mit Lanzen　　　　　　　　　　　　　　　　**Farbtafel 6**
Bez. LC, dat. 1506. Kolorierter Holzschnitt (1. Zustand). 26,0 × 37,8 cm.
Dresden, Kupferstichkabinett der Staatlichen Kunstsammlungen.

Ho. H. 116. – B. 124. – Dodgson II, S. 284, Nr. 8. – G. 620. – A. Schultz, Deutsches
Leben im 14. und 15. Jahrhundert, Wien 1892, S. 484 ff. – R. van Marle, Iconographie
de l'art profane..., I, Den Haag 1931, S. 143 ff. – O. Richter, Turnierdarstellungen des
15. und 16. Jahrhunderts, in: Zs. f. hist. Waffen- und Kostümkunde, XIV, 1935, S. 40. –
Weimar 1953, Nr. 107. – Kronach-Coburg 1972, Nr. 87. – Berlin 1973, Nr. 86.

Aus Abrechnungen (Bruck, S. 223 ff.; S. 236 u. 329: auf Teppich dargestelltes Turnier)
weiss man, dass Cranachs Werkstatt auch mit der Bemalung der Turnierdecken und
anderen dekorativen Malereien zum Turnier betraut war. Auf dem Balkon die Damen
des Hofes, links die berittenen Trompetenbläser. Links hinten am Marktplatz ein Gold-
schmiedeladen (ein Buckelgefäss wird von einem Kunden bewundert). Zum Ritter mit
dem Buchstaben «A» auf der Schabracke (Austria?) vgl. Nr. 14–16 und Nr. 114.
«Seinen Reichtum entfaltet das Blatt erst in dem kostbaren kolorierten Abdruck des
Dresdener Kabinettes, den... Geisberg als wahrscheinlich eigenhändige Bemalung
[durch Cranach] beurteilt hat» (W. Schade, Cranach-Kat. Bukarest 1973, Nr. 8). Be-
wundernswert ist vor allem die Sparsamkeit der Kolorierung, mit der die komplizierte
Szene klar lesbar gemacht wurde. Die Aufsicht und der weite Überblick über den
Wittenberger Marktplatz und den Kampf innerhalb der Schranken entsprechen dem
gleichzeitigen «Jagd»-Holzschnitt (Nr. 138).

109　Lukas Cranach d. Ä
Massenturnier mit Lanzen
Bez. LC, dat. 1506. Holzschnitt (unkoloriert, 2. Zustand). 26,0 × 37,8 cm.
Basel, Kupferstichkabinett des Kunstmuseums.

Ho. H. 116 (s. im übrigen Nr. 108).

110　Lukas Cranach d. Ä.
Turnier, zwei Zweikämpfe mit Lanzen und Schwertern
Bez. mit Schlange und LC, dat. 1509. Holzschnitt. 29,4 × 42,0 cm.
Privatbesitz.

Ho. H. 117. – B. 126. – Lindau, S. 61 ff. – G. Bauch, in: Repert. f. Kunstwiss., XVII,
1894, S. 432–434. – Dodgson II, S. 294, Nr. 56. – G. 623. – Weimar 1953, Nr. 122. –
Kronach-Coburg 1972, Nr. 88. – Berlin 1973, Nr. 87.

Vom Balkon herab erhält ein Ritter eine Lanze zum Kampf oder als Siegesgeschenk;
weitere Lanzen stehen links bereit. Das von der Brüstung herunterhängende Tuch
wurde wohl von Cranach bemalt. Es stellt Herkules als mythischen Kämpfer gegen
den Nemeischen Löwen dar (vgl. Nr. 507). Die kursächsischen Wappen sind darauf angebracht. Die Nahsichtigkeit und verstärkte Plastizität dramatisiert das Geschehen und
machte die klärende Kolorierung, die dem Blatt von 1506 sehr zugute kam, überflüssig
oder gar künstlerisch unmöglich.

Der Schauplatz ist enger als auf dem «Turnier»-Holzschnitt von 1506 (Nr. 108)· Man sieht nur höfische Zuschauer. Aus der Schilderung des Hofpoeten Sibutus (Nr. 159) weiss man, dass das hier von Cranach in drei Holzschnitten (Nr. 109–111) dargestellte Turnier nicht etwa im Schlosshof, sondern auf dem Wittenberger Marktplatz an zwei aufeinanderfolgenden Tagen am 15. und 16. November 1508 ausgetragen wurde, unterbrochen von einem Bankett mit Tanz (vgl. Nr. 119) und anderntags von einem festlichen Akt in der Schlosskirche mit einer Rede Christoph Scheurls zum Lob der Allerheiligenkirche und ihrer fürstlichen Stifter (Nr. 96). Wie Sibutus das Wittenberger Turnier von 1508, so besang schon Angelo Poliziano in seiner berühmten, 1494 publizierten Dichtung die «Giostra di Giuliano de' Medici» und Paulus Amaltheus, der an der Wiener Universität dozierende Italiener, das Linzer Turnier, an dem König Maximilian 1489/90 teilnahm; Amaltheus war von Kaiser Friedrich III. zum Dichter gekrönt worden (F. Gall, in: Kunstjahrbuch d. Stadt Linz, 1964, S. 91–99).

Zu den Phasen des Turniers und den burgundischen Turniersitten am Hof des Königs Maximilian, die Friedrich der Weise frühzeitig kennenlernte: K. Freiherr von Reitzenstein, Unvollständiges Tagebuch auf der Reise Kurfürst Friedrichs des Weisen von Sachsen in die Niederlande zum Römischen König Maximilian I. 1894, in: Zs. d. Ver. f. thüring. Gesch. u. Altertumskunde, IV, 1860, S. 127–137. Friedrich der Weise nahm 1494 in den Niederlanden an Turnieren und Jagden teil. Noch 1510 turnierte er gegen Maximilian in Augsburg (Kirn, S. 7; N. Lieb, Die Fugger und die Kunst im Zeitalter der Spätgotik und der frühen Renaissance, München 1952, S. 360).

Ein grosses, von Hans Schäufelein vielleicht schon 1509 auf Leinwand gemaltes Bild eines Turniers, auf Schloss Tratzberg in Tirol (Unterinntal), geht in sehr freier Weise auf diesen Holzschnitt Cranachs zurück (O. Benesch, in: Pantheon, XV, 1935, S. 67f.; Kopie, 119 × 142 cm: Maximilian I., Kat. Innsbruck 1969, Nr. 488 u. Farbtaf. VI, Ausschnitt; Vorzeichnung Schäufeleins: F. Winkler, Die Zeichnungen H. S. von Kulmbachs und H. L. Schäufeleins, Berlin 1942, S. 142f., Nr. 15).

111 Lukas Cranach d.Ä.
Massenturnier mit Lanzen
Bez. LC, dat. 1509. Holzschnitt. 29,3 × 42,2 cm.
Basel, Kupferstichkabinett des Kunstmuseums.

Ho. H. 118. – B. 125. – Bauch (zit. bei Nr. 110). – Dodgson II, S. 293, Nr. 54. – G. 621. – Weimar 1953, Nr. 124. – Kronach-Coburg 1972, Nr. 89. – Berlin 1973, Nr. 88.

Berittene Trompeter und ein Paukenschläger links im Hintergrund ähnlich wie bei Nr. 108. Die anfeuernde Fanfare war beim Massenkampf besonders effektvoll. Die im Berliner Kat. 1973 versuchte Identifizierung von Porträtfiguren leuchtet nicht ein. Der Reiter rechts oben trägt freilich Bildniszüge, und andere Personen waren den Zeitgenossen nach den Zeichen auf ihren Schabracken feststellbar. Zum Ritter mit dem «G» auf der Pferdedecke s. Nr. 23.

112 Lukas Cranach d.Ä.
Massenturnier mit Schwertern
Bez. LC, dat. 1509. Holzschnitt. 29,8 × 42,2 cm.
Basel, Kupferstichkabinett des Kunstmuseums.

Ho. H. 119. – B. 127. – G. 622. – Weimar 1953, Nr. 123. – Kronach-Coburg 1972, Nr. 90. – Berlin 1973, Nr. 89.

Der Holzschnitt wurde teilkopiert in Nr. 113. Er hat weitgehende Ähnlichkeit mit einer in Brüssel ausgeführten Tapisserie, die ein Turnier mit Schwertern darstellt (auch hier nach dem Lanzenstechen, denn die zerbrochenen Lanzen liegen am Boden). Die Tapisserie ist mit den kursächsischen Wappen geschmückt und befindet sich im Museum von Valenciennes (Chefs-d'œuvre de la tapisserie du XVᵉ au XVIᵉ siècle, Kat. Paris, Grand Palais, 1973/74, S. 72–75, Nr. 17, mit Abb.). Friedrich der Weise hat zum Schmuck der Wände seiner Schlösser seit 1493 in den Niederlanden (Antwerpen u.a.) Tapisserien eingekauft. Religiöse und profane Themen waren darauf dargestellt, auch Bildnisse, ferner z.B. «ein lustgarten mit mannen und frauen» und «ein turnier» (Bruck, S. 236 u. 329).

113 Unbekannter Meister (Erhard Altdorfer?)
Turnier-Zweikampf

Um 1515. Feder auf rosa getöntem Papier, mit dem Pinsel grau laviert und weiss gehöht. 16,3 × 18,6 cm.
Göttingen, Kunstsammlung der Universität.

Handzeichnungen alter Meister aus dem Besitz der Universität Göttingen, Kat. Stuttgart 1965 (H. Wille), Nr. 21.

Der sensible Zeichner lehnte sich an die Rittergruppe links vorn auf Cranachs «Turnier»-Holzschnitt von 1509 mit dem Schwerterkampf an (Nr. 112). Auf der Schabracke des Ritters rechts ein «G» (wie bei Cranachs Ritter rechts aussen), auf derjenigen des Ritters links ein von zwei Putten gehaltenes Löwenwappen. Die kalligraphische Technik lässt an den Mecklenburger Hofmaler Erhard Altdorfer denken (Helldunkel-Zeichnungen: O. Benesch/E. M. Auer, Die Historia Friderici et Maximiliani, Berlin 1957, S. 84ff.; F. Winzinger, in: Pantheon, XXIV, 1966, S. 26–28). Wäre diese Zuschreibung richtig – die Basis dafür ist schmal –, dann dürfte das Blatt in der Zeit des Antritts des Mecklenburger Hofdienstes 1511/12 und vielleicht unmittelbar vor dem 1512 datierten, dreiteiligen «Turnier»-Holzschnitt E. Altdorfers gezeichnet sein; der Holzschnitt hält die Erinnerung an ein am 22.–23. Februar 1512 in Ruppin abgehaltenes Turnier wach (Ho. I, S. 247, Nr. 91; W. Jürgens, Erhard Altdorfer, Lübeck 1931, S. 59–61; K. Oettinger, Altdorfer-Studien, Nürnberg 1959, S. 91f.).

114 Rudolf Manuel Deutsch (1525–1571)
und David Kandel (um 1538–1590)

Doppelseite in: Sebastian Münster, Cosmographey oder Weltbeschreibung. Basel, Sebastian Henricpetri 1598 (Erstausgabe 1550), S. 1056f. mit drei Holzschnitten (Blattgrösse je 36 × 22 cm).   **Abb. 92**

a. *Ansicht der Stadt Wittenberg.* Unbez. 12,6 × 15,4 cm.

b. *Martin Luther.* Unbez. 5,8 × 4,4 cm.

c. *Zwei Turnierritter vor Seelandschaft.* Bez. DK. 7,4 × 15,6 cm.
Basel, Kupferstichkabinett des Kunstmuseums.

F. C. Lonchamp, Manuel du Bibliographe Suisse, Paris/Lausanne 1922, Nr. 2160. – Ho. VI, S. 205f. – Thieme/Becker, IX, 1913, S. 174 und XIX, 1926, S. 514f.

Der Holzschnitt «Wittenberg» darf wohl R. Manuel Deutsch zugeschrieben werden. Die Karte von Thüringen und Meissen (unsere Abb. 43) ist der 1558 bei Henricpetri in Basel erschienenen italienischen Ausgabe der «Cosmografia», S. 780, entnommen. In der deutschen Ausgabe von 1598 steht sie mit leicht geänderten Ortschaftsnamen auf S. 1998 (im Zusammenhang mit dem Bericht über die Städte Erfurt, Gotha, Jena, Weimar). Sie misst 12,7 × 15,4 cm.

115 **Lukas Cranach d. Ä.**
Zwei Turnierritter im «Anzogen Rennen»   **Abb. 93**
Um 1516/17. Holzschnitt. 23,8 × 32,9 cm.
Veste Coburg, Kupferstichkabinett der Kunstsammlungen.

Ho. H. 120. – Dodgson II, S. 315, Nr. 120.

Wegen der motivischen Nähe zu Dürers «Freydal»-Holzschnitt (Nr. 116) galt das Blatt
als Werk Dürers, bis Dodgson die Hand Cranachs erkannte. Nach Dodgson kurz nach
Dürers entsprechendem Holzschnitt anzusetzen. Die Cranach-Literatur hat von diesem
Werk seither kaum Notiz genommen, obwohl es gewiss lebendiger und gehaltvoller als
Dürers Pendant ist.

Einer der beiden Ritter, deren Lanzen zersplittern und die beide aus den Sätteln
gehoben werden, hat seinen Schild und seine Pferdedecke mit einem «A» geschmückt:
vielleicht wird «Austria», Kaiser Maximilian angesprochen (vgl. Nr. 14). Des andern
Ritters Helmzier ist ein Schuh. Beim «Festanzogenrennen» ist die Tartsche (Schild) an
die Rüstung angeschraubt (s. Maximilian I., Kat. Wien 1959, S. 187); vgl. Nr. 116.

116 **Albrecht Dürer** (1471–1528)
Zwei Turnierritter im «Anzogen Rennen»
1516. Holzschnitt (Zustand Meder b). 22,6 × 24,5 cm.
Basel, Kupferstichkabinett des Kunstmuseums.

B. app. 36. – Dodgson I, S. 328ff., Nr. 132. – Meder 246. – Panofsky 392. – O. Gamber,
Der Turnierharnisch zur Zeit König Maximilians I. und das Thunsche Skizzenbuch, in:
Jb. d. Kunsthist. Sammlungen in Wien, LIII, 1957, S. 33–70. – Dürer-Kat. Nürnberg
1971, Nr. 265, 1.

Dieser und vier weitere Holzschnitte Dürers fussen auf Miniaturen, die 1515 fertig-
gestellt waren. Geplant war ein Buch über das Leben des Kaisers Maximilian, der unter
dem Namen «Freydal» seine ersten Taten vollbringt. Von den bloss fünf ausgeführten
Holzschnitten zeigen einer eine höfische Maskerade und die andern vier verschiedene
Arten des Zweikampfes: «Scharfrennen», «Welsch Gestech» (beidseitig einer Bretter-
wand), «Zweikampf mit dem Dolch» und das «Anzogen Rennen». Etwa gleichzeitig
Burgkmairs «Turnier»-Holzschnitt für ein anderes, nicht Fragment gebliebenes Buch-
Werk für Kaiser Maximilian, den «Theuerdank», zu dem der «Freydal» den Anfang
bilden sollte (H. Burgkmair, Kat. Augsburg/Stuttgart 1973, Nr. 173). Alle diese Holz-
schnitte von Dürer und Burgkmair sollen an bestimmte historische Leistungen des
Kaisers erinnern, die aber mythisch überhöht wurden im Sinne der Ideale des «letzten
Ritters» Maximilian.

117 **Lukas Cranach d.Ä., Werkstatt**
Turnierbuch des Kurfürsten Johann Friedrich
des Grossmütigen von Sachsen   **Abb. 94**
1521–1534. Wasser- und Deckfarben, z. T. mit Silber und Gold gehöht, über
Federzeichnung. Seitengrösse 22,3 × 31,5 cm.
Veste Coburg, Kupferstichkabinett der Kunstsammlungen (Ms. 2).

Schuchardt II, S. 37f., Nr. 73–218 (die 146 Miniaturen nicht einzeln beschrieben). –
Lindau, S. 340. – S. Haenel, Der sächsischen Kurfürsten Turnierbücher in ihren her-
vorragenden Darstellungen, Frankfurt a. M. 1910, Sp. 5ff., Sp. 28ff., Nr. 81, 102, 115. –
Die Fechtkunst von 1500–1900, Kat. Veste Coburg 1968, Nr. 9. – H. Maedebach,
Kunstsammlungen der Veste Coburg, Coburg 1969, Nr. 112, mit Farbtafel. – Kronach-
Coburg 1972, Einlegeblatt Nr. 26.

Man sieht auf jeder aufgeschlagenen Doppelseite Johann Friedrich mit einem Gegner rennen. Die Daten 1523 und 1527 kommen vor, die gezeigten Turniere erstreckten sich auf die Zeit von 1521–1534. 1543 wurde das Büchlein gebunden (Holzdeckel mit gepresstem Lederbezug). Die Gegner sind oft mit Namen genannt – bei der hier abgebildeten Doppelseite leider nicht (Seite LXXX); der links heranreitende Johann Friedrich bleibt Sieger. Auch von Kurfürst Johann, dem Vater Johann Friedrichs, hat sich ein Turnierbuch erhalten. Ein Turnierbuch des Freiherrn Caspar von Lamberg, der am Hof des Kaisers Friedrich III. erzogen wurde, führt 88 Rennen in Deckfarbenminiaturen aus dem späten 15. Jahrhundert vor (Maximilian I., Kat. Wien 1959, Nr. 594). Ein Buch mit Turnieren von 1489/90–1511, 35 Miniaturen-Blätter, König Maximilian als Teilnehmer: F. Gall, Das ritterliche Spiel zu Linz von 1489/1490, in: Kunstjahrbuch d. Stadt Linz, 1964, S. 91–99.

118 **Monogrammist MZ** (tätig um 1500)
Turnier mit Lanzen
Bez. M Z, dat. 1500. Kupferstich. 22,3 × 31,1 cm.
Basel, Kupferstichkabinett des Kunstmuseums.

Lehrs VIII, 1932, S. 369, Nr. 18. – Fifteenth Century Engravings of Northern Europe, Kat. Washington 1968/69, Nr. 153. – Vgl. Lit. bei Nr. 80.

119 **Monogrammist MZ** (tätig um 1500)
Tanzfest und kartenspielendes Fürstenpaar
Bez. M Z, dat. 1500. Kupferstich. 21,8 × 31,0 cm.
Basel, Kupferstichkabinett des Kunstmuseums.

Lehrs VIII, 1932, S. 367, Nr. 17. – Kat. 1968/69 (zit. bei Nr. 118), Nr. 152.

Die Stiche Nr. 118–119 bilden ein Paar und spiegeln den normalen Ablauf: nach dem Turnier das Bankett mit dem Ball, so wie auch Sibutus das Wittenberger Turnier vom November 1508 beschrieben hat (s. Nr. 110). Turniere erschienen in der älteren Druckgraphik nur vereinzelt als Buchholzschnitte (Schramm, Bilderschmuck, IV, 1921, Nr. 1149f. und XX, 1937, Nr. 1015f.). Der Meister M Z scheint auf seinem «Ball»-Stich den Münchner Hof des Herzogs Albrecht IV. von Bayern dargestellt zu haben. Auf der «Turnier»-Darstellung rechts an einem Haus das bayrische Wappen (unter der Jahrzahl 1500).

120 **Lukas Cranach d. Ä.**
Astronomische Tabelle und der Einfluss
der sieben Planeten auf ihre «Kinder»
Um 1515. Holzschnitt. 28,4 × 36,7 cm.
Wien, Graphische Sammlung der Albertina (Unikum).

Ho. H. 122. – Schuchardt II, S. 286f., Nr. 134. – G. 649. – Weimar 1953, Nr. 283. – Jahn, S. 47.

Planender Autor dieses Blattes ist der über dem Blatt sich nennende «magister Bonifacius von Czorbegk» – vielleicht identisch mit dem 1504 an der Wittenberger Universität immatrikulierten Studenten «Bonifacius erasmi de czerbich» (Schuchardt). Werner Schade identifiziert den Autor mit dem Mathematiker Bonifacius Rode von Zörbig. Dem «Planeten Sol» (Sonne) sind Turnierende und Ringer unterstellt, dem Planeten Merkur Maler und Bildhauer usw. (Zur Ikonographie der «Planetenkinder» generell: A. Hauber, Planetenkinderbilder und Sternbilder, Strassburg 1916.)

121   **Lukas Cranach d. J.**
      Ringerpaare
      Holzschnitte. Ca. 20,5 × 16,5 cm.
      Neun Einzelblätter, aus: Fabian von Auerswald, Ringer kunst... zu ehren
      Kurfürstlichen gnaden zu Sachsen..., Wittenberg, Hans Lufft 1539.
      Karlsruhe, Staatliche Kunsthalle.

Ho. (d. J.) 21. – G. A. Schmidt, Die Ringerkunst des Fabian von Auerswald, Leipzig
1869 (Faksimile). – Dodgson II, S. 339, Nr. 1. – M. Wierschin, Meister Johann Lichten-
auers Kunst des Fechtens, München 1965.

«Auch Dürer hat 1512 in Zusammenarbeit mit dem Humanisten Pirckheimer ein gezeichnetes Ring- und Fechtbuch geschaffen» (Schade, Cranach-Kat. Bukarest 1973,
Nr. 107).

F. Mathys (Schweiz. Turn- und Sportmuseum, Basel) macht darauf aufmerksam, dass
drei bescheidener illustrierte, undatiert gedruckte Ringerbüchlein aus der Zeit vor 1539
stammen: Drucke von Johann Sittich in Strassburg (21 Ringerpaare), von Matthias
Hupfuff in Strassburg um 1510 (22 Ringerpaare) und von einem anonymen Drucker in
Landshut (Autor Hans Wurm, 24 Ringerbilder, Blockbuch um 1507; vgl. W. L. Schreiber, in: Zentralbl. f. Bibl.wesen, XII, 1895, S. 245).
      Fabians Buch enthält vorn das kursächsische Wappen des Kurfürsten Johann
Friedrich von Sachsen (formal und heraldisch ganz ähnlich dem Holzschnitt Ho. [d. J.]
61 von 1546, der nach F. Thöne von L. Cranach d. Ä. gezeichnet wurde), dann eine
Widmung des Buches der «Ritterlichen und Adelichen Künsten» des Ringens an Johann
Friedrich (auch die «lustigen Gemelde» werden erwähnt), darauf das Autorenbildnis
des Fabian von Auerswald (Holzschnitt von Lukas Cranach d. J.: Nr. 162) und schliess-
lich die 85 Darstellungen von Ringerpaaren in verschiedenen Positionen mit kurzen
Erläuterungen; der eine der beiden Ringer trägt jeweils die Bildniszüge Fabians.

122   **Lukas Cranach d. Ä.**
      Putto mit dem kursächsischen Wappen   Abb. 95
      Dat. 1509. Kupferstich. 9,8 × 6,5 cm.
      Hamburg, Kunsthalle.

Nicht bei Ho. – Unpubliziert.

Ein Putto mit kurzen Flügeln trägt das kleingestaltete kursächsische Wappen in der
Tingierung (mit dem schwarzen Feld oben), die seit 1508/09 gültig wurde und vorher
umgekehrt angeordnet war (Flechsig, Cranachstudien, S. 18ff.; F. Steigerwald im Cranach-Kat. Berlin 1973, Nr. 56f., 75 u. 78). Die nächsten Verwandten hat dieser Flügelknabe auf dem Kupferstich mit dem « Kurfürsten Friedrich vor dem hl. Bartholomäus», Ho. K. 4 (Nr. 338). Wappenhaltende Putten, die als Holzschnitte 1519 in
einem Wittenberger Buch erschienen (Ho. H. 141; späte Verwendung 1543 in Halle:
J. Benzing, Gutenberg-Jb., 1939, S. 206; Hinweis F.) sind kurzhaarig und klobiger geworden. Während der genannte Adorations-Kupferstich tiefschwarz druckte und fast

überstark gestochen war, verrät der schwachzeichnende Abdruck des Wappen-Engels, dass Cranach mit dem Stichel zu wenig tief in die Kupferplatte gegraben hat. Vielleicht war es Cranachs erster, technisch noch nicht befriedigender Stecherversuch (trotz der Argumente von F. Steigerwald für die Frühdatierung des «Chrysostomus»-Stiches, Ho. K. 1 [Nr. 486]).

Aus unbekannten Gründen blieb der kleine Stich bisher unbeachtet. Die kreisende Strichführung z.B. um die Knie, die über den Körper fein hinwegstreichenden Kreuz-schraffuren und die partielle Auflösung der Linien in aneinandergereihte Punkte sind für Cranach charakteristisch, ebenso der etwas verdrossene Ausdruck des Gesichtes. Die Sensibilität des Striches und die Erfindung – mit dem entspannten linken Handgelenk und dem nachdenklichen Fastfrontalblick (ähnlich dem «Christkind»-Holzschnitt aus dem «Heiligtumsbuch» von 1509 (Nr. 95 ff.; Jahn, Taf. 66a) – sprechen deutlich für Cranach. Der faszinierende freie Verlauf der gewellten Rahmenlinie um den Putto, unter dem mehr ein Cupido-Amoretto als ein Engelchen zu verstehen ist, erinnert an den für Dürer umstrittenen frühen Kupferstich mit dem «Sturz des Paulus» (Pass. 110; Meder 46; Panofsky 217; Deutsche Kunst der Dürer-Zeit, Kat. Dresden 1971/72, Nr. 182; Unikum in Dresden); die Wolken-Konturen verlaufen dort in ähnlicher Kalligraphie (ich gestehe, dass ich auch diesen «frühesten Dürer-Stich», den Baldass Baldung zuschreiben wollte, für den jungen Cranach erwäge im Zusammenhang mit den bei Nr. 68 angestellten Überlegungen, aber ohne auch nur einigermassen präsen-tables Resultat).

123 Lukas Cranach d. Ä.
Putto knüpft das kursächsische Wappen auf
Um 1510. Feder in Braun, grau laviert, 12,2 × 13,3 cm.
Dresden, Kupferstichkabinett der Staatlichen Kunstsammlungen.

R. 12. – E. Bock, in: Old Master Drawings, VII, 1932/33, S. 28–30. – Altdeutsche Zeichnungen, Kat. Dresden 1963, Nr. 12 (W. Schade).

Die drei Zeichnungen Nr. 123–125 gehören nach E. Bocks Beobachtung zusammen und sind Entwürfe zu gemalten Schloss-Dekorationen. Sie rechnen mit der Untersicht. Zur selben Gruppe ist die verschollene Zeichnung eines «Herkules» zu rechnen: Nr. 507.

124 Lukas Cranach d. Ä.
Flügelknabe kniet in einem Rundfenster
Um 1510. Feder in Braun, grau und (im Grund) dunkelbraun laviert. 18,4 × 18,0 cm.
Dresden, Kupferstichkabinett der Staatlichen Kunstsammlungen.

R. 11. – Bock (zit. bei Nr. 123). – Schade (zit. bei Nr. 123), Nr. 61.

Der Flügelknabe erscheint in einem gemalt zu denkenden Fenster an einer illusionistisch dekorierten Schlosswand; er lächelt verschmitzt und grüsst mit den Händen. – Rück-seitig eigenhändige Aufschrift: «Ich Lucas Cranach maler und bürger zu Wittenberg».

125 Lukas Cranach d. Ä.
Schlossgiebel mit Wächter auf Balkon
Um 1510/15. Feder in Braun, grau laviert. 20,9 × 31,6 cm.
Weimar, Staatliche Kunstsammlungen, Schlossmuseum.

R. 14. – Schade (zit. bei Nr. 123). – E.-H. Lemper, Baukunst und Baukünstler in der deutschen Frührenaissance, in: Cranach-Colloquium, Wittenberg 1973, S. 139, Anm. 28.

Auf der Balkonbrüstung die kursächsischen Wappen und das der Markgrafschaft Meissen (Löwe).

Schade: «Sobald man versucht, sich den Grundriss des Giebelaufbaus zu vergegenwärtigen, steht man vor der unlösbaren Aufgabe, den durchbrochenen Nischenbogen, dessen rechtes Loch übrigens perspektivisch misslungen ist, mit der geschlossenen Giebelwand in Übereinstimmung zu bringen.» Offenbar reizte Cranach gerade die Unmöglichkeit der Höhlung, Durchbrechung und Vorwölbung. Der winzige Hellebardier sollte einen nur scheinbar realen Standort erhalten. Das Motiv des von drei Oculi durchbrochenen Tonnengewölbes kehrt 1518 auf dem Zwickauer Altar der Cranach-Werkstatt (FR. [57]; Flechsig, Tafelbilder, Taf. 37, 39) und auf den um 1520 entstandenen Entwürfen zu Altären für die Stiftskirche in Halle wieder (R. 30ff.; U. Steinmann, Staatl. Museen zu Berlin, Forschungen und Berichte, XI, Kunsthist. Beiträge, Berlin 1968, S. 69ff.), ebenso auf einem gleichzeitig gemalten, besonders feinen Cranach-Schulwerk mit drei weiblichen Heiligen im Museum von Toledo (Museum News, The Toledo Museum of Art, 1964, Abb. S. 85, u. 1970, Abb. S. 41) und schliesslich um 1524/25 auf Holzschnitt-Buchtiteln (Buch u. Schrift, Jb. d. dt. Ver. f. Buchwesen, I, 1927, Abb. neben S. 64; vgl. Nr. 238 und 242). Lemper meint, Cranach habe das Motiv 1508 aus den Niederlanden mitgebracht; er verweist auf den 1507 bestellten, 1509 vollendeten «Sippen-Altar» von Quentin Massys (dessen gemalte Architektur aber von ganz anderem Typus ist).

126 Lukas Cranach d. Ä. (Werkstatt?)
Gepanzerter Ritter als Herold mit den Wappen von Kursachsen und Cleve
Um 1527. Feder in Schwarz, grau laviert. 30,8 × 32,9 cm.
Erlangen, Graphische Sammlung der Universitätsbibliothek.

R. A 14. – E. Bock, Die Zeichnungen in der Universitätsbibliothek Erlangen, Frankfurt a. M. 1929, Nr. 1268, Taf. 257.

Wahrscheinlich zur Hochzeit Johann Friedrichs mit Sibylle von Cleve entstanden (s. Zeittafel, 1526/27), möglicherweise Entwurf zu Wanddekoration. Verwandt dem Reiterbild des Ascanius von Cramm, der 1527 am Festturnier zur Hochzeit glänzte (Nr. 24, Abb. 22). Im Hinblick auf die Hochzeitsfestlichkeiten hatte Cranach 1526 ein Holzschnitt-Wappen des Kurfürsten Johann, des Vaters Johann Friedrichs, auszuführen (Ho. H. 137); solche Wappen-Drucke wurden an Reisewagen, Herbergen, Zelten usw. zur Ankündigung des Herrn angeheftet (vgl. Cranach-Fs. 1953, S. 171, Nr. 53; Schu. I, S. 156f.).

L. Cranach d. Ä., um 1525/27 (Nr. 481)

127 Lukas Cranach d. Ä.
Wappen der Familie Hess
Um 1512. Holzschnitt. Oben, innerhalb der Darstellung, zwei Zeilen Schrift.
16,0 × 13,2 cm.
Dresden, Kupferstichkabinett der Staatlichen Kunstsammlungen.

Ho. H. 139. – G. 644. – Weimar 1953, Nr. 263.

Geisberg: um 1507. Schade (Cranach-Kat. Bukarest 1973, Nr. 44): «Das Wappen wird bezogen auf den Theologen Johannes Hess (1490–1547), den Reformator Breslaus, der 1510/12 in Wittenberg studierte», daher nicht vor 1510, aber noch vor dem Wappen von Sachsen-Lauenburg (Nr. 128).

128 Lukas Cranach d. Ä.
Wappen des Herzogs Johann IV. von Sachsen-Lauenburg
Um 1510/20. Holzschnitt. 26,7 × 17,7 cm.
a) koloriertes Exemplar
Schweizer Privatbesitz.
b) unkoloriertes Exemplar
Dresden, Kupferstichkabinett der Staatlichen Kunstsammlungen.

Ho. H. 138. – G. 642. – Weimar 1953, Nr. 267.

Zwei Bischöfe von Hildesheim aus dem Haus Sachsen-Lauenburg kommen als Träger des Wappens in Betracht. Geisberg: «Erich war 1503–1504, Johann IV. 1505–1527 Bischof von Hildesheim.» Geisberg datiert 1504/05, Scheidig (Kat. Weimar) um 1507 ohne Begründung; wegen der fünf Blätter im Rautenkranz nach 1506 anzusetzen (vgl. Flechsig, Cranachstudien, S. 17f. u. 62). Die zügige Zeichenweise veranlasst Schade (Cranach-Kat. Bukarest 1973, Nr. 45) zu einer Datierung um 1520 (Schade gibt übrigens an, Johann sei 1503/04 und sein Bruder Erich 1505–1527 Hildesheimer Bischof gewesen, von uns nicht nachgeprüft).

129 Lukas Cranach d. Ä.
Wappen des Degenhart Pfeffinger
Nach 1511. Holzschnitt. Über der Darstellung zwei Zeilen Schrift.
23,8 × 18,5 cm.
Wien, Graphische Sammlung Albertina.

Ho. H. 140. – Dodgson II, S. 302/03. – G. 645. – O. Hupp, Heraldische Einblatt-Holzschnitte aus der ersten Hälfte des 16. Jahrhunderts, München 1929, Bl. 59.

D. Pfeffinger (1471–1519) war Rat und Kämmerer des Kurfürsten Friedrich des Weisen, den er 1493 ins Heilige Land begleitete, und Erbmarschall in Niederbayern. Er wurde 1511 von Kaiser Maximilian durch eine Wappenvermehrung (von Mitra gekrönter Löwe) ausgezeichnet; im selben Jahr 1511 stiftete Pfeffinger zum Gedächtnis einiger Wittenberger Kanoniker ein Anniversar in der dortigen Allerheiligenkirche. «Schwerlich hat jemand ihn an Eifer für Werke der katholischen Frömmigkeit übertroffen; er

war Mitglied von mindestens 43 frommen Bruderschaften» (Kirn, S. 25); Reliquiensammlung: s. bei Nr. 95. Er sammelte antike Münzen und liess von Adriano da Fiorentino um 1498 seine Medaille herstellen (s. bei Nr. 27). Er wurde 1506 von Cranach auf
dem «Katharinen-Altar» als Scharfrichter porträtiert (Abb. 12). Von Cranach liess er
sich um 1515 eine «Anbetung der Könige» malen (Nr. 374).

130 **Lukas Cranach d. Ä.**
Wappen des Caspar von Schöneich
Um 1515/20. Holzschnitt, koloriert. 22,0 × 13,4 cm.
Nürnberg, Germanisches Nationalmuseum.

Ho. H. 143. – G. 647. – Weimar 1953, Nr. 272.

Geisberg datiert um 1520, weil die Beschriftung an das September-Testament (Nr. 221)
erinnert. Weimarer Kat. (Scheidig): um 1512.

131 **Lukas Cranach d. Ä., Werkstatt**
Wappen Lukas Cranachs   **Abb. 96**
Federzeichnung, laviert. 20,6 × 15,7 cm.
Erlangen, Graphische Sammlung der Universitätsbibliothek.

Nicht bei R. – Schu. III, S. 153, Nr. 48 («Original»). – Flechsig, Cranachstudien, S. 26
(«Original»). – E. Bock (zit. bei Nr. 58), Nr. 1312. – A. Giesecke, in: Zs. f. Kunstwiss.,
IX, 1955, S. 182.

Wohl Kopie nach einer Zeichnung Cranachs der Zeit um 1510/15 (im Typus Nr. 130
ähnlich). Am 6. Januar 1508 in Nürnberg verlieh Kurfürst Friedrich, des Reiches
Erzmarschall (vgl. Nr. 28–32), in Vertretung des Kaisers Cranach das Wappen: «ein
gelen Schild, darinnen eine schwarze Schlange, habend in der Mitte zwei schwarze
Fledermausflügel, auf dem Haupt eine rote Krone und in dem Mund ein gülden Ring-
lein, darinnen ein Rubinsteinlein, und auf dem... Helm ein gelber Pausch von Dornen
gewunden, darauf aber eine Schlange ist zu gleichermass im Schilde...» (F. Warnecke,
Lucas Cranach der Ältere, Beitrag zur Geschichte der Familie von Cranach, Görlitz
1879; Lüdecke, S. 59f.). L. Cranach d. Ä. benutzte sein Wappen und Siegelbild (Pet-
schaft) als Signatur seiner Werke, angeblich erstmals bei der «Kreuzigung» (Nr. 103,
Abb. 91). Die Signaturform wurde 1537, nach dem Tod des Hans Cranach und dem
wahrscheinlichen Aufrücken von Lukas Cranach d. J. zu einer führenden Person in der
Werkstatt, geändert: statt der zwei stehenden Fledermausflügel eine horizontal aus-
schwingende Vogelschwinge. Dieses geänderte Zeichen verwendeten ab 1537 sowohl
der Sohn als auch der Vater, dessen weiterhin starke Produktivität von den Rechnungen dokumentiert wird (es gibt kein nach 1537 datiertes Bild mit dem alten, 1508
verliehenen Wappenzeichen: s. R., S. 9f., gegen Gieseckes These). Auch von Jörg
Breu d. Ä. weiss man, dass er 1534 seinem 24jährigen Sohn in Augsburg die Maler-
gerechtigkeit und sein Werkstattzeichen übergab. Breu starb allerdings bald (1537),
während L. Cranach d. Ä. noch bis zu seinem Tod 1553 Malereien lieferte und seit 1550
getrennt von der Wittenberger Werkstatt des Sohnes arbeitete (Bildnisse des Kaisers
Karl V.: Nr. 199, 200).

132 Lukas Cranach d. J. (?)
Wappen des Landgrafen Philipp von Hessen
1546. Holzschnitt, koloriert. 39,5 × 26,3 cm (mit Schrift).
Schweizer Privatbesitz.

Ho. (d. J.) 62. – G. 685. – Weimar 1953, Nr. 298.

Die Wappen des Johann Friedrich von Sachsen (Ho. [d. J.] 61) und des Philipp von
Hessen wurden offenbar im Zusammenhang mit der Rüstung zum Schmalkaldischen
Krieg hergestellt (Gefangennahme der beiden Fürsten durch Kaiser Karl: s. Zeittafel 1547). W. Schade (Cranach-Kat. Bukarest 1973, Nr. 111–112): «Cranach der Jüngere
schickte einen Teil der Wappen (einen Bund ausgemalter Wappenbriefe) am 26. Juni
1546 an den Hof in Weimar, einen Monat vor der Verhängung der Reichsacht gegen
die beiden Fürsten.» Friedrich Thöne (mündlich) meint, die Zeichnung zu den beiden
Wappen sei eher L. Cranach d. Ä. zuzuschreiben.

133 Lukas Cranach d. J.
Wappen von Mecklenburg
Gegen 1552. Bez. mit Schlange mit liegendem Flügel. Holzschnitt.
14,8 × 10,5 cm. Rahmung nicht zugehörig und späteren Datums.
Wien, Österreichisches Museum für angewandte Kunst.

Ho. (d. J.) 63. – Dodgson II, S. 339, Nr. 5. – Die Druckgraphik Lucas Cranachs und
seiner Zeit, Kat. Wien 1972, Nr. 29, Abb. 34.

Aus unbekannter Verwendung von 1575 (nicht bei Hollstein). Erstmals erschienen auf
der Rückseite des Titels von: Mecklenburgische Kirchenordnung..., Wittenberg,
Hans Lufft 1552. Ab 1559 auch als Exlibris verwendet.
      Für den jüngeren Cranach charakteristisch ist die gleichmässige Dichte der
Schraffuren, das Vermeiden von Akzentuierungen und die dekorative Ausfüllung des
Bildfeldes. – Zur Verbindung der Häuser Sachsen-Wettin und Mecklenburg 1500
s. Nr. 596, 597 und Stammtafel a und c.

134 Lukas Cranach d. Ä.
Bücherzeichen des Dr. Theodor Bloch mit den Heiligen
Cosmas und Damian   Abb. 121
Um 1510. Holzschnitt, oben und unten je zwei Zeilen Text. 15,8 × 12,3 cm.
Privatbesitz.

Ho. H. 136. – C. Meyer, in: Zs. für Bücherzeichen, II, 1892, Heft 3, S. 10. – G. 643.–
Weimar 1953, Nr. 270.

Oben und unten je ein lateinisches Distichon. Mit dem oben genannten «Felsina» ist Bologna gemeint, wo Bloch studiert hatte. Theodor (Dietrich) Bloch, der einen Holz-«Block» als redendes Wappen führt, war Arzt und Poet, 1508/09 Rektor der Wittenberger Universität. 1511 oder kurz danach hat er Wittenberg verlassen. Um 1510/11 muss Cranach seine nach der Rektoratsperiode geheiratete Gemahlin porträtiert haben; ein Epigramm auf Cranachs Bildnis der Gesa Bloch ist überliefert (Schu. III, S. 83 f.; H. Michaelson, in: Kunstchronik, Beiblatt zur Zs. f. bild. Kunst, NF X, Nr. 24, 10. Mai 1899, Sp. 375; D. Koepplin, in: Zs. d. dt. Ver. f. Kunstwiss., XX, 1966, S. 82 f.). Die von den Köpfen leicht abgesetzten Nimben ähnlich auf den Holzschnitten zu Adam von Fulda 1512 (Ho. H. 65 [Nr. 324]); zur Entwicklung der Nimbenformen s. Nr. 102 bis 103.

    Die Heiligen Cosmas und Damian sind Patrone der Ärzte, auch der medizinischen Fakultät der Universität Wittenberg (450 Jahre Martin-Luther-Universität Halle-Wittenberg, 1952, I, S. 93 ff.). Es bleibe nicht unerwähnt die widerlegbare Vermutung von W. K. Fränkel, Das Dr. Blochsche Exlibris von Lucas Cranach, Ein bisher nicht erkanntes Selbstbildnis des Künstlers?, in: Janus, Archives internationales pour l'hist. de la Médecine, XXXIX, 1935, S. 207–211.

135 **Lukas Cranach d. Ä.**
    Bücherzeichen des Dr. Christoph Scheurl-Tucher   **Abb. 97**
    Um 1510. Kolorierter Holzschnitt. 16,4 × 12,6 cm (Blattgrösse 27,3 × 19,3 cm). London, The British Museum, Department of Prints and Drawings (1972 U. 1124).

Ho. H. 144. – Dodgson II, S. 276, Nr. 1, u. S. 305, Nr. 80. – Weimar 1953, Nr. 155.

Zuerst 1511 in einer von W. Stöckel in Leipzig gedruckten Schrift Scheurls verwendet. Kolorierung: Mantel braun mit grünen Streifen, Achselstücke grün, bunte Straussenfedern, Boden grün, Himmel oben blau; Wappen in der rechten Hand weiss auf rot, in der linken Hand schwarz-weiss und grauer Mohrenkopf auf gelb.

Wie das lateinische Distichon besagt, trägt das Hoffräulein die Wappen der beiden Eltern des Humanisten. Dr. Christoph Scheurl (1481–1542) war Nürnberger Patrizier, studierte seit 1498 in Bologna, bereiste ganz Italien, 1506 in Bologna Promotion zum Doktor der Rechte, darauf Berufung an die Wittenberger Universität, 1507 hier Rektor der Universität, 1508 Redaktion der Universitätsstatuten, Rat und Diplomat im Dienst des Kurfürsten Friedrich, Winter 1511/12 nach Nürnberg zurückgekehrt, hier Rechtskonsulent der Stadt und mit Kursachsen weiterhin in reger Verbindung. 1508 publizierte Scheurl ein (lateinisches) «Büchlein zum Lob Deutschlands und der Herzöge Sachsens» (darin das Lob Dürers und seiner Wittenberger Altäre: H. Rupprich, Dürer, Schriftlicher Nachlass, I, Berlin 1956, S. 290 ff.) und 1509 eine im Vorjahr gehaltene Rede mit Widmung an Cranach (Nr. 96). 1509 malte Cranach sein Bildnis (Nr. 164, Abb. 120). Aus Nürnberg mahnte er Cranach wiederholt wegen eines von ihm bestellten Bildes für die Kapelle in Bollersberg (W. Graf, Doktor Christoph Scheurl von Nürnberg, 1930, S. 71).

    Scheurl war mit Dürer, den er über alle zeitgenössischen Maler stellte, befreundet. Im Umkreis Dürers entstand bereits um 1500 oder kurz danach (?) ein Holzschnitt-Bücherzeichen Scheurls, das oben den selben Zweizeiler trägt. Auch hier hält eine junge, mehr antikisch drapierte Frau die beiden Wappen. Die Zuschreibung an Dürer ist umstritten, ebenso die Datierung (Pass. 214; Meder 291, «um 1512»; Panofsky 410, «wahrscheinlich nicht von Dürer»; F. Winkler, Albrecht Dürer, Berlin 1957, Anm. S. 129 f.).

136 Cranach-Schule
Entwurf zu einer Silberplatte (?) Abb. 99
Um 1530. Feder in Braun, grau laviert. Durchmesser 28,5 cm. – Wasser-
zeichen: Kleiner Reichsapfel mit Stange und Kreuz, Variante zu Briquet
3061 oder 3067, 1.Viertel 16. Jh.
Mdina (Malta), Kathedral-Kapitel; Cathedral Museum (369).

Der Hinweis auf das interessante Blatt wird Dieter Kuhrmann, München, verdankt.
In der Mitte ein Vortragekreuz auf einem Wappenschild. Die Ornamentik gleicht derjenigen der Cranach-Buchgraphik. Die Engelköpfe mit ihren überhöhten Schädeln erinnern an die Kinderköpfe des «Meisters H B mit dem Greifenkopf» (I. Kühnel-Kunze,
in: Zs. d. dt. Ver. f. Kunstwiss., VIII, 1941, S. 209ff. u. Zs. f. Kunstwiss., XIV, 1960,
S. 57ff.).

137 Lukas Cranach d. Ä.
Sächsischer Fürst auf der Eberjagd
Um 1507. Bez. LC. Holzschnitt. 2. Zustand. 18,0 × 12,4 cm.
Braunschweig, Kupferstichkabinett des Herzog Anton Ulrich-Museums.

Ho. H. 113. – Dodgson II, S. 285, Nr. 12. – G. 625. – Weimar 1953, Nr. 104. – Jahn
S. 22. – Berlin 1973, Nr. 82.

Im Kontrast zur Weite und Vielfigurigkeit der «Hirschjagd» (Nr. 138, um 1506) begegnen sich hier am dichtbestandenen Waldrand der gehetzte Keiler und der Jäger, der
vom Pferd herab dem Tier den Gnadenstoss gibt, in merkwürdiger Intimität und
Zuständlichkeit, ja fast Besinnlichkeit. Die Enge der Situation interessierte Cranach.
Durch die Bäume hindurch sieht man in der Ferne eine Burg, dem Ritter attributartig
zugeordnet wie die in den Bäumen hängenden kursächsischen Wappen.

138 Lukas Cranach d. Ä.
Sächsisch-kurfürstliche Hirschjagd Abb. 100
Um 1506. Bez. LC. Holzschnitt aus zwei Blöcken zusammengesetzt. 1. Zu-
stand. 37,2 × 51,4 cm.
Wien, Graphische Sammlung Albertina.

Ho. H. 115. – Dodgson II, S. 282, Nr. 3. – G. 632. – Weimar 1953, Nr. 109. – R. van
Marle, Iconographie de l'art profane..., I, Den Haag 1931, S. 197ff. – K. Sternelle,
Lucas Cranach (Die Jagd in der Kunst), Hamburg/Berlin 1963.

Holzschnitt von monumentalem, bis dahin ungewohntem Format, Paradestück des
(seit 1505) kursächsischen Hofmalers Cranach. Das Schloss im Hintergrund links
konnte bisher nicht sicher identifiziert werden (Lochau? Cranach-Colloquium, 1973,
S. 116, Anm. 17). Als typologisches Vorbild für den Mehrplattendruck und für die
Ausbreitung des Geländes mit den zahlreichen, verketteten Szenen darf man den
Sechsplatten-Kupferstich des Meisters P W vermuten, der den Schweizerkrieg von 1499
darstellt (F. Anzelewsky, Eine Gruppe von Darstellungen aus dem Schweizerkrieg von
1499 und Dürer, in: Zs. d. dt. Ver. f. Kunstwiss., XXV, 1971, S. 3–16).

Es zeugt vom Erfolg des Holzschnittes und verrät auch, wem vor allem imponiert werden sollte, dass eine für Kaiser Maximilian 1512 gemalte Miniatur den Vordergrund in der ganzen Breite kopiert (Titel-Miniatur zur Beglaubigung der Privilegien des Hauses Österreich durch die Stadt Wien, worin Maximilian als «höchster Jäger des römischen Reiches» tituliert wird: Maximilian I., Kat. Wien 1959, Nr. 95, Abb. 22; Maximilian I., Kat. Innsbruck 1969, Nr. 284, Farbtafel XI). Vermutlich waren dem Kurfürsten Friedrich die Anstrengungen des Kaisers Maximilian bekannt, Jagd-Darstellungen durch seinen Innsbrucker Hofmaler Jörg Kölderer zu erhalten: als Miniaturen im Jagd-Buch, als Wandmalerei auf der Burg Runkelstein oder als Zeichnung, die von Maximilian eigenhändig «korrigiert» wurde (Erlangen, Bock 106; F. Wilflingseder, Joseph Grünpeck und Marx Reichlich, in: Kunstjahrbuch d. Stadt Linz, 1966, S. 54; zum ganzen Komplex zuletzt F. Winzinger, Die Miniaturen zum Triumphzug Kaiser Maximilians I., Graz 1973, S. 22 ff. und 60 f.; ferner M. Mayr, Das Jagdbuch Kaiser Maximilians I., Innsbruck 1901; neue Edition von F. Unterkircher, 1968; vgl. auch V. Oberhammer, «In memoriam Maximiliani», Eine Jagdtafel im Nationalmuseum in Stockholm, in: Der Schlern, XLIII, Bozen 1969, S. 115–127). Maximilian empfahl in seiner um 1501 verfassten Selbstbiographie die Jagd zur Erholung von Körper und Geist und meinte: «An ihm [Maximilian] nahmen und nehmen sich alle Könige und Fürsten ein Beispiel sowohl in jeder Art von Vogeljagd als auch in der Jagd auf Grosswild» (Franziska Schmid, Eine neue Fassung der maximilianischen Selbstbiographie, Diss. Wien 1950, Maschinenschrift, S. 9). Als Cranach 1508 zu Kaiser Maximilian in die Niederlande gesandt wurde, musste er ihm als Geschenk des sächsischen Kurfürsten das Bild eines Ebers überbringen, den der Kurfürst erlegt hatte (Scheurl 1509; Lüdecke 1953, S. 50).

Cranachs Holzschnitt wurde als Vorlage verwendet für ein Bronzerelief von Lyo Hering im Hauptsaal des Jagdschlosses Grünau, das Pfalzgraf Ottheinrich von Jörg Breu d. J. an den Wänden mit Jagd-Bildern ausmalen liess (Ottheinrich-Gedenkschrift 1956, hrsg. v. G. Poensgen, S. 54 f., 96 ff.; S. 148: im Heidelberger Schloss-Inventar zwei Gemälde Cranachs mit dem «Paris-Urteil», wahrscheinlich aus Ottheinrichs Besitz).

139 **Kopie nach Lukas Cranach d. Ä.**
Sächsisch-kurfürstliche Hirschjagd mit Kaiser Maximilian I.
Um 1600, nach dem Vorbild 1529 dat. und falsch bez. mit der Schlange mit liegendem Flügel. Auf Eichenholz. 86,5 × 123 cm.
Basel, Kunstmuseum (179).

FR. (231). – Lucas Cranach d. Ä. u. seine Werkstatt, Kat. Wien 1972, Nr. 9 (K. Schütz). – I. Roch, Burgen- und Schlossdarstellungen bei Cranach, in: Cranach-Colloquium, Wittenberg 1973, S. 114.

Das 1529 datierte und signierte Vorbild befindet sich im Kunsthistorischen Museum in Wien (allseitig leicht beschnitten, 80 × 114 cm). Vorn als Armbrustschützen von rechts nach links Kurfürst Johann, Kaiser Maximilian (gest. 1519) und Kurfürst Friedrich von Sachsen (gest. 1525). Im Schiff darf (soll) sich der Hofnarr die Freiheit nehmen, eine Hofdame zu liebkosen. Johann (1468–1532) gab den Auftrag zu diesem Bild, das vielleicht – aber nicht notwendigerweise – an eine bestimmte, von den beiden sächsischen Fürsten gemeinsam mit Maximilian begangene Jagd erinnern soll (1497 hielten sich Friedrich und Johann von Sachsen in Innsbruck beim jagdfreudigen Maximilian auf; zu Maximilians Jagd-Leidenschaft vgl. Nr. 138). Die Präsenz Maximilians will wohl eher generell besagen: Wir Kurfürsten von Sachsen haben auch mit Kaiser Maximilian an festlichen Hofjagden teilgenommen und wissen selber die Jagd zu pflegen (darum schon um 1506 der Holzschnitt Cranachs, Nr. 138).

Für den Anlass dieser grossen Bilder, von denen das 1529 datierte das früheste der erhaltenen ist, muss von Bedeutung gewesen sein, dass im Hintergrund das Schloss Mansfeld in ähnlicher Gestalt erscheint, wie sie noch der Stich Merians um 1650 überliefert (I. Roch; dasselbe Schloss auf einem Gemälde von L. Cranach d. J. 1549, FR. 351, Feststellung W. Schade). Der Bau der drei Mansfelder Schlösser, die eine gemeinsame Befestigung erhielten, wurde nach der Erbteilung von 1501 begonnen und war eine der prächtigsten baulichen Unternehmungen in Sachsen (neben den Schlössern in Meissen, Wittenberg, Merseburg, Halle, Dessau und vor allem Torgau: Abb. 106 und Nr. 350; von Halle ausstrahlende Frührenaissance-Architektur). Die Mansfelder Grafen wurden durch den Kupferschieferbau reich. 1525 richtete Luther im Auftrag des Grafen Albrecht von Mansfeld eine Schule ein (I. Höss, Georg Spalatin, Weimar 1956, S. 279; Graf Albrecht von Mansfeld, 1480–1560, wurde von L. Cranach d. J. 1548 im Holzschnitt porträtiert: Ho. [d. J.] 46).

Jagdbilder dieser Art wurden zum Verschenken hergestellt, in diesem Fall wohl als Geschenk an die Grafen von Mansfeld. Es sind als Tafelbilder nobilitierte Wanddekorationen, veredelte Wandteppiche oder mobile Wandgemälde.

140 Lukas Cranach d. Ä.
Sächsisch-kurfürstliche Hirschjagd (Fragment)   **Abb. 101**
Um 1538/40. Auf Holz. 83 × 56 cm.
Linköping, Länsmuseet Östergötland (B. 244).

Nicht bei FR. – E. H. Zimmermann, in: Zs. d. dt. Ver. f. Kunstwiss., VIII, 1941, S. 31.– Christina, Queen of Sweden, Kat. Stockholm 1966, Nr. 1295.

Mit Beschädigungen (untere Partie und rechte Ecke) erhalten hat sich die knappe rechte Hälfte eines querformatigen Bildes etwa aus der Zeit bald nach dem 1529 datierten Gemälde, von dem Nr. 139 eine Kopie ist. Die «Hirschjagden» der Zeit ab 1540 sind im Format grösser und haben einen offizielleren, weniger intimen Charakter (vgl. Detail: Abb. 106). Auftraggeber war der Kurfürst Johann Friedrich, der uns rechts vorn sein Gesicht zuwendet. Hirsche werden in den Fluss getrieben und mit der Armbrust geschossen. Auch eine Fürstin, wohl Sibylle von Cleve, Johann Friedrichs Gemahlin, beteiligt sich am Armbrustschiessen. Sie ist von Hoffräulein und von einem Armbrustspanner begleitet. Ritter im Wald überwachen den Verlauf der Jagd. Von Interesse wäre es, die Identität des schätzungsweise knapp zehnjährigen Prinzen vorn links festzustellen; seine ausgeprägten Bildniszüge gleichen denen des Herzogs Johann Wilhelm von Sachsen-Lauenburg, wie er auf dem Porträtholzschnitt Lukas Cranachs d. J. um 1548 erscheint (Nr. 205, Abb. 168). Johann Wilhelm war der Sohn des rechts vorn armbrustschiessenden Kurfürsten Johann Friedrich und lebte 1530–1573. Aus der hier vorgeschlagenen Identifizierung ergäbe sich die Datierung des Bildes um 1538/40, die man auch aus stilistischen Gründen erschliessen würde. Die Beweglichkeit der Blätter und die Geschmeidigkeit der ganzen Komposition sprechen gegen eine spätere Ansetzung. Zimmermann: «nur wenig später» als das 1529 datierte Jagd-Bild FR. 231.

141   **Lukas Cranach d. Ä.**
      Gefleckter Wildeber   **Abb. 103**
      Um 1530. Aquarell, Deckfarben und Feder in Braun, 16,3 × 24,0 cm.
      Dresden, Staatliche Kunstsammlungen, Kupferstichkabinett (C 2174).

R. 64. – Girshausen, S. 49 ff. – Altdeutsche Zeichnungen, Kat. Dresden 1963, Nr. 74
(W. Schade). – Schade, Zeichnungen, S. 37, Farbabb. 16.

Girshausen: «Erinnerungsbilder an erfolgreiche Jagden scheinen am sächsischen Hof
Tradition gewesen zu sein. Es ist kaum anzunehmen, dass Jacopo de' Barbari der erste
war, der solche Tierstilleben gemalt hat, denn die ganze Darstellungsart spricht mehr
für eine nordische Erfindung.» Dem widerspricht aber das Vorhandensein der höfisch
inspirierten Tier-Zeichnungen von Michelino da Besozzo und Pisanello aus dem
frühen 15. Jahrhundert, deren Art J. de' Barbari (Abb. 104) 1500 nach Nürnberg zu
Dürer (Abb. 102) und 1503 nach Wittenberg tradiert haben dürfte (zu den italienischen
Anfängen O. Pächt, in: Journal of the Warburg and Coutauld Inst., XIII, 1950, S. 13 ff.).
      Mit diesen Jagd-Trophäen wurde nicht bloss das erlegte Tier, sondern indirekt
auch der Jäger «porträtiert». Nach der Natur studierte Tiere erscheinen um 1509 auf
Cranachs Holzschnitt des «Sündenfalls» (Nr. 573), später auf Bildern solcher Themen,
die mit der Jagd und ihrer Symbolik (und mit den fürstlichen, jagdfreudigen Auftraggebern) zu tun haben: «Quellnymphe» (aus dem Gefolge der Jagd-Göttin Diana,
Nr. 544, Farbtafel 17), «Venus und Cupido» (Anspielung an den mit seinen Liebespfeilen jagenden Cupido, Nr. 569), «Herkules bei Omphale» (Cupidos Liebespfeilen
erlegen, Nr. 473, Farbtafel 21), «Diana und Aktäon» (Nr. 506).
      Das Gebetbuch des Kaisers Maximilian füllte Cranach 1515 mit Hirschen (R. 21 ff.).
Auch in kursächsischen Schlössern malte Cranach in lebensgrossem Format (direkt auf
die Wand?) erlegte Tiere und Vögel (nach dem Zeugnis Scheurls 1509, Nr. 96); vgl.
Cranach-Abrechnung 1545 «vor die zwen auerochsen im gemach übern sal» in Torgau
usw. (Schu. I, 170). – 1520 zeichnete Dürer für Friedrich den Weisen einen Entwurf zu
einem Drachenleuchter unter Verwendung eines Hirschgeweihs (L. Grote, Die Tucher,
München 1961, Abb. 35).

142   **Wenzel Hollar** (1607–1677)
      a. **Schwarzer Wildeber,** nach Cranach
      Bez. «L. Cranach delin. WHollar fecit». Radierung. 9,5 × 13,2 cm.
      Basel, Kupferstichkabinett des Kunstmuseums.
      b. **Ruhender Hirsch nach links,** nach Dürer
      Dat. 1649. Radierung. 8,9 × 11,8 cm.
      c. **Ruhender Hirsch nach rechts,** nach Dürer
      Dat. 1649. Radierung. 8,9 × 11,8 cm.
      d. **Ruhender Löwe,** nach Dürer
      Dat. 1645. Radierung. 9,5 × 13,0 cm.
      b–d München, Staatliche Graphische Sammlung.

G. Parthey, Wenzel Hollar, Beschreibendes Verzeichnis seiner Kupferstiche, Berlin 1853, Nr. 2091, 2092, 2093, 2094. – Winkler III, Taf. XIII.

Die drei von Hollar reproduzierten Blätter von Dürer waren laut Aufschrift 1518 datiert und lagen in der berühmten Sammlung des Lord Arundel in London. Beim nach Cranach radierten Eber fehlen Datum und Angabe der Sammlung. Hollar hat einen weiteren Löwen Dürers 1649 reproduziert, im übrigen einige Gemälde und Zeichnungen dieses Meisters. Hollar war in Prag, Wien, London und an verschiedenen Orten in Deutschland und in den Niederlanden tätig.

143 Lukas Cranach d. Ä.
Zwei tote Seidenschwänze an einem Nagel hängend
Um 1530. Aquarell, Deckfarben. 36,4 × 20,3 cm.
Dresden, Staatliche Kunstsammlungen, Kupferstichkabinett (C 2179).

R. 69. – Altdeutsche Zeichnungen, Kat. Dresden 1963, Nr. 75.

Eine seit dem Zweiten Weltkrieg in Dresden verschollene ähnliche Vogel-Zeichnung trägt das Datum 1530. In Gemälden von Lukas Cranach d. Ä. und von Hans Cranach (Nr. 473, Farbtafel 21) aus den Jahren 1532 bis 1537 werden Vogelstudien dieser Art integriert. Bei diesen artistischen Trompe-l'œil- und Fleissarbeiten sollten sich wohl auch die Söhne Cranachs üben und bewähren. Die Vorbilder Jacopo de' Barbaris (Abb. 104; Aquarell in London: Popham/Pouncey, Taf. 5; vgl. Pantheon, XXI, 1938, Abb. S. 299) und Dürers gaben den Anstoss. Antike Tradition steht im Hintergrund (römische Mosaiken; Hinweis W. Schade). Dürers Aquarelle von aufgehängten Vögeln tragen die Daten 1512 und 1515 (Winkler, 615 f.).

144 Hans Cranach (?)
Vier tote Rebhühner   Abb. 105
Um 1530. Aquarell und Deckfarben. 45,0 × 32,2 cm.
Dresden, Staatliche Kunstsammlungen, Kupferstichkabinett (C 1193).

Nicht bei R. – Altdeutsche Zeichnungen, Kat. Dresden 1964, Nr. 77. – W. Schade, Zum Werk der Cranach, I. Tierzeichnungen für die Werkstatt, in: Jb. 1961/62 Staatl. Kunstsammlungen Dresden, S. 29 ff. – Schade, Zeichnungen, Farbabb. 13.

Benutzt für die Cranach-Gemälde «Herkules bei Omphale» von 1532 und «Die Bezahlung» (FR. 223 – bei den Abbildungen versehentlich die Nr. 224 tragend – und FR. 236). Übungsstück eines der beiden Söhne Cranachs? Auch bei den entsprechenden Gemälden mit «Herkules bei Omphale» ab 1532 kommt Hans Cranach als Autor in Frage (FR. 223, farbig abgebildet in: Die Weltkunst, XXXVI, S. 269). Unser Bild von 1537, FR. 226 (Nr. 473, Farbtafel 21) ist von Hans Cranach signiert, zeigt aber ein mehr gebrochenes Kolorit.

145 **Hans Cranach(?)**
     Toter Erpel
     Um 1530. Aquarell und Deckfarben. 60,6 × 26,5 cm.
     Dresden, Staatliche Kunstsammlungen, Kupferstichkabinett (C 1960–31).

     Nicht bei R. – Altdeutsche Zeichnungen, Kat. Dresden 1964, Nr. 76. – Schade (zit. bei
     Nr. 144), Abb. S. 30.

     Benutzt für die Cranach-Gemälde «Herkules bei Omphale» und «Die Bezahlung»
     (FR. 224 – bei den Abbildungen versehentlich die Nr. 223 tragend – und FR. 236).
     Übungsstück eines der Söhne Cranachs ?

146 **Hans Cranach(?)**
     Sitzende Nebelkrähe
     Um 1530. Aquarell, Deckfarbe, Feder in Schwarz. 19,1 × 28,0 cm.
     Dresden, Staatliche Kunstsammlungen, Kupferstichkabinett (C 1960–30).

     Nicht bei R. – Altdeutsche Zeichnungen, Kat. Dresden 1963, Nr. 79. – Schade (zit. bei
     Nr. 144), Abb. S.39.

     Die relativ hohe Qualität des Blattes zeigt sich etwa im Vergleich mit dem 1579 datierten
     und signierten Aquarell «Nebelkrähe und Kohlmeise» des Cranach-Schülers Heinrich
     Goeding d. Ä. (Weimar 1972, Abb. S. 150). – Ein weiteres Aquarell mit zwei toten
     Rebhühnern (Dresden) ist bei Schade 1961/62 S. 35 abgebildet. Schade, Zeichnungen
     (1972), bildet ferner eine «Tote Krickente» und einen «Jungen Hirsch» farbig ab
     (Abb. 14f., Dresden). Er bemerkt zur ganzen Gruppe (1961/62, S. 39): «Von den Söhnen
     kommen Hans und Lucas in Betracht.»

147 **Lukas Cranach d. Ä.**
     Totes Reh
     Rückseite: Hirsche und Hindinnen
     Um 1520. Aquarell; Rückseite: Feder in Braun. 20 × 28,4 cm.
     Paris, Musée du Louvre, Cabinet des Dessins et des Estampes (RF 3894)

     R. 61,62. – Hirshausen, S. 50.

148 Lukas Cranach d. Ä. oder d. J., Werkstatt
Kämpfende Hirsche und Rehe im Wald   **Abb. 107**
Um 1540. Monogramm nicht original. Feder in Braun, grau laviert.
7,1 × 30,9 cm.
Bamberg, Staatsbibliothek (I. Pa. 22, aus der Sammlung J. Heller?).

Nicht bei R. – Unpubliziert.

Die Ängstlichkeit der Konturen einerseits und die Lebendigkeit der Komposition
andererseits deuten darauf hin, dass eine Werkstattkopie nach einer Zeichnung von
L. Cranach d. Ä. oder d. J. vorliegt. Ähnliche Hirsch-Gruppen schon 1515 im Gebetbuch Maximilians (R. 25), aber noch z. B. 1551 auf L. Cranachs d. J. Gemälde des
«Schlafenden Herkules» (Weimar 1972, Abb. S. 90 f.). – Die kämpfenden Hirsche und
die Jagd-Darstellungen aus der Zeichnungsgruppe R. A 25 stammen nicht von Cranach,
sondern von Augustin Hirschvogel (E. Baumeister, in: Münchner Jb., NF XIII,
1938/39, S. 203 ff.).

149 Lukas Cranach d. Ä.
Der hl. Eustachius anbetend vor dem Christus-Hirsch   **Abb. 108**
Um 1530. Feder in Braun, grau laviert. 23,4 × 18,1 cm.
Boston, Museum of Fine Arts, Frederick Brown Fund.

R. 54. – J. Rosenberg, in: The Art Quarterly, XVII, 1954, S. 282.

Der hl. Eustachius, der zu den «Nothelfern» gehört (vgl. Nr. 423), liess sich nach einer
Erscheinung des Kreuzes zwischen dem Geweih eines von ihm gejagten Hirsches taufen
(die analoge Hubertus-Legende ist davon abgeleitet und nicht primär). Dürer, dessen
Kupferstich (Nr. 150) Cranach ganz frei variierte, betitelte sein Werk ausdrücklich als
Darstellung des Eustachius, nicht des Hubertus; er hat diesen Heiligen auch auf dem
einen Flügel des Paumgartner-Altares dargestellt (Gegenstück zu Abb. 13), Cranach
auf einem Gemälde um 1515/20 (FR. 95). Anders als Dürer lässt Cranach den Hirsch auf
der Höhe eines bewaldeten Felsvorsprunges hervortreten und unpathetisch-hoheitsvoll
herabblicken. Cranachs Anlage der Adoration entspricht seinen religiös motivierten
Porträts (Nr. 338 ff.) und seiner Vorliebe für Diagonal-Kompositionen (z. B. Farbtafel 4, 20, 24).

150 Albrecht Dürer (1471–1528)
Hl. Eustachius
Um 1501/02. Bez. mit Monogramm. Kupferstich. 36,1 × 26,3 cm.
Basel, Kupferstichkabinett des Kunstmuseums.

B. 57. – Meder 60. – Panofsky 164. – A. Dürer, Kat. Nürnberg 1971, Nr. 496.

Vgl. Bemerkung zur vorigen Nummer. Grösster Kupferstich Dürers und Bravourstück
der stecherischen Durcharbeitung. Cranachs Qualität erweist sich daneben als geistige
Konzentration im lockeren, scheinbar spielerischen Wurf. Fraglich ist, ob Dürer dem
Heiligen die Züge des leidenschaftlichen Jägers König Maximilian geben wollte. Hand-
schuhe: vgl. Barbaris Stilleben, Abb. 104.

151 Lukas Cranach d. Ä., Werkstatt
Schreiender Hirsch, nach links

Aquarell. 15,6 × 13,4 cm.
Erlangen, Graphische Sammlung der Universitätsbibliothek.

Nicht bei R. – Kat. E. Bock (zit. bei Nr. 58), Nr. 1325.

Einen schreienden Hirsch bei zwei Hindinnen stellte L. Cranach d. Ä. oder d. J. auf einem Holzschnitt mit reformatorischem Text dar (Ho. H. 121; G. 633; vgl. den 1528 erschienenen satirischen Holzschnitt mit dem «Eselkönig», Nr. 254).

152, 153 Lukas Cranach d. J.
Entwürfe zu Reh- und Hirschgarten   Abb. 110, 111

Um 1570. Feder in Braun, aquarelliert. Rehe: 16,7 × 28,1 cm; Hirsche: 21,0 × 28,5 cm.
Leipzig, Graphische Sammlung des Museums der bildenden Künste (NI. 8427, 7723).

Altdeutsche Zeichnungen, Kat. Dresden 1963, Nr. 85 (W. Schade). – Altdeutsche Zeichnungen, Kat. Leipzig 1972, Nr. 20f. (K.-H. Mehnert).

Insgesamt vier ähnliche Zeichnungen (alle in Leipzig) dienten vermutlich als Bestellmuster für Wandschmuck im Auftrag des Kurfürsten August von Sachsen. In einem Brief dieses Fürsten an L. Cranach d. J. vom 29. Juli 1568 werden wohlgefällige Entwürfe «von allerley wilden tieren und auch vögeln» erwähnt. Nach Schade ist als Werk L. Cranachs d. J. anzuschliessen ein – ikonographisch und künstlerisch allerdings andersartiges, nicht überzeugendes – Aquarell in Wien (Kat. Albertina 1933, Nr. 367, Taf. 128).

154, 155 Lukas Cranach d. J.
Zwei Fragmente einer Hirsch-,
Eber- und Bärenjagd   Farbtafel 7, Abb. 109

Um 1570. Auf Pappelholz. 154: 28,7 × 22,9 cm; 155: 47,3 × 30,5 cm.
Kreuzlingen, Sammlung Heinz Kisters.

E. H. Zimmermann, Ein zerstörtes Jagdbild Lukas Cranach d. J., in: Zs. d. dt. Ver. f. Kunstwiss., VIII, 1941, S. 31–36. – The Marshall Coll., Kat. Sotheby, London 1973/74, Nr. 52.

Ein an Nr. 155 rechts anschliessendes, ehemals in polnischem Privatbesitz nachgewiesenes Stück bei Zimmermann abgebildet (angebliche Masse: 74,5 × 40 cm; 2,5 cm dickes Holz). Es zeigt den Kurfürsten August von Sachsen, der einem niedergebrochenen Hirsch den Fangstoss gibt. Zu Nr. 155 beobachtet Zimmermann «den geistreich skizzierten Zug der Männer und Tiere, der sich den Berg hinaufwindet, das Felsentor durchschreitet, um schliesslich im Schlosstor zu verschwinden».
        Wenige Jahre nach dem Tod des Vaters L. Cranach hat sich die dünn tupfende und wischende Malweise und das raffiniert-bleiche Kolorit des Sohnes radikal geändert: dem neuen Zeitstil gemäss modernisiert, befreit von der doch belastenden Schulung des alten Cranach. Motivisch und stilistisch nahestehend die Zeichnungen Nr. 152f. und ein Jagd-Gemälde im Kröller-Müller-Museum in Otterlo (55 × 71 cm). Beachtlich ist der Abstand von den Jagd-Gemälden, die wohl auch schon L. Cranach d. J. in den 1540er Jahren gemalt hat und bei denen in der Landschaft noch nicht die freie Luft weht wie hier (Abb. 106, Ausschnitt).

156   Deutscher Meister um 1550
Hirschjagd
Mit Tinte von später Hand bez. «Lucas Cranach.». Kreide auf bräunlichem
Papier. 43 × 61 cm.
Detmold, Lippische Landesbibliothek (S 1473/584).

Schu. III, S. 145, Nr. 33. – E. H. Zimmermann (zit. bei Nr. 154, 155), S. 34.

Hans-Georg Gmelin machte auf das Blatt aufmerksam. Es stellte sich heraus, dass es
sich um das von Schuchardt beschriebene Stück aus der Auktion bei Heberle in Köln
1858 handelt (gemäss genauer Beschreibung und Massen, damals freilich noch auf
«blauem Papier»!). Die interessante, stark verwischte Komposition scheint aber mit
Cranach nichts zu tun zu haben, sondern erinnert eher an die Art von Lautensack, dem
die Zeichnung freilich nicht zugeschrieben werden soll.

157   Michael Ostendorfer (um 1494–1559)
«Warhafftige Contrafactur und verzeichnuss des Neuwen Schloss und
dess Hochgewildts im Lörserwald, zwischen dem Necker und Rheyn,
in der Pfaltz gelegen, zc.»
Dat. 1543, Wappen Pfalz-Bayern auf Markstein. Holzschnitt von 3 Blöcken.
26,4 × 110,3 cm (auf diesem Exemplar ohne die Überschrift).
Schweizer Privatbesitz.

G. 682–684. – Arnulf Wynen, Michael Ostendorfer, Diss. Freiburg i. Br. 1961, S. 141 ff.
(Maschinenschrift).

Im Hintergrund rechts der Mitte erblickt man das Dach des neuerbauten Jagdschlosses
Dachsölder, wohin sich, wie man weiss (Wynen), Pfalzgraf Friedrich mit seiner dänischen Gattin Dorothea 1543 zurückgezogen hat. Friedrich (1482–1556) war der Bruder
des Kurfürsten Ludwig V. von der Pfalz, der 1544 starb und die Kurwürde an Friedrich
weitergab. Ludwigs Sohn, Ottheinrich (1502–1559), war mit Susanna von Bayern verheiratet (Wappen des Holzschnitts auf ihn als Auftraggeber zu beziehen?). Er wurde
1542 lutherisch, während Ludwig, sein Onkel, die Ausbreitung der Reformation bloss
duldete und selber katholisch blieb. Ottheinrich war Kurfürst von 1556–1559. In den
beiden Armbrustschützen im Vordergrund links und rechts aussen und im Reiter rechts
darf man Bildnisse von Ludwig, Friedrich und Ottheinrich vermuten (Ottheinrich-
Bildnis: Pantheon, XXIII, 1965, S. 156 ff.). Ostendorfer, aus Regensburg, war als
Hofmaler Ottheinrichs zeitweilig in Heidelberg tätig (mit Datum 1543 ein von Ostendorfer gemaltes Bildnis des Herzogs Albrecht von Bayern: A. Stange, Malerei der
Donauschule, München 1964, S. 94 ff., 145 f., Abb. 152). Gemalte Jagddarstellungen
Cranachs und sein Holzschnitt von 1506 (den Ottheinrich von Loy Hering als Vorlage
verwenden liess: s. Nr. 138) haben offenbar die Anregung zu dem Holzschnitt gegeben.
Anders als bei Cranach wird der Blick ausschliesslich auf das detailreiche Geschehen im
Wald gelenkt und der Horizont nur gegen die Stelle etwas gesenkt, wo das Schloss auf-
tauchen soll. – 1530/40 kleine Judith- und Lucretia-Bilder Ostendorfers in Cranachs Art.

158 Lukas Cranach d. Ä. oder d. J.
Beschiessung der Festung Wolfenbüttel

1542/43. Holzschnitt aus 8 Blöcken zusammengesetzt. Zusammen 74,5 ×
109 cm.
München, Staatliche Graphische Sammlung.

Ho. (d. J.) 20. – Pass. 170. – G. 676–683. – H. Zimmermann, in: Zs. d. dt. Ver. f. Kunst-
wiss., IX, 1942, S. 37f. – F. Thöne, Wolfenbüttel, Geist und Glanz einer Residenz,
München 1963 (²1968), S. 41f. – H. Seifert, Vater und Sohn Lukas Cranach und die
Belagerung von Wolfenbüttel im August 1542, in: Braunschweiger Jb., LII, 1971,
S. 221 ff.

Die im Schmalkaldischen Bund vereinten Fürsten, Kurfürst Johann Friedrich von
Sachsen voran, schlossen den katholisch gebliebenen Herzog Heinrich von Braun-
schweig-Lüneburg in der Wasserburg Wolfenbüttel ein. Heinrich floh, die Truppen
ergaben sich. Diesen Sieg hatte Cranach (Vater oder Sohn?) mehrmals zu malen und
auch als Druck auszuführen. Der siebzigjährige Cranach begleitete Johann Friedrich
nach Wolfenbüttel ins Feldlager, um später die Bilder gestalten zu können. 1543 rechnet
Cranach ab für «Wolfenbeutel abgemalet», «vor die Jagd so hertzog Moritz geschenckt
worden», «vor ein nacket weyb gemalet» u.a. (Schu. I, S. 163).
    Ältere Schlachtendarstellung in der Graphik: vgl. Bemerkung zu Nr. 138; Eliz.
Morgan, The Battle of Fornovo, in: Prints, New York 1962, S. 253 ff. (zit. nach Fifteenth
Century Engravings of Northern Europe, Kat. Washington 1968, Nr. 261).

159 Lukas Cranach d. Ä.
Bildnis des kursächsischen Hofpoeten
Georgius Sibutus Daripinus   Abb. 112

Holzschnitt. 8,3 × 5,8 cm.
Auf der letzten Seite von: Friderici et Joannis Illustriss. Saxoniae principum
torniamenta per Georg. Sibutum Poe. et Ora. Lau. heroica celebritate
decantata. Wittenberg, Johannes Gronenberg (Rhau-Grunenberg) 1511
(Titelblatt: Kursächsisches Wappen, Nr. 101).
London, The British Library.

Nicht bei Ho. – G. Bauch, in: Repert. f. Kunstwiss., XVII, 1894, S. 433. – Dodgson II,
S. 278, Nr. 5.

Bauch erwog, ob M. D. XI. nicht verschrieben sei für IX: das wäre das Jahr der Cranach-
Holzschnitte, auf denen das hier von Sibutus besungene Turnier vom November 1508
dargestellt wird (Nr. 110ff.). – Vgl. S. 255 mit Anm. 6.

160 Lukas Cranach d. Ä.

Bildnis des Königs Christian II. von Dänemark Abb. 114

Bez. mit Schlange, dat. 1523. Holzschnitt. 25,2 × 17,2 cm.

London, The British Museum, Department of Prints and Drawings.

Ho. H. 125. – Dodgson II, S. 336, Nr. 5. – G. 638. – Erasmus-Kat. Rotterdam 1969, Nr. 317.

Der König trägt das Goldene Vlies und zeigt beanspruchend auf sein Wappen: er war aus seinem Land vertrieben worden (s. Zeittafel unter 1523). Wilde Leute bewachen das Wappen und halten oben das Band mit den Titeln des Königs. Sie kontrastieren mit der Ordnung der Renaissancearchitektur, in deren Säulen mit ähnlichem Sinn Löwenköpfe eingefügt sind (Löwe, Wilde Leute: vgl. Nr. 500ff., Farbtafel 19). Christian weilte 1523 in Wittenberg – zeitweilig in Cranachs Haus – im Frühjahr 1524 in Altenburg; er zog im Juli 1524 in die Niederlande (I. Höss, G. Spalatin, Weimar 1956, S. 255f.). Für den Buchholzschnitt zeichnete Cranach 1523 nochmals das Bildnis des Königs Christian: Nr. 238. Auch gemalt hat ihn Cranach (FR. 127).

161 Lukas Cranach d. J.

Bildnis des Dr. Johannes Scheyring

Bez. LC, dat. 1537. Kolorierter Holzschnitt (braun, schwarz, bleich-rot, blau, gelb). 37 × 27 cm.

Berlin, Stiftung Preussischer Kulturbesitz, Staatliche Museen, Kupferstichkabinett.

Ho. (d. J.) 53. – B. 142. – G. 674. – O. Neubecker, in: Albrecht Dürers Umwelt, Nürnberg 1971, S. 214.

Der Magdeburger Patrizier und Jurist, Dr. J. Scheyring (Schyring, Ziring), ein Anhänger Luthers, wurde 1534, nach seiner Rückkehr aus Italien, von L. Cranach d. Ä. gemalt (FR. 278, am 29. 1. 1957 in Paris versteigert). 1535 wurde er Rat des Herzogs von Braunschweig, 1539–1542 Bürgermeister von Magdeburg und 1551 Kanzler des Herzogs von Mecklenburg in Schwerin (W. Schade, in: Cranach-Kat. Bukarest 1973, Nr. 106). Vgl. H. Sander, in: Zs. f. Kunstwiss., IV, 1950, S. 35ff. (zu FR. 266). Wolken = Freiheitsraum, freie Luft: vgl. Nr. 42. Zur Signaturform vgl. Nr. 265.

162 Lukas Cranach d. J.

Bildnis des Ringer- und Fechtmeisters Fabian von Auerswald

Bez. mit Schlange mit liegendem Flügel. Holzschnitt. 21,6 × 16,2 cm.

Autorenbildnis in dem unter Nr. 121 beschriebenen, 1539 erschienenen Ringerbuch (ca. 30 × 20 cm).

Privatbesitz.

Ho. (d. J.) 23. – B. 145. – Siehe bei Nr. 121.

F. v. Auerswald war 1462 geboren, 1534 also 77 Jahre alt. Der feste Griff an den Pelzmantel entspricht älterer Formel (vgl. Nr. 166). – Charakteristisch für L. Cranach d. J. hier wie bei der vorigen Nr. die Überdeutlichkeit der Zeichnung mit ihren gewellten Linien, die ein vom Gegenstand gelöstes Eigenleben erhalten (Runzeln usw.).

163 Lukas Cranach d. Ä.

Grasmücke mit der «Kilianischen Fliege» im Schnabel   Abb. 118

Holzschnitt. 8,2 × 5,7 cm (Blattgrösse 20,9 × 14,9 cm).

Titelblatt in: Georgius Sibutus Daripinus Poete et Oratoris laureati Carmen in tribus horis editum de musca Chilianea. Leipzig, Martin Landsberg 1507. Leipzig, Universitätsbibliothek der Karl-Marx-Universität.

Nicht bei Ho. – G. Bauch, in: Repert. f. Kunstwiss., XVII, 1894, S. 433, Anm. 30. – H. Rupprich, Dürer, Schriftlicher Nachlass, III, Berlin 1959, S. 461. – M. Krille, Lucas Cranach, Lutherhalle Wittenberg 1972, Abb. S. 17 u. Nr. 58.

Sibutus war wahrscheinlich ein Schüler des Konrad Celtis. Er war Thüringer und lebte etwa von 1480 bis nach 1528, seit 1505 in Wittenberg, 1520 in Rostock, zuletzt in Wien. Er beschrieb dichterisch das Wittenberger Turnier von 1508 (s. Nr. 110). Rupprich erklärt aus Sibutus' Text die Darstellung des Vogels mit der Fliege: «Der Schüler des Sibutus Kilian Reuter aus Mellerstatt sieht auf einem Buchzeichen seines Lehrers ein kleines Bild, das eine Grasmücke darstellt, die eine Fliege im Schnabel hält; Kilian malt auf ein Stück Papier selbst eine Fliege (beides ist auf dem Titelblatt des Druckes im Holzschnitt reproduziert). Niemand vermag zu sagen, was die Malerei sein soll [was gemalt ist und was wirklich?]. Kilian wird ermahnt, in Hinkunft keine Fliege mehr abzuzeichnen.»

L. Cranach d. Ä., 1509 (Nr. 555)

VI. Bildnisse im Kräftefeld von Humanismus, Reformation und Politik

1. Cranachs Bildnisse von wittenbergischen, brandenburgischen und italienischen Humanisten (Werner Schade)

Wenn hinsichtlich der Beziehungen Lukas Cranachs zu den Humanisten neue Untersuchungen angestellt worden sind[1] und in diesem Katalog weitergetrieben werden, so ist einschränkend festzustellen, dass die möglichen Quellen für Wittenberg noch nicht annähernd erschlossen sind. Wir wüssten gern mehr über die ursprüngliche Verankerung bestimmter Darstellungen, die offensichtlich aus humanistischer Vorstellung stammen. Eine Schwierigkeit wird unter anderen darin bestehen, das persönliche Anliegen des einzelnen Auftraggebers aus dem allgemeinen Gedankengut herauszulösen. So ist zum Beispiel das Motiv der badenden Frauen, dem Koepplin im Hinblick auf Cuspinians Bildnis (Abb. 55) spezifische Erklärung gewidmet hat[2], bereits von Alberti, «De re aedificatoria», IX, 4 angeregt worden als ein bloss aufheiternder Bildgegenstand[3]. Es wird daher stets die Beziehung des Künstlers zu einflussreichen Personen seines Wirkungskreises berücksichtigt werden müssen, um der sicheren Deutung eines Werkes näherzukommen.

Sprechen für die Wiener Zeit Cranachs die Gemälde eine beredte Sprache, so fehlen für die ersten Jahre in kursächsischen Diensten Tafelbilder, mit Ausnahme des «Katharinenaltares» von 1506 (Abb. 12) und der Torgauer «Nothelfertafel»[4] etwa. Gegenstand der Lobreden des Celtis-Schülers Georg Sibutus Daripinus von 1507 (Nr. 159) und des in Bologna ausgebildeten Nürnbergers Christoph Scheurl (vgl. Nr. 164)[5] sind offenbar nicht auf uns gekommene Werke. Zusammen mit Scheurl haben noch vier Wittenberger Poeten Verse auf den Maler drucken lassen: der spätere kursächsische Kanzler Christian Beyer (dessen Haus in Wittenberg erhalten ist), der Italiener Richardus Sbrulius, der spätere Reformator Andreas Karlstadt (vgl. Nr. 351) und der Westfale Otto Beckmann. Cranach hat nach Annahme von Gustav Bauch[6] einen Holzschnitt mit dem «Bildnis des Sibutus» geschaffen (Nr. 159), doch ist diese Anregung von den Bearbeitern der Graphik Cranachs ausser von Dodgson und hier wieder von Koepplin anscheinend nicht aufgegriffen worden. Das Brustbild des gekrönten Dichters mit angehobenem rechtem Unterarm befindet sich in der seltenen Schilderung des Wittenberger Turniers von 1508, von der sich früher ein Exemplar in der Staats- und Universitätsbibliothek Breslau befand[7]. Von Chr. Scheurl, dem anderen Lobredner des Malers, ist das prächtige gemalte Bildnis aus dem Jahre 1509 erhalten (Nr. 164), höfischer in Anlage und Ausführung als die frühen schlichten Porträts der fürstlichen Dienstherren Cranachs[8]. Ausserdem hat der Maler ihm ein Bücherzeichen mit dem elterlichen Wappenpaar im Holzschnitt gearbeitet (Nr. 135), ebenso auch seinem Freund, dem Dichter, Geistlichen und Arzt Dietrich Block (Truncus) aus Hildesheim (Nr. 134). Block und Scheurl waren wohl seit der gemeinsamen Studienzeit in Bologna miteinander bekannt. Der Mediziner liess sich im Sommer 1508 in Wittenberg immatrikulieren und folgte

Scheurl im Rektoramt bereits nach einem Jahr, damals von diesem und von Sbrulius gefeiert. Aus dem Besitz Blocks hat sich in Wolfenbüttel eine Sammelhandschrift erhalten, deren Auswertung als Quelle für Cranachs Biographie noch nicht abgeschlossen zu sein scheint[9].

Scheurl und Block könnten Cranach mit italienischen Bildern bekannt gemacht haben, da Scheurl einmal Francia (Abb. 80) im Vergleich mit Cranach erwähnt und das Verhältnis beider Maler zu den Universitäten ihrer Wirkungsstätten vergleichbar gewesen sein dürfte. Es ist daran zu erinnern, dass in der zeitweisen Vereinigung von Hofmaleramt, Apothekenbesitz, Buchdruck und Buchverlag in der Hand Cranachs eine enge Verflechtung mit der Universität bestand, aus deren Haushalt sein Hofmalersold wohl auch bestritten worden ist[10].

Unmittelbar vor Cranach, eine Zeitlang noch zusammen mit ihm, war der gelehrte venezianische Maler Jacopo de' Barbari, von Nürnberg kommend, am kurfürstlichen Hofe tätig, ein geistreicher, anregender Künstler[11]. Es ist kaum ein Zufall, dass zwei Formen der Signatur Cranachs in erster Linie von italienischen Vorbildern abhängig sind: das bekannte Schlangenzeichen und das ineinandergefügte Monogramm «L C» mit der eingestellten Jahreszahl. Ganz übereinstimmend findet sich diese Monogrammform auf dem italienischen Holzschnitt «Christus als Schmerzensmann» (Andrea Solario?) aus dem Jahre 1505, was bisher nicht bekannt war, weil bei den in der Literatur genannten (späten) Abdrucken die Signatur vermutlich aus dem Druckstock herausgeschnitten war; ein erst nach 1945 in das Berliner Kupferstichkabinett gelangter Druck scheint der einzige Beleg für den ursprünglichen Zustand zu sein[12].

Leider sind grössere erhaltene Werke aus Cranachs Wittenberger Zeit mit bestimmten humanistischen Auftraggebern nicht verbunden. Eine wichtige Mittlerrolle zwischen dem Kurfürsten und der Universität fiel Georg Spalatin zu, der aus dem Kreis des Mutian stammte und von diesem selbst an Kurfürst Friedrich den Weisen empfohlen worden war. Cranach hat das «Bildnis Spalatins», des schüchternen Neulings am Hofe (Nr. 343), bereits 1509, im äussersten Gegensatz zu der gravitätischen Erscheinung des erfolgreichen Universitäts-Reformators «Scheurl» (Nr. 164) festgehalten[13]. Mit «Philipp Melanchthon» (Nr. 170, 639f.) hat seit 1518 ein Humanist von bedeutender Ausstrahlungskraft bis in die Zeit des jüngeren Cranach am Ort gewirkt, ohne dass der Einfluss des Gelehrten auf die Arbeit der Maler bisher in wünschenswerter Klarheit abgegrenzt worden wäre. Episodenhaft, aber bemerkenswert ist die Absicht Cranachs, die für 1516 bezeugt wird, den führenden Erfurter Dichter Eobanus Hessus «mit Farbe» zu porträtieren[14].

Im Zusammenhang mit naturwissenschaftlichen Studien an der Universität Wittenberg dürften entstanden sein: der grosse «Kalenderholzschnitt» (Nr. 120), wohl für den Mathematiker Bonifacius Rode von Zörbig gezeichnet, und (nicht unbedingt für Cranach gesichert) der Holzschnitt des «Astrolabiums», der im Jahre 1529 von Mathias Bohemus de Nova Domu(?) in Wittenberg herausgegeben wurde[15]. Das «Bildnis eines unbekannten Gelehrten mit Sonnenuhr» und Inschrift, die wohl zu lesen ist: BETALET ALL (= die Sonne erleuchtet alles) ist diesen Arbeiten anzufügen (Nr. 166, Farbtafel 10). Für Cranach waren die Be-

120   L. Cranach d. Ä., 1509 (Nr. 164)

ziehungen zu den Dichtern sicherlich wichtiger, über die wir allerdings im Zeitraum zwischen den Gedichten des Sibutus und des Engentinus und der Klage
auf den Tod Hans Cranachs im Jahre 1537 durch Johannes Stigel schlecht unter-
richtet sind.

   Mit dem «Bildnis des Rudolf Agricola» (1443–1485) (Nr. 167) ist ein wichtiger
Beleg für die Humanistenverehrung späterer Jahre in Wittenberg gesichert. Der
geborene Friese (Huysman), «Vater des nordischen Humanismus», «deutscher

121   L. Cranach d. Ä., um 1510   122   L. Cranach d. Ä., 1531 (Nr. 306)
      (Nr. 134)

Vertreter der italienischen Renaissance», stand weithin in hohem Ansehen. Zusammen mit Luther, Melanchthon und Erasmus schmückt sein Bild (je ca. 4,2 cm im Durchmesser, blaugrundig) eine Seite des Wittenberger Matrikelbuches vom Jahre 1532, heute in Halle (Nr. 306, Abb. 122). Die Erinnerung an Agricola reichte in Mitteldeutschland vielleicht bis in die Erfurter Studienzeit, seit 1456, zurück. Auch der Kreis des Konrad Celtis hatte Grund zur Verehrung des Humanisten, der 1484/85 in Heidelberg dem Jüngeren ein Mentor gewesen war. Seine Übersetzung des Isokrates hatte der Buchdrucker Johann Grunenberg als einen der ersten Drucke seiner Presse in Wittenberg herausgebracht[16].

   Die Vorlage für Cranachs «Agricola»-Bildnisse war wohl ein Miniaturbild (vgl. Nr. 165). Anders lassen sich die Unterschiede der verschiedenen Fassungen kaum erklären. Der Zwang der Vergrösserung spricht deutlich aus der Anlage der grösseren, auf das Brustbild ohne Hände beschränkten Variante in München (Abb. 124)[17]. Dieses Bild scheint geradezu ein Beispiel für massstäbliche Vergrösserung ohne ausreichende Detailüberlieferung. Die wesentlich kleinere Ausführung unter Einbeziehung der Hände (Abb. 123) wirkt glücklicher gelöst und im Ausdruck entschiedener. Es wäre sicherlich aufschlussreich, die Fassungen Cranachs dem Vorbild gegenüberzustellen, vielleicht einem Selbstbildnis, da Agricola auch gemalt haben soll. Doch scheint dies nicht möglich. In der berühmten Sammlung des Paolo Giovio (1483–1552) in Como befand sich jedenfalls ein ähnliches

123   L. Cranach d. Ä., um 1530 (Nr. 167)

124   L. Cranach d. Ä., um 1530   125   Tobias Stimmer, 1577 (Nr. 167a)
       (vgl. Nr. 167)

«Agricola»-Bildnis, das über die «Elogia virorum literis illustrium» des Basler
Verlegers Peter Perna (1577) auf die Nachwelt gekommen ist. Darin gibt ein von
Tobias Stimmer gezeichneter Holzschnitt das gemalte «Agricola»-Bildnis des
Museums Giovios wieder (Nr. 167a, Abb. 125, ohne die hinzugedruckte archi-
tektonische Rahmung).

Zu einer in Format und Ausschnitt mit dem Münchner Bildnis übereinstim-
menden Folge gehörten ursprünglich wohl zwei ebenfalls auf blauem Grund gemalte Bildnisse im Besitz der Leipziger Universitätsbibliothek. Sie stellen zwei
italienische Dichter dar, «Jacopo Sannazaro» (1458–1530) und «Pietro Bembo»
(1470–1547). Die Aufteilung des Bildformates ist allerdings verschieden. Das
Haupt Sannazaros (Abb. 126) erscheint leicht zurückgelehnt[18]. Der schmale Kopf
Bembos (Abb. 127) steigt über der stärker gegliederten Büste höher empor[19]. Bei
übereinstimmender Malweise – zum Beispiel tragen beide Dichter kostbar schwarz
in schwarz gemusterte Gewänder, wie sie Cranach zum Erstaunen seiner Zeitgenossen hervorzubringen verstand[20] – ist die verschiedene künstlerische Herkunft der Bildnisvorlagen noch zu ahnen. Beide Porträts bilden kein harmonisches
Paar und sind übrigens auch nicht als Gegenstücke aufeinander bezogen. Sie
haben dieselben Masse: 36 × 23 cm.

Die schärfere plastische Fassung des «Sannazaro» geht offenbar auf die Einwirkung des benutzten Kupferstichs zurück (Abb. 128). Er wird der Schule des
Marcantonio Raimondi zugeschrieben und ist im Verlag des Antonio Salamanca
in Rom erschienen[21]. Zwar sind Kopfform und Haartracht sowie das Verhältnis
der Augen zur Masse des Gesichts verändert, die merkwürdige Schärfe der Nasen-
spitze und die narbenähnliche Falte an der Nasenwurzel bezeugen den Zusammen-

127   L. Cranach d. Ä., um 1540 (Anm. 78)

126   L. Cranach d. Ä., um 1540 (Anm. 78)

hang noch deutlich genug. Die kräftige Bildung der Wangen und des Untergesichts weckt die Erinnerung an die beiden ersten «Luther»-Bildnisse Cranachs im Kupferstich (Abb. 32–34). Die übermässig verzogene Form des Hemdkragens auf der Vorlage hat bei Cranach einen gedehnten Ausschnitt entstehen lassen, der seltsam unbekümmert innerhalb des flach ansteigenden und steil abfallenden Umrisses der Büste steht. Das bauschig hervorquellende, weisse, gefältelte Hemd ist ein bekanntes Cranach-Motiv seit den 1520er Jahren[22]. Die Halsborte mit ihrem Ornament und der schematischen Bildung der abschliessenden Rüsche führt in die Nähe von Cranach-Bildern des Jahres 1537[23], womit die bisherige Datierung «um 1540» bestätigt würde.

Zum «Bildnis Pietro Bembos» (Abb. 127) ist die Vorlage noch nicht gefunden. Die Stiche des Enea Vico und des Giulio Bonasone zeigen den späteren Kardinal bärtig, im Profil nach links gewandt. Haaransatz, Nasen- und Ohrenbildung stimmen weitgehend überein, sodass an der Bestimmung des Dargestellten kein Zweifel sein kann. Die Gesichtsbildungen erscheinen gegenüber dem «Bildnis Sannazaros» vorsichtiger, auch der Schlagschatten auf der blauen Wand ist gedämpft. Deutlich auch hier, wie die Einzelformen, die Haarmasse für sich genommen, die Teile des Gewandes ein Eigenleben führen, wodurch Verschiebungen, Verdrehungen, der Eindruck von einer gewissen Verschrobenheit gegenüber dem organischen Formablauf entstehen. Es ist möglich, dass die Beurteilung bisher von diesem Mangel an Zusammenhang mehr bestimmt worden ist als von der Geschlossenheit und Sicherheit vieler Einzelzüge, die auf die Hand des älteren Cranach schliessen lassen. Dass bei so unbefangenem Vorgehen unter Umständen Bildnisse entstehen konnten, die der Vorstellung des Auftraggebers durchaus nicht entsprachen[24], verwundert nicht. Bei der Verlebendigung von Heldengestalten fremder Nation wird dieser Mangel kaum empfunden worden sein.

Die «Bildnisse Sannazaros» und «Bembos», zweier Lehrmeister der Renaissance-Literatur, bedürfen keiner besonderen Rechtfertigung zu dieser Zeit, weder in Wittenberg noch in Leipzig, falls sie für einen Besteller dort geliefert worden sind. Bildnisreihen dieser Art waren damals aber noch selten. Es war vor der massenweisen Verbreitung solcher Bildnisse in Holzschnitten und Kupferstichen, wie wir aus Korrespondenzen wissen, oft schwierig, bestimmte Vorlagen zu erhalten, bedurfte persönlicher Verbindungen und zeitraubender Bestellungen. Dass die Kanäle noch eng waren, auf denen damals Bildnisse aus Italien nach Sachsen gelangt sind, erschwert zunächst die Nachforschungen, könnte aber vielleicht einmal die Feststellung genauerer Zusammenhänge ermöglichen.

Der Einfluss der antiken Pastoralmotivik nach dem Vorbild des Theokrit, zu deren Erneuerern Sannazaro gehörte[25], reichte um 1530 gewiss bis in das Werk Cranachs, dessen Darstellungen der «Venus mit Amor als Honigdieb» bekanntlich auf eine Idylle des Theokrit zurückgehen[26]. Hat darüber hinaus die Kunst des Italieners, nach den Worten Burckhardts ausgezeichnet «durch den gleichmässigen gewaltigen Fluss, in welchen er Heidnisches und Christliches ungescheut zusammendrängt, durch die plastische Kraft der Schilderung, durch die vollkommen schöne Arbeit…»[27], unmittelbar auf den Maler eingewirkt?

128   Raimondi-Schule (um 1530)   129   L. Cranach d. J. (?), um 1550/60 (Nr. 170)
       (Anm. 78)

Es war wohl die hohe künstlerische und menschliche Vollendung, die Pietro
Bembo zum Vorbild seiner Zeit werden liess. Diese Hochachtung ist auch den
wenigen kurzen Erwähnungen in Martin Luthers «Tischreden» anzumerken.
Einmal zitierte der Reformator 1536 mit Behagen den Satz des Humanisten,
«Rom wäre ein stinkender Pfuhl, voll der allerbösesten Buben der ganzen Welt»[28],
später scheint das Missfallen über die 1539 von Bembo angenommene Kardinals-
würde zu überwiegen. Im Wittenberger Bereich dürften somit die Möglichkeiten
für ein Bildnis des Humanisten vor dem Jahre 1539 günstiger als später gewesen
sein. Eine Bestätigung des zeitlichen Ansatzes ist vermutlich möglich, wenn aufgrund des Alters, der Bartlosigkeit und der Tracht mit dem schlichten Anker-
kreuz die Datierung der Bildnisaufnahme gelingen sollte.

Der private Charakter der drei hier besprochenen Bildnisse ist allein durch
ihr Format gegeben. Ganz ähnliche Abmessungen besitzen die Bildnisse des bar-
häuptigen «Ehepaares Dr. Martin Luther» (Nr. 179) und das Bildnis des jungen
«Herzogs Johann Friedrich» von 1528, ehemals in Gotha[29], eine verkürzte Wiederholung des Weimarer Bildnisses von 1526[30]. Ausserdem sind auf Holztafeln
der gleichen Grösse eine Reihe von glänzenden Kabinettstücken gemalt wie
«David und Bathseba» von 1526, das «Parisurteil» von 1530 und die «Venus»-
und «Lucretia»-Bilder der Jahre 1532 und 1533[31].

Eines der besten Bildnisse der Zeit um 1530 wird der Begegnung Cranachs
mit einem Humanisten verdankt, das Porträt des kurbrandenburgischen Hof-
astronomen und Historiographen «Johannes Carion» (Nr. 168), des Freundes
Melanchthons. Dieser an Körpergrösse und Leibesumfang hervorragende Mann

ist hier wohl unmittelbar nach der Natur gemalt, einschliesslich der bei Bildnissen Cranachs sonst oft vernachlässigten Hand. Das Inkarnat zeigt wenige Spuren von Vorzeichnung, immerhin sind Mund und Augen deutlich vorbereitet. Merkwürdigerweise sind die Knöchel der Hand (oder der Umriss der Faust?) durch einen leichten Wischer auf dem Grund angedeutet[32]. Vielleicht ist die Tafel (bei einem in anderem Zusammenhang für das Jahr 1529 vermuteten Besuch Cranachs in Berlin[33], so weit vorbereitet worden, dass sie in der Werkstatt vollendet werden konnte. Von dem Aufsehen, das die Gestalt des Carion erregte, zeugt das Lutherwort (aus Anlass der Gratulation zum Empfang der Doktorwürde durch die Universität Wittenberg): «Glaubt mir, er [Gott] wird fortan wenig Doctores von solcher Grösse und Länge bestellen»[34], ebenso ein von dem preussischen Hofmaler Crispin Herrant im Jahre 1533 gemaltes Bildnis, ehemals in den Kunstsammlungen zu Königsberg.

Noch an eine andere Verbindung zu einem bekannten auswärtigen Humanisten in späten Jahren ist zu erinnern. Die Söhne des Euricius Cordus, der in einem Gedicht auf Kurfürst Johann auch Cranach erwähnt hatte[35], studierten in Wittenberg. Valerius nahm 1539 das Medizinstudium auf und verkehrte in der Apotheke Cranachs. Nicht erwiesen, aber aus stilkritischen Gründen wahrscheinlich ist, dass ein jüngerer Bruder Augustus Cordus damals in Cranachs Werkstatt, wohl bereits unter Lukas Cranach dem Jüngeren, seine Ausbildung erhielt[36].

164   Lukas Cranach d. Ä.
Bildnis des Dr. Christoph Scheurl   Abb. 120

Bez. mit Schlange zwischen LC, dat. 1509. Auf Lindenholz. 48,5 × 40,5 cm. In originalem Rahmen (Leiste 4,1 cm breit, 3,4 cm tief, schwarz, nur die Kehle und die innerste Schräge vergoldet).
Privatbesitz.

FR. 22. – Flechsig, Cranachstudien, S. 86.

Moosgrüner Grund, Signatur und Inschriften gelb. Damastkleid grau und schwarz, brauner Pelz. Der laut Inschrift 28jährige trägt eine «Fuggerhaube» (vgl. Nr. 39) – wie Kurfürst Friedrich von Sachsen, in dessen Dienst der Nürnberger Patrizier damals stand. Zur Biographie s. Nr. 135 und Nr. 96 (Rede in Wittenberg 1508, gedruckt mit Widmung an Cranach 1509); spätes Adorations-Bildnis: Nr. 344.

Die von Scheurl selber gedichtete lateinische Inschrift heisst übersetzt: Wenn Scheurl dir bekannt ist, Wanderer, wer ist mehr Scheurl, die hier gemalte oder die dir vertraute Person? Rechts oben die stolze Devise: Das Schicksal fürchtet die Starken. Auch die daruntergesetzten drei «A» und die drei «M» auf der Hemdborte sollen Bedeutung anzeigen.

Der Rahmen hat dasselbe Profil und dieselbe Färbung wie derjenige von Nr. 596f., Farbtafel 8. Er hat Fensterform und hält Figur und Inschriften zusammen. Die gemalte und die geschnitzte Plastizität schliessen eng aneinander und bewirken die Nähe der besinnlich-würdigen Porträtfigur.

165 Dilettantischer Miniaturist (Philipp Melanchthon?), frühes 16. Jahrhundert, vor 1526

Bildnis des Humanisten Rudolf Agricola (1443–1485)

Deckfarben auf Pergament. Bildgrösse 3 cm Durchmesser, Blattgrösse 6,4 × 6,4 cm.

Mit lateinischem Distichon von Melanchthon über dem Bildchen geschrieben: «Haec permira fuit, quam cernis imago Rudolphi/Aeternam mentis scripta referre solent»; auf der Rückseite Empfangsnotiz eines Freundes Melanchthons in Nürnberg 1526: «Ex dono Phil. Mel. a teneris amici nostri 28 Maij Ao. 1526»; darunter eine Notiz des Basler Juristen und Erasmus-Freundes Bonifacius Amerbach (1495–1562), die besagt, dass er das Bildnis vom Kanzler des Herzogs Christoph von Württemberg, L. Schroteysen, 1548 in Mömpelgard geschenkt erhalten habe [Christoph, Sohn Ulrichs, war seit 1550 Herzog].

Basel, Universitätsbibliothek (Porträtsammlung).

Von F. gefunden. Melanchthon 1526 in Nürnberg: Kupferstich-Bildnis Dürers, Nr. 48. Möglicherweise hat Melanchthon selber die Miniatur nach dem Vorbild kopiert, das auch für die 1531 datierte Miniatur im Wittenberger Universitätsmatrikelbuch (Nr. 306, Abb. 122) und für Cranachs Bildnisse (Nr. 167, Abb. 123f.) das Modell war.

166 Lukas Cranach d. Ä.

Bildnis eines Mannes mit der Devise «Betalet All»   Farbtafel 10

Um 1508/12. Auf Eichenholz. 48,4 × 36,4 cm.

Kreuzlingen, Sammlung Heinz Kisters.

FR. 51.

Ringsum Malrand, ausser unten, wo leicht beschnitten. 1972/73 von Übermalungen befreit. Das in den Niederlanden übliche Eichenholz erfordert nicht unbedingt die Annahme, Cranach habe das Bild 1508 dort gemalt. Die Devise möchte Schade in bezug auf die Uhr mit ihren Sonnenstrahlen als «Betaget all», «Erleuchtet alles» lesen (auch bei Nr. 164 wurde die Inschrift von einem Restaurator verfälscht). Oder bedeutet die Inschrift, dass man nach Ablauf der Uhrzeit für alles zu «bezahlen» habe? Das Wappen konnte bisher nicht identifiziert werden. Der feste, Willensstärke demonstrierende Griff an den Pelzkragen ist ein neues Motiv (vgl. Nr. 162); es erscheint ähnlich auf dem überhaupt vergleichbaren Bildnis des Grafen Leonhard zum Hag, das versuchsweise Hans von Kulmbach zugeschrieben wurde (Pantheon, XXII, 1938, Abb. S. 299).

167 Lukas Cranach d. Ä.

Bildnis des Humanisten Rudolf Agricola (1443–1485)   **Abb. 123**

Um 1530. Bez. mit Schlange (am äussersten Rand rechts oben). Auf Buchenholz. 19,8 × 15 cm.

Starnberg, Sammlung Dr. Robert Purrmann.

Identisch mit FR. (249)?

Ein in den Bildniszügen gegenseitig übereinstimmendes, gleichzeitig von Cranach
gemaltes Porträt in München (FR. 249, 30 × 23 cm, Abb. 124) wurde bisher wegen der
ungefähren Ähnlichkeit mit dem von H. Wechtlin gezeichneten Holzschnitt-Bildnis des
Geiler von Keisersberg (1445–1510) falsch identifiziert (vgl. L. Pfleger, in: Archiv f.
elsäss. Kirchengesch., VII, 1932, S. 179 ff.). Neubenennung durch Schade. Sie wird
auch durch die beschriftete Miniatur Nr. 165 bestätigt.

167a Tobias Stimmer (1539–1584)

Bildnis des Rudolf Agricola   **Abb. 125**

Holzschnitt. Bildnis: 10,6 × 8,1 cm; mit der hinzugedruckten dekorativen
Rahmung 16 × 15,3 cm; Buchgrösse ca. 32,5 × 21,5 cm.
Aus: Pauli Iovii Novocomensis Episcopi Nucerini Elogia Virorum literis
illustrium... Ex eiusdem Musaeo... Basel, Peter Perna 1577, S. 41.
Basel, Kupferstichkabinett des Kunstmuseums.

Max Bendel, Tobias Stimmer, Zürich/Berlin 1940, S. 89.

Der aus Lucca stammende Basler Verleger und Stimmer, der nach Como zum Kopieren
geschickt wurde, machte die Porträtsammlung des Paolo Giovio (1483–1552) populär.
In der Buchausgabe folgt S. 42 eine lateinische Würdigung Agricolas von 17 Zeilen.
Gegenseitige Kopie in Reusners «Icones» von 1587 (photomechanischer Neudruck,
hrsg. v. M. Lemmer, Leipzig 1973, S. 444).

168 Lukas Cranach d. Ä.

Bildnis des Johannes Carion   **Abb. 130**

Um 1530. Auf Rotbuchenholz. 52 × 37,3 cm.
Berlin (Hauptstadt der DDR), Deutsche Staatsbibliothek.

Nicht bei FR. – Cranach-Kat. Berlin 1937, Nr. 84, Taf. 77. – Farbige Abb.: Bildende
Kunst, 1961, Umschlag von Heft 9. – Weitere Lit.: Anm. VI, 32–34.

(K) Graubrauner Grund, Kleid grau und schwarz mit rotgelben Streifen, brauner Pelz.
Johannes Carion (gräzisiert Nägeli, 1499–1537/38) war seit 1521/22 kurbrandenbur-
gischer Hofastronom und Mathematikprofessor in Frankfurt a. d. O. Die gelb gemalte
Inschrift bedeutet (nach Kat. Berlin 1937, von H. Zimmermann übersetzt): Ich bin
Carion, der berühmte Verfasser von vielgelesenen Werken, die ich auf Grund meiner
Arbeit und meines Studiums verfasst habe, ich untersuche die Gestirne und rühme die
Namen der Sternbilder. – 1533 datiert ist ein Carion-Bildnis von Crispin Herrant (Schüler
Dürers in Nürnberg, seit 1529 Hofmaler des Herzogs Albrecht von Preussen in Königs-
berg und unter den Einfluss Cranachs geratend, gest. 1549; N. v. Holst, in: Zs. f. Kunst-
gesch., I, 1932, S. 31 u. Abb. 5).

SI QVIB. EST LECTIS MEA COGNITA EA/M LIBELLIS.
QVOS MEA SOLERTI CVRA LABORE DEDIT
ILLE EGO SV CARION, COELI QVI SYDERA TRACTO
CLARVS ET ASTRORVM NOMEN AB ARTE FERO

130   L. Cranach d. Ä., um 1530 (Nr. 168)

2. Geistesgeschichtlich politischer Hintergrund einiger Werke Cranachs von 1525 bis 1533 (K)

Werner Schade, der beste jüngere Cranach-Kenner in der DDR, dem wir mit besonderer Freude den vorstehenden Beitrag verdanken, legt ein starkes Gewicht auf Cranachs um 1530 gemaltes «Bildnis des J. Carion» (Nr. 168, Abb. 130). Dieses Bildnis, das erst durch die Berliner Cranach-Ausstellung des Jahres 1937 einem breiteren Publikum vorgestellt worden ist, wurde von Emil Jacobs und von Aby Warburg entdeckt. Warburg würdigte es künstlerisch und geistesgeschichtlich im Zusammenhang einer 1920 publizierten Studie über «Heidnisch-antike Weissagung in Wort und Bild zu Luthers Zeiten»[37]. Carion war Hofastronom und -astrologe, zugleich der diplomatische Agent des Kurfürsten Joachim I. von Brandenburg, dessen Bildnis – im genau gleichen Format und in ganz ähnlicher schwellender Flachkörperlichkeit – Cranach 1529 gemalt hat (Nr. 169, Abb. 132), vermutlich anlässlich einer Reise nach Berlin[38]. Joachim war mit einer dänischen Prinzessin verheiratet und dem Kurfürsten von Sachsen nachbarlich vertraut, obwohl er sich 1525 mit Albrecht von Brandenburg, seinem Bruder (Nr. 4, 45), und einigen anderen katholischen Fürsten verbündet hatte. Möglicherweise (ich möchte hier diese Vermutung aussprechen) ist er auf dem Mittelbild des Dresdener «Katharinenaltares» Cranachs von 1506 neben Friedrich dem Weisen am linken Bildrand porträtiert (Abb. 131). Damals (1506) hatte Joachim von Brandenburg in Frankfurt an der Oder eine neue Universität gegründet, vier Jahre nach der Gründung der Wittenberger Universität[39]. Am 25. November 1506 hielt der von Wittenberg kommende Magister Michael Rysch bei der Eröffnung der Frankfurter Universität die Festrede auf die hl. Katharina, die Schutzpatronin der Artistenfakultät[40]. Damit wollen wir uns nicht weiter auf die Ikonographie und die komplexe Auftragssituation des «Katharinenaltares» einlassen (Abb. 12). Auch Jacopo de' Barbari, der vordem den kursächsischen Hofmalerdienst versehen hatte (vgl. S. 45f.), war 1508 bei Joachim von Brandenburg in Frankfurt an der Oder; er wurde hier von dem humanistischen Poeten Trebelius in Begeisterten Tönen Begrüsst[41]. Später war Luther aufgetreten und hatte Melanchthon von Wittenberg her versucht, möglichst gute Beziehungen speziell zu Carion, dem Ratgeber des antilutherischen Joachim von Brandenburg, zu pflegen. Wissenschaftlich arbeitete Melanchthon an Carions «Chronica» mit, dem frühesten deutschen weltgeschichtlichen Handbuch, und dies zu einem Zeitpunkt der grössten Belastung: als er die «Augsburgische Konfession» nach Ablauf des kaiserlichen Ultimatums an die Protestanten (30. April 1531) überarbeiten sollte. Darauf wies Warburg hin im Zusammenhang mit einem von ihm veröffentlichten Brief Melanchthons an Carion vom 17. August 1531. In dem Brief vermischen sich Hingebung an Astrologie und Weissagungen verschiedener Frauen, Angst vor einem neuen Kometen (Melanchthon: «Wenn er eine rote Farbe hätte, würde er mich mehr erschrecken») und Analyse der politischen Situation. «Aber Melanchthon ist hier nicht ein trockener politischer Chronist; die quälende Sorge um die Erhaltung des Friedens ruft bei ihm einen akuten Anfall seiner kosmologischen Wundergläubigkeit hervor[42].» Dadurch geriet Melanchthon in scharfen Gegensatz zu seinem Witten-

131   L. Cranach d. Ä. (Detail aus Abb. 12)   132   L. Cranach d. Ä., 1529 (Nr. 169)

berger Freund Luther, besonders als er 1531 in Wittenberg den von Joachim von
Brandenburg nach Berlin berufenen italienischen Astrologen Lucas Gauricus in
Wittenberg bei sich zu Gast empfing; Gauricus hatte eine tendenziöse, angriffige
«Nativität» (Geburts-Horoskop) Luthers verfertigt, die Luther mit Ärger und
Spott erfüllte und für ihn tatsächlich gefährlich werden konnte. Luther: «Es ist
ein dreck mit irer kunst», nämlich mit der von Melanchthon verteidigten Astro-
logie, der «heillosen und schebichten astrologia.[43]»
    Ich glaube, dass mit diesen Auseinandersetzungen, mit denen Warburg be-
kann macht, Cranachs Darstellungen der «Melancholie» (1528–1532, Nr. 171f.,
Farbtafel 13 u. Abb. 133) eng verknüpft waren. Cranachs Bilder sollten Front
nehmen gegen das humanistische Pathos in Dürers berühmtem «Melancholie»-
Kupferstich von 1514 (Nr. 173), gegen die astrologisch begründete Temperamentenlehre, und sie sollten positiv zu der von Luther gewünschten, antimelancholi-
schen «geistlichen Freude» auffordern. Diese Freude erlange man, so predigte
Luther beispielsweise 1522 und später wiederholt, durch den Glauben an Gottes
Wort und nebenbei auch durch eine vernünftige Einstellung zu den natürlichen
Anlagen des Körpers, die gottgewollt sind. Daher solle jedermann, wenn er
wolle, heiraten – auch Gottesdiener und ehemalige Mönche, wie sie Cranach im
Sinne Luthers 1526 satirisch dargestellt hat (vgl. Nr. 252). Übrigens hat Luther
wenigstens im Spott einmal geäussert – und das war ausgerechnet 1532 –, dass er
unter sehr ungünstigen Sternen geboren sei, wahrscheinlich unter dem Planeten

Saturn. «Was man mir thun vnd machen soll, kan nimermehr fertig werden; schneider, schuster, buchpinder, mein weib verzihen mich auffs lengste.» Auch diese Äusserung wirft ein Licht auf Cranachs spöttische «Melancholie»-Darstellungen, weil ja der Glaube herrschte, Melancholie werde durch den Einfluss Saturns hervorgerufen[44]. Vielleicht werden das «Nicht-fertig-Werden» und die Mutlosigkeit angedeutet durch das Schnitzen der Frau an einem langen Stock (Hexenwerk?[45]), durch die Kugel (liegengelassenes Mess- und auch Glücks-Symbol) und durch die Kinderschaukel[46]. Der ruhende Hund, den auch Dürer einem eifrigen Kind gegenübergestellt hat, verkörpert die Verbindung der Klugheit mit der Traurigkeit in der Melancholie[47], das Rebhühnerpaar wohl im Kontrast fröhlich-irdisches Treiben[48].

Warum haben sämtliche damalige Fürsten Europas neben ihren Ärzten und Humanisten, die beide Astrologie nicht bloss am Rande betrieben, Astronomen (Astrologen) am Hof gehalten? Im welchem Mass hat die Sterngläubigkeit politische Entscheidungen im Sinne der Meinungsmache stützend oder hemmend beeinflusst? Da sie als Geheimwissenschaft galt, wurde in der Kunst nicht sehr viel davon sichtbar. Unter die Werke Cranachs, die offensichtlich damit zu tun hatten – und wiederum im Milieu der Humanisten –, gehören die Zeichnungen nach den Monatsdarstellungen des Filocalus (Nr. 69)[49]. Heute vermögen wir uns kaum mehr eine Vorstellung von der Konkretheit, ja geschichtlichen Macht der astrologischen und sonst abergläubischen «Realitäten» in den ersten Jahrzehnten des 16. Jahrhunderts zu machen, als die Humanisten die spätmittelalterliche Astrologie und Temperamentenlehre veredelten und dadurch stärkten, wogegen Luther schwer ankämpfen konnte[50].

Nicht polemisch, sondern um die Blickrichtung radikal zu wechseln, setzen wir hierher einen 1892 geschriebenen Text von Friedrich Engels, der aus materialistisch-soziologischer Sicht schrieb: «Als Europa aus dem Mittelalter herauskam, war das emporkommende Bürgertum der Städte sein revolutionäres Element. Die anerkannte Stellung, die es sich innerhalb der mittelalterlichen Feudalverfassung erobert hatte, war bereits zu eng geworden für seine Expansionskraft. Die freie Entwicklung des Bürgertums vertrug sich nicht mehr mit dem Feudalsystem, das Feudalsystem musste fallen. Das grosse internationale Zentrum des Feudalsystems aber war die römisch-katholische Kirche. [...] Schritt für Schritt mit dem Emporkommen des Bürgertums entwickelte sich aber der gewaltige Aufschwung der Wissenschaft, Astronomie, Mechanik, Physik, Anatomie, Physiologie wurden wieder betrieben. Das Bürgertum gebrauchte zur Entwicklung seiner industriellen Produktion eine Wissenschaft, die die Eigenschaften der Naturkörper und die Betätigungsweisen der Naturkräfte untersuchte. Bisher aber war die Wissenschaft nur die demütige Magd der Kirche gewesen, der es nicht gestattet war, die durch den Glauben gesetzten Schranken zu überschreiten – kurz, sie war alles gewesen, nur keine Wissenschaft. Jetzt rebellierte die Wissenschaft gegen die Kirche: das Bürgertum brauchte die Wissenschaft und machte die Rebellion mit[51].» Carion oder Melanchthon, auf die der Wissenschaftsbegriff Engels kaum anzuwenden ist, waren aber typische Vertreter der noch um 1530 gepflegten humanistischen «Wissenschaft» – allerdings auch z. B. ein Augustin

L. Cranach d. Ä., um 1510/15 (Nr. 536)

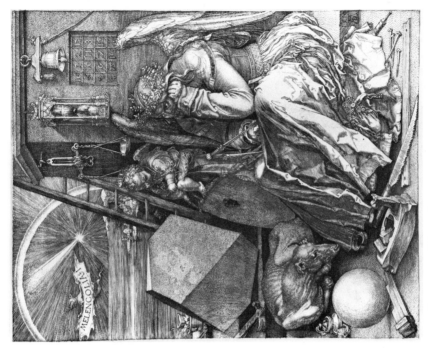

134   Dürer, 1514 (Nr. 173)

133   L. Cranach d. Ä., 1528 (Nr. 171)

135   Cranach d. Ä., Werkstatt, 1536   136 H. Holbein d. J., um 1531 (Nr. 175)
      (Nr. 174)

Schürpf (Schurff), seit 1521 Professor der Medizin in Wittenberg und seit 1529 kursächsischer Leibarzt, der 1526 in Wittenberg erstmals einen menschlichen Kopf sezierte und dessen Tochter Magdalena 1551 Lukas Cranach d. J. heiratete[52].

Um das «Wappen des Professors Dr. Ulrich Schilling von Karlstadt» aus dem Jahr 1531 (Nr. 306, Abb. 122) sind oben die kleinen Rundbilder «Luthers» und «Melanchthons» einander gegenübergestellt – erstmals das seit 1532/33 oft bei Cranach wiederkehrende Paar –, unten dazu die Bildnisse des «Agricola» und des «Erasmus». Es gibt aus der Werkstatt Cranachs eine ganze Reihe von «Erasmus»-Bildnissen nach einem von Holbein geschaffenen Typus (Nr. 174). Die geschichtlichen Hintergründe für das Auftauchen des «Erasmus»-Bildes in Wittenberg können unschwer aufgehellt werden. Melanchthon setzte die grössten Hoffnungen auf die Schiedsrichterfunktion des Erasmus im Religionsstreit, der nunmehr zur Kriegsgefahr wurde[53]. Nach dem Abschluss des Nürnberger Religionsfriedens vom Juli 1532 verfasste Melanchthon hoffnungsfroh einen neuen Kommentar zum Römerbrief und widmete ihn dem Kardinal Albrecht von Brandenburg, dessen Vermittlung zu dem wackeligen Religionsfrieden geführt hatte. Auch dem Erasmus sandte Melanchthon seinen Kommentar mit der Bitte, für die Erhaltung des Friedens zu wirken. In der Folge schrieb Erasmus 1533 – vor dem erwarteten Konzil – eine Mahnschrift, die freilich die für Luther entscheidenden religiösen Fragen vernachlässigte[54]. Sie führte in der Übersetzung, die im selben Jahr erschien, den Titel «Von der kirchen lieblicher Vereinigung». Aus diesem Jahr 1533 datiert das erste bekannte «Erasmus»-Porträt aus Cranachs Werkstatt[55] (abgesehen von der 1531 datierten Miniatur im Matrikelbuch der

137, 138 Nürnberger oder Augsburger Schnitzer, um 1525 (Anm. 78)

139   L. Cranach d. Ä., 1525 (Nr. 182)   140   L. Cranach d. Ä., 1525 (Nr. 183)

141   L. Cranach d. Ä., 1526 (Anm. 78)   142   L. Cranach d. Ä. oder d. J., 1542 (Nr. 187)

Wittenberger Universität). Alle bekannten Cranachschen «Erasmus»-Bildnisse
sind bloss Arbeiten der Werkstatt des Meisters. Da Cranach keine Gelegenheit
hatte, Erasmus nach der Natur zu porträtieren, sondern sich eines Vorbildes
Holbeins, das vielleicht nach Wittenberg als Geschenk gesandt worden war, be-
dienen musste (vgl. Nr. 175), schien er es nicht für nötig gehalten zu haben, selber
diesen berühmten Kopf zu malen. Holbein auf der anderen Seite zeichnete wohl
1532, im Jahr seines Wegzugs nach England, als Pendants die Bildnisse Luthers
und Melanchthons für medaillonförmige Holzschnitte, die 1533 und 1553 in Basel
erschienen (Nr. 176). Aus dieser Zeit hat sich auch ein kleines gemaltes Rundbildchen des «Philipp Melanchthon» von der Hand des Hans Holbein d. J. erhalten.
Beim Holzschnitt «Luthers» bediente sich Holbein eines kleinen runden «Luther»-
Porträts, das Cranach 1525/26, also anlässlich der Verheiratung Luthers am 13. Juni
1525, in mehreren Versionen gemalt hat. Ein Medaillon-Paar «Luther und seine
Frau Katharina von Bora» gelangte vermutlich frühzeitig nach Strassburg[56] oder
Basel und befindet sich heute im Basler Kunstmuseum (Nr. 177f., Farbtafel 9).
Koegler wies nach, dass Holbein dieses Bildnis Luthers für seinen Holzschnitt
verwendete[57]. Die Bildnisse schienen für des Erasmus erwähnte Schrift über die
Kirchenvereinigung bestimmt gewesen zu sein. Wir wollen noch anmerken, dass
sich aus der Erbschaft des Erasmus nicht zufällig ein «herzog Friedrich von
Sachsen uff eim pfennig»[58] im Historischen Museum von Basel (Amerbach-
Kabinett) erhalten hat (Nr. 30). Die Welten Cranachs und Holbeins lagen etwa
gleich weit auseinander wie jene des Martin Luther, der sich 1519 durch die Ver-
mittling Spalatins vergeblich um die Gunst des Erasmus bemüht hatte und 1524
in theologischen Streit mit ihm geriet, und des Erasmus von Rotterdam.

Der Typus des kleinen medaillonförmigen Rundbildes tritt bei Holbein erst
um jene Zeit auf (erstes datiertes Stück 1533), bei Dürer 1526, und hier ganz
deutlich im Anschluss an Schaumünzen der Antike und der Renaissance[59]. Die
Schaumünzen, die Friedrich der Weise mit der Unterstützung Cranachs seit
1507/13 gepflegt hat (Nr. 28 ff.), und die Meisterwerke der Medaillenkunst von Hans
Schwarz in Augsburg und Nürnberg 1518/27 gaben wohl auch Cranach den
Anstoss zu seinen gemalten Medaillon-Bildnissen, die gehäuft und ausschliesslich
in den Jahren 1525/27 auftreten und zu deren ersten Vertretern die Heirats-
bildnisse Luthers gehören[60]. Ein spezieller Hinweis: Dürers «Kleberger»-Medail-
longemälde von 1526 mit der schräg gestellten, skulpturalen, am Hals knapp geschnittenen Büste weicht vom Normaltypus der Profilköpfe auf den Medaillen
ab und nähert sich auffällig dem 1525 in Nürnberg oder Augsburg entstandenen
Bildnisrelief der «Anna Kasper Dornle Stieftochter» auf einer Holzbüchse von
etwa 22 cm Durchmesser, Pendant zu einer gleichen Büchse mit dem ebenfalls
1525 datierten Bildnis des «Kurfürst Friedrich von Sachsen» (Abb. 137f.)[61].
Anna ist vielleicht identisch mit der Freundin des unverheiratet gebliebenen
Kurfürsten Friedrich, Anna Weller, von der Friedrich zwei oft in seiner Nähe
weilende Söhne erhielt[62]. Vermutlich wurden Cranachs «gemalte Bildnis-Me-
daillen» von 1525/27 konkret durch diese Holzreliefs, die sich aus der Medaillenkunst direkt ableiten, veranlasst (und bei Dürers «Kleberger» liesse sich das gleiche denken). Zu den ferneren Vorläufern zählen auch die um 1509 zu datierenden

143   L. Cranach d. Ä., 1525 (Anm. 78)   144   L. Cranach d. Ä., 1525 (Anm. 78)

145   L. Cranach d. Ä., 1525 (Anm. 78)   146   L. Cranach d. Ä., um 1525/27 (Nr. 186)

147   L. Cranach d. Ä., um 1525/27   148   L. Cranach d. Ä., um 1525/27
       (Anm. 78)   (Anm. 78)

Zeichnungen Cranachs mit einem «Knienden Flügelknaben im Rund» (Nr. 124) und mit einem «Flügelknaben mit sächsischem Wappen im Rund» (Nr. 123). Diese Zeichnungen sind Entwürfe für Schlossdekorationen, eventuell für Schloss Torgau, wo Cranach 1509 arbeitete. Girshausen vermutet dahinter italienische Vorbilder.

Mit dem offensichtlichen Bezug auf antike Münzen und Renaissance-Medaillen – auch des Hans Burgkmair Holzschnitte mit dem «Selbstbildnis»-Medaillon und mit dem «Celtis»-Medaillon von 1507 sind hier zu nennen[63] – entsprechen Cranachs kleine Rundgemälde der Zeit von 1525/27 einer humanistischen Tendenz, der sich auch Luther einordnete. Diese kleinen Tondi waren wohl meistens als Geschenkobjekte gedacht, besonders bei den Bildnissen Luthers und seiner Frau. Die sensationelle Vermählung des Wittenberger Mönches konnte durch solche Geschenke propagandistisch betont werden. Statt der Schaumünzen, die ja auch Propaganda-Funktion hatten, malte Cranach die Bildnisse in grosser Zahl, anscheinend in den wesentlichen Teilen immer mit der eigenen Hand. Von Hans Cranach, dem wohl um 1513 geborenen[64] und 1537 in Bologna frühverstorbenen Sohn Lukas Cranachs, berichtete der von Melanchthon geförderte Poet Johann Stigel[65], er habe gegen tausend Luther-Bildnisse zu Geschenkzwecken gemalt[66]. Die medaillenartigen Luther-Bildnisse von 1525/26, auch die grösserformatigen, rechteckigen Exemplare dieser Jahre (Nr. 179 ff.), sind die Vorläufer der späteren Porträts, die nach den Vorlagen von auf Papier entworfenen Bildnis-Köpfen (Abb. 156) in Serien und nun unter stärkerem Zuzug von Werkstattgesellen hergestellt wurden: 1528/29 eine neue Serie mit «Luther und Katharina» (da dürfte sich der 15–16jährige Hans Cranach schon geübt haben), dann 1532/33 «Luther und Melanchthon» sowie die kleinformatigen «Drei sächsischen Kurfürsten» mit aufgeklebten Zetteln, die handgeschriebene Inschriften tragen (Nr. 190). Cranach wurde 1533 für «60 par teffelein daruff gemalt sein die bede churfursten selige und lobliche gedechtnus[67]» bezahlt (vgl. Nr. 190, 192–194). Den Anfang dieser Porträtgeschenk-Serien machen die runden, von Cranach wohl eigenhändig ausgeführten «Luther»-Bilder von 1525/26. Das erhöht ihre typologische Bedeutung.

Vom gleichen Rundtypus und im selben Kleinformat gibt es auch ein 1526 von Cranach gemaltes «Bildnis des Albrecht von Brandenburg» (Abb. 141): es ist amüsant zu sehen, wie diese Cranach-Mode allerseits Gefallen fand, auch bei dem humanistisch gesinnten Erzbischof von Mainz (Kardinal Albrecht) und schliesslich bei Erasmus bzw. Holbein. Selbstverständlich hat Cranach 1525 in der Form kleiner Rundbildnisse auch seinen Herrn gemalt, den «Kurfürsten Johann den Beständigen von Sachsen», der nach dem am 5. Mai 1525 erfolgten Tod des Kurfürsten Friedrich in der Kur nachgefolgt war. Es haben sich zwei Stücke erhalten, die aber stilistisch nicht völlig übereinstimmen und also nicht unbedingt Pendants sind, obwohl beide das Datum von 1525 tragen (Nr. 182 u. 183). Aber nicht nur Bildnisse hat Cranach in dieser «Medaillenform» gemalt (sie sind vermutlich vorausgegangen), sondern auch ein «Weibliches Idealbild» – eine Art von Kurtisane – (1527: Nr. 184; und undatiert: Nr. 185) oder 1525 eine «Judith mit zwei Begleiterinnen» (Abb. 143), eine «Lucretia» (Abb. 147), eine «Ruhende

149　　L. Cranach d. Ä., 1527 (1525 ?) (Nr. 184)

150　　L. Cranach d. Ä., um 1525/27 (Nr. 185)

Quellnymphe» (Nr. 186) oder schliesslich 1525 die zwei Rundbildchen mit einer «Madonna» (Abb. 144) und mit dem «Sündenfall» (Abb. 145). Diese Bildchen[68] verbindet eine künstlerische Tendenz zur Geschmeidigkeit und zu einer betonten Harmlosigkeit, die als ein geistiges Experiment gewertet werden muss, auch wenn im einzelnen Fall das Niveau und die Präzision nicht sehr hoch zu stehen scheinen. Die Frage der eigenhändigen Ausführung bleibt zu prüfen. Es war aber ein von Cranach selber eingeleiteter Versuch zur Intimität und zur leichten, schnellen Produktion in Kontrast etwa zum hohen Pathos der Spätwerke Dürers. Motivisch passt dazu die freundliche Umarmung von Adam und Eva (Abb. 145) – was in Cranachs «Sündenfall»-Holzschnitt von 1509 angelegt war (Nr. 573) – oder die Gelassenheit der von freundlichen Tieren umgebenen «Quellnymphe» (Abb. 146).

Künstlerisch und motivisch denselben Stil zeigt Cranachs Holzschnitt mit der «Erschaffung Evas», der zuerst 1527 in einer Luther-Schrift über das erste Buch Mose in Wittenberg bei Georg Rhau gedruckt wurde (Nr. 452). Der Holzschnitt zeigt einige Verwandtschaft mit einem anderen «Schöpfungs»-Holzschnitt Cranachs aus einer Serie von acht Holzschnitt-Illustrationen zu den Glaubensartikeln und zum Vaterunser; diese Holzschnitte waren ehemals in Dresden vorhanden und sind verschollen (Ho. H. 67). Cranachs Version der «Erschaffung Evas» geht über die Zwischenstufe von Hans Holbein d. J. 1524 (Abb. 152) zurück auf verschiedene ältere Bibel- und Chronik-Illustrationen der Zeit seit etwa 1479 (Abb. 151)[69]. In der miniatorischen Zeichenweise ging der – allerdings kräftiger gegliederte – Holzschnitt der «Erschaffung Evas» aus dem «Christlichen Büchlein» des Adam von Fulda von 1512 voraus (vgl. Nr. 324). Adam von Fulda, bedeutender Komponist und Musiktheoretiker, ist 1506 in Wittenberg gestorben und war Hofkapellmeister Friedrichs des Weisen.

Georg Rhau, der Drucker vieler Schriften Luthers, von Musikwerken und von eigenen erbaulichen Texten (Kap. VIII, 9), hat sich 1542 von Lukas Cranach d. J. im Alter von 54 Jahren für den Holzschnitt porträtieren lassen und dazu – neben einer rechteckigen Form (Nr. 276) – den Rundtypus der Medaille mit umlaufender Inschrift aufgegriffen (Nr. 187, Abb. 142). Unter den Holzschnitt, der erstmals 1544 in einem Druck erschien, liess er nach guter Humanistensitte einen lateinischen Vierzeiler setzen. Rhau wurde 1488 in Eisfeld an der Werra geboren, studierte 1508 in Erfurt und 1512 in Wittenberg, wurde später (seit etwa 1519) Kantor an der Thomasschule in Leipzig und siedelte 1522/23 als Lehrer nach Wittenberg über. 1524/25 gab er die ersten Drucke heraus. Drei kleinere und künstlerisch bescheidenere Bildnisse in Medaillenform mit umgehender Inschrift erschienen 1544 erstmals in einem Buch und stellen den «Kurfürsten Johann Friedrich von Sachsen», flankiert von «Luther» und «Melanchthon» dar (Nr. 268). Um dieselbe Zeit entstand die bronzene Dedikationstafel auf Schloss Torgau zur Erinnerung an die Einweihung der Schlosskapelle, die Luther 1544 persönlich vornahm. Die Tafel ist mit mehreren medaillenförmigen Bildnisreliefs, darunter mit einem 1544 datierten «Luther» geschmückt und steht stilistisch in engem Zusammenhang mit dem «Schönen Erker» von Schluss Hartenfels in Torgau[70]. Am «Schönen Erker» findet man innerhalb einer reichen Ornamentik als Steinreliefs Rundbilder mit den Halbfiguren heroischer Frauen (Judith u.a.)[71].

151   Koberger Bibel, Nürnberg 1483
       (Anm. 78)

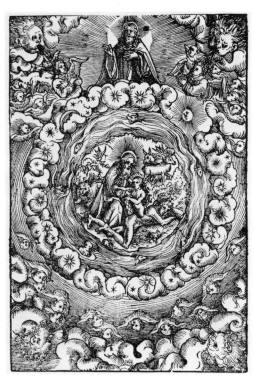

152   H. Holbein d. J., 1523 (Nr. 453)   153   L. Cranach d. Ä., spätestens 1527 (Nr. 452)

Helmuth Bethe vermutet, dass Cranach selber einige der Holzmodelle zu dem gegossenen Medaillon der bronzenen Dedikationstafel von 1544 geschnitzt habe[72]. «Wissen wir doch, dass Cranach für das Grabdenkmal Friedrichs des Weisen von Peter Vischer dem Jüngeren (1527) ausser der Visierung mehrere Holzmodelle geliefert hat und dass er auch sonst plastisch tätig war[73].» Werner Schade (mündlich) erwägt Cranachs Autorschaft auch für das Holzmodell zur Grabplatte Martin Luthers in der Michaels-Kirche in Jena. Das Holzmodell hat sich in der Andreas-Kirche in Erfurt erhalten. Die heutige Bemalung ist nicht die ursprüngliche und müsste zur besseren Beurteilung des Stückes abgenommen werden.

Der Austausch zwischen Melanchthon und Erasmus oder zwischen Cranach und Holbein hat uns zu dem Exkurs über die Medaillenbilder veranlasst und uns zu den aktuellen politischen Ereignissen geführt, die im Hintergrund standen. Wie die «Erasmus-Bildnisse» ab 1533 Ausdruck der kirchenpolitischen Verhandlungen und der Hoffnung auf Einigung sind, so erklärt sich aus denselben Umständen die Entstehung der von Cranach gemalten Bildnisse des «Kaisers Karl V.» und seiner Tante und Pflegemutter «Margarethe von Österreich», der in Mecheln residierenden Tochter Maximilians (Nr. 198). Es ist nicht wahrscheinlich, dass Cra-

154   L. Cranach d. Ä., 1526 (Nr. 179)

155   L. Cranach d. Ä., 1526 (Nr. 180)

156   L. Cranach d. Ä., Werkstatt(?),
      um 1532 (Anm. 78)

157   L. Cranach d. Ä.,
      um 1525/26 (Nr. 181)

158   L. Cranach d. Ä., 1527 (Nr. 188)

159   L. Cranach d. Ä., Werkstatt, 1532
       (Nr. 190)

160   L. Cranach d. Ä., 1533 (Nr. 194)

161   L. Cranach d. Ä., 1532 (Nr. 192)

162   L. Cranach d. Ä., 1532 (Nr. 193)

163   L. Cranach d. Ä., um 1533 (Nr. 198)   164   L. Cranach d. Ä., 1533 (Nr. 197)

nach den Kaiser Karl (der ihm früher als Knabe Modell stand [vgl. Nr. 598]) persönlich gesehen hat, als er 1533 sein Porträt malte (Nr. 197). Wie bei Erasmus lag hier wohl ein ihm vorgelegtes Modell eines anderen Künstlers vor, das Cranach allerdings zu einem eigenen Werk umgestaltete. Die fast krankhafte Sensibilität, die Ängstlichkeit und das Misstrauen, das aus dem Gesicht des Kaisers spricht, scheint Cranach ziemlich frei aus seinem Modell interpretiert zu haben. Realistischer und nun vielleicht nach dem Modell gemalt sind zwei späte Porträts des Kaisers Karl, wovon eines 1548 datiert ist (Nr. 199) und das andere kein Datum trägt (Nr. 200). 1547 ist Cranach dem Kaiser nach der von Johann Friedrich von Sachsen verlorenen Schlacht bei Mühlberg (vgl. Nr. 158) begegnet, als er für seinen gefangengenommenen Herrn um Gnade bat. Im Lauf der nachfolgenden Verhandlungen sind die beiden späten Karl-Bildnisse Cranachs offenbar entstanden. Die historischen Umstände, für die auch hier wieder Bildnisse Cranachs lebendige Geschichts-Dokumente sind, legen von vornherein die Annahme nahe, dass der alte Lukas Cranach und nicht sein Sohn diese Stücke gemalt hat. Die leicht nervöse und doch präzise Pinselschrift passt zu den Kriterien von «Altersstil», die man von anderen altgewordenen Meistern ableiten kann, von Tizian bis zu Chagall[74]. Der Vater Cranach verwendete die gleiche Signaturform wie sein Sohn seit 1537: die Schlange mit dem gesenkten Vogelflügel[75]. Dem Sohn scheint es überlassen gewesen zu sein, den Holzschnitt mit der Ganzfigur des Kaisers Karl V. auszuführen (Nr. 201).

Wie das 1533 datierte Karl-Bildnis, so geht auch Cranachs Porträt der Margarethe von Österreich (Nr. 198), das kein Datum trägt, aber etwa um dieselbe Zeit entstanden ist, auf eine fremde Vorlage zurück. Vermutlich war Margarethe, als Cranach ihr Bildnis malte, bereits gestorben (1. Dezember 1530). Bei der

165   L. Cranach d. Ä., um 1550 (Nr. 200)

166   L. Cranach d. Ä., um 1548 (Nr. 199)

167   L. Cranach d. J. oder d. Ä., um 1548
      (Nr. 201)

168   L. Cranach d. J. oder d. Ä., um 1548
      (Nr. 205)

Vorlage konnte es sich entweder um ein gemaltes Stück oder um einen niederländischen Holzschnitt oder gar um eine plastische Bildnisbüste des von Margarethe beschäftigten, früher in Wittenberg für Friedrich den Weisen tätigen
Konrad Meit handeln. Solche Büsten wurden anscheinend als Geschenke ver-
schickt[76]. Johann Caspar Lavater, der mit Herder und Goethe befreundete
Physiognomiker und Pfarrer in Zürich (1741–1801), fühlte sich gedrängt – wie
er so oft beliebte – dem Bildnis auf einem rückseitigen Zettel eine kurze Charakterisierung beizugeben, in Unkenntnis allerdings der dargestellten Persönlichkeit: «Sanftes, horchsames Kind, gebildet zur Andacht und Demuth / von Lucas
Cranach 9. 1. 17.. L[77].» Lavater hat noch zu drei weiteren von Cranach gemalten
Bildnissen 1787 ähnliche physiognomische Kommentare abgegeben. Die auf-
geklärt-sentimentale Betrachtungsweise Lavaters geht natürlich gründlich an der
Geschichtlichkeit des Bildnisses dieser willensstarken Regentin (von Cranach allerdings interpretiert) vorbei. Tatsächlich strömen Cranachs Bildnisse, auch wenn
ihre Entstehung von härtester politischer Wirklichkeit diktiert ist, eine Besinnlichkeit und eine kindliche Wärme aus, deren Kontrast zu den explosiven Auseinandersetzungen der Zeit nicht bloss als ein Manko gesehen werden sollte,
sondern als ein Aufruf zu einer Haltung, die jene von Lavater genannten Cha-
raktere auch in sich schliesst: Sanftmut, Horchsamkeit, Andacht und Demut.
Cranachs «Humanismus» unterschied sich von jenem des Melanchthon und des
Erasmus ebenso wie vom politischen Kalkül eines Albrecht von Brandenburg
oder eines Kaisers Karl V.

FONTIS NYMPHA SACRI SOMNVM
NE RVMPE QVIESCO.

L. Cranach d. Ä., um 1525/30 (Nr. 544)

169 Lukas Cranach d. Ä.
Bildnis des Kurfürsten Joachim I. von Brandenburg   Abb. 132
Bez. mit Schlange, dat. 1529. Auf Lindenholz. 52 × 35,5 cm.
Berlin, Verwaltung der Staatlichen Schlösser und Gärten, Jagdschloss
Grunewald.

FR. 265. – H. Börsch-Supan, Die Gemälde im Jagdschloss Grunewald, Berlin 1964,
Nr. 45.

Im Kostüm bereicherte Replik grösseren Formats von L. Cranach d. J. in Aschaffenburg (Kat. Aschaffenburg 1964, S. 37 ff., Abb. 2; H. E. Zimmermann, in: Zs. d. dt. Ver.
f. Kunstwiss., IX, 1942, S. 43; Schlange mit liegendem Flügel sicher später aufgemalt,
also an sich kein Beweis für die Spätdatierung).
       Joachim (1484–1535) betet den Rosenkranz. Seine Gemahlin, Elisabeth von
Dänemark, hatte sich 1528 Luthers Konfession zugewandt. Joachims Bruder war
Kardinal Albrecht, der Exponent der päpstlich-antilutherischen Seite (Nr. 4, 33, 34,
45, 47).
       Bei einem von H. Börsch-Supan vermuteten Berliner Aufenthalt malte Cranach
wohl auch die Bildnisse FR. 263 samt Pendant und den Prinzen Nr. 620 (s. Zimmermann; E. Bukolska, in: Museum Studies, V, Chicago 1970, S. 31–37, mit unmöglicher
Zuschreibung der «Hedwig von Brandenburg-Ansbach» an H. Krell).

170 Lukas Cranach d. J. (?)
Bildnis des Philipp Melanchthon   Abb. 129
Um 1550/60. Auf Holz. 15,6 × 12,4 cm.
New York, Sammlung Alice und John Steiner.

Nicht bei FR.

Mit kurzem Bart: spätester Bildnistypus des 1560 gestorbenen Gräzisten und Reformators
(vgl. Nr. 647, 649, 650; der Typus von 1543 mit dem längeren Bart: Nr. 639). Falls
man annimmt, dass die späten, ebenfalls kleinformatigen Bildnisse des Kaisers Karl V.
(Nr. 199, 200) von L. Cranach d. Ä. während des Exils Johann Friedrichs gemalt wurden, müsste bei einer Zuschreibung dieses Melanchthon-Bildnisses an den Sohn Cranach ein Unterschied greifbar werden: eine lockere Pinselführung entsprechend etwa
der Zeichnung Nr. 348?
       Vom gleichen Typus grösseres Melanchthon-Porträt – besonders fein, aber zu-
gleich etwas steif – im Mauritshuis in Den Haag, von 1559 im Städelschen Kunstinstitut in Frankfurt (grauer Hintergrund) und auf mehreren Reformations-Altären
(O. Thulin, Cranach-Altäre der Reformation, Berlin 1955; G. Pfeiffer, in: Fs. Karl
Oettinger, Erlangen 1967, S. 389 ff.).

171   Lukas Cranach d. Ä.
      «Melencolia»   Abb. 133
      Bez. mit Schlange, dat. 1528. Auf Holz. ca. 112,5 × 72 cm.
      Privatbesitz.

FR. (228). – E. Panofsky/F. Saxl, Dürers «Melencolia I», Leipzig/Berlin 1923, S. 150f. –
K. Hoffmann, in: Zs. d. dt. Ver. f. Kunstwiss., XXVI, 1972, S. 7ff. – Koepplin, Cuspinian, S. 225ff.

Das Bild ist kürzlich restauriert worden und hat sich als ausgezeichet erhalten erwiesen,
abgesehen von der Beschneidung (rechts fehlt weitgehend der linke Flügel am Rücken
der allegorischen Melancholie-Gestalt; eine Kopie, die am 22. 4. 1948 bei Parke-Bernet
in New York versteigert wurde, zeigt die unbeschnittene Komposition und misst
119,5 × 82,5 cm). Im Nachlass des 1535 gestorbenen Raymund Fugger befand sich ein
«Melancholie»-Bild etwas anderer Art von Cranach, wohl wie FR. 228 (s. Nr. 39).
    Gegenbild zu Dürers Darstellung der astrologisch fundierten, genialisch-gefähr-
lichen «Melancholie» humanistischer Vorstellung. Hier nach Luther zu verstehen:
«Alle Traurigkeit, Seuchen und Schwermuth kommt vom Satan [Seuchen also nicht
von den Sternen, Melancholie nicht von Saturn]...Denn Gott betrübt nicht, schrecket
nicht, tödtet auch nicht, weil er ein Gott der Lebendigen ist; darum hat er auch seinen
eingeborenen Sohn gesandt, dass wir durch ihn leben sollen; ist gestorben, dass er ein
Herr des Todes würde. Daher saget die Schrift: ‹Seid fröhlich, getrost› etc. Geistlicher
Anfechtung Ärznei ist Gottes Wort und das Gebet» (Tischreden I, Weimar 1912,
Nr. 832, ca. 1530/35). Luther 1533 (Tischreden I, Nr. 455): «Monachi dixerunt et vere:
Melancholicum caput est paratum balneum Diabolo», ein vom Teufel zubereitetes Bad.
Zu den Versuchungen der teuflischen Traurigkeit zählt Luther auch schlechte, ver-
wirrende Träume (Tischreden I, Nr. 122). Zur Abwehr empfiehlt er das Gebet, geistliche Lieder, aber auch eine vernünftige, nicht-asketische (nicht-mönchische) Lebens-
weise: «wer mit Traurigkeit, Verzweiflung oder anderem Herzeleid geplaget wird und
einen Wurm im Gewissen hat, derselbige halte sich erstlich an den Trost des göttlichen
Worts, danach so esse und trinke er [auf dem Melancholie-Gemälde bleiben Früchte
und zwei gefüllte Gläser unberührt, während die Melancholie ‹sinnlos› oder hexisch
einen Stock schnitzt und der Teufel sein Spektakel loslässt], und trachte nach Gesellschaft und Gespräch gottseliger und christlicher Leute, so wirds besser mit ihme werden» (Tischreden I, Nr. 122, S. 51f., 1532). Motivisch und mit unverändertem Sinn
übernahm Cranach – gewiss nach Anleitung Luthers – aus Dürers Kupferstich (Nr. 173)
wenigstens, um eine gewisse Assoziationskette überhaupt auszulösen, den schlafenden
Hund und die unbenutzten Instrumente am Boden. Sonst aber wird etwa ausgesagt:
Ihr superklugen, astrologisch argumentierenden und vom Trübsinn faszinierten
Humanisten werdet ganz einfach zuweilen vom Teufel gekitzelt. Dagegen helfen Gottes
Wort und Vernunft besser als Ficino-Philosophie und als die Magie eines Agrippa von
Nettesheim. – Hexenflug von Cranach 1515 in Maximilians Gebetbuch gezeichnet, wohl
zum Stichwort «inimici», Feinde: R. 24. – Kompositorisch (und sinngemäss) vgl.
Nr. 45, Farbtafel 12.

172   Lukas Cranach d. Ä. (Mitarbeit von Hans Cranach?)
      Melancholie   Farbtafel 13
      Bez. mit Schlange, dat. 1532. Auf Holz. 76,5 × 56 cm.
      Schweizer Privatbesitz.

Nicht bei FR. – Christina, Queen of Sweden, Kat. Stockholm 1966, Nr. 1291 (aus dem Besitz der Königin Christina, vermutlich aus der Prager Beute).

Auch hier dampft teuflische Versuchung hervor. Ein eitel gekleideter Mann wird auf einem Bock von Hexen entführt, Kinder treiben neckische Spiele mit einer Seilschaukel, man weiss nicht woher. Ein Früchteteller und ein Deckelpokal bleiben unberührt. Zwei Rebhühner, wie sie sonst «Quellnymphen» (aus dem Gefolge der Jagdgöttin Diana) von Cranach beigegeben wurden, kontrastieren mit dem trübsinnig-untätigen Jagdhund (vgl. Nr. 544ff., Farbtafel 17).

Die künstlerische Qualität entspricht zwar «eigenhändig» ausgeführten Cranach-Werken und durfte von der (echten) Cranach-Signatur markiert werden; sie steht aber nicht ganz auf der Höhe von vergleichbaren Bildern. Hat der ca. 19jährige Hans Cranach mitgearbeitet? Die Weichheit des Pinselstriches könnte von ihm herrühren (vgl. Nr. 473).

173 Albrecht Dürer (1471–1528)
«Melencolia I»   Abb. 134
Bez., dat. 1514. Kupferstich (Zustand Meder 2a). 24,0 × 18,6 cm.
Basel, Kupferstichkabinett des Kunstmuseums.

B. 74. – Meder 75. – Panofsky/Saxl (zit. bei Nr. 171). – Panofsky 181. – Dürer-Kat., Nürnberg 1971, Nr. 270.

Das humanistische Programm fusst vermutlich primär auf Agrippa von Nettesheim, sekundär u. a. auf Marsilio Ficino. Ficino und Agrippa führen die Melancholie, die Tiefsinn und Wahnwitz bewirkt, auf den Einfluss des Planeten Saturn zurück. Agrippa: «Ein sehr erfahrener Magier kann [aber] viele Übel, welche von den Dispositionen der Sterne herrühren, verhüten, wenn er, ihre Natur im Voraus erkennend, ihrem Eintreten entgegenwirkt und zu verhindern sucht, dass nicht ein schlecht disponiertes Subject, wie wir bereits gesagt haben, da Schädliches aufnimmt, wo es Wohltätiges empfangen sollte» (nach Übersetzung 1855; Koepplin, Cuspinian, S. 187f.; weitere Lit. bei Panofsky u. bei Dürer-Kat., Nürnberg 1971, Nr. 276). Dass vieles in Dürers Darstellung sich der Deutung entzieht, entspricht gerade der humanistischen Theorie, dass Symbole über das Heiligste geworfene Hüllen sind und zur Erahnung der Geheimnisse antreiben sollen (so der Celtis- und Cuspinian-Schüler Joachim Vadian).

174 Lukas Cranach d. Ä., Werkstatt oder Schule
Bildnis des Erasmus von Rotterdam   Abb. 135
Dat. 1536. Auf Buchenholz. 19,7 × 14,7 cm.
Bern, Kunstmuseum (639).

Typus von FR. (252). – R. Steiner, Zwei Erasmus-Bildnisse der Cranach-Schule in Bern, in: Berner Mitteil., Nr. 149, März/April 1973, S. 1–6.

Zur historischen Situation: Koepplin, Cuspinian, S. 43 ff. mit Lit. (Koegler 1921, zit. bei Nr. 177f.); ferner: P. Kalkoff, Erasmus, Luther und Friedrich der Weise, Leipzig 1919; J.-D. Burger, Erasme en face de la Réforme, Genf 1956; P. Rassow, Erasmus und der Augsburger Reichstag 1530, in: Die politische Welt Karls V., München 1942, S. 40–65. – Zu einer 1533 datierten Variante des Erasmus-Bildnisses aus der Cranach-Werkstatt:

H. Frielinghaus, Bildnisse des Erasmus von Rotterdam in Westfalen, in: Westfalen, XXV, 1940 (6), S. 170–173; das bei FR. zitierte Exemplar in Gotha von 1533 misst 18 × 15 cm; Varianten in spiegelbildlicher Stellung ehemals im Museum von Trier (35 × 22,5 cm, gestohlen am 11. 1. 1968, Abb. S. 1047 in: Die Weltkunst, XL, Nr. 17, 1. Sept. 1970) und im Landesmuseum von Oldenburg (1549 dat. und – wohl unecht – bez. mit der Schlange mit gesenktem Flügel und «L», 35,5 × 22,5 cm). Auch Georg Pencz hat 1537 Erasmus nach diesem Holbein-Typus gemalt (nicht wie bei Holbein und Cranach klar-blauer, sondern matt-graugrüner Hintergrund; H. A. Schmid, Hans Holbein d. J., Basel 1945–48, Textbd. II, S. 313; H. G. Gmelin, in: Münchner Jb. d. bild. Kunst, 1966, Abb. S. 83, Nr. 39, S. 94: «Möglicherweise hat Pencz auf einer Reise an den sächsischen Hof, für den er ja die Kaiserbilder Dürers kopierte, eine gute Holbein-kopie kennengelernt; 1529 und 1533 kopierte Pencz Luther-Bildnisse Cranachs.»

175 **Hans Holbein d. J.**
     Bildnis des Erasmus von Rotterdam   **Abb. 136**
     Um 1531. Auf Lindenholz. 17,5 × 14 cm.
     Privatbesitz Zürich, Depositum im Kunstmuseum Basel (G 1972.9).

     H. A. Schmid, Hans Holbein d. J., Basel 1945–48, Textbd. II, S. 314; Tafelbd., Abb. 68. –
     Die Malerfamilie Holbein in Basel, Kat. Basel 1960, Nr. 184. – W. Boveri, Ein Bildnis
     des Erasmus von Rotterdam, Zürich (Manesse) 1971, mit Farbabb. nach der Reinigung.
     – H. W. Grohn, L'opera pittorica completa di Holbein il Giovane, Mailand 1971,
     Nr. 63 (mit Abb. aller Varianten).

     Erasmus verliess Basel nach dem reformatorischen Bildersturm von 1529 und siedelte
     nach Freiburg i. Br. über. Schmid anerkannte das Bildchen entgegen Ganz als Werk
     von der Hand H. Holbeins; zwei schwächere Repliken werden aufgeführt. Die Eras-
     mus-Bildnisse der Cranach-Werkstatt seit 1533 (vgl. Nr. 174) gehen auf diesen Typus
     zurück. Der hellblaue Hintergrund wird übernommen, der brüstungsartige grüne
     Streifen vorn fällt weg.

176 **Hans Holbein d. J.**
     Bildnis des Erasmus von Rotterdam im Rund
     Um 1531/32. Auf Lindenholz. Durchmesser 10 cm.
     Basel, Kunstmuseum (324).

     O. Götz, in: Städel-Jb., VII/VIII, 1932, S. 136f. – A. Hartmann, in: Basler Jb., 1957,
     S. 15ff. – Die Malerfamilie Holbein in Basel, Kat. Basel 1960, Nr. 185.

     Das Miniaturporträt bildete ursprünglich zusammen mit einem verzierten Deckel eine
     Kapsel analog dem vollständig erhaltenen, ebenfalls undatierten Melanchthon-Bildnis,
     das H. Holbein vermutlich auf Grund der kombinierten Vorbilder Cranachs (zuge-
     sandtes gemaltes Bildchen vom Typus 1531/32) und Dürers (Kupferstich von 1526,
     Nr. 48) gestaltete, ohne dass ihm Melanchthon persönlich begegnete (Hans Reinhardt
     machte mündlich auf die kombinierten Gesichtszüge aufmerksam; Die Malerfamilie
     Holbein in Basel, Kat. Basel 1960, Nr. 181). Datierte Miniaturbildnisse im Rund gibt es
     bei Holbein seit 1533, bei Bruyn seit 1537, bei Cranach seit 1525 und bei Jean Clouet
     auf Papier gemalt schon 1519 (damals verkehrte Friedrich der Weise mit der franzö-
     sischen Königin-Mutter: Cranach-Fs. 1953, S. 163f.).

177, 178 Lukas Cranach d. Ä.
Bildnisse des Martin Luther
und seiner Frau Katharina von Bora Farbtafel 9
Auf dem Frauenbildnis bez. mit Schlange, dat. 1525 (die letzte Ziffer undeutlich). Auf Buchenholz. Durchmesser je 10 cm.
Basel, Kunstmuseum (177–177a).

FR. 159. – Flechsig, Cranachstudien, S. 257 ff. – Jahresbericht der Öffentlichen Kunstsammlung Basel für das Jahr 1912, Basel 1913, S. 40 (Schenkung J. R. Thurneysen 1762). – H. Koegler, Hans Holbeins d. J. Holzschnitt-Bildnisse von Erasmus und Luther, in: Jahresbericht d. Öff. Kslg. Basel für d. J. 1920, Basel 1921, S. 35–47. – O. Götz, in: Städel-Jb., VII/VIII, 1932, S. 129 f.

Varianten: 1525 datiert (aus der Lutherhalle Wittenberg, Abb. 66 bei Lilienfein und Abb. in: Berliner Museen, 1952, Heft 3–4), 1526 datiert (Stockholm, Abb. S. 86 bei H. Lilje, Martin Luther, Hamburg 1964). Ein dem Basler fast ebenbürtiges Bilderpaar mit Signatur und Datum 1525, etwas enger im Büstenausschnitt, befindet sich in der Pierpont Morgan Library in New York (Abb. Taf. XXV bei Ch. L. Kuhn, A Catalogue of German Paintings of the Middle Ages and Renaissance in American Collections, Cambridge Mass. 1936, Nr. 142, mit falscher Datum-Angabe, Durchmesser je 7,5 cm). Undatiertes Bildnis der Katharina von Bora allein in Berlin (Abb. 67 in Cranach-Fs. 1953).

Koegler wies nach, dass H. Holbein d. J. Cranachs Basler Bildnis «Luther im Rund» als Vorbild benutzte, als er 1532 in Basel die kleinen, medaillenartigen Holzschnitt-Bildnisse Luthers und Erasmus' zeichnete (Die Malerfamilie Holbein in Basel, Kat. Basel 1960, Nr. 431 f.). Katharina, Luthers Frau, wurde von Holbein (bzw. Erasmus oder Froben) selbstverständlich beiseite gelassen. Erasmus schrieb nach Luthers Heirat (1525) an Daniel Mauch, den Sekretär des päpstlichen Legaten Lorenzo Campeggio und Sohn des gleichnamigen Bildhauers (s. Nr. 587), Luthers Ehe mit der ehemaligen Nonne Katharina von Bora sei schon wenige Tage nach der Hochzeit mit einem Kind gesegnet worden – ein falsches Gerücht (J. Rasmussen, in: Städel-Jb., NF IV, 1973, S. 142, Anm. 11.)

179, 180 Lukas Cranach d. Ä.
Bildnisse des Martin Luther
und seiner Frau Katharina von Bora Abb. 154, 155
Das Luther-Bildnis bez. mit Schlange, dat. 1526. Auf Rotbuchenholz.
Je 37,5 × 24,4 cm.
Privatbesitz.

FR. 160. – Flechsig, Cranachstudien, S. 260. – Erasmus-Kat. Rotterdam 1969, Nr. 401 f. – Versteigerung Paris, Palais Galliéra, 7. März 1972.

Hier wie im Prinzip sonst auch gibt Cranach die Frau, entsprechend ihrer kleineren Statur, in etwas weiterem Ausschnitt mit den Armen, während Luther «monumenthaft» der klassischen Büstenform angenähert wird (vgl. den Stich Nr. 35, Abb. 32,33). Die «hinzugekommene» Frau nimmt durch ihren Frontalblick Kontakt mit dem Betrachter auf. Hintergrund grün (bei den kleinen Rundbildnissen Nr. 177,178 blau). Beim Bildnis der Frau kann man unter der linearen Pinselzeichnung des Gesichtes (Brauen usw.) feine Punkte beobachten, die darauf deuten, dass eine durchlöcherte Pause für die grobe Fixierung des Bildnisses verwendet wurde. In Weimar hat sich eine solche punktiert-durchlöcherte Zeichnung ähnlicher Art erhalten. Die Ausführung dieser Bildnisse, die serienweise entstanden, wurde aber im wesentlichen doch von Cranach selber besorgt. Varianten befinden sich in Bristol (nur Luther, 1525 datiert, 40 × 26,6 cm; Abb. im Kat.: Pictures from Bristol, London, Wildenstein, 1969, Nr. 4; Die Weltkunst, 1969, S. 778), in Schwerin (Paar, 1526 dat., etwas verwaschene Fassungen mit blauen Hintergründen, je 37,5 × 24,5 cm; Abb. 61, 62 bei Lilienfein), Stockholm (Paar, 1526 dat., hellgrüne Hintergründe, etwas schematisch, 37 × 24 cm), Wolfenbüttel (Paar, 1526) und in Münchner Privatbesitz (Luther allein, 1526 dat., 39 × 26 cm).

181   Lukas Cranach d. Ä.
Bildnis der Katharina von Bora   **Abb. 157**
Um 1525/26. Unbez. Auf Holz. 20,5 × 13,3 cm.
Crans-sur-Sierre, Sammlung Adolphe Stein.

Unpubliziert.

Von gleicher Qualität wie die andern Serienbilder Luthers und seiner Frau der Jahre 1525/26, im Format aber zwischen den Stücken wie Nr. 179, 180 und den Rundbildchen wie Nr. 177, 178 stehend, als solches einzigartig. Blauer Hintergrund.

182, 183   Lukas Cranach d. Ä.
Bildnisse der Kurfürsten Friedrich und Johann
von Sachsen im Rund   **Abb. 139, 140**
Beide bez. mit Schlange, dat. 1525. Auf Rotbuchenholz. Durchmesser je 13 cm.
Karlsruhe, Staatliche Kunsthalle (120, 119).

FR. 151 d. – Katalog Alte Meister, Karlsruhe 1966, S. 90 f.

Die beiden Rundbildchen sind nicht unbedingt als genau gleichzeitig gemaltes Paar zu betrachten. Das Bildnis Johanns zeigt eine etwas vorsichtigere, müdere, tonigere Malweise als dasjenige Friedrichs. Am 5. Mai 1525 starb Friedrich, und sein Bruder Johann folgte ihm als Kurfürst nach. Friedrich auf blauem, Johann auf moosgrünem Grund. – Buchholzschnitt mit den drei sächsischen Kurfürsten in Medaillons: Nr. 268.

184   Lukas Cranach d. Ä.
Bildnis einer jungen Frau im Rund   **Abb. 149**
Bez. mit Schlange, dat. 1527 (1525 ?). Auf Rotbuchenholz. Durchmesser 14,5 cm.
Stuttgart, Staatsgalerie (L 796), Leihgabe der Eberhard-Karls-Universität Tübingen.

FR. 149. – Flechsig, Cranachstudien, S. 267.

Die Augen stehen weit auseinander, der Halsring ist perspektivisch merkwürdig verzeichnet – diese Rundbildchen, die wir hier wenigstens in den Abbildungen zusammenstellen, sind fast alle von bescheidener Qualität. Vor 1525 und nach 1527 gibt es keine Exemplare, dazwischen aber lieferte Cranach eine grosse Zahl. Die Arbeit musste schnell von der Hand gehen.

Flechsig meint: «Die letzte Ziffer der Jahreszahl war ursprünglich eine 5 in derselben Form, wie sie auch andere Bilder des Jahres 1525 zeigen. [...] Ein scharfes Auge erkennt aber noch die davor stehende 5.»

185 **Lukas Cranach d. Ä.**
Bildnis einer jungen Frau im Rund   Abb. 150
Unbez. Auf Holz. Durchmesser 14 cm.
Aix-en-Provence, Musée Granet (Donation J.-B. de Bourguignon 343).

Nicht bei FR. – H. Gibert, Cat. Coll. Bourguignon, 1867, Nr. 220 (Schule L. Cranachs). – Kat. Aix 1900, Nr. 246 (L. Cranach).

186 **Lukas Cranach d. Ä.**
Ruhende Quellnymphe im Rund   Abb. 146
Unbez. Auf Rotbuchenholz. Durchmesser 14,7 cm.
Veste Coburg, Kunstsammlungen (M 161).

FR. (191). – Schu. III, S. 138, Nr. 15. – Coburg-Kronach 1972, Zusatzliste Nr. 12, Farbabb.

Die Nymphe, die dem Gefolge der Jagdgöttin Diana angehört, ist neben einer Quelle, die ihr heilig ist, eingeschlafen. Solange sie nicht geweckt wird, können der Hirsch und der Biber (sowie der Bildbetrachter) ruhig sein. Vgl. andere Fassungen, in denen der weggehängte Bogen und die Pfeile im Köcher wohl an die Jagd und (auf den Betrachter bezogen) an Cupidos Liebespfeile erinnern sollen: Nr. 544 ff., Farbtafel 17.

187 **Lukas Cranach d. Ä. oder d. J.**
Bildnis des Druckers Georg Rhau, im 54. Lebensjahr   Abb. 142
1542. Holzschnitt (1. Zustand). Durchmesser 10 cm.
Bamberg, Staatsbibliothek (I. L. 32).

Nicht bei Ho. – Schu. II, S. 318, Nr. 193. – Pass. 202. – Lindau, S. 380. – Lippmann 1895, S. 15, 16. – Dodgson II, S. 318, Nr. 125. – O. Clemen, Zu Georg Rhaw, in: Zs. f. Buchkunde, I, 1924. S. 79–82. – Zimmermann, Folgen, Verz. IV, 35. – H. Grimm, Deutsche Buchdruckersignete des XVI. Jahrhunderts, Wiesbaden 1965, S. 290f. – Berlin 1967, Nr. 134.

Erste bekannte Verwendungen: in mehreren Musikdrucken von 1544. Bereits in der Erstausgabe des Hortulus Animae (1547/48) erscheint das Porträtmedaillon im 2. Zustand (Schraffierung des Hintergrundes und einige Schatten im Gesicht weggeschnitten); Vegl. auch Nr. 275, 276).

Nach der Altersangabe kann man den Holzschnitt ins Jahr 1542 datieren. Rhau, aus Eisfeld gebürtig, studierte 1508 in Erfurt und 1512 in Wittenberg, war Kantor der Thomasschule in Leipzig, 1520 Schulmeister in Eisleben, zog 1522/23 als Musiklehrer nach Wittenberg und druckte hier ab 1525 bis zu seinem Tod 1548 zahlreiche Bücher. Er gehörte lange dem Wittenberger Rat an.

Rechteckiger Porträtholzschnitt in Nr. 275, 276. Dem Rundbild typologisch vergleichbar ist der 1532 erschienene Medaillon-Holzschnitt mit dem Bildnis des Markgrafen Joachim von Brandenburg zu einem Begrüssungsgedicht des Poeten Georg Sabinus (G. Habich, Die deutschen Schaumünzen des XVI. Jahrhunderts, I/2, München 1931, Abb. S. LXIX).

188   Lukas Cranach d. Ä.
**Bildnis des 1525 verstorbenen Kurfürsten
Friedrich von Sachsen**   Abb. 158
Bez. mit Schlange, dat. 1527. Auf Rotbuchenholz. 39,7 × 26,5 cm.
Darmstadt, Hessisches Landesmuseum.

FR. 151c.

Moosgrüner Hintergrund. Eigenhändig ausgeführte qualitätvolle Serienarbeit. Nach dem am 5. 5. 1525 erfolgten Tod Friedrichs gab Kurfürst Johann zahlreiche Bildnisse des Verstorbenen bei Cranach in Auftrag. Ein 1525 datiertes Stück: Nr. 188a.

188a Lukas Cranach d. Ä.
Bildnis des Kurfürsten Friedrich von Sachsen
Bez. mit Schlange, dat. 1525. Auf Holz. 41 × 27 cm.
Schweizer Privatbesitz.

Nicht bei FR.

Moosgrüner Grund. Gewand und Hut schwarz, brauner Pelz (fast ganz ohne die sonst üblichen hellen Haarstriche).

189   Lukas Cranach d. Ä.
Bildnis des 1525 verstorbenen Kurfürsten Friedrich von Sachsen
Bez. mit Schlange, dat. 1528. Auf Holz. 38,7 × 24,4 cm.
Binningen bei Basel, Privatbesitz.

Nicht bei FR.

Büste (ohne Arme) auf hellblauem Grund, unten aufgeklebte Inschrift auf Papier, – wie es sonst erst bei den kleineren Bildnissen von 1532/33 vorkommt (s. Nr. 190). In der Qualität geringer als 188.

L. Cranach d. Ä., 1530 (Nr. 505)

190 **Lukas Cranach d. Ä., Werkstatt**
    Bildnis des verstorbenen Kurfürsten
    Friedrich von Sachsen   Abb. 159
    Bez. mit Schlange, dat. 1532. Auf Eichenholz. 19 × 14 cm.
    Bern, Kunstmuseum.

    Hellblauer Grund. Entsprechend dem bei FR. (272) erwähnten paarigen, in grosser
    Zahl wiederholten Typus der beiden verstorbenen Kurfürsten Friedrich (gest. 5. 5. 1525)
    und Johann (gest. 16. 8. 1532) von Sachsen, jeweils mit aufgeklebter Inschrift auf
    Papier (vgl. Nr. 189; die in der Ich-Form von Taten und Regierungssorgen redenden
    Inschriften zit. bei Schu. I, S. 89 f.). Der Signatur kommt in diesen doch Ausnahme-
    fällen nur noch die Bedeutung eines Firmenzeichens zu. – Auf der Rückseite aufgeklebt
    das kurfürstliche Wappen, Nr. 101.

191 **Lukas Cranach d. Ä.**
    Bildnis des verstorbenen Kurfürsten Friedrich von Sachsen
    Um 1525. Holzschnitt. 27,5 × 22 cm.
    Bamberg, Staatsbibliothek (I. L. 33).

    Ho. H. 129 A a. – Pass. IV, S. 15, Nr. 181. – B. app. 43 (als Dürer). – G. 634. – M. Geisberg,
    Die deutsche Buchillustration..., II, 6, München 1931, S. 3–8. – Weimar 1953, Nr. 287.

    Die lateinische Inschrift nennt «Lucas» (Cranach) als «Imitator» der ehemals lebenden
    Gestalt des Kurfürsten. Der Holzschnitt variiert mit der Büste, der Inschrifttafel und
    der Plazierung des kursächsischen Wappenpaares die einprägsame Grundform des von
    Dürer 1524 geschaffenen Kupferstichbildnisses Friedrichs (Nr. 26). Johann, als Kur-
    fürst nachfolgender Bruder Friedrichs, liess sich gleichzeitig, allerdings ohne Inschrift-
    tafel, sein eigenes Holzschnitt-Bildnis von Cranach zeichnen (Ho. H. 130).

192 **Lukas Cranach d. Ä.**
    Bildnis des Kurfürsten Johann Friedrich von Sachsen   Abb. 161
    Bez. mit Schlange, dat. 1532. Auf Lindenholz. 19,7 × 13,3 cm.
    Kreuzlingen, Sammlung Heinz Kisters.

193 **Lukas Cranach d. Ä.**
    Bildnis der Sibylle von Cleve, Gemahlin des Kurfürsten
    Johann Friedrich von Sachsen   Abb. 162
    Unbez. Gegenstück zur vorigen Nummer. Auf Lindenholz. 19,7 × 13,3 cm.
    Kreuzlingen, Sammlung Heinz Kisters.

194 **Lukas Cranach d. Ä.**
Bildnis des Kurfürsten Johann Friedrich von Sachsen   **Abb. 160**
Bez. mit Schlange, dat. 1533. Auf Lindenholz. 20,5 × 14,5 cm.
Basel, Kunstmuseum (1228).

Gruppe FR. (271). – Sammlung Heinz Kisters, Kat. Nürnberg 1963, Nr. 11, 12; Kat.
Kreuzlingen 1971, Nr. 47, 48. – Allg. Intelligenzblatt der Stadt Basel, IX, Nr. 86,
12. April 1853, S. 667: ein Paar dieser Art versteigert vom Basler Kunsthändler J. H. von
Speyr am 12. und 13. April (Hinweis G. Duthaler). – W. Braunfels, in: Fs. Herbert von
Einem, Berlin 1965, S. 44–48.

Beim Regierungsantritt gab Johann Friedrich der Grossmütige die kleinen Bildnispaare
zu Geschenkzwecken bei Cranach in Auftrag. Wohl beide Cranach-Söhne, die etwa
19 und 17 Jahre alt waren, übten sich an der serienmässigen Ausführung (das 1533
datierte Paar in Stockholm von deutlich schwächerer Qualität). – Hellblaue Hintergründe.

195, 196 **Lukas Cranach d. Ä., Werkstatt(?)**
Bildnisse des Kurfürsten Johann Friedrich und der Sibylle von Cleve
Um 1540. 2 Holzschnitte. Je ca. 33 × 27 cm.
Bamberg, Staatsbibliothek (I. L. 36, 37).

Ho. H. 131, 135. – H. Röttinger, Beiträge zur Geschichte des sächsischen Holzschnitts,
Strassburg 1921, S. 39, 60 f., Nr. 28 f. – G. 636, 637. – M. Geisberg, Die deutsche Buchillustration..., II, 6, München 1931, S. 6.

Auf dem Typus von Nr. 192–194 fussend, von Röttinger dem in Fulda und Erfurt
unter Cranachs Einfluss tätigen Hans Brosamer, von Geisberg dagegen L. Cranach
d. Ä. zugeschrieben wegen der Nähe zum Stil von Nr. 191. Der Vergleich offenbart
allerdings eine für Cranach schwer akzeptable Verhärtung, die höchstens mit der
Propaganda-Funktion zu erklären wäre, wenn etwa die Formulierung von Scheidig
zuträfe (Weimar 1953, Nr. 148): «In solchen Bildnissen [...] darf man nicht mehr sehen,
als eine bildliche Wiedergabe des Fürstenpaares zur Ausschmückung der Amtsstuben,
Schulen und Kirchen.» Wie schon «Luther als Junker Jörg», der propagandistische
Holzschnitt von 1522 (Nr. 42, Abb. 38), tragen auch diese Blätter auffälligerweise keine
Bezeichnung Cranachs (im Gegensatz zu Nr. 191). Man findet sich im Konflikt zwischen
der Gewichtung der Funktion und der Beurteilung nach Feinheit–Qualität dieser
Holzschnitte. Vielleicht zugehörig: Nr. 650a.

197 **Lukas Cranach d. Ä.**
Bildnis des Kaisers Karl V.   **Abb. 164**
Bez. mit Schlange, dat. 1533. Auf Holz. 51 × 36 cm.
Castagnola bei Lugano, Sammlung Thyssen-Bornemisza.

FR. 279. – R. Heinemann, Stiftung Sammlung Schloss Rohoncz, Lugano 1937, Nr. 107.

Hellgrüner Grund. Karl (geb. 1500, 1519–1556 Kaiser, gest. 1558) mit der Kette des
Goldenen Vlieses.

In der Sammlung Karls V. in Brüssel befand sich laut Inventar von 1536 ein
Gemäldepaar «avec la figure de l'empereur et l'autre de l'impératrix sans bordure de
morisque, que l'on dict estre faict par le painctre Maistre Lucas». Spätere Variante,
Karl in Goldbrokatgewand, war ausgestellt in der kleinen Cranach-Ausstellung in
Princeton 1969, Nr. 5, mit Abb. (45,5 × 35 cm; 446. Versteigerung bei Lempertz,
Köln, Nov. 1956, Nr. 24, Taf. 4).

198   Lukas Cranach d. Ä.
Bildnis der Margaretha von Österreich   Abb. 163
Bez. mit Schlange. Auf Rotbuchenholz. 50 × 35 cm.
Dessau, Staatliche Galerie, Schloss Georgium.

FR. 258. – J. Duverger, Lucas Cranach en Albrecht Durer aan het Hof van Margareta
van Oostenrijk, in: Jaarboek 1970, Koninklijk Museum voor Schone Kunsten, Antwerpen, S. 11 (unberechtigter Zweifel an der Identifizierung).

Cranach stand für dieses wohl kurz nach dem Tod der Dargestellten gemalte Bildnis
ein Gemälde, ein Holzschnitt oder eine plastische Bildnisbüste etwa des Konrad Meit
zur Verfügung. Solche Büsten wurden an Fürsten verschenkt (G. Troescher, Konrad
Meyt, Freiburg i. Br. 1927; Fs. Karl Koetschau, Düsseldorf 1928, S. 55 f.).

Margaretha (1480–1530) war die Tochter des Kaisers Maximilian und amtete
seit 1507 als Generalstatthalterin der Niederlande. Cranach muss ihr schon 1508 bei
seiner Mission zu Maximilian und dem jungen Karl in den Niederlanden begegnet sein.

199   Lukas Cranach d. Ä.
Bildnis des Kaisers Karl V.   Abb. 166
Bez. mit Schlange mit liegendem Flügel, dat. 1548. Auf Holz. 20,7 × 15 cm.
Schwerin, Staatliches Museum.

FR. (279). – Th. Distel, in: Repert. f. Kunstwiss., XXIII, 1900, S. 412. – Flechsig,
Cranachstudien, S. 276. – G. Voss/O. Doering, Meisterwerke der Kunst aus Sachsen
und Thüringen, 1905, Taf. 28 c (Text von M. J. Friedländer: L. Cranach d. J.).

Allgemein (ausser von W. Schade, Cranach-Kat. Bukarest 1973, bei Nr. 116) als Werk
von Lukas Cranach d. J. angesprochen – schon historische Gründe sprechen aber für
eine Zuschreibung an L. Cranach d. Ä. Der Kopf ist mit hoher Präzision und in unbe-
sorgter Pinselzeichnung charakterisiert, das Gewand grosszügig angedeutet, die Hände
mit psychologischer Meisterschaft eingesetzt. Der jüngere L. Cranach brachte kaum
diese Lebendigkeit und geistvolle Differenzierung hervor (vgl. Bemerkung zu Nr. 287).
– Bleich-blauer Hintergrund.

200 Lukas Cranach d. Ä.
Bildnis des Kaisers Karl V.   **Abb. 165**
Um 1550. Unbez. Auf Holz. 21 × 17,8 cm.
Eisenach, Wartburg-Stiftung.

Nicht bei FR.

Im Typus offenbar von der Bildniskunst Tizians berührt, dem Cranach 1550/51 in
Augsburg begegnete (s. Zeittafel unter 1550/52), daher der Unterschied zu Nr. 199 und
die neue Grandezza. Muss schon aus historischen Gründen L. Cranach d. Ä. zugeschrieben werden und verdient als Basis der Beurteilung des Cranach-Spätwerks
besondere Beachtung. Leider nicht gut erhalten.

201 Lukas Cranach d. J. (oder d. Ä. ?)
Bildnis des Kaisers Karl V. in ganzer Figur   **Abb. 167**
Um 1548. Bez. mit Schlange mit liegendem Flügel. Holzschnitt (2. Zustand,
oben und unten verkürzt). 32,0 × 22,2 cm.
Schloss Wolfegg, Fürstliches Kupferstichkabinett.

Ho. (d. J.) 27. – B. 128. – G. 657. – Weimar 1953, Nr. 304.

Die Zeichnung könnte durchaus von L. Cranach d. Ä. stammen und in die Werkstatt
des Sohnes zur Ausführung geschickt worden sein. Die Datierung ergibt sich daraus,
dass es sich um ein Gegenstück zu Nr. 202 handelt (Barttracht freilich abweichend
vom 1548 gemalten Karl-Bildnis, Nr. 199). Die Haltung besitzt in ihrer würdevollen
Steifheit einen bestimmten physiognomischen Ausdruck.

202 Lukas Cranach d. J. (oder d. Ä. ?)
Bildnis des Königs Ferdinand in ganzer Figur
Bez. mit Schlange mit liegendem Flügel. Holzschnitt (2. Zustand, ohne
Datum 1548). 31,3 × 21,5 cm.
Schloss Wolfegg, Fürstliches Kupferstichkabinett.

Ho. (d. J.) 29. – B. 129. – Dodgson II, S. 344, Nr. 16. – G. 658. – Weimar 1953, Nr. 305.

Ferdinand (1503–1564) war der jüngere Bruder des Kaisers Karl V. Nach der Kaiserwahl überliess Karl 1521/22 Ferdinand die habsburgischen Erblande. 1526 wurde
Ferdinand König von Böhmen und Ungarn, 1531 römischer König und 1556, nach der
Abdankung Karls, Kaiser.
    Gegenstück zu Nr. 201. Auch hier kann die Zeichnung vom alten L. Cranach
stammen.

203 Lukas Cranach d. J. (oder d. Ä. ?)
Bildnis des gefangenen Herzogs Johann Friedrich von Sachsen
Um 1548. Bez. mit Schlange mit liegendem Flügel. Holzschnitt (2. Zustand,
ohne Wappen). 33,5 × 21,4 cm.
Schloss Wolfegg, Fürstliches Kupferstichkabinett.

Ho. (d. J.) 33. – B. 132. – G. 662. – Weimar 1953, Nr. 307.

Johann Friedrich zeigt die in der Schlacht bei Mühlberg 1547 empfangene Schramme an der linken Wange. Die Kurwürde hat er verloren – das kursächsische Wappen (im 2. Zustand entfernt!) bezeichnet also nur einen Anspruch. Gegenstück Nr. 204.

204 Lukas Cranach d. J. (oder d. Ä. ?)
(Faksimile nach:) **Bildnis der Sibylle von Cleve,** Gemahlin Johann Friedrichs
Um 1548. Bez. mit Schlange mit liegendem Flügel. Holzschnitt.
35,2 × 21,5 cm.

Ho. (d. J.) 55. – Dodgson II, S. 344, Nr. 19. – G. 663. – Weimar 1953, Nr. 308.

Von eindrücklicher Konsequenz die gestelzte Statuarik (vgl. Abb. 98), mit raffiniertem, samtigem Helldunkel gezeichnet. Die Frage der Zuschreibung stellt sich gleich wie bei Nr. 201 ff.

205 Lukas Cranach d. J. (oder d. Ä. ?)
Bildnis des Herzogs Johann Wilhelm
von Sachsen-Coburg   **Abb. 168**
Um 1548. Bez. mit Schlange mit liegendem Flügel. Holzschnitt.
31,9 × 21,2 cm.
Schloss Wolfegg, Fürstliches Kupferstichkabinett.

Ho. (d. J.) 38. – B. 133. – Dodgson II, S. 344, Nr. 17. – G. 665. – Weimar 1953, Nr. 150.

Johann Wilhelm war der Sohn Johann Friedrichs und lebte 1530–1573. Vielleicht schon auf dem «Jagd»-Gemälde Nr. 140 als Knabe dargestellt.

206 Georg Pencz (um 1500–1550)
Bildnis des Kurfürsten Johann Friedrich von Sachsen
Bez. GP, dat. 1543. Kupferstich. 40,4 × 31,1 cm.
Basel, Kupferstichkabinett des Kunstmuseums.

B. 126.

Der Nürnberger Dürer-Schüler hat 1530 die Bildnisse Luthers und Melanchthons nach Cranach-Typen gestochen (auch gemalt: s. Nr. 174). 1543: das ist das Jahr nach dem ersten Sieg des von Johann Friedrich geführten Schmalkaldischen Bundes in Wolfenbüttel (Nr. 158). Lateinische Devisen: Meine Hoffnung liegt in Gott, Gottes Wort bleibt in Ewigkeit.

In epiphania dñi Officiũ.
Cce aduenit do=
minato: domi=
nus: ז regnũ in
manu eius ז po=
testas ז imperiũ.
pŝ. Deus iudi=
cium tuum regī
da:et iusticiam tuam filio regis. Ky=
rieleyson. solenne. Collecta.

168a L. Cranach d. Ä., 1503 (Nr. 66)

VII. Cranach-Buchgraphik der Reformationszeit (F)

1. Einleitung

Das Phänomen der künstlerischen Produktion Lukas Cranachs und seiner Werkstatt ist ohne ein Kapitel über die Buchillustration nicht vollständig darzustellen. Cranachische Buchgraphik gilt wegen der zahllosen kleinen, oft nur der Tagespolemik dienenden Druckschriften aus den ersten Jahrzehnten der Reformation, in denen sie aufzuspüren ist, als ein kaum überschaubares und schwer abzugrenzendes Gebiet, das zudem den Ruf einer höchst unterschiedlichen, manchmal nur mittelmässigen Qualität trägt. In der Cranach-Literatur ist sie daher, abgesehen von thematisch begrenzten Spezialuntersuchungen, meist stiefmütterlich und wenig systematisch behandelt worden.

Cranachs Missale-Holzschnitte der Wiener Zeit, einige Jahre später das Wittenberger Heiltumbuch von 1509, dem sich das Andachtsbüchlein des Adam von Fulda (1512) wiederum eng anschliesst, waren in der Tat – jedes Werk für sich – gewichtige und mit ganzem Einsatz vollendete Leistungen gewesen. Nach längerer Pause beginnt mit dem Jahr 1518 ein völlig anders gearteter Abschnitt, dem in erster Linie die Gattung des Buchtitelschmucks, erst in zweiter Linie Bildillustration von Lutherschriften und Reformationsdrucken das Gepräge gibt. Man hat sich daran gewöhnt, von der Qualität der frühen grossen Einblatt-Holzschnitte Lukas Cranachs ausgehend, die gesamte cranachische Buchillustration der späteren Zeit unter dem Begriff der «Werkstattarbeiten» zusammenzufassen, dem Meister selbst, wie schon Lippmann schrieb[1], spätestens ab 1522 (dem Jahr des «Luther als Junker Jörg», Nr. 42), weitgehendes Desinteresse auf diesem Betätigungsfeld vorzuwerfen, obwohl man weiss, dass er eine eigene Buchdruckerpresse in seinem Haus im Jahr 1523 einrichtete. Die Hypothese, dass ein Grossteil der Buchgraphik ab 1518/20 von Cranachs ältestem Sohn Hans stammen könne (unter diesem Namen findet man solche Holzschnitte noch heute häufig verzeichnet), hat ihr Initiator Flechsig später wieder zurückgenommen[2]. Sie ist durch die Wahrscheinlichkeit einer viel späteren Geburt des Hans Cranach (vgl. S. 21) wohl endgültig überholt. Die seitdem herrschende Ratlosigkeit zeigt sich am besten in den Graphik-Verzeichnissen von Hollstein[3], der die gesamte Titelgraphik unterschiedslos in seinen Anhang, d.h. unter den Begriff «workshop» verbannt.

Wir sind der Meinung, dass es ebensogut cranachische Einblatt-Holzschnitte gibt, die nur Werkstattgut sind, wie Titelgraphik, die den Anspruch auf Eigenhändigkeit (ein Begriff, der später noch näher zu erläutern ist) erheben kann. Ein genereller Qualitätsunterschied zur frühen Einzelblattgraphik bei übereinstimmendem Formenrepertoire ist deutlich; die Frage nach den Gründen und Versuche zur Differenzierung innerhalb der Buchgraphik sind notwendig und durch die Ausbreitung des Materials vielleicht zu erreichen.

Was die Forschung bisher mit Erfolg versucht hat, ist die Aussonderung fremder Künstlerpersönlichkeiten innerhalb des Wittenberger Buchholzschnitts.

Hildegard Zimmermanns materialreiche Untersuchungen[4] setzten sich in erster
Linie dieses Ziel. Alle diese mühevoll herausgesuchten Kleinmeister mit ihren
Notnamen und Monogrammen neben oder ausserhalb der grossen Cranach-
Werkstatt oder auch in Verbindung mit ihr sollen uns nicht oder nur am Rande
interessieren: der Monogrammist MS (dessen versuchte Identifizierung mit
Martin Schaffner durch E. Baumeister[5] zu Recht nicht angenommen wurde), der
Monogrammist HB (um den sich I. Kühnel-Kunze[6] bemühte), der Monogram-
mist AW und andere mehr. Auch die prominenteren im sächsischen Gebiet
arbeitenden Künstler wie Hans Brosamer und Georg Lemberger stehen ausser
Betracht. Es bleibt ein grosser Komplex von Buchgraphik, der den gemeinsamen
Stempel cranachischen Stils trägt und der auf seine Beziehung zum Meister und
Leiter der Werkstatt geprüft werden sollte.

Man hat der protestantischen Bewegung vielfach vorgeworfen, sie habe die
reiche Tradition der spätmittelalterlichen religiösen Bildwelt abrupt unterbrochen,
ohne zunächst neue Themen und Impulse zu bieten. Abgesehen davon, dass mit
Luthers erster Vollbibel von 1534 bereits der Ausgangspunkt einer neuen Bilderwelt geschaffen und dass z.B. mit dem «Lustgärtlein der Seelen» (Nr. 275, 276)
ab 1548 ein protestantisches Andachtsbuch entstanden war, welches sich in
seinem reichen Bildschmuck noch fast ausschliesslich vorreformatorischer Holzschnitte bediente, waren die Aufgaben, die sich in den ersten Jahren der Reformation für die Buchillustration stellten, tatsächlich wenig variabel. Die Kapazität der
Wittenberger Buchdruckereien – bis 1519 gab es überhaupt nur eine ständig dort
arbeitende Buchdruckerpresse – war durch das theologische Schrifttum, das im
allgemeinen der Illustration nicht bedurfte, vollkommen ausgelastet. In Luthers
ersten Partien der Bibelübersetzung wirkte noch die traditionelle Scheu vor anderen Bilderserien als zu den Büchern Mosis und der Offenbarung des Johannes.
Man weiss, dass erst auf Luthers persönlichen Wunsch und nach seinen Angaben
weitere Zyklen entstanden[7]. Auch Melanchthon will, nach eigenen Angaben,
Cranach Entwürfe(!) für Bibelillustrationen überreicht haben[8], was wohl am
ehesten auf die Katechismus-Bilder (Nr. 255, 256) bezogen werden darf. Vereinzelte Serien polemischen Inhalts, an erster Stelle das «Passional Christi und
Antichristi» (Nr. 218–220), die aus der Cranach-Werkstatt hervorgingen, sind
ebenfalls nicht ohne persönliche Beteiligung Luthers zu denken. Zum Thema der
Flugschriften in Bogenform bietet das gezeigte Exemplar des «Papsttum und
seine Glieder» (Nr. 252) neues Material. Aber der grösste Teil der Holzschnitt-
produktion in diesen Jahren galt, wie schon erwähnt, der Ausstattung der Titelblätter; und hier ist es merkwürdig, dass sich eine Zeitspanne von 15 Jahren,
nämlich 1518 bis 1533, deutlich zu einem Abschnitt zusammenfügt[9]. Es ist uns –
mit einer merkwürdigen Ausnahme (Nr. 269) und abgesehen von den bekannten
Folio-Titeln Cranachs d. J. – kein nach 1533 neu entstandener Titelrahmen aus der
engeren Cranach-Werkstatt (zu der wir also den Monogrammisten MS nicht
rechnen) begegnet[10].

Für die Gattung der Titeleinfassungen ging um 1530 in ganz Deutschland
offenbar eine erste Blütezeit im 16. Jahrhundert zu Ende. Auf weite Strecken kam
nun eine Art vorbarocker weitschweifiger Schrifttitel in Mode, bis sich in der

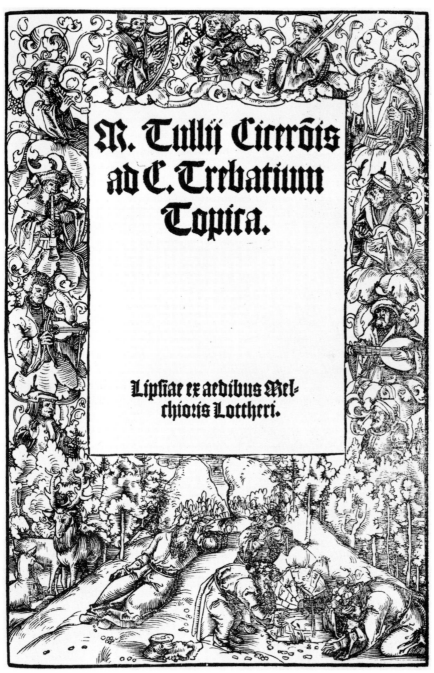

M. Tullij Cicerôis
ad C. Trebatium
Topica.

Lipsiae ex aedibus Mel-
chioris Lottheri.

169   L. Cranach d. Ä., 1517/18 (Nr. 208)

zweiten Hälfte des Jahrhunderts, auf neuer Stilstufe, die Rollwerkornamentik etwa Jost Ammans und Tobias Stimmers die Titelseiten der Bücher neu eroberte. Aber im Moment, in dem diese erste Entwicklung des Titelrahmens abbrach, begann die Blüte der kleinformatigen, in den Text eingestreuten Bibelillustrationen, die in unabsehbarer Zahl entstanden. 1534 erschien die erste Vollbibel Luthers mit den Holzschnitten des Monogrammisten M S[11]. Vorausgegangen waren bereits Einzelblattfolgen an anderen Orten: so vor allem die «Icones Veteris Testamenti» Hans Holbeins d. J., die, spätestens 1530 vollendet (da bereits 1531 kopiert), zunächst nicht im Zusammenhang einer Bibelausgabe erschienen[12]. Ähnlich eine Bilderserie des Dürerschülers Sebald Beham (der vermutlich von der Tätigkeit des M S, die nach einigen Datierungen zu schliessen schon 1532 in vollem Gang war, wusste[13]), die 1533 von Frankfurt aus ohne Text in Umlauf gesetzt wurde, ehe sie dann, auch 1534, die erste Frankfurter Lutherbibel schmückte[14].

Die meist schmalen Drucke, denen die cranachischen Holzschnitte zum blickfangenden Schmuck dienen, rufen eines der erregendsten Kapitel der europäischen Geistesgeschichte wach: Unter den Titeln befinden sich zentrale Schriften Luthers aus den frühen Reformationsjahren, dann einige der scharfen polemischen Auseinandersetzungen mit der Institution des Papsttums, späterhin immer wieder einzelne Bibelauslegungen Luthers, Melanchthons und des engsten Reformatoren-Kreises. Umso überraschender, dass der Titelschmuck scheinbar nur wenig vom kämpferischen Inhalt der Schriften wiedergibt, ja dass sich sogar, neben einzelnen religiösen Motiven, eine Art harmlos-freundlicher Ornamentik mit Fabelwesen und cranachischen Tierdarstellungen in den Vordergrund drängt. Doch es scheint vielleicht nur so: Eine Grundvoraussetzung für die kritische Beurteilung dieser Schnitte ist noch nicht geschaffen, nämlich die systematische Untersuchung darüber, für welche Schrift jeder einzelne Holzschnitt ursprünglich entstand. Man sollte sich jedenfalls vor Deutungen einer Bild-Text-Relation hüten, solange nicht die Erstverwendung eines Holzschnittes einwandfrei bestimmt ist[15]. Bei der notwendigen «Schnellarbeit»[16] der Wittenberger Pressen mag ausserdem der eine oder andere Rahmen bewusst neutral gehalten sein.

Um nur ein Beispiel solcher offenen Fragen zu nennen: Vom Jahr 1525 an erscheint mehrmals eine Titeleinfassung mit dem Thema des «Abschieds der Apostel» (Nr. 241), die jedoch zu keiner der bekannten Verwendungen recht passen will. Nun hatte Luther im Sommer 1524 mehrere Predigten über Kapitel 15 und 16 der Apostelgeschichte gehalten. Das erste bekannte Echo darauf ist ein Druck Heinrich Steiners in Augsburg vom Jahr 1525 (Benzing 2018) unter dem Titel «Ein Sermon von der Freiheit der Gewissen; über das XV. Kapitel; von der Zwölf Boten Wirkung». Wittenberger Drucke sind erst aus dem Jahr 1526 erhalten. Soll man nun hieraus auf eine geplante und unterbliebene oder auf eine verlorene Wittenberger Urausgabe schliessen, die Heinrich Steiner, wie so oft, sofort nachdruckte? Dies zu entscheiden ist nicht Sache der Kunstgeschichte, aber ein solcher Druck würde die Thematik des Titels zwanglos motivieren.

Die unschätzbare Bedeutung des jungen Wittenberger Buchdruckergewerbes für die Verbreitung von Luthers Aufbegehren gegen die Kirche und für das unmittelbare Aufflammen der reformatorischen Bewegung in allen Teilen Deutschlands ist oft betont worden. Für die cranachische Buchgraphik, die natürlich an zahlreichen Orten mit den Nachdrucken der Lutherschriften kopiert wurde, ergibt sich dadurch eine Wirkungsgeschichte, die wir hier nicht berücksichtigen können. Unsere Gruppierung des Materials ist in annähernder chronologischer Abfolge gehalten und fragt nach dem persönlichen Engagement Cranachs in der Reformationsgraphik und den künstlerisch-formalen Mitteln zur Lösung der gestellten Aufgaben; buchgeschichtliche, soziologische oder theologische Aspekte können dabei nur am Rande gestreift werden[17].

2. Leipziger Drucke 1517 bis 1519

In der Druckerei von Melchior Lotter d.Ä. in Leipzig, die auch Luthers 95 Thesen in der originalen Einblattform herausgebracht hatte, erschien 1517/18 eine Reihe von Ausgaben antiker Texte in grosszügiger Ausstattung. Einige von ihnen zeigen als Schmuck des Titelblattes eine reiche Folio-Bordüre humanistischer Thematik, mit der Cranachs Buchgraphik dieser Art kraftvoll einsetzt (Nr. 208).

Zu dieser Zeit betrieb in Wittenberg Johann Rhau-Grunenberg die einzige ständige Buchdruckerei, noch kaum grösseren Ansprüchen gewachsen und viel für lokalen Bedarf, d.h. also die Universität, tätig. Martin Luther hatte ihr, ausser einzelnen Vorlesungstexten, bereits 1516 seine Teilübersetzung einer Mystikerschrift unter dem Titel «Ein geistlich edles Büchlein, von rechtem Unterschied und Verstand, was der alte und neue Mensch sei...» anvertraut, deren vervollständigte Ausgabe von 1518 «Eyn deutsch Theologia» einen neuen passenden und signierten Holzschnitt Lukas Cranachs erhielt (Nr. 207 und Abb. 249)[18]. Es ist ein wenig aufwendiges, aber sauber und detailliert entworfenes Auferstehungsbild, dessen ikonographische Besonderheit, das Begräbnis Adams durch kleine Engel, schon aus dem Untertitel des Büchleins seine Erklärung findet.

Der Leipziger Titelrahmen zu Komödien des Plautus und zu einer wenig bekannten rhetorischen Schrift Ciceros (Nr. 208) gibt sich, obwohl nicht signiert, zweifellos als beachtliches Werk Lukas Cranachs zu erkennen. Vier bekränzte Dichter oder Philosophen ruhen oder lagern sich um den kastalischen Quell, der aus einer gemauerten Öffnung in einer waldigen, von Hirschen belebten Landschaft vor dem zweigipfligen Berg Parnassus entspringt. Von dieser im unteren Teil ausgebreiteten Szenerie steigen links und rechts vom Schriftfeld, räumlich unmotiviert, in der Kopfleiste sich vereinigend, starke Äste empor, in denen musizierende und singende Gestalten wie Blütenknospen in Halbfiguren erscheinen. Ihre Gesichter und Kopfbedeckungen sind gegensatzreich charakterisiert, ihre Gestik ist bei aller Sachbezogenheit lebhaft.

Durch die hier neu bekanntgemachten Verwendungen von 1517 ist dies eindeutig der erste Titelrahmen in Cranachs Werk. Cranach setzt somit relativ spät mit einer Gattung des Buchholzschnittes ein, die bereits eine lange Entwicklung in Deutschland hinter sich hatte und von den namhaftesten Nürnberger, Augsburger und Strassburger Meistern als Kunstform geschätzt wurde[19].

Gerade die aus Blüten herauswachsenden Halbfiguren oder Büsten sind ein sehr altes Motiv, geläufig schon spätgotischen Zierbordüren im Holzschnitt vor Ausbildung des umlaufenden Titelrahmens[20], wo sie, wie leicht erkennbar, von Buchminiaturen übernommen sind. Aber die Zahl der Folio-Titelrahmen profaner Thematik am Beginn des 16. Jahrhunderts ist gar nicht sehr gross, und in Cranachs Werk drängen sich als verwandte Arbeiten einzig, doch sehr bestimmt, die Randzeichnungen zum Gebetbuch Kaiser Maximilians von 1515 auf[21]. Wenn man ihre Asymmetrie, entsprechend dem Sitz des Schriftspiegels, ausser acht lässt, zeigen sie im ganzen dieselbe Anlage: Im unteren, als dem grössten Feld, wird der Blick oft in eine tiefenräumlich gestaltete Landschaft geleitet, während die seitlichen, meist ornamental behandelten Motive flächig-vordergründig bleiben. Der Massstabwechsel ist bewusst in Kauf genommen. Weitere Parallelen stilistischer Art als Stütze der Zuschreibung braucht es kaum. Diese erste Titeleinfassung setzt Qualitätsmassstäbe und zeigt, wie ein solches Cranachsches Werk aussehen kann (aber nicht muss); es gibt wenig andere graphische Arbeiten, die einen zeichnerischen Entwurf Cranachs von der Beweglichkeit und Detailfreudigkeit der maximilianischen Randzeichnungen zu übersetzen versuchen, und bei den komplizierten Bewegungen der Dichter an der Quelle ist der Formschneider offenbar an die Grenze seiner Fähigkeiten gestossen.

Ein würdiges Gegenstück mit sakraler Thematik, erst vom Jahr 1519 bekannt, ist die Einfassung eines Psalteriums mit Darstellung der Wurzel Jesse (Abb. 170)[22]. Der Stammvater Jesse liegt in fast identischer Haltung am Boden ausgestreckt wie der Dichter-Philosoph links vom kastalischen Quell, und alttestamentliche Fürsten im Geäst sind an die Stelle der Musizierenden getreten, mit lebhaften Gebärden kommunizierend, und, je weiter oben, umso stärker auf die Maria mit Kind als Mittelmotiv ausgerichtet. Die technische Ausführung scheint den früheren Holzschnitt in Präzision noch zu übertreffen.

Ein zweiter Psalmentitel von 1518 (hier in späterer Verwendung: Nr. 209) kann das Niveau der vorgenannten Bordüren nicht ganz erreichen. Zu gross sind die Unklarheiten im Kniemotiv des «psalmodierenden» David, und wo im Humanistentitel sich ein unmerklicher Übergang vom Landschaftlichen zum Ornamentalen vollzieht, trennt hier eine rüde Linie, Fortsetzung der Fussleiste des Schriftfeldes, beide Bereiche, obwohl David sich (spirituell) wohl auf die obere Zone beziehen könnte. Dort umgeben Engelputten mit den Arma Christi eine Gnadenstuhl-Erscheinung mit Gottvater und dem Gekreuzigten als Halbfiguren, der Taube des Heiligen Geistes auf dem Querbalken des Kreuzes sitzend (vgl. den Gnadenstuhl Nr. 324a). Ein Anlass, deshalb an einem Entwurf Cranachs zu zweifeln, scheint uns dennoch nicht vorzuliegen.

Wie die vorigen Schnitte bei Melchior Lotter in Leipzig erschien auch ein schmaler Quart-Titelrahmen, der das Thema der Humanistenbordüre in reduziertem Massstab wiederholt (Nr. 210). Es ist keine Kopie davon, eher eine freie Variante, denn fast jede Figur ist neu gezeichnet. Insofern zeigt sich ein beträchtlicher Erfindungsreichtum, obwohl die Erweiterung des Themas trotz Beengung des Raumes – in der Landschaft unten haben sich nun neun bekränzte Personen versammelt – zur Übersichtlichkeit nicht gerade beiträgt. Schattierung und

171　L. Cranach d. Ä., 1518 (Nr. 209)

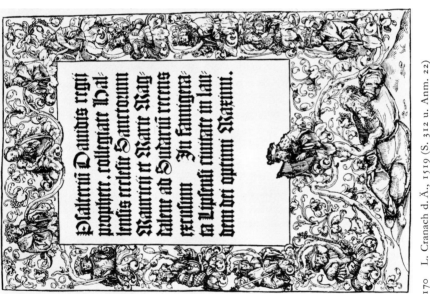

170　L. Cranach d. Ä., 1519 (S. 312 u. Anm. 22)

Schraffierung wirken etwas gleichförmig und wenig kontrastreich, die kleinen Köpfe weisen keine für Cranach geläufige physiognomische Züge auf, die gewisse Behäbigkeit der Musikanten im Folio-Titel ist spitzigen Formen gewichen. So könnte dieser Titelrahmen, die Cranachschen Anregungen aufgreifend, auch von einem Leipziger Meister umgezeichnet sein, und es ist wohl erlaubt, hinter die traditionelle Zuschreibung ein Fragezeichen zu setzen – als Notiz des stilistischen Abstandes und einer notwendigen Differenzierung.

Wiederum andersartig, nämlich auf sanfte, rundlichere Formen ausgehend und durch schöngeschwungene Konturen gliedernd, wirkt die bekannte, weil oftmals reproduzierte Titeleinfassung mit den konzertierenden Engeln zwischen der Heiligen Familie (links unten) und der hl. Dorothea mit dem blumenspendenden Knäblein (rechts unten) (Nr. 211). Das Motiv der Seitenleisten, im Geäst von Baum und blühendem Strauch kletternde Putten, setzt sich oben nicht fort, sondern gibt einer weiteren Darstellung Platz, in der ein Christkind und Kinderengel eine Art «Pilger auf der Rast»-Szene aufführen. Der von allen bisher besprochenen Bordüren abweichende Eindruck dürfte hier vor allem einem neuen Formschneider zuzuschreiben sein[23]. Denn die Gesichter, soweit der Massstab individuelle Merkmale zulässt, sprechen wieder deutlich von Cranachscher Herkunft, und keineswegs sollte man, wie Hildegard Zimmermann[24], hier einen eigenen entwerfenden Künstler konstruieren, zumal die von ihr beigezogenen Vergleichsstücke qualitativ weit zurückstehen.

Diese relativ detaillierte Schilderung einer ersten Gruppe von Titelgraphik schien uns als Grundlage für die weitere Entwicklung und als Massstab der zu erwartenden oder möglichen Qualität notwendig. Wenn man die Philosophen- und Wurzel-Jesse-Bordüren, die wohl nur auf Grund ihrer Seltenheit bisher so unbeachtet blieben[25], nicht als vollgültige Leistungen Lukas Cranachs anerkennt – in der Buchgraphik finden sich Signaturen nur in Ausnahmefällen –, wird man kaum ein Recht haben, eines der folgenden Werke für ihn ernstlich in Anspruch zu nehmen. Innerhalb dieser Gruppe treten zugleich Stildifferenzen hervor, die schon hier die Frage einer Abgrenzung zwischen «Werkstatt» und «Meister», die eben doch weitgehend einer gefühlsbedingten Entscheidung überlassen bleibt, aufwerfen. Jedenfalls ist Flechsigs Argument einer «jugendlichen Unreife» des Stils bei dieser Gruppe[26] zu offensichtlich nur Konstruktion für das Frühwerk seines (nach seiner Theorie zu diesem Zeitpunkt knapp fünfzehnjährigen) Hans Cranach gewesen. Allein der früheste Titel in seiner meisterhaften Beherrschung der Fläche und seinem humanistisch-höfischen Ambiente genügt, die ganze Leipziger Werkgruppe an Cranach d. Ä. zu binden. Solange Wittenberg keine leistungsfähige Druckerei besass, bot sich Leipzig als nächstgelegenes Buchdruckerzentrum für anspruchsvollere Aufträge an; indessen ist doch erwähnenswert, dass es sich um diejenige Druckerei handelt, in der fast zwei Jahrzehnte früher der Einblattdruck von Virdungs «Best Practica» (vgl. Nr. 71, hier dem jugendlichen Cranach versuchsweise zugeschrieben) erschienen war[27].

207 Lukas Cranach d. Ä.

Der auferstehende Christus und das Begräbnis

des alten Adam   **Abb. 249**

Bez. mit Schlangenzeichen. Holzschnitt. 13,3 × 10,6 cm.

Aus: J. Pollicarius, Der heiligen XII Aposteln ankunfft…, Wittenberg,
G. Rhau Erben 1549, fol. B V verso.

Erstverwendung als Titelholzschnitt zu: Eyn deutsch Theologia…, Wittenberg,
J. Grunenberg 1518. (Benzing 160).

Basel, Kupferstichkabinett des Kunstmuseums.

Ho. Wst. 28. – Schu. 94. – Pass. 162. – Flechsig, S. 54 und 250. – Dodgson II, S. 326,
Nr. 12. – Zimmermann, Beiträge, S. 87, Anm. 19. – Zimmermann, Folgen, Verz. C 17. –
Berlin 1967, Nr. 6.

Aus dem Untertitel der «Deutsch Theologia» («Ein edles Büchlein von rechtem Verstand, was Adam und Christus sei, und wie Adam in uns sterben und Christus erstehen
soll») geht hervor, dass der Holzschnitt für diesen Druck, die Übersetzung Luthers
einer anonymen Mystikerschrift, entworfen wurde. Bereits 1516 war eine Teilübersetzung erschienen (Ein geistlich edles Büchlein…, Benzing 69), allerdings mit der
Kreuzigung aus dem Adam von Fulda-Traktat auf dem Titel (Ho. H. 65e). – Bei
Flechsig trotz des Schlangenzeichens, das zweifelhaft aussehe, unter «Hans Cranach». –
Ein der Cranach-Literatur unbekannter gleichseitiger Nachschnitt (mitsamt Signatur!)
erschien aus dem Nachdruck Martin Landsbergs in Leipzig, 1518 (Benzing 161):
Exemplare in Heidelberg, Universitätsbibliothek, und in der Bibliothek der Andreas-
kirche Eisleben (siehe: Zentralbl. f. Bibl.wesen, LXXXVII, 1973, S. 710/11 m. Abb.),
möglicherweise identisch mit Schu. III, S. 240, Nr. 136a.

208 Lukas Cranach d. Ä.

Titelrahmen mit Musikanten in Astwerk und vier Philosophen am
kastalischen Quell

Holzschnitt. 26,6 × 17,4 cm.

Aus: a) M. Plauti poete Co/mici…/Come/dia prima: cui Amphitryo nomen…
Leipzig, Melchior Lotter d. Ä. 1517 (*aufgeschlagen*).

b) M. Plauti Aulula= / ria…   Leipzig, Melchior Lotter d. Ä. 1517.

c) M. Tullii Cicero[n]is / ad C. Trebatium / Topica.   **Abb. 169**
Leipzig, Melchior Lotter d. Ä. 1518.

München, Bayerische Staatsbibliothek (2° A lat.a.204).

Ho. Wst. 34. – Dommer, S. 245 (erwähnt). – Flechsig, S. 221/22. – L'Art Ancien,
Liste 175 «Varia», Zürich o. J. [1955], Nr. 9 und Umschlagabb.

Seit der kurzen Besprechung bei Flechsig (als Frühwerk des «Hans Cranach») in Zu-
sammenstellungen von Cranach-Graphik nicht mehr berücksichtigt. Den Hinweis auf
die bisher unbekannten Verwendungen von 1517 verdanken wir Dr. Karl Dachs,
München. Der Holzschnitt ist damit eindeutig Cranachs erste Titelbordüre. Vgl. die
Variante des Themas in Quartformat unter Nr. 210.

209 Lukas Cranach d. Ä.

Titelrahmen mit kniendem David in Landschaft, Gnadenstuhl und
Engel mit Arma Christi   **Abb. 171**

Holzschnitt. 26,4 × 17,5 cm.

Einzelblatt, aus: (Chilian König) Processus vnd Practica / der Gerichtsleuffte, nach Sechsischem / gebrauch..., (Leipzig?) 1541.

Erstverwendung: Psalterium summi funditoris..., Leipzig, Melchior Lotter
d. Ä. 1518.

München, Staatliche Graphische Sammlung.

Ho. Wst. 26. – Dodgson II, S. 352, Nr. 6. – Zimmermann, Beiträge, S. 87, Anm. 19. –
J. Ficker, in: Zs. f. Buchkunde, II, 1925, S. 89 ff.

Druckort und Drucker dieser späten Verwendung haben sich bibliographisch nicht
feststellen lassen; im gleichen Jahr erschien bei Nickel Wolrab in Leipzig eine Quart-
ausgabe desselben Werkes. Dodgson kannte Drucker und Druckort der Erstverwendung noch nicht und liess daher die Zuschreibungsfrage offen. Bei H. Zimmermann und
J. Ficker als Lukas Cranach d. Ä.

210 Lukas Cranach d. Ä. (?)

Titelrahmen mit Musikanten in Astwerk und neun Philosophen
am kastalischen Quell   **Abb. 174**

Holzschnitt. 18,0 × 12,6 cm.

Aus: CONTRA MALIGNVM IO / HANNIS ECCII IVDICI= / VM... / MAR / TINI LV= /
THERI / DEFEN / SIO. [Leipzig, Melchior Lotter d. Ä., 1519].   (Benzing 431).

Erstverwendung: bei Melchior Lotter d. Ä., 1519 (1518 ?).

Basel, Universitätsbibliothek.

Ho. Wst. 35. – Dommer, S. 44, Nr. 83; S. 285, Nr. 89 (Bordüre «in Holbeins Manier»). –
Flechsig, S. 221. – Pflugk-Harttung, Taf. 36. – J. Luther, Taf. 19. – Dodgson II, S. 327,
Nr. 2. – Kiessling, S. 39, Nr. 20.

Die Schrift galt lange als Wittenberger Druck. Aus einem Brief Luthers an Johann Lang
vom 3. Sept. 1519 geht jedoch hervor, dass zu diesem Zeitpunkt M. Lotter d.Ä. in
Leipzig mit dem Druck beschäftigt war (vgl. J. Luther, in: Lutherstudien, 1917,
S. 272/73). Der Holzschnitt ist wahrscheinlich eine in einer Leipziger Werkstatt entstandene Variante des Foliotitels Nr. 208.

211 Lukas Cranach d. Ä.

Titelrahmen mit der Heiligen Familie, hl. Dorothea
und Engelskonzert   **Abb. 172**

Holzschnitt. 18,2 × 12,6 cm.

Aus: Von der freyheyt / eynes Christen / menschen. / Martinus Luther.
[Leipzig, M. Lotter d. Ä. (?)] 1520.   (Benzing 735).

Verwendungen: M. Lotter d. Ä., Leipzig 1519/20, M. Lotter d. J., Wittenberg
1520.

Basel, Universitätsbibliothek.

L. Cranach d. Ä., um 1528 (Nr. 500)

Ho. Wst. 17. – Butsch, Taf. 88. – Dommer, S. 90, Nr. 175; S. 245, Nr. 90. – Flechsig,
S. 221. – Pflugk-Harttung, Taf. 40. – J. Luther, Taf. 16. – Zimmermann, Beiträge,
S. 86, Anm. 18. – Kiessling, S. 39, Nr. 21. – Weimar 1953, Nr. 157. – Berlin 1967, Nr. 24.

Der bekannte Titelholzschnitt hier bei einer zentralen Lutherschrift des Jahres 1520
verwendet, deren Erstausgabe bei J. Grunenberg in Wittenberg erschien. Der Buch-
stabe «A» am Unterrand ist vermutlich als Zeichen eines Formschneiders zu erklären.
Ob die Figurengruppen, deren Zusammenhang ideell und nicht historisch zu verstehen
ist, auf den Inhalt einer bestimmten Schrift Bezug haben, für die der Titelrahmen entstand, ist nicht geklärt.
    NB: Benzing rechnet die ausgestellte Schrift entgegen der älteren Literatur
(Dommer, J. Luther) unter die Druckwerke M. Lotters d.Ä. in Leipzig; unser Text
unten wäre demnach zu korrigieren. Eine einwandfreie Wittenberger Verwendung in
der Druckerei des Sohnes zeigt aber Butsch, Taf. 88, wo die Titelseite das vollständige
Impressum bringt. – Dieselbe «Wanderung» trifft auch für die schwarzgrundige Bordüre mit den Atlanten (nicht ausgestellt; Ho. Wst. 41) zu.

3. Wittenberger Drucke 1520 bis 1521

Als der Buchdrucker Melchior Lotter wohl auf Wunsch Luthers Ende des Jahres
1519 in Wittenberg durch seinen gleichnamigen Sohn eine Filiale einrichten lässt,
wandert die Titeleinfassung mit Hl. Familie, Dorothea und Engelkonzert von
Leipzig nach Wittenberg mit und wird dort noch einige Male, so in der ausgestellten berühmten Lutherschrift «Von der Freiheit eines Christenmenschen»
(Nr. 211) verwendet[28]. An sie schliesst sich eine Anzahl weiterer Titelblätter der
Jahre 1520 und 1521 an, deren gemeinsames Kennzeichen – entsprechend dem
eben genannten letzten Leipziger Titelrahmen – die Schmalheit der ungeteilt um
das Schriftfeld gezogenen Bordüren bleibt sowie die Durchsichtigkeit der meist
ornamentalen Motive, die mit sparsamsten Schattenangaben auf weissem neutralen Grund umrissen werden (Nr. 213–217)[29]. Leicht ins Groteske abgewandelte,
sich dialogisch gegenüberstehende Figuren tauchen aus Blattranken auf, die von
Masken oder phantastischen Mischwesen unheimlich belebt sind. Öfter erscheint
oben in der Mitte der kursächsische Schild, unten das Wittenberger Stadtwappen[30].
    Ganz im Gegensatz zu dieser «hellen» Gruppe stehen zwei Titelrahmen mit
ähnlich gearteten Motiven, aber auf schwarzem Grund, von denen einer in der
Ausstellung gezeigt wird (Nr. 212)[31]. Ihre Vorgänger sind – eher als in Dürers
1513 entstandener «Pirckheimer-Bordüre» (Meder 281) – wohl in den Augsburger
Titelrahmen Daniel Hopfers oder bei Urs Graf in Basel zu suchen, vielleicht auch
darüber hinaus direkt in italienischer Titelgraphik, der die genannten süddeutschen Werke ihrerseits Anregung verdanken[32].
    Die Qualität dieser ganzen Gruppe, die sich nicht nur bei Flechsig, sondern
auch in Dodgsons noch immer ausführlichster Zusammenstellung cranachischer
Buchgraphik unter «Hans Cranach» findet[33], steht bei unterschiedlicher technischer Ausfertigung auf relativ hoher Stufe. Trotz der auf den ersten Blick schein-

baren Gleichförmigkeit wird man hier – und später – bemerken, dass die Rahmungen nie in einem Schema erstarren, sondern stets neu, z. B. im räumlichen Verhältnis der Motive zum Grund, in der Art der Schraffierung oder Modellierung erfunden sind. Trotzdem wird die Frage nach dem Ausmass persönlicher Beteiligung Lukas Cranachs gerade bei solchen Beispielen kaum eindeutig zu lösen sein. Während bei früheren Leipziger Titeln schon leichte Übergriffe vom Rahmen aus geschahen (Abb. 170), bleiben hier die Schriftfelder, die gelegentlich oben abgerundet sind, noch sauber ausgespart.

Als eigenwilligstes und rätselhaftestes Stück dieser Gruppe prägt sich der Titel Grunenbergs von 1520 mit neun Einzelmotiven, darunter einer Buchdruckerpresse ein, die Jahn «zeichnerische Phantasien ohne gedanklichen Zusammenhang und ohne inhaltliche Beziehung zum Buch» nannte (Nr. 217)[34]. Offenbar wünschte Grunenberg sein Monogramm (unten Mitte) und eine Berufsdarstellung und liess dem Zeichner im übrigen freie Hand. So erscheinen reihum ein zerlumpter, von Bienen umschwärmter Trinker, eine von Vögeln verfolgte Eule, ein Adler mit gesträubten Flügeln; Kämpfe zwischen Bär und Ochsen, Hund und Hirsch, Wolf und Schaf; ein davoneilender Hühnerdieb und ein auf Frösche lauernder Storch. Das gemeinsame Leitthema dieser locker skizzierten Szenen, das vom unvermeidlichen Streit unter den Geschöpfen der Natur handelt, ist nicht so singulär, wie man meinen könnte. Hier kommt man einer unerwarteten Verbindung mit dem Augsburger Kunstkreis auf die Spur. Zur selben Zeit entstand dort nämlich der grosse Zyklus von Holzschnitt-Illustrationen zur ersten deutschen Ausgabe von Francesco Petrarcas «Glücksbuch» von der Hand eines genialen Illustrators, des nach dieser Leistung benannten «Petrarcameisters», dessen Person vermutlich in Hans Weiditz aus Strassburg zu suchen ist. Die beiden grossformatigen Einleitungsbilder zum zweiten Teil des Buches «Vom Trost im widerwärtigen Glück»[35] stehen unter demselben textbedingten Leitthema (nach einem zitierten Spruch des Heraklit: «Alle Ding bestehen im Zank») und bringen jedes einzelne Motiv Cranachs, die Tierkämpfe, den Diebstahl, auch den von Bienen umschwärmten Alten, mit zahlreichen weiteren Szenen dieser Art in einer grossen Naturschilderung verstreut. Das Buch erschien aus ungeklärten Gründen erst 12 Jahre später, die Holzschnitte waren jedoch vor August 1520 vollendet[36]. Als der Übersetzer des Textes, der Nürnberger Ratsherr Peter Stahel, in diesem Jahr starb, gewann der Verleger zur Fortsetzung der Arbeit niemand anderen als Georg Spalatin, den kurfürstlichen Ratgeber in Wittenberg. Hat dieser sich nun einen Satz Probedrucke der Holzschnitte zum unvollendeten Werk kommen lassen und Cranach vorgelegt? Wir halten das für möglich, aber es lässt sich auch zeigen, welcher Anlass sich Spalatin und Cranach zur Übernahme des Themas bot: Luther hatte im Herbst 1519 für den erkrankten Kurfürsten Friedrich ein lateinisches Trostbüchlein geschrieben, dessen Inhalt sich zwar ausschliesslich biblischer Motive bedient, dessen deutscher Titel aber unmittelbar an Petrarcas 2. Buch anklingt: «Ein tröstlichs Büchlein in aller Widerwärtigkeit eines christgläubigen Menschen». Diese deutsche Fassung stammte von Spalatin; lateinischer wie deutscher Druck waren gleichzeitig im Februar 1520 vollendet[37]. Die intensivere Beschäftigung Spalatins mit Petrarca setzte wohl erst danach ein; die An-

173   L. Cranach d. Ä., 1520 (Nr. 217)

172   L. Cranach d. Ä., 1519 (Nr. 211)

regung zum Bildthema kam für die erste Auflage zu spät, aber Spalatin liess den Titelholzschnitt noch 1520 herstellen (und auch von Grunenberg benutzen), der jedoch seine eigentliche Bestimmung erst bei der 2. Auflage des Trostbüchleins von 1522 fand![38] Dies klingt recht spekulativ, doch sind der Titel der Luther/ Spalatinschen Schrift und das «rätselhafte» Thema der Bordüre unleugbar miteinander verbunden; ein derartiges «emblematisches» Titelblatt steht auch sonst in Cranachs Werk vereinzelt.

So überwiegen im Titelschmuck dieser beiden Jahre eindeutig die profanen Elemente, obwohl die Holzschnitte vornehmlich in Lutherschriften auftreten. Man erhält den Eindruck, dass die Fähigkeit der Bildgraphik, die geistige Auseinandersetzung parteinehmend zu unterstützen, noch nicht recht erkannt oder genutzt ist und die Titelblätter zum Teil auf keine spezifische Schrift und ihren Inhalt hin, sondern als beliebig verwendbares Formenmaterial für die Druckereien Grunenbergs und Lotters entstanden sind.

Diese Situation änderte sich schlagartig mit dem Erscheinen des «Passional Christi und Antichristi» noch vor Mitte des Jahres 1521 (Nr. 218, 219), der ersten reformatorischen Bildkampfschrift, die nun gerade mit antithetischen Bilderpaaren, nicht einem polemischen Text, ihren Angriff gegen die Institution der päpstlichen Kirche vorträgt. In 13 Gegenüberstellungen, begleitet nur von kurzen Zitaten aus dem Neuen Testament (gelegentlich den Propheten) bzw. den päpstlichen Dekreten, wird der anspruchslos-demütige Lebenslauf Christi dem weltlich-prunkvollen Zeremoniell und Machtanspruch des römischen Hofes verglichen. In Luther war im Laufe der Jahre 1519/20 die (zunächst vorsichtig formulierte) Überzeugung herangereift, im Papsttum – nicht einem bestimmten persönlich angegriffenen Papst – sei eine Erscheinungsform des biblischen Antichrist zu sehen, die es blosszustellen gelte. Eine solche scharfe Attacke war jedoch erst nach dem offiziellen, vor aller Welt sichtbaren Bruch auf dem Wormser Reichstag (April 1521) zur Veröffentlichung reif. Wieweit Luther dabei mit hussitischen Gedanken sympathisierte, auf ältere Traditionen zurückgriff, wie diese Antithetik bereits in Abschnitten verschiedener Schriften von 1520 (vor allem in: «An den Christlichen Adel deutscher Nation») vorformuliert ist, haben zahlreiche neuere Untersuchungen zutagegebracht[39]. Wir können auf diese Literatur nur hinweisen und müssen uns auf wenige Bemerkungen zur Bilderfolge beschränken. Luther hat die Textauswahl, wie indirekt erschlossen wurde, Melanchthon und dem Juristen Schwertfeger überlassen, doch nahm er engsten Anteil am Entstehen der «für die Laien», also breiteste Volksschichten gedachten Ausgabe.

Ein wichtiger Vorläufer der antithetischen Darstellung, bei dem es um die Absage an scholastische Kirchenlehren ging, ist Cranachs grosser, im Auftrag von Andreas Bodenstein von Karlstadt 1519 entstandener Einblatt-Holzschnitt des «Himmel- und Höllenwagens» (Nr. 351)[40]. Doch gehört er nicht in den ikonographischen Stammbaum der Passional-Bilder wie etwa das im 15. Jh. bereits in Böhmen beliebte Gegensatzpaar des prunkvoll ausreitenden Papstes gegenüber Christi Einzug auf einer Eselin in Jerusalem[41] oder die Fusswaschung Christi gegenüber dem Fusskuss beim Papst[42]. Dies dürften die wichtigsten und aktuellsten Formulierungen sein, die Cranach vorfand. Im übrigen stellte die Thematik

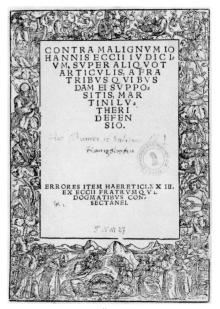

174   L. Cranach d. Ä. (?), 1519 (Nr. 210)

175   L. Cranach d. Ä., 1519/20 (Nr. 212)

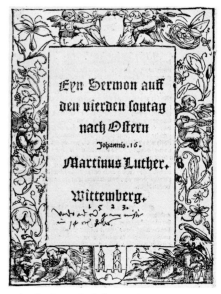

176   L. Cranach d. Ä., Werkstatt, 1520
(Nr. 214)

177   L. Cranach d. Ä., Werkstatt, 1521
(Nr. 216)

fast nur auf der Papst-Antichrist-Seite (jeweils rechts im Buch), von der Kon-
stantinischen Schenkung bis zum Ablassverkauf, Ansprüche an die Bild-Erfindung,
und daher ist es merkwürdig, dass die Anteilnahme des Zeichners offenbar mehr
bei den konventionellen Christusthemen lag. Mit wenigen Ausnahmen sind die
Papstszenen (man beachte gleich das erste Gegensatzpaar!) um einen Grad un-
beholfener und steifer ausgefallen. Werkstatt-Beteiligung wird hier zum ersten
Mal an der unmittelbaren Vergleichsmöglichkeit offenbar[43]. Holzschnitte wie der
eselreitende Christus, der die entsprechende Darstellung aus dem Adam von
Fulda-Traktat[44] etwas breiter und weniger dramatisch zugespitzt fortführt, und
die in einer zweiten Auflage ersatzweise eingeführte Kreuztragung Christi (auf
der man fälschlich ein Selbstbildnis Cranachs in dem bärtigen Greis am rechten
Rand zu erkennen glaubte), zeigen aber eine durchaus Cranach selbst angemessene
Dichte des Erzählens, sodass man der Meinung zustimmen möchte, die in der
«überwiegenden Mehrheit der Entwürfe» Cranachs Hand erkennt[45]. Dessen
sorgfältige Überwachung bekundet sich auch in der kompositionellen Abstim-
mung der Gegensatzpaare, die im übrigen von der sachlichen Aussage her so
stark wirken, dass eine karikierende Verzerrung der angegriffenen Partei an keiner
Stelle notwendig war.

Eine letzte Bemerkung gelte noch dem Titelblatt (vgl. Abb. 302), das, obwohl nur hier verwendet, keinen Bezug auf den Inhalt nimmt: Es entfernt sich
vom bisher üblichen Schema und bringt erstmals eine illusionistische Rahmen-
architektur, in die der Schriftspiegel, vor einem übergrossen schwebenden Weinblatt, etwas willkürlich eingepasst ist. Spätere Beispiele werden uns die Problematik dieses Typus näherbringen.

212 Lucas Cranach d. Ä.
Titelrahmen auf schwarzem Grund mit Putten und Mischwesen,
unten Druckermarke Melchior Lotters   **Abb. 175**
Holzschnitt. 17,6 × 12,1 cm.
Aus: Auszlegu[n]g deutsch des / Vatter unnser fur die / Eynfeltigen Leyen,
Doctoris / Martini Luther... [Wittenberg, Melchior Lotter d. J., 1519/20].
(Benzing 273).
Verwendungen: (1519–)1520/21 bei Melchior Lotter d. J.
Basel, Universitätsbibliothek.

Ho. Wst. 51. – Dommer, S. 34, Nr. 61; S. 237, Nr. 75 A. – Flechsig, S. 210, Nr. 6. –
Pflugk-Harttung, Taf. 49 (anderer Druck). – J. Luther, Taf. 11. – Dodgson II, S. 328,
Nr. 7 (anderer Druck). – Kiessling, S. 40, Nr. 27. – Weimar 1953, Nr. 158 (anderer Druck).

Die Schrift gehört zu den frühesten Drucken Lotters d. J. in Wittenberg. Da die Bordüre
bereits einen Sprung und mehrere Ausbrüche zeigt, dürfte sie hier nicht in Erstverwendung vorliegen, also jedenfalls 1519 entstanden sein. Sie gehört jedoch nach Wittenberg, wie das oben angebrachte Stadtwappen zeigt. Unten in der Mitte ein Druckerzeichen Lotters: eherne Schlange, nicht zu verwechseln mit dem späteren, gleichartigen
Reformatorensignum Melanchthons (s. Donald L. Ehresmann, The Brazen Serpent,
a Reformation Motif..., in: Marsyas, XIII, 1966/67, S. 33/34). – Ein zweiter schwarz-
grundiger Titelrahmen (nicht ausgestellt): Ho. Wst. 41.

178 L. Cranach d. Ä. und Werkstatt, 1521 (Nr. 218)

179 L. Cranach d. Ä. und Werkstatt, 1521 (Nr. 219)

213 Lukas Cranach d. Ä., Werkstatt
     Titelrahmen mit Einsiedler und Nonne sowie grosser Blattmaske
     Holzschnitt. 17,0 × 12,1 cm.
     Aus: Von menschen lere / zu meyden / ... / Doct. Mar. Lutther.   Wittenberg
     [Melchior Lotter d. J.] 1523.   (Benzing 1189).
     Verwendungen: 1520–23 bei Melchior Lotter d. J.
     Basel, Universitätsbibliothek.

     Ho. Wst. 39. – Butsch, Taf. 90. – Dommer, S. 172/73, Nr. 327; S. 238/39, Nr. 77. –
     Flechsig, S. 202/03. – Pflugk-Harttung, Taf. 58. – J. Luther, Taf. 10. – Dodgson II,
     S. 327, Nr. 3; S. 333, Nr. 2 (andere Drucke). – Kiessling, S. 40, Nr. 26.

214 Lukas Cranach d. Ä., Werkstatt
     Titelrahmen mit spielenden und musizierenden Engelputten
     zwischen Blumen   Abb. 176
     Holzschnitt (2. Zustand). 16,0 × 12,0 cm.
     Aus: Eyn Sermon auff / den vierden sontag / nach Ostern / ... / Martinus
     Luther.   Wittenberg [J. Grunenberg] 1523.   (Benzing 1772).
     Verwendungen: J. Grunenberg 1520–22 (1. Zustand), 1523–25 (2. Zustand).
     Basel, Universitätsbibliothek.

     Ho. Wst. 49. – Dommer, S. 187, Nr. 357; S. 234, Nr. 69 B. – Flechsig, S. 212. – J. Luther,
     Taf. 4/4a. – Dodgson II, S. 325, Nr. 7; S. 328, Nr. 9 (andere Drucke). – Kiessling, S. 39,
     Nr. 22.

     Gegenüber den Lotterschen Bordüren fällt bei diesem Druck die unbeholfene Art des
     Formschneiders gegenüber einem lockeren und lebendig gezeichneten Entwurf auf.
     Im 2. Zustand bei dieser und anderen Bordüren sind das sächsische Landeswappen und
     der kleine sächsische Schild zwischen den Türmen des Wittenberger Stadtwappens ent-
     fernt; über diese Massnahme, die jedenfalls im Laufe des Jahres 1522 geschah (vgl. Berlin
     1967, Nr. 137 mit: ebda. Nr. 157), spricht Dommer S. 138/39: vermutlich eine vorsichtige
     politische Anordnung des sächsischen Kurfürsten.

215 Lukas Cranach d. Ä., Werkstatt
     Titelrahmen mit grotesken Figuren: Greis mit Eichhörnchen und
     Rosenkranz und von Bienen umschwärmter Trinker
     Holzschnitt (1. Zustand). 16,0 × 11,8 cm.
     Aus: Eyn Sermon von dem / newen Testame[n]t. das / ist von d' heyligen /
     Messe Doct. / Mar. L. / Aug. Wittenberg, J. Grunenberg 1520.   (Benzing
     670).
     Verwendungen: J. Grunenberg 1520–22 (1. Zustand), 1522–25 (2. Zustand).
     Basel, Universitätsbibliothek.

L. Cranach d. Ä., um 1520/25 (Nr. 514)

Ho. Wst. 40. – Dommer, S. 235, Nr. 70A. – Flechsig, S. 204–08. – Pflugk-Harttung,
Taf. 48. – J. Luther, Taf. 3. – Dodgson II, S. 325, Nr. 5; S. 328, Nr. 6 (andere Drucke). –
Kiessling, S. 39, Nr. 24 (unrichtig beschrieben). – Weimar 1953, Nr. 159. – Jahn,
S. 65, Taf. 107b. – Berlin 1967, Nr. 137, 157. – Jahn/Bernhard 1972, S. 426ff.

Über den 1. und 2. Zustand des Holzschnitts siehe Nr. 214. Leichte Schraffierung des
Grundes verleiht der Bordüre Räumlichkeit im Sinne eines Reliefs. Das Motiv des
feisten Trinkers erscheint in dieser Gruppe von Titelrahmen mehrfach: vgl. Nr. 216 und
217. – Von Jahn als eigenhändig anerkannt.

216 Lukas Cranach d. Ä., Werkstatt
Titelrahmen mit zwei Monstren, feistem Trinker
und exotischer Figur   Abb. 177
Holzschnitt. 17,2 × 12,1 cm.
Aus: RATIONIS LATOMIA= / nae... /... Lutheriana / Confutatio.   Wittenberg
[Melchior Lotter d. J. 1521].   (Benzing 944/45).
Verwendungen: Melchior Lotter d. J. 1521/22.
Basel, Universitätsbibliothek.

Ho. Wst. 38. – Butsch, Taf. 91. – Dommer, S. 128, 245; S. 239, 78. – Flechsig, S. 203/04. –
Pflugk-Harttung, Taf. 60. – J. Luther, Taf. 7. – Dodgson II, S. 327, Nr. 4. – Kiessling,
S. 40, Nr. 29.

Der kleine Schild oben ist bei allen bekannten Verwendungen leer. Zum Motiv des
Mannes mit Flasche vgl. Nr. 215 und 217.

217 Lukas Cranach d. Ä.
Titelrahmen mit Tierkämpfen, Druckerpresse und
Grunenberg-Monogramm   Abb. 173
Holzschnitt. 16,7 × 12,5 cm.
Aus: Auff des bocks zu / Leypczick Ant= / wort D. M. / Luther.   Witten-
berg [J. Grunenberg] 1521.   (Benzing 829).
Verwendungen: Johann Grunenberg 1520–25.
Basel, Universitätsbibliothek.

Ho. Wst. 44. – Schu. 137. – Pass. 214. – Butsch, Taf. 89. – Dommer, S. 107, Nr. 205;
S. 235/36, Nr. 71. – Flechsig, S. 214/15. – J. Luther, Taf. 5. – Dodgson II, S. 324, Nr. 2. –
Kiessling, S. 39, Nr. 23. – Jahn, S. 64, Taf. 107a. – Jahn/Bernhard 1972, S. 422ff.

Von Jahn zu Recht hervorgehobenes geistvolles Titelblatt Cranachs. Zur verbindenden,
bisher ungedeuteten Thematik siehe den Text S. 320. In der Form der ohne jedes struk-
turelle Gerüst locker neben- und übereinandergesetzten kleinen Szenen singulär. Die
tatsächliche Erstverwendung ist nicht bekannt; die Thematik sicher in Zusammenhang
mit Luther/Spalatins «Trostbüchlein» an Kurfürst Friedrich den Weisen zu sehen
(s. Text). Beim Abdruck in der 2. Auflage des «Trostbüchleins» 1522 (Benzing 603) sind
die Einfassungslinien des inzwischen etwas abgenutzten Holzstocks eigens repariert
(vgl. Catalogue of a Collection of Early German Books in the Library of C. Fairfax-
Murray, Vol. I, London 1910, S. 447–49).

**218 Lukas Cranach d. Ä. und Werkstatt
Passional Christi und Antichristi**
[Wittenberg, J. Grunenberg 1521].   (Benzing 1015).
Titelblatt (16,8 × 12,2 cm)   **Abb. 302**
26 Holzschnitte, je ca. 12,0 × 9,6 cm.
Aufgeschlagen: Christus heilt Gebrechliche – Der Papst beobachtet ein Tur-
nier (fünfte Antithese, Blatt B I verso – B II)   .   **Abb. 178**
Privatbesitz.

Allgemeine Lit. zum Passional siehe Anm. VII, 39. – Ho. H. 66a–z. – Dommer, S. 124,
Nr. 236; S. 236, Nr. 72. – J. Luther, Taf. 6 (Titelblatt). – Dodgson II, S. 324, Nr. 3;
329, Nr. 13. – Flechsig, S. 216–18 (Titelblatt). – Zimmermann, Beiträge, S. 8f. –
Kiessling, S. 40, Nr. 32 (Titelblatt). – Berlin 1954, Nr. 56, 57. – Jahn, S. 64, Taf. 105–106.
– Berlin 1967, Nr. 113. – Weimar 1972, S. 139ff. und Nr. 182. – H. Schnabel, Lukas Cra-
nach d. Ä. – Passional Christi und Antichristi, Berlin (DDR) 1972 (Faksimile).

In dreizehn antithetischen Bilderpaaren, mit kurzen Textbeigaben unter jedem Holzschnitt, wird der Lebenslauf Christi mit dem Leben des Papstes und den Gebräuchen
der Kurie kritisch verglichen. Die erste Ausgabe dieser Reformations-Kampfschrift
erschien kurz nach dem Wormser Reichstag, wohl noch im Mai 1521. Ausser mehreren
deutschen Neuauflagen in diesem Jahr ist auch eine lateinische Ausgabe bekannt:
«Antithesis figurata Vitae Christi et Antichristi» (Benzing 1024). Alle Ausgaben, gedruckt von Johann Grunenberg, erschienen ohne Ort, Drucker und Verfassernamen.
Die Kommentare aus der Bibel bzw. den päpstlichen Dekretalen stammen von Ph.
Melanchthon und dem Juristen Johann Schwertfeger, das kurze Nachwort vielleicht
von Luther selbst. – Die 26 Holzschnitte in der Qualität ungleichwertig, doch offenbar
von einheitlicher Konzeption. In einer späteren Auflage des Jahres 1521 (Ausgabe B)
wurde der Holzschnitt 11 (Christus und Petrus im Wald) durch die Darstellung der
Kreuztragung Christi ersetzt. – Nach dieser Ausgabe B wurde noch 1521 in Erfurt (bei
Mathes Maler) ein Druck mit sehr genauen Kopien der Holzschnitte hergestellt
(Dodgson II, S. 325, Nr. 4; Benzing 1020). Erwähnenswert weiterhin ein Strassburger
Nachdruck desselben Jahres, der neben freien Kopien geringer Qualität einige von der
Hand Hans Baldungs enthält (Baldung-Kat., Karlsruhe 1959, Nr. II B XXXVIII;
Benzing 1018/19). – Vom Titelblatt existiert ausserdem ein Nachschnitt unbekannter
Herkunft mit Datum MDXXV (J. Luther, Taf. 6b); später, mit entferntem Datum,
verwendet in Ettlingen und Hagenau.

**219 Lukas Cranach d. Ä. und Werkstatt
Passional Christi und Antichristi**
[Wittenberg, J. Grunenberg 1521]   (Benzing 1015).
26 Holzschnitte, je ca. 12,0 × 9,6 cm.
Aufgeschlagen: Christi Himmelfahrt – Des Papstes Höllensturz (dreizehnte
Antithese, Blatt C V verso – C VI)   **Abb. 179**
Bamberg, Staatsbibliothek (11 D 40/9).

Lit. und Kommentar s. bei Nr. 218.

220 Lukas Cranach d. Ä. und Werkstatt
Sechs Einzelblätter zum «Passional Christi und Antichristi»
Holzschnitte, je ca. 16,5 × 13,7 cm (einschl. späterer Rahmungen).
Aus: Der Erste Teil der Bücher, Schriften und Predigten des Ehrwürdigen
Herrn D. Martini Luthers... Eisleben, Urban Gaubisch 1564.
Vorhanden: a) Christus entweicht vor der Krönung (Ho. H. 66a)
b) Dornenkrönung Christi (Ho. H. 66c)
c) Der Papst bannt einen Kaiser (Ho. H. 66h)
d) Kreuztragung Christi (Ho. H. 66k2)
e) Geburt Christi im Stall (Ho. H. 66o)
f) Christus lehrt Verachtung weltlicher Güter (Ho. H. 66s).
Basel, Privatbesitz.

Lit. und Kommentar s. bei Nr. 218.

Die originalen Holzschnitte des «Passional» wurden, ausgenommen Nr. 7 und 17
(Ho. H. 66g und q), die durch Kopien ersetzt sind, wiederverwendet in der Eislebener
Ausgabe der deutschen Werke Luthers, hrsg. von Johann Aurifaber, Bd. I, 1564,
fol. 44ff. Sie sind, um die Seiten des Foliobandes zu füllen, von Rahmungen aus zu-
sammengesetzten schmalen Leisten (sicher auch älteren Ursprungs) umgeben. Eine
weitere Auflage, nicht bei Hollstein, Eisleben 1603 – mit offenbar neugeschaffenen
Ornamentrahmen (Abb.: Luther and his time, Thulins Antikvariat, Cat. 164 [1973],
Asbysand, Schweden, Nr. 54). – Die Eislebener Ausgaben enthalten auch den aus der
Ausgabe B von 1521 stammenden Holzschnitt der Kreuztragung Christi.

4. Illustrationen zur Lutherbibel 1522 bis 1524

Das verlegerische Ereignis des Jahres 1522 war die Herausgabe von Luthers auf
der Wartburg entstandener Übersetzung des Neuen Testaments, nach dem Monat
seiner ersten Auflage als «Septembertestament» bezeichnet. Es wurde von Melchior Lotter d. J. im Hause Cranachs gedruckt, während Cranach und der Goldschmied Christian Döring (vgl. S. 23), der bereits seit etlichen Jahren mit dem
Maler in geschäftlicher und freundschaftlicher Beziehung stand, als Verleger
fungierten[46]. Drucker und Verleger sind ebensowenig genannt wie Luther als
Übersetzer. Der Erstdruck von etwa 3000 bis 5000 Stück war in kürzester Zeit
vergriffen, sodass bereits im Dezember eine zweite, geringfügig veränderte und
ergänzte Auflage erscheinen konnte («Dezembertestament»).
    Bereits bei dem urtümlich wirkenden, in Holz geschnittenen Schrifttitel[47],
der stark an Dürers entsprechende Titel zu seiner Apokalypse erinnert, dürfte
Cranachs bestimmender Einfluss auf die äussere Form des Buches anzunehmen
sein. An Illustrationen enthält das Werk ausser einer Reihe von grossen Initialen,
die allerdings nicht auf Entwürfe von Cranach zurückgehen[48], nur einen Holzschnittzyklus zur Apokalypse (Nr. 221, 222).
    Dieser Zyklus hat in der kunstgeschichtlichen Literatur meist eine un-
günstige Beurteilung gefunden. Zu stark steht jedem Betrachter altdeutscher

Graphik die machtvolle Serie der Dürerschen Holzschnitte vor Augen. Man hat zur Entschuldigung vielfach die Eile der Herstellung des Wittenberger Druckes angeführt, doch dürfte das ein zwar für Luthers Flugschriften, nicht aber in diesem Fall taugliches Argument sein: der Druck zog sich immerhin über fünf Monate hin[49]. Solange man die cranachischen Holzschnitte nur als «verwässerte und aus den Fugen geratene Kompositionen nach Dürers Apokalypse»[50] ansieht (Jahn hat dieses Urteil von 1953 in späteren Veröffentlichungen erheblich korrigiert), geht man einfach mit unrechter Blickrichtung und falschen Massstäben heran. Denn bei Dürers über Buchgrösse hinausgehenden Bildschöpfungen, die sowohl als Einzeldrucke wie in Buchform erschienen[51], ist der Text das absolut Sekundäre; Cranachs Zyklus, obwohl ebenfalls blattgross, ist begleitende und dienende Illustration für den neugeschaffenen und sofort als kanonisch empfundenen biblischen Text. Das wird von den Zeitgenossen vollauf verstanden, wenn die nachfolgenden Serien anderer Künstler (als wichtigste: Hans Burgkmair und Hans Holbein d. J., beide in Ausgaben von 1523) sich vom Banne Dürers zu lösen versuchen und die Wittenberger Formulierungen in zahlreichen exegetischen Details zum Vorbild nehmen[52].

Cranachs Apokalypse ist selbstverständlich auch eine Auseinandersetzung mit Dürer. Allein aber die Erhöhung der Bildzahl von 15 auf 21, wobei einige Dürersche Themen noch fortfallen, lässt das Ausmass der Selbständigkeit ahnen. Vordringlichste Aufgabe war nicht der Bezug zur Bildtradition, sondern zu Luthers Übersetzung. Schon das erste Bild, als dem Dürerschen äusserlich nahestehend, zeigt, dass sich Cranach völlig frei fühlt, die Überlieferung zu nutzen oder abzuändern (Nr. 222, 223): Das allgemeine Schema der Komposition ist übernommen. Der Dekor der Leuchter entspricht dem tatsächlichen Wandel der Formen bei einem Abstand von einem Vierteljahrhundert. Die wesentliche Differenz besteht darin, dass die Gottesgestalt mit fordernder Gestik aufrecht steht und Johannes ausgestreckt vor ihr liegt, während Dürers Johannes vor dem Sitzenden in ruhiger Anbetung kniend verharrt. Das ist bemerkenswert nicht nur im Sinne genauerer Textwiedergabe («ich fiel zu seinen Füssen wie ein Toter») und als Steigerung der Dramatik, sondern es vergrössert den existentiellen Abstand zwischen göttlichem und menschlichem Bereich im Sinne von Luthers Erfahrung der absoluten Hilflosigkeit des Menschen und dem Angewiesensein allein auf die Gnade, und es widerspricht damit allen für die «Renaissance»-Kunst unermüdlich konstatierten Schemata des Näherrückens von Irdischem und Überirdischem[53]. Die Kriterien der Beurteilung von Cranachs Serie dürfen also nicht auf die stil- und formgeschichtlichen Ebenen beschränkt bleiben.

Neben diesem ausserordentlich flüssig, wenn auch mit einer charakteristisch flackrigen Helligkeit gezeichneten Blatt gibt es allerdings erhebliche Qualitätsunterschiede unter den übrigen Entwürfen. Dass Cranach Gehilfen beschäftigte, ist durch ein HB-Monogramm auf dem Schlussblatt in diesem Fall auch äusserlich erwiesen[54]. H. Zimmermanns bisher ausführlichster Versuch einer Händescheidung[55], dem man im allgemeinen wohl folgen kann, hat bei Hollstein, der nur neun von den 21 Blättern verzeichnet, Aufnahme gefunden. Ausser dem ersten Blatt scheint uns vor allem die Illustration zum 11. Kapitel mit der Vermessung

180   L. Cranach d. Ä., 1522 (Nr. 222)

181   A. Dürer, 1496/98 (Nr. 223)

182   L. Cranach d. Ä., 1522 (Nr. 221)

183   L. Cranach d. Ä., 1523 (Nr. 224)

des Tempels und den vom Untier bedrohten zwei Zeugen (Nr. 221) als originäre
(bei Dürer nicht vorhandene) und sicher gezeichnete, auch im Architektonischen
überzeugende Szene hervorzuheben.

Viel erörtert werden die «polemischen» Züge der Cranachschen Folge, die
tatsächlich kleine Abänderungen, wohl auf Wunsch des Kurfürsten, in der
2. Auflage vom Dezember 1522 bedingten. So wurde auf Blatt 11, 16 und 17 die
Papsttiara, die das Ungeheuer bzw. die babylonische Hure trägt, entfernt oder unkenntlich gemacht[56]. Dass die zusammenstürzende Stadt Babylon (Blatt 14) auf
der Rom-Ansicht der Schedelschen Weltchronik beruht, hat u. a. Ph. Schmidt ver-
merkt[57]. Dessen, neuerdings wieder aufgegriffene, Vermutung, dass sich in
solchen Anspielungen ein Einfluss des radikalsozialen Flügels der Reformation um
Andreas Karlstadt (vgl. Nr. 351) bemerkbar mache[58], scheint uns allerdings wegen
Karlstadts schon 1521 vollzogener Wendung zur Bilderfeindlichkeit nicht wahrscheinlich und müsste durch konkrete Bezüge zu dessen theologischen Gedanken
erst nachgewiesen werden. Als das Neue Testament in Druck ging, war nach
Luthers entschiedenem Auftreten gegen die radikalen Tendenzen in Wittenberg
Karlstadt bereits aus der Stadt gewichen.

Strapaziert wurde die Interpretation auch durch die Suche nach von Cranach
angeblich gezielt eingesetzten Porträtköpfen. Hätte Herzog Georg von Sachsen
(der seinen Bart erst 12 Jahre später wachsen liess! [vgl. Nr. 592]) sich wirklich in
dem gegen das Volk wütenden Löwenreiter erkannt, er hätte den Holzschnitt
wohl kaum unverändert in die von ihm patronisierte, gegen Luther gerichtete
Emser-Übersetzung (Dresden 1527) übernommen[59]. Ebenso unglaubwürdig ist
das angebliche Selbstbildnis Cranachs in dem nahezu glatzköpfigen Alten auf
Bl. 6 (vgl. Nr. 25) sowie die Mehrzahl der Identifizierungsversuche von Habs-
burgern bei gekrönten Personen[60]. Nach der Arbeit am «Passional Christi und
Antichristi» (Nr. 218f.) lag es für den Künstler wohl nahe – und bedurfte keiner
langen theologischen Beratung – in dem in der Offenbarung nicht näher benannten
Untier eine Erscheinungsform des Antichrist zu sehen und mit der Zuordnung
der päpstlichen Insignie die romfeindliche Propaganda fortzuführen. Herzog
Georgs Empörung richtete sich allein gegen Verunglimpfung des Papsttums, und
tatsächlich sind Polemik und zeitgeschichtliche Anspielungen hier in allgemeiner
verschlüsselter Form gehalten, sie verdichten sich an keiner Stelle zu Angriffen auf
bestimmte Persönlichkeiten. Nichts spricht also dagegen, dass Cranachs Bilderfolge zur Apokalypse eine selbständig erdachte und verantwortete Leistung ist,
die über Luthers Exegese hinausführende Eigenmächtigkeiten nicht benötigte,
in der illustrativen Ausführung sogar weitgehend der Werkstatt überlassen werden konnte.

Ähnlich liegt der Fall bei den elf Illustrationen zum ersten Teil des Alten
Testaments von 1523 (Nr. 224), die Hollstein, da keine differenzierende Studie
vorlag, insgesamt in Cranachs Werk aufnahm[61]. Auch hier gibt es einen so
nervös-sensibel gezeichneten Holzschnitt wie Josephs Traumdeutung neben
nüchtern ausgeführten Werkstattarbeiten mit den sakralen Geräten; in ihnen wie
in dem monumentalen, eingehend modellierten Hohenpriester (Nr. 226) zeigt sich
starke Anlehnung an die Bildtradition[62]. Während die Sintflut – eine heikle Auf-

gabe für den Formschneider – noch zu den besseren Holzschnitten gehört, scheint in anderen Blättern die Hand des anonymen Gehilfen der Apokalypse beteiligt zu sein.

Den zweiten Teil des Alten Testaments, erschienen Anfang 1524, eröffnet die eindrucksvolle Gestalt eines sitzenden Ritters, vermutlich des Josua (Nr. 227 und 228), gefolgt von einer Serie von 23 Illustrationen verschiedenen Formats, vor allem zur Geschichte Simsons, Davids und Salomons (Nr. 229). Zu diesem Werk fehlt ebenfalls noch eine genauere Analyse, doch stehen Szenen wie die Salbung Sauls (Nr. 229c) oder David und Bathseba (Nr. 229d) Cranach zumindest sehr nahe. Für einige der Holzschnitte, vor allem zur Geschichte Simsons, ist bezeugt, dass sie auf Luthers persönlichen Wunsch entstanden[63].

Im gleichen Jahr 1524 wurde noch ein dritter Teil des Alten Testaments vollendet, bis zum Hohenlied Salomonis reichend[64], mit einer grob geschnittenen Titelbordüre: Kreuzanheftung Christi, von Moses, David und einer Gruppe von Patriarchen betrachtet[65], mit zwei schönen Initialen[66] und mit einem blattgrossen Holzschnitt zum Buch Hiob (Nr. 230). Dieser fasst mehrere Szenen der Unglücksgeschichte Hiobs in einem kraftvollen Bild zusammen: im Vordergrund der aussätzige Dulder zwischen seiner Frau und einer Gruppe von Freunden, die mit überraschend aggressiven Blicken und Gestik agieren. Von Dürers einst in Wittenberg sichtbarer Gestaltung des Themas (vgl. Nr. 470) ist Cranachs Holzschnitt ganz unabhängig.

Exkurs: Zur «Eigenhändigkeit» von Cranachs Holzschnitten. – Deutlicher als bei den einzelnen Titelrahmen wird bei den Serien von Holzschnitten zum Alten und Neuen Testament erkennbar, mit welchen Qualitätsstufen und graduellen Unterschieden man bei cranachischer Buchgraphik rechnen muss. Zwar lässt sich nicht eine solche Reihe von Kategorien zur Klassifizierung aufstellen und anwenden wie bei den Gemälden (siehe S. 12f.), doch sollen die Möglichkeiten zwischen ganz eigenhändigem Werk und selbständiger Gehilfenarbeit wenigstens umschrieben werden.

«Eigenhändigkeit» bedeutet bei der Buchgraphik jedenfalls nicht: dass Cranach seinen Entwurf auch in den Holzstock geschnitten hat. Die im 19. Jahrhundert heftig diskutierte Theorie von den Künstlern als Formschneidern ist für Cranach sogar 1937 von A. Giesecke noch einmal wiederbelebt worden[67]. Sein Hauptargument, dass, solange es in Wittenberg keinen sesshaften Buchdrucker gab, auch kein Formschneider zur Hand gewesen sei, lässt sich leicht widerlegen. Cranachs Entwürfe mussten ja nicht nur geschnitten, sondern auch vervielfältigt werden, und man wird annehmen, dass dies von vornherein, also ab 1505, in Wittenberg, nicht andernorts geschah. Es liegt im ganzen 16. Jahrhundert eher die Tätigkeit von Formschneider und Drucker in einer Hand als das Entwerfen und Schneiden, anders gesagt: der Mann, der die Presse für Cranachs Holzschnitte bedient, ist mit grosser Wahrscheinlichkeit auch sein Formschneider. Dafür hat man sogar ab 1509 einen klaren Nachweis: Symphorian Reinhart aus Strassburg, der Drucker des Wittenberger Heiltumbuches (Nr. 97, 98), wird in einem Humanistengedicht als «sculptor celeberrimus» gefeiert, was sich nach

Quellenlage und Sprachgebrauch nicht auf Bildhauerei beziehen kann[68], sondern Formschneiderarbeiten bezeichnen muss. Es spricht viel dafür, dass er speziell Bilddrucker war, da er sich für Schriftsätze die Typen von Johann Grunenberg ausleihen musste[69]. Darüber hinaus lässt sich an Cranachs Holzschnitten zur «Passion Christi» (Nr. 310ff.) ablesen, dass in eben diesem Jahr 1509 bereits mehrere Formschneider gleichzeitig tätig waren[70]. Eigene handwerkliche Betätigung am Holzschnitt lässt sich bei Cranach, wie bei Dürer, nur in aussergewöhnlichen Fällen mit spezifischen Argumenten postulieren («Ölberg»-Holzschnitt 1502/03, Nr. 73).

«Eigenhändigkeit» im Holzschnittwerk (Einblatt- wie Buchgraphik) kann hier zweierlei bedeuten: (1.) Cranach hat seinen Entwurf bis zur endgültigen Reinzeichnung durchgeführt, die wohl mechanisch auf den Holzstock übertragen wurde, oder (2.) er hat den Entwurf selber auf den Holzstock aufgetragen. Demgegenüber ist es «Werkstattarbeit», wenn (3.) ein Geselle eine freie Entwurfsskizze des Meisters ausarbeitet, bevor sie «schnittreif» ist, oder (4.) den Entwurf selbständig liefert. Im Endergebnis, also in der uns vorliegenden gedruckten Form, sind jedoch die Kategorien 3 und 4, mehr noch 1 und 2, praktisch nicht mehr voneinander zu trennen.

Man wird von Cranach, der ab 1519 Mitglied des Rats und Stadtkämmerer war, 1520 das Apothekenprivilegium erwarb, auch einen Buchhandel führte, bei den zum Teil peripheren Aufgaben der Reformationsgraphik tatsächlich nicht allzuviel künstlerischen und zeitlichen Aufwand erwarten dürfen. Die Theorie eines von Cranach entwickelten «Illustrationsstils» (gegenüber einem «hohen» Stil)[71], entsprechend seinen Usancen bei Gemälden oder Dürers bewusstem Unterschied zwischen «gekläubelten» und einfacher durchgeführten Gemälden, hilft wenig weiter. Cranach wird – es klingt banal – vor allem dort zu fassen sein, wo ihm die Aufgaben wichtig schienen, und so lässt sich gegenüber bisherigen Werturteilen etwa zur Apokalypse feststellen: *gerade* die überdeutlichen Qualitätsunterschiede zeigen hier einen Fall, bei dem er persönlich eingegriffen hat.

221 Lukas Cranach d. Ä. und Werkstatt
Das Neue Testament deutsch («Septembertestament»)
Wittenberg [M. Lotter d. J. 1522].
Mit 21 blattgrossen Holzschnitten zur Apokalypse, je ca. 23,5 × 16,0 cm.
Aufgeschlagen: Apokalypse, Kap. XI mit Holzschnitt: Vermessung des
Tempels mit den vom Untier bedrohten Zeugen   **Abb. 182**
Basel, Universitätsbibliothek.

Ho. H. 30a–i. – Lindau, S. 195ff. – Dodgson II, S. 330, Nr. 23. – Grisar/Heege II, Freiburg 1922, S. 1ff. – Schramm, Lutherbibel, S. 1ff., Taf. 1ff. – Zimmermann, Beiträge, S. 1ff. – Zimmermann, in: Mitt. d. Ges. f. vervielf. Kunst, XLVIII, 1925, S. 63. – Weimar 1953, Nr. 161. – Schmidt, Lutherbibel, S. 93ff. – Kat. Bibel und Gesangbuch im Zeitalter der Reformation, Nürnberg 1967, Nr. B7. – W. Hütt, in: Bildende Kunst,

Hans Cranach, 1537 (Nr. 473)

184   L. Cranach d. Ä., 1524 (Nr. 230)

1972, Heft 6, S. 298 ff. – Jahn/Bernhard, S. 717 ff. – C. Nesselstrauss, in: Cranach-Colloquium, Wittenberg 1973, S. 98 ff.

Luthers Erstausgabe seiner Übersetzung des Neuen Testaments, anonym erschienen,
enthält in Übereinstimmung mit älteren Bibelausgaben nur einen Bildzyklus zur Offenbarung des Johannes von Cranach und Werkstatt-Gehilfen. In ihm wurde freier Gebrauch von Dürers zuerst 1498 erschienener Holzschnittfolge zur Apokalypse (vgl.
Nr. 223) gemacht, jedoch ist das Wesentliche der Illustrierung in dem neuen Bezug auf
den Luthertext zu sehen. Zimmermann (Beiträge, S. 1 ff.) hat den eigenhändigen Anteil
Cranachs d. Ä. an den Illustrationen (die Bilder 1, 2, 4, 10, 11, 12, 16, 17, 18) heraus-
geschält, viel früher gaben S. Vögelin und E. His eine einleuchtende Charakterisierung
der Eigenheiten und Qualitätsunterschiede der Folge (siehe Rep. f. Kunstwiss., II, 1879,
S. 162 ff., besonders S. 179/80). Neben anonymen Gehilfen war ein Künstler tätig
(Blatt 20, 21), der das letzte Bild mit einem H B-Monogramm versah. Über die Arbeit
dieses Monogrammisten vgl. I. Kühnel, in: Zs. dt. Ver. f. Kunstwiss., VIII, 1941,
S. 225 ff.
    Gegen polemische Züge in einigen der Illustrationen wandte sich protestierend
Herzog Georg von Sachsen. In der zweiten Auflage vom Dezember 1522 (siehe folgende
Nr.) wurden daraufhin die Papstkronen in drei Blättern getilgt. Trotzdem sind Cranachs
Holzstöcke, nach verschiedenen Wiederverwendungen in Wittenberg, 1527 für 40
Gulden nach Dresden verkauft und in der von Herzog Georg überwachten, anti-
lutherischen Übersetzung Hieronymus Emsers (erschienen bei Wolfgang Stöckel) ver-
wandt worden (H. Volz, Hundert Jahre Wittenberger Bibeldruck, Göttingen 1954,
S. 26 ff.).

222 Lukas Cranach d. Ä. und Werkstatt
Das Neue Testament deutsch («Dezembertestament»)
Wittenberg, M. Lotter d. J. 1522.
21 blattgrosse Holzschnitte zur Apokalypse wie im Septembertestament,
davon drei (Nr. 11, 16, 17) in 2. Zuständen.
Aufgeschlagen: Apokalypse Kap. I mit Holzschnitt: Johannes und die sieben
Leuchter   **Abb. 180**
Basel, Universitätsbibliothek.

Ho. H. 30 (II). – Dodgson II, S. 331, Nr. 24. – Schramm, Lutherbibel, Taf. 24–26. –
Schmidt, Lutherbibel, S. 104, 111. – Kat. Bibel und Gesangbuch im Zeitalter der Reformation, Nürnberg 1967, Nr. B 8. – Siehe ausserdem Lit. zur vorigen Nr.

Auf den Protest Herzog Georgs von Sachsen gegen eine «Verunglimpfung des Papsttums» in den Illustrationen wurden in zwei Illustrationen die Papstkrone des Untiers,
in einer dritten die der babylonischen Hure nach Möglichkeit herausgeschnitten. Im
übrigen sind die Illustrationen der Erstausgabe unverändert übernommen. Melchior
Lotter d. J. ist als Drucker genannt.

223 Albrecht Dürer (1471–1528)
Johannes erblickt die sieben Leuchter   **Abb. 181**
Illustration zur Apokalypse, Kap. I.
Bez. Holzschnitt (aus einer latein. Textausgabe). 39,8 × 28,6 cm.
Basel, Kupferstichkabinett des Kunstmuseums.

B. 62. – Meder 165. – Panofsky 282. – Dürer-Kat., Nürnberg 1971, Nr. 596,3.

224 Lukas Cranach d. Ä. und Werkstatt
Das Alte Testament deutsch (I. Teil)
Wittenberg, Michel Lotter 1526.
Mit 11 blattgrossen Holzschnitten, je ca. 23,5 × 16,0 cm (Blatt 9 und 11
abweichende Masse).
Aufgeschlagen: Josephs Traumdeutung von den sieben fetten und sieben
mageren Jahren (fol. XXXI)   **Abb. 183**
Basel, Universitätsbibliothek.

Ho. H. 4 (a–k). – Dodgson II, S. 331, Nr. 25. – Schramm, Lutherbibel, S. 14 und Taf. 29
bis 39. – Zimmermann, Beiträge, S. 15. – Schmidt, Lutherbibel, S. 137 ff. – Jahn/Bern-
hard, S. 747 ff. (752 seitenverkehrte Abb.!).

Der 1523 erschienene I. Teil des Alten Testaments in Luthers Übersetzung enthielt nur
die Fünf Bücher Mosis mit einem Zyklus von elf grossen Illustrationen. Das vorliegende
Exemplar ist ein Nachdruck Michel Lotters, «dessen Titeleinfassung, Bildinitialen und
Holzschnitte sich mit denen der früheren Ausgaben decken» (Schramm). Der Titelrahmen (Schramm, Taf. 27) stammt von Georg Lemberger, ursprünglich entstanden
für ein Passauer Missale von 1522. Die Holzschnitt-Illustrationen wie bei der Apokalypse von unterschiedlicher Qualität der Ausführung (Zimmermann postuliert Beteiligung des «Meisters der Zackenblätter»); zu den besten und wohl eigenhändigen
Blättern gehört die ausgestellte «Traumdeutung Josephs».

225 Lukas Cranach d. Ä., Werkstatt
Abrahams Opfer
Holzschnitt (Rückseite leer). 23,3 × 16,0 cm.
Einzelblatt, aus: Das Alte Testament deutsch (I. Teil), Wittenberg [Melchior
und Michel Lotter] 1523.
Basel, Kupferstichkabinett des Kunstmuseums.

Ho. H. 4b. – Dodgson II, S. 351, Nr. 1. – Schramm, Lutherbibel, Taf. 30. – Siehe auch
Lit. zur vorigen Nr.

Von Dodgson als Werkstattarbeit bezeichnet; nach Zimmermann (Beiträge, S. 15), die
nur drei der elf Illustrationen nicht Cranach selbst zuschreibt, eigenhändig. Im Stil
m. E. den anonymen Apokalypse-Illustrationen nahe.

226 Lukas Cranach d. Ä.
Hoherpriester im Ornat
Holzschnitt (Rückseite leer). 22,7 × 14,4 cm.
Einzelblatt, aus: Das Alte Testament deutsch (I. Teil), Wittenberg [Melchior
und Michel Lotter] 1523.
London, The British Museum, Department of Prints and Drawings.

Ho. H. 4k. – Schramm, Lutherbibel, Taf. 39. – Siehe auch Lit. zu Nr. 224.

Der letzte Holzschnitt der Serie, in der Qualität Cranachs würdig, zeigt einen Hohen-
priester im vollen priesterlichen Ornat. In der Gesamtanlage (nicht im Detail) starke
Anlehnung an ältere Darstellungen, wie z. B. in der Postilla des Nicolaus de Lyra,
Nürnberg 1481 (Schramm, Bilderschmuck, XVII, Abb. 14; zum Einfluss des Nicolaus
de Lyra allgemein, s.: M. Netter, Freiheit und Bindung in der Bibelillustration der
Renaissance, in: Schweizerisches Gutenbergmuseum Bern, Nr. 4, Dez. 1953, S. 10–12).

227 Lukas Cranach d. Ä.
     Sitzender Krieger (Josua)   Abb. 304
     Holzschnitt. Ca. 16,2 × 14,6 cm.
     Aus: BIBLIA... deudsch. Martin Luther. Wittenberg, Hans Lufft 1534.
     Basel, Universitätsbibliothek.

     Ho. H. 5 a. – Schu. 3. – Pass. 156. – Dodgson II, S. 331, Nr. 25 a. – Schramm, Luther-
     bibel, S. 10 und Taf. 69. – Weimar 1953, Nr. 177.

     Zu der mächtigen Kriegergestalt, die für das Titelblatt des 2. Teils der Alten-Testament-
     Übersetzung (gedruckt bei Cranach und Döring 1524) geschaffen wurde, vgl. den
     «Wilde-Mann»-Typus, auf einem Steinblock sitzend (Nr. 500). An derselben Stelle noch
     verwendet in der Erstausgabe von Luthers Gesamtbibel von 1534, deren Schmuck
     sonst zum grössten Teil vom Monogrammisten MS stammt. Mehrere freie Kopien
     zeugen von der Wirkung des Cranachschen Holzschnitts; die wichtigsten: Erhard Schön,
     Sitzender Krieger in Rahmung, bez. dat. 1524 (B. 33); Erhart Altdorfer, Sitzender
     Krieger (Josua), als Titelblatt des 2. Teils des niederdeutschen Alten Testaments,
     Lübeck 1533 (W. Jürgens, Erhart Altdorfer, Lübeck 1931, Abb. 25).

228 Lukas Cranach d. Ä.
     Sitzender Krieger (Josua)
     Holzschnitt. 18,2 × 14,3 cm (Blattgrösse).
     Oben Jahreszahl «M. D. XXXVI.», später hinzugefügte Einfassung, Rückseite
     leer.
     Einzelblatt, aus: BIBLIA... deudsch. Martin Luther. Wittenberg, Hans Lufft
     1536.
     München, Staatliche Graphische Sammlung.

     Lit. siehe vorige Nr.

     Spätere Verwendung des 1524 entstandenen Holzschnitts aus einer Neuauflage der
     Lutherschen Gesamtbibel von 1534.

229 Lukas Cranach d. Ä., Werkstatt
     Vier Illustrationen zum Alten Testament
     a) Gideon prüft sein Heer am Jordan
     Holzschnitt. 11,3 × 15,6 cm.
     b) Simson und Delila
     Holzschnitt. 11,2 × 14,3 cm.
     c) Samuel salbt Saul
     Holzschnitt. 12,0 × 15,9 cm.
     d) David und Bathseba
     Holzschnitt. 11,9 × 15,6 cm.
     Einzelblätter, aus: Das Ander Teyl des allten Testaments. Wittenberg
     [Cranach und Döring 1524].
     Karlsruhe, Staatliche Kunsthalle.

Ho. H.5 f, l, o, s. – Dodgson II, S. 331, zu Nr. 25 a. – Schramm, Lutherbibel, S. 10 ff., Abb. 125, 130, 133, 137. – Schmidt, Lutherbibel, S. 144 ff. – Jahn/Bernhard, S. 753 ff.

Der Illustrationszyklus zur Lutherübersetzung vom 2. Teil des Alten Testament ist im Einzelnen noch nicht stilkritisch untersucht; unterschiedliche Güte der Ausführung dürfte wohl nicht nur auf verschiedene Formschneider (ungeschickter Schnitt des Simson und Delila-Blattes!), sondern auch auf Beteiligung mehrerer Hände, darunter Cranach selbst, hinweisen. Einflussnahme Luthers auf die Auswahl der Illustrationen ist nachgewiesen.

230 Lukas Cranach d. Ä.
Die Verspottung des Hiob   **Abb. 184**
Holzschnitt. 22,5 × 16,0 cm.
Einzelblatt, aus: Das Dritte teyl des alten Testaments. Wittenberg [Cranach und Döring] 1524.
Bamberg, Staatsbibliothek (I. L. 105).

Nicht bei Hollstein. – Dodgson II, S. 331, zu Nr. 25 b. – Schramm, Lutherbibel, S. 12/13, Taf. 99. – Schmidt, Lutherbibel, S. 148. – Jahn/Bernhard, S. 773 ff.

Ausser dem Titelblatt (vgl. Schramm, Lutherbibel, Taf. 98) die einzige grosse Illustration des Buches. Im Hintergrund der Szene das zusammenstürzende Haus des Hiob und die Entführung seiner Herden. Der kraftvolle Entwurf, der sich gerade gegen den Titelholzschnitt positiv abhebt, ist im Werk Cranachs noch nicht ausreichend gewürdigt.

5. Titelrahmen der Cranach-Döringschen Druckerei, 1523 bis 1525

Bereits im vorigen Abschnitt war von der Buchdruckerpresse Cranachs und des Goldschmiedes Christian Döring die Rede. Mit Melchior Lotter d. J., der ab 1520 seine fruchtbare Tätigkeit von Cranachs Arbeitsstätte aus entfaltet hatte, scheint es mit der Zeit Misshelligkeiten gegeben zu haben, sodass Cranach und Döring 1523 eine eigene Presse aufstellten und «einen fremden Drucker annahmen», wie es in einem Beschwerdebrief Lotters heisst[72]. Als Lotter durch eine unbedachte gesetzwidrige Handlung seine Lage noch verschlimmerte, zwang ihn der Maler etwa Frühjahr 1524 aus seinem Haus[73]. Die Druckerei von Cranach und Döring wurde fortan von Luther in dem Masse bevorzugt, dass nicht nur Lotter, sondern auch die übrigen Wittenberger Drucker in wirtschaftliche Schwierigkeiten zu geraten drohten und sich durch schnelle Nachdrucke der begehrten Luther-schriften zu retten suchten. Ein Autorenschutz war praktisch unbekannt, ein kurfürstliches Privileg nur schwierig zu erreichen, und so protestierte Luther ver-geblich, auch mit Hilfe einer (gewiss aus Cranachs Werkstatt hervorgegangenen) «Schutzmarke»[74] gegen den Missbrauch seiner Texte.

Die Reihe von Titelholzschnitten, die sich nach einer Unterbrechung vom Jahr 1523 an fortsetzt, spiegelt den geschilderten Konkurrenzkampf insofern, als cranachische Entwürfe von den Nachdruckern in zum Teil äusserst präziser Form übernommen wurden. Ob man allerdings dabei in kunstgeschichtlich eindeutiger Weise von «Original» und «Kopie» sprechen kann, scheint fraglich. 1523 taucht auf Drucken von Cranach und Döring ein Titelrahmen mit Ranken und zwei liegenden Löwen auf, deren Schwänze sich verknoten (Nr. 231). Dass das Schriftfeld in einem – hier mehr zu einer Art Wappenschild stilisierten – Weinblatt sitzt, ist aus dem Titel des «Passional» schon bekannt. Zur selben Zeit benutzt Lotter eine übereinstimmende Bordüre, nur dass bei ihm der Grund nicht weiss gelassen, sondern waagerecht schraffiert ist (Nr. 232). Die grössere Lebendigkeit kommt zweifellos der erstgenannten Variante zu. Da Lotters Presse aber 1523 noch in Cranachs Haus arbeitet, ist es durchaus möglich, dass die Malerwerkstatt zwei Exemplare des Entwurfes lieferte und daher nicht ein Holzschnitt Kopie des anderen sein muss[75].

Noch verzwickter wird der Fall bei dem Titelblatt mit einer Satyrfamilie, von dem es mindestens vier übereinstimmende Schnitte gibt. Zwei Wittenberger Fassungen erscheinen auf Drucken von Nickel Schirlentz[76] und M. Lotter (Nr. 233, 234), wobei es deutlich ist, dass Lotter den routinierteren, feiner arbeitenden Formschneider einsetzen kann, während bei Schirlentz trotz einer gröberen Messerführung die atmende Lebendigkeit der nackten Körper spürbarer bleibt. Hat Cranach auch hier den Entwurf zweimal geliefert? Es ist dies geradezu ein Musterbeispiel dafür, was zwei verschiedene Formschneider aus derselben Vorlage machen, daher sind hier beide Varianten gleichberechtigt aufgenommen[77].

Das Schema der zu behandelnden Titelholzschnitte – um ein wenig vorzugreifen – erfährt nun grundsätzliche Änderungen. Die schmale umlaufende «Bordüre», die sich aus dem Randschmuck einer Schriftseite entwickelt hatte[78], hat nun offenbar ausgedient. Der Titelholzschnitt wird zum – mehr oder weniger unterteilten – Bild«feld», aus dem nur der notwendigste Platz für den Schriftsatz ausgespart ist, der sich immer mehr verengt und als reine Fläche in Konfliktsituation mit der räumlich angelegten Umgebung gerät. Die möglichst geistvolle Lösung dieses Konflikts dürfte die wichtigste formale Aufgabe für den Künstler sein. Besonders deutlich wird diese Situation bei Titelrahmen mit beherrschenden architektonischen Motiven. Als erstes Beispiel war bei Cranach der «Passional»-Titel von 1521 begegnet (Nr. 218 und Abb. 302), doch hat die Gattung bereits eine längere, vor allem süddeutsche Tradition[79].

Relativ einfach komponiert erscheint der Titelrahmen von 1523 mit der Pfeilerstellung und drei Wappenengeln (Nr. 235), wo das Schriftfeld, zwischen Kapitell- und Sockelzone, den Grund der durch die Pfeiler gebildeten Nische einnimmt.

Ein komplizierteres, ebenfalls noch gut überschaubares, fast ohne perspektivische Schnitzer durchgeführtes Gebilde zeigt das Titelblatt mit Engeln und zwei liegenden Hirschen (Nr. 236). Das architektonische Motiv besteht aus einem Podest, in dessen vorgezogenen Mittelteil die – besonders bei Benutzung von Antiquaschrift – recht antikisch wirkende Schrifttafel eingelassen ist. Durch die hinten und oben von zwei Engeln gehaltene, im Vordergrund unten von einem

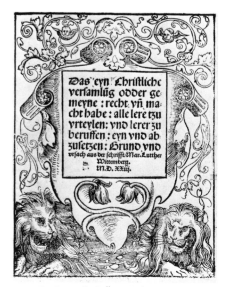

185 L. Cranach d. Ä., Werkstatt, 1523
(Nr. 231)

186 L. Cranach d. Ä., Werkstatt, 1523
(Nr. 232)

187 L. Cranach d. Ä., Werkstatt, 1523
(Nr. 233)

188 L. Cranach d. Ä., Werkstatt, 1523
(Nr. 234)

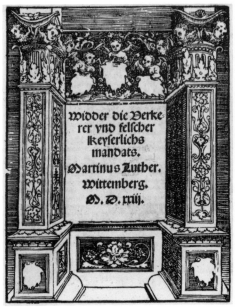

189   L. Cranach d. Ä., Werkstatt, 1523   190   L. Cranach d. Ä., Werkstatt, 1523
(Nr. 235)   (Nr. 236)

dritten verknotete Ranke ergibt sich ein lebendiges Spiel mit verschiedenen
räumlichen Ebenen.

Strenger und würdevoller wirkt das Motiv der von vier Säulen oder Rund-
pfeilern gestützten Tonnenwölbung (Nr. 237), unter der zwei (in diesem Fall bekleidete) Engel die Luthersche Schutzmarke der Rose im Kreis halten. Aus einer
Öffnung im Scheitel der Tonne[80] hängt die Schrifttafel, nun richtig von profilier-
tem Rahmen eingefasst, herab. Eine zweite querrechteckige Tafel mit je nach
Verwendung des Holzschnitts geändertem «Motto» beschriftet, versperrt unten
den Eingang in den überdeckten Raum.

Solche Wölbungsmotive sind ursprünglich bei Porträtdarstellungen entwickelt worden[81]. Es überrascht daher nicht sehr, dass der ab Januar 1524 verwendete Titel tatsächlich Variante eines Cranachschen Porträtholzschnittes ist:
nämlich des Bildnisses König Christians II. von Dänemark, der im Herbst 1523
in Wittenberg weilte (Nr. 238, vgl. S. 23). Es erschien zu einer aus der Lotterschen
Druckerei (in Wittenberg oder Leipzig?) hervorgegangenen Schrift mit Ent-
gegnungen des Königs auf politische Forderungen der Stadt Lübeck. Diesem an
die Seite zu stellen ist der kleinere (Oktavformat) Porträtschnitt mit der Büste des
Königs im Profil (Abb. 192), der wohl wegen seiner Seltenheit in der Cranach-
Literatur bisher überhaupt übergangen wurde. Er begleitete die laut Schlussschrift in Leipzig durch Lotter d. Ä. 1524 verlegte dänische Übersetzung des
Neuen Testaments[82]. Noch ein drittes, nicht zur Buchgraphik gehörendes Holz-

191   L. Cranach d. Ä. (Werkstatt?) 1523
      (Nr. 238)

192   L. Cranach d. Ä., Werkstatt, 1523
      (S. 346 u. Anm. 82)

193   L. Cranach d. Ä., Werkstatt, 1524
      (Nr. 237)

194   L. Cranach d. Ä., Werkstatt, 1524
      (Nr. 239)

schnittbildnis Christians (Nr. 160) ist, wie die beiden vorigen, 1523 datiert und mit Schlangenzeichen signiert. Trotz der Signatur jedoch ist dieser ganzen Gruppe mit Skepsis begegnet worden, seit Flechsig sie als Kronzeugen seiner Hans Cranach-These benutzte: signierte Werke, die seiner Meinung nach nicht von Lukas Cranach d. Ä. stammen, müssten auf jeden Fall von einem anderen Familienmitglied geschaffen sein[83]. Hier ergibt sich, da die beiden Cranachsöhne aus zeitlichen Gründen ausscheiden, eine ähnliche Konstellation wie bei einer bestimmten Kategorie von Gemälden: Das Schlangenzeichen dürfte zum mindesten eigene Beteiligung Cranachs dokumentieren und eine spezielle – vielleicht vom Besteller gewünschte – Autorisierung des gedruckten Bildnisses bezwecken. Es liegen den drei Holzschnitten gewiss zwei eigenhändige Bildnisaufnahmen zugrunde, eine in leichter Wendung des Kopfes nach rechts, entsprechend einem Gemälde in Nürnberg[84], eine zweite in strengem Profil. Der Profilkopf des kleinsten Holzschnittes hat in seinem sensitiven Eingehen auf die Physiognomie, auch in der sicheren Zeichnung des Lockenhaares und Pelzwerkes (die sich bei den anderen Holzschnitten viel weniger voneinander absetzen) keinen Vergleich zu scheuen, so sehr auch die umgebende Rahmung räumlich und ornamental kraftlos wirkt.

Als letzter Titelrahmen dieser Gruppe ist noch der Holzschnitt zur Oktavausgabe von Luthers «Psalter deutsch» von 1524 zu erwähnen (Nr. 239), einem Druck, der nach neuerer Forschung[85] von Cranach und Döring stammt wie die vorher behandelten architektonischen Einfassungen. Hier kann man allerdings nur von Architektur«fragmenten» sprechen, da die seitlichen Säulen keine sichtbare Last tragen und ihre Basen von Blattwerk verhüllt sind, vor das zwischen Engelputten die Lutherrose gesetzt ist. Der Einsatz des Schriftfeldes, hinter dem am Oberrand David mit der Harfe erscheint, bleibt räumlich unklar, die dekorative überwuchert die perspektivische Vorstellung, was sich bei Cranach ja häufig und in allen Zeitabschnitten seines Werkes beobachten lässt.

Ende 1525 oder Anfang 1526 gaben Cranach und Döring aus unbekannten Gründen das Druckgeschäft auf. Sie hatten fast ausschliesslich Lutherdrucke hergestellt und fanden nun in Hans Lufft einen geeigneten, den Wittenberger Bibeldruck für viele Jahrzehnte beherrschenden Nachfolger[86]. Ein Rückblick auf die in der eigenen Druckerei verwendete Titelgraphik lässt bezeichnenderweise erkennen, dass sie nicht «cranachischer» ist, sich qualitativ nicht abhebt von den in anderen Druckereien erschienenen Holzschnitten. Auch hier scheint sich Cranach mit einer Überwachung der Produktion und nur gelegentlichem persönlichen Eingreifen in einen gefestigten «Werkstattstil» begnügt zu haben.

231 Lukas Cranach d. Ä., Werkstatt
Titelrahmen mit Ranken und zwei Löwen,
deren Schwänze sich verschlingen (weisser Grund)   Abb. 185
Holzschnitt. 17,0 × 13,0 cm.
Aus: Das eyn Christliche / versamlu[n]g odder ge= / meyne... / ... Mar.
Lutther. Wittenberg [Cranach und Döring] 1523. (Benzing 1569).
Verwendungen: Cranach und Döring 1523–25.
Basel, Universitätsbibliothek.

Ho. Wst. 47. – Dommer, S. 201, Nr. 386; S. 240, Nr. 79B. – Knaake, in: Zentralbl. f.
Bibl.wesen, VII, 1890, S. 202, Nr. 13. – Flechsig, S. 218. – J. Luther, Taf. 13c. – Dodgson
II, S. 329, Nr. 14 (anderer Druck).

In der älteren Literatur nicht als Originalschnitt, sondern als Kopie nach dem Titelrahmen aus M. Lotters Druckerei (folgende Nr.) betrachtet. Nach unserer Meinung
sind beide Schnitte – Lotter arbeitete 1523 in Cranachs Behausung – gleichwertige
Produkte der Cranach-Werkstatt und dürften auf dieselbe Vorlage eines gezeichneten
Entwurfs zurückgehen. – Es existieren mehrere tatsächliche Kopien von Druckern
ausserhalb Wittenbergs (J. Luther, Taf. 13a/b und 13d/e).

232 Lukas Cranach d. Ä., Werkstatt
Titelrahmen mit Ranken und zwei Löwen,
deren Schwänze sich verschlingen (schraffierter Grund)   Abb. 186
Holzschnitt. 17,0 × 12,8 cm.
Aus: Von dem al- / ler nöttigisten, wie / man diener der Kirchen ... /
eynsetzen sol. / Mart. Luther... Wittenberg [M. Lotter d. J.] 1524.
(Benzing 1690).
Verwendungen: Melchior und Michel Lotter 1523–25; Hans Weiss 1525.
Basel, Universitätsbibliothek.

Nicht bei Ho. – Dommer, S. 240, Nr. 79A. – J. Luther, Taf. 13. – Dodgson II, S. 334,
7aff. – Kiessling, S. 28, 40, Nr. 31.

Siehe Kommentar zur vorigen Nr. – Die Angabe J. Luthers, dass dieser Schnitt – im
Unterschied zum vorigen mit waagerecht schraffiertem Hintergrund – bereits 1521
erschienen ist, dürfte auf einem Irrtum beruhen (vgl. Kiessling, S. 40 bei Nr. 31).

233 Lukas Cranach d.Ä., Werkstatt
Titelrahmen mit Satyrfamilie   Abb. 187
Holzschnitt. 17,2 × 12,3 cm.
Aus: Eyn Sermon / auff den Pfing= / stag. / Mart. Luther. Wittenberg
[Nickel Schirlentz] 1523. (Benzing 1782).
Verwendungen: Nickel Schirlentz 1523–1541 (?)
Coburg, Landesbibliothek (Lu. Ta. 1523, 5).

Ho. Wst. 37 – Dommer, S. 187, Nr. 358; S. 242, Nr. 83A. – Butsch, S. 58. – Flechsig,
S. 219. – J. Luther, Taf. 14a. – Dodgson II, S. 329, Nr. 16. – Weimar 1953, Nr. 163
(anderer Druck).

Von dem Titelrahmen mit der Satyrfamilie (nicht Adam und Eva mit ihren Kindern: Eselsohren des Mannes!) existieren zwei Wittenberger Fassungen wie bei Nr. 231, 232. Aus historischen Gründen würde man dem Schnitt aus der Druckerei Lotters (folgende Nr.) den Vorrang geben: Nickel Schirlentz ist ein typischer Nachdrucker. Die grössere Lebendigkeit von dessen Version führt aber zu der Annahme, dass es sich bei ihr nicht um eine Kopie handelt, sondern ein- und derselbe Entwurf der Cranach-Werkstatt beiden zugrundeliegt. Mehrere Kopien ausserhalb Wittenbergs, sämtlich noch 1523 entstanden, sind bekannt (Augsburg, Erfurt, Zwickau).

234 Lukas Cranach d. Ä., Werkstatt
Titelrahmen mit Satyrfamilie   **Abb. 188**
Holzschnitt. 17,3 × 12,3 cm.
Aus: ADVER / SVS IOHANNEM FA- / brum... / Iusti Io / nae defen / sio.
Wittenberg [M. Lotter d. J.] 1523.   (Benzing 1669).
Verwendungen: Melchior Lotter d. J. 1523–25; Michel Lotter 1527; Franz Behem (Mainz) 1545.
Basel, Universitätsbibliothek.

Nicht bei Ho. – J. Luther, Taf. 14. – Dodgson II, S. 334, Nr. 8b (anderer Druck). – Die Druckgraphik Lucas Cranachs und seiner Zeit, Kat. Wien 1972, Nr. 31 (späte Verwendung).

Siehe Kommentar zur vorigen Nr. – Die sauberer geschnittene Version Lotters wurde später vom Drucker Franz Behem in Mainz übernommen.

235 Lukas Cranach d. Ä., Werkstatt
Titelrahmen mit Pfeilernische und drei Wappenengeln   **Abb. 189**
Holzschnitt. 16,8 × 12,9 cm.
Aus: Widder die Verke= / rer und felscher / keyserlichs / mandats. / Martinus Luther.   Wittenberg [Cranach und Döring] 1523.   (Benzing 1648).
Verwendungen: Cranach und Döring 1523.
Basel, Universitätsbibliothek.

Ho. Wst. 29. – Dommer, S. 190/91, Nr. 368; S. 240, Nr. 80. – Knaake, in: Zentralbl. f. Bibl.wesen, VII, 1890, S. 199, Nr. 2. – Flechsig, S. 217. – J. Luther, Taf. 58. – Dodgson II, S. 329, Nr. 12 (anderer Druck). – Kiessling, S. 40, Nr. 33. – Weimar 1953, Nr. 162 (anderer Druck).

Der ausgestellten Schrift kam entscheidende Bedeutung bei der Feststellung der (im Impressum der Bücher nie genannten) Druckerpresse Cranachs – und ihrer Titel-bordüren – zu; in einem Brief Luthers vom 11. Juli 1523 heisst es nämlich scherzhaft: Des Lucas Presse braucht Nahrung, darum habe ich jetzt das kaiserliche Mandat erklärt... (zitiert bei Lindau, S. 161) – was sich nur auf den obigen Druck beziehen lässt. – Eine sehr genaue Kopie des Titels erschien bei Heinrich Steiner in Augsburg (J. Luther, Taf. 58a).

236 Lukas Cranach d. Ä., Werkstatt
Titelrahmen mit Engelputten und Hirschen   Abb. 190
Holzschnitt. 17,3 × 12,2 cm.
Aus: DVAE EPI / SCOPALES BVL / LAE... Wittenberg [Cranach und Döring
1524]. (Benzing 1905).
Verwendungen: Cranach und Döring 1523/24; Joseph Klug 1524; Hans Frisch-
mut 1538.
Basel, Universitätsbibliothek.

Ho. Wst. 30. – Dommer, S. 240, Nr. 81. – Knaake, in: Zentralbl. f. Bibl.wesen, VII,
1890, S. 203, Nr. 18. – Flechsig, S. 220. – J. Luther, Taf. 43. – Dodgson II, S. 329,
Nr. 17; S. 334, Nr. 9, 9a (andere Drucke). – Kiessling, S. 40, Nr. 34. – Jahn, S. 65.

Die vorliegende Schrift druckt, mit Vorrede Luthers, zwei Edikte der ersten protestantischen Bischöfe Georg von Polentz und Moritz Ferber ab. – Dass die Titelbordüre aus der Cranach-Döringschen Presse im gleichen Jahr auch in einem Druck von
Joseph Klug verwendet wird, ist Beweismittel dafür, dass dieser die technische Leitung
von Cranachs Druckereibetrieb übernommen hatte.

237 Lukas Cranach d. Ä., Werkstatt
Titelrahmen mit Tonnengewölbe auf Säulen,
darunter zwei Engel mit der Lutherrose   Abb. 193
Holzschnitt. 16,4 × 12,9 cm.
Aus: Das Elltern die / Kinder zur Ehe / nicht zwingen... / ... Martinus
Luther. [Wittenberg, Cranach und Döring 1524]. (Benzing 1906).
Verwendungen: Cranach und Döring 1524; Joseph Klug 1524; Michel Lotter
1528; Georg Rhau 1530.
Basel, Universitätsbibliothek.

Ho. Wst. 27. – Knaake, in: Zentralbl. f. Bibl.wesen, VII, 1890, S. 205, Nr. 30. – Flechsig,
S. 227–30. – J. Luther, Taf. 42. – Dodgson II, S. 335, Nr. 10 (anderer Druck). – Kiessling,
S. 40, Nr. 35. – H. Volz, in: Libri, IV, 1953, S. 218.

Das Tonnengewölbe mit dem Motiv der Oculi, z. T. als Durchbrechungen, bei Cranach
häufig in gezeichneten Entwürfen für Altarflügel; im Holzschnitt vgl. auch die folgende
Nr. Die hier erstmals auf einem Titel auftauchende «Lutherrose» ist Luthers Schutzmarke gegen unberechtigte Nachdrucke (Volz). Tatsächlich wurde sie in einer sonst
sehr genauen Kopie Heinrich Steiners in Augsburg fortgelassen. Im Rundfeld erscheint
dort stattdessen ein leerer Wappenschild. – Für die Verbindung der Cranach-Döringschen Presse mit Joseph Klug gilt dasselbe wie bei der vorigen Nr.: der Titelrahmen
erscheint bei einem bezeichneten Druck Klugs (Knaake, Nr. 36).

238 Lukas Cranach d. Ä. (Werkstatt?)
Bildnis Christians II. von Dänemark unter einer
Tonnenwölbung   Abb. 191
Bez. mit Schlange, dat. 1523. Holzschnitt. 16,8 × 11,9 cm.
Aus: Illustrissimi et invictissimi principis, domini Christierni... (Verf.
Cornelius Scepperus) [Wittenberg oder Leipzig, M. Lotter] 1524.
Rückseite des Titelblatts.
Privatbesitz.

Ho. H. 124. – Schu. II, S. 309, Nr. 177. – Pass. 191. – Flechsig, S. 225–227, 229. –
Dodgson II, S. 331, Nr. 26, 27. – Zimmermann, Beiträge, S. 87, Anm. 19. – Geisberg, in:
Die deutsche Buchillustration, VI, S. 7/8.

Der vertriebene König Christian II. von Dänemark weilte im Herbst 1523 einige Zeit
in Wittenberg (siehe S. 23) und wurde damals von Cranach porträtiert. Auf Grund
solcher Bildnisaufnahmen entstanden auch mehrere Holzschnitte (siehe Nr. 160 mit
Abb. 114 und Abb. 192). Die hier vorliegende Version spielte, als signiertes und
dennoch für Lukas Cranach d. Ä. «zu schwaches» Blatt, im Hans-Cranach-Streit eine
besondere Rolle. Seit Flechsig ist der Holzschnitt, ausser einer energischen Ablehnung
durch Geisberg («hart und ungeschickt von einer Schülerhand gezeichnete Nach-
bildung»), kaum noch diskutiert worden. M.E. ist es nicht möglich, dass unter den
Augen Cranachs in Wittenberg ein Holzschnitt mit seiner Signatur von einer so hoch-
gestellten Persönlichkeit ohne seine Einwilligung entsteht und gedruckt wird. Das
Schlangenzeichen bedeutet auf jeden Fall eine «Autorisierung» des Meisters, mag sein
künstlerisch-handwerklicher Anteil daran auch gering sein. Ähnliches gilt für den
Bildnisholzschnitt im Profil (Oktavformat, 13,0 × 8,5 cm), der in der dänischen Übersetzung von Luthers Neuem Testament 1524 erschien (Abb. 192).

**239 Lukas Cranach d. Ä., Werkstatt
     Titelrahmen mit harfespielendem David,
     Säulen und Lutherrose   Abb. 194**
Holzschnitt. 12,2 × 7,9 cm.
Aus: Der Psal= / ter / deutsch. / Martinus / Luther.   Wittenberg [Cranach
und Döring] 1524.
Erstverwendung, sonst nur verwendet von Joseph Klug 1526.
Basel, Universitätsbibliothek.

Ho. Wst. 23. – Schramm, Lutherbibel, S. 13 und Abb. 175. – Zimmermann, Beiträge,
S. 86, Anm. 18. – H. Volz, in: Libri, IV, 1953, S. 218. – H. Volz, Hundert Jahre Wittenberger Bibeldruck, Göttingen 1954, S. 34/35.

Der Druck, in aller älterer Literatur Melchior Lotter d. J. zugeschrieben, wird von Volz
eindeutig der Cranach-Döringschen Presse gegeben. Die spätere Verwendung des Titels
durch Joseph Klug, u.a. für «Das Papsttum mit seinen Gliedern» (siehe Nr. 252), bestätigt diese Zuteilung. Die Lutherrose wird von Volz (1953) auch hier als «Schutzmarke», Kennzeichen der autorisierten Originalausgabe, verstanden.

6. Tendenz zur Bildvereinheitlichung auf Titelblättern, 1525 bis 1528

In den Jahren ab 1525 erschienen Titelholzschnitte aus Cranachs künstlerischem
Bereich nicht mehr in so dichter Folge wie in der Zeit davor; man kann von keiner
zielgerichteten Entwicklung sprechen, stattdessen werden Anregungen verschie-
denster Art aufgegriffen. Zunächst, um 1525, scheint sich jedoch eine bestimmte
Tendenz durchzusetzen: Verdrängung der rein ornamentalen Motive im Titelrahmen, stattdessen Ausbreitung szenischen Geschehens in einem ungeteilten
Bildraum, den man sich hinter dem Schriftfeld durchgeführt denken kann.

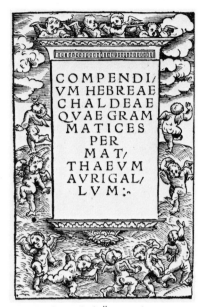

195   L. Cranach d. Ä., 1524/25
      (Nr. 240)

196   L. Cranach d. Ä., Werkstatt, 1525
      (Nr. 241)

Eines der frühesten Beispiele dieser Art, entstanden wohl noch 1524, ist der Titel in Oktavformat mit musizierenden und tanzenden Engelputten vor Wiesen- und Himmelsgrund (Nr. 240). Das Schriftfeld zeigt hier durch angesetzte Architekturteile in Renaissanceformen eine Art eigener Rahmung, so dass sich das gesamte Titelbild nun einer Wandmalerei vergleichen lässt, in die eine Tafel als Relief eingelassen ist. Ein Titelblatt von 1526 aus der Cranach-Werkstatt mit einer «Pyramus und Thisbe»-Darstellung zeigt ein solches Rahmengehäuse für das Schriftfeld voll ausgebildet[87]. Es ist dies eine ausgesprochen humanistisch-antikische Form, wie sie u.a. bereits in Nürnberg und Basel entwickelt worden war[88]. Allerdings scheint es tatsächlich eine Neuerung von Cranach, diese Wandepitaph-Rahmungen vor einen durchgehenden Freiraum zu setzen.

Drucker der eben besprochenen Engelbordüre ist der 1523 in Wittenberg auftretende Joseph Klug. Man hat ihn mit dem «fremden Drucker» identifizieren können, der herbeigerufen wurde, um nach dem Zwist mit M. Lotter d.J. die Arbeit an den Cranach-Döringschen Pressen zu leiten. Aus einer Stadt mit reicher Druckertradition – nämlich Nürnberg – kommend, brachte er genügend Selbständigkeit und Berufserfahrung mit, um neben der Arbeit für Cranach gleichzeitig auch Drucke auf eigenen Namen herauszubringen[89]. Humanistischen Kreisen erweist er sich dadurch verbunden, dass er griechische und hebräische Drucktypen vorrätig hat, den ersten Wittenberger Druck mit hebräischen Lettern ausführt[90] und durch seine griechischen Typen offenbar bald zum von Melanchthon bevorzugten Drucker aufsteigt (siehe im folgenden Abschnitt).

Das wichtigste Stück dieser Gruppe von Titelrahmen blieb merkwürdigerweise bisher unbeachtet: es ist ein 1526 erschienener Foliotitel mit der dramatischen Szene der «Bekehrung des Paulus» (Nr. 243). Das nahezu quadratische
Schriftfeld ist hoch hinaufgeschoben, sodass sich unten die bewegte Szenerie mit
bewaffneter Reiterei und dem zusammenbrechenden Pferd vor einer mehrfach
gestuften Landschaft entfalten kann. Im linken Seitenstreifen ragen die Lanzen bis
an die Wolkenzone hinauf, in der neben Gottvater auch die Taube und der Schmerzensmann erscheinen, während rechts feurige Strahlen fast senkrecht niederfahren,
auch hinter der Schrifttafel hervor auf den im Sturz sich umwendenden Paulus
züngeln: so fluktuiert das Geschehen in reichem Gegenspiel zwischen oben und
unten und nutzt den Schriftausschnitt zur Bewegtheit der Komposition. Die
zahlreichen Cherubimköpfe erinnern noch an den frühen Leipziger Psalmentitel
(Nr. 209). Wir halten eine frühere Entstehung als 1526, etwa zur Zeit der Cranach-
Döringschen Teilausgaben der Bibel, nicht für ausgeschlossen, doch ist eine andere Verwendung als zu Michael Lotters[91] Nachdruck von Luthers Winterpostille in den Jahren 1526 und wiederum 1528 nicht bekannt[92]. Das Thema, in
Cranachs Werkstatt nicht häufig, spielt aber später bei Lukas Cranach d. J. eine
gewisse Rolle[93]. Vor allem jedoch denkt man an Georg Lembergers (?) wohl
vorausgegangenes, atmosphärisch dichtes und eindrucksvolles Bild im Naum-
burger Dom[94]; gewisse Beziehungen, vor allem in dem mit hochgeklapptem
Visier zu Fuss vorstürzenden Ritter, sind unverkennbar.

Weiter zugehörig zu diesem Schema ist ein Titel mit dem «Abschied der
Apostel» in weiter offener Hügellandschaft (Nr. 241), der bereits im Einleitungs-
abschnitt erwähnt wurde (siehe S. 310). Er bildet mit dem hier schon genannten
«Pyramus und Thisbe»-Holzschnitt und mit einer sehr seltenen «Sündenfall»-
Bordüre, die von einem Holzschnitt Baldungs angeregt ist[95], eine Gruppe be-
scheidenerer Qualität von 1525–26, die man zu den unproblematischen Werkstatt-
Produkten rechnen kann.

Ein Titelholzschnitt eines anderen, relativ selbständigen Cranach-Mit-
arbeiters mit dem «Urteil des Paris» (Nr. 242; zum Thema vgl. Nr. 528 ff.), der
bereits 1524 entstanden sein soll[96], gehört nur bedingt an diese Stelle. Die ein-
heitliche Szenerie im unteren Teil wird durch abstrakte Schraffierung des Hintergrundes bedrängt, und über die Schrifttafel sind ein Gebälk mit Wappenengeln
und eine Lünette gesetzt, sodass eine Mischform entsteht, wie sie an späterer
Stelle zu behandeln ist.

Das Schriftfeld, das auf diesen Titeln mit einheitlichem Landschaftsraum
möglichst klein gehalten wurde, verschiebt sich nun bei einer anderen Gruppe
auch thematisch verbundener, aus diesem Grund wohl übereinstimmend ge-
stalteter Drucke von 1526–28 ganz an den Oberrand. Luthers Bibelübersetzung
war, nach dem Abschluss des 3. Teils des Alten Testaments, zeitweise ins Stocken
geraten[97], und bevor schliesslich die Ausgabe der «Propheten alle deutsch»
fertiggestellt war (1532), erschien eine Reihe von Sonderausgaben einzelner pro-
phetischer Bücher, zum Teil mit Auslegungen, deren Titel entweder eine der
Visionen vergegenwärtigte oder mehrere biographische Geschehnisse des jeweiligen Propheten zu einem Bilde verschmolz. Gezeigt werden aus dieser Gruppe die

L. Cranach d. Ä., um 1518 (Nr. 382)

Auslegung der Episteln vnd Euangelien vom Aduent an bis auff Ostern.

Anderweyt Corrigirt durch Martin Luther.

Daruber ein new Register.

M. D. XXVIII.

Wittemberg.

197   L. Cranach d. Ä., 1526 (Nr. 243)

198   L. Cranach d. Ä., Werkstatt, 1526   199   L. Cranach d. Ä., Werkstatt, 1528
      (Nr. 244)   (Nr. 245)

Titel zu den Propheten Jona (1526; Nr. 244) und Sacharja (1528; Nr. 245); als
zugehörig zu nennen sind die Ausgaben der Bücher Habakuk (1526) und Jesaia
(1528; Titelblatt von Georg Lemberger)[98]. Während das Landschaftsbild mit
Jonas Schicksalen die anspruchslos erzählende Hand der «Aposteltrennung»
(Nr. 241) erkennen lässt, sind andererseits die «Habakuk»- und «Sacharja»-Titel
stilverwandt und zeigen grösseren Ernst und eindringendere Charakterisierung.
Der jeweils nur zwei- oder dreizeilige Schriftsatz am Oberrand, der kaum noch
volle Information über das Buch bringen kann, zeigt, dass die Versuche, auf dem
Titelblatt eine geschlossene Szenerie zu entwickeln, in eine Sackgasse führten,
in der die künstlerische Einheit von Bild und Schrift wieder zu zerfallen droht.
Es bestätigt sich, dass Raumdarstellung und Buchtitel sich kaum vereinbaren
lassen[99].

240   Lukas Cranach d. Ä.
        Titelrahmen mit tanzenden und
        musizierenden Engelputten   Abb. 195
        Holzschnitt. 12,6 × 8,2 cm.
        Aus: COMPENDI / VM HEBREAE / CHALDEAE / QUAE GRAM / MATICES...,
        Matthäus Aurigallus.   Wittenberg [Joseph Klug] 1525.
        Verwendungen: Joseph Klug 1524/25 – nach 1530.
        Basel, Universitätsbibliothek.

Ho. Wst. 31. – G. Bauch, in: Zentralbl. f. Bibl.wesen, XII, 1895, S. 400, 409. – Zimmermann, Beiträge, S. 86, Anm. 18. – A. F. Johnson, in: Zs. f. Bücherfreunde, NF XXI, 1929, S. 107.

G. Bauch (S. 409) zitiert die vermutlich früheste Verwendung (Auslegung der kurzen Episteln St. Pauls durch Johann Bugenhagen), auf dem Titelblatt 1524, im Impressum Klugs 1525 datiert (Entstehung des Holzschnitts demnach 1524). Im Cat. Fairfax Murray (zit. bei Nr. 217) I, S. 457, Nr. 273 B eine späte Verwendung um 1530–35.

241 Lukas Cranach d. Ä., Werkstatt
Titelrahmen mit dem Abschied der Apostel Abb. 196
Holzschnitt. 16,6 × 12,5 cm.
Einzelblatt, aus: Eyn predigt und / warnung sich zu / hüten für falschen Propheten... Mart. Luther.   Wittenberg, Georg Rhau 1525.   (Benzing 2052).
Verwendungen: Georg Rhau 1525–34.
Hamburg, Kunsthalle.

Ho. Wst. 19. – Schu. II, S. 293, Nr. 143. – Pass. 120 [= 220]. – J. Luther, Taf. 27. – Cat. Fairfax-Murray (zit. bei Nr. 217) I, S. 451/52, Nr. 265. – Dodgson II, S. 331, Nr. 28. – O. Clemen, in: Zs. f. Bücherfreunde, NF XIII, 1921, S. 67/68. – Kiessling, S. 31; S. 39, Nr. 14. – Cranach-Fs. 1953, S. 119.

Das Thema der Aposteltrennung taucht auch, als kleine Szene unter anderen, auf dem Titel zu: Pollicarius, Der heiligen XII Aposteln Ankunft, Beruf, Glauben... 1551 (Nr. 259) auf. Dort ist die bezügliche Textstelle der Bibel: Markus Kap. 16, 15 kurz zitiert («Gehet hin in alle Welt und predigt das Evangelium aller Kreatur»). Zur Problematik der Erstverwendung siehe S. 310. Der Text gehört in die Himmelfahrtspredigt, doch sind diejenigen Luthers vom 5.5.1524 und 25.5.1525 in alter Zeit nicht gedruckt worden. Ein Zusammenhang mit Luthers Predigtzyklus vom Sommer 1525 u.a. über «Der Zwölf Boten Wirkung» scheint uns daher nicht ausgeschlossen. – Zum Thema in der Tafelmalerei (Wolgemut, Baldung) siehe Clemen und Kiessling. – Für die Gestaltung des Rahmens als durchgehende, bis in die Kopfleiste hinaufgezogene hügelige Landschaft verweist Kiessling auf einen Titelholzschnitt des Hans Weiditz in Strassburg als Vorläufer (XXVII. Predig D. Martin Luthers neulich ausgangen... Strassburg, Johann Schott 1523 [Benzing 34]. Vgl. H. Röttinger, Hans Weiditz der Petrarkameister, Strassburg 1904, Nr. 57), der die Bergpredigt Christi zum Inhalt hat.

242 Lukas Cranach d. Ä., Werkstatt
Titelrahmen mit dem Urteil des Paris Abb. 312
Holzschnitt. 17,2 × 12,1 cm.
Aus: Von der prie =/ ster Ehestand.../... Johannes Kymaeus.   Wittenberg, Joseph Klug 1533.
Verwendungen: Joseph Klug 1524(?)–1540.
Basel, Universitätsbibliothek.

Nicht bei Ho. – Schu. II, S. 292, Nr. 140. – Pass. 117 [= 217]. – J. Luther, Taf. 44. –
Zimmermann, Beiträge, S. 86, Anm. 18. – H. Zimmermann, in: Buch und Schrift, I,
1927, S. 53. – Kiessling, S. 39, Nr. 13. – Marc Rosenberg, Von Paris von Troja bis zum
König von Mercia, 1930, S. 54/55.

Zur Thematik des Holzschnitts vgl. Nr. 528–542. Die Erstverwendung, angeblich 1524,
ist mir nicht möglich nachzuweisen. H. Zimmermann gibt dem Zeichner des Entwurfs,
der durchaus selbständige Züge hat, den Notnamen « Meister des Parisurteils ». Von
den Vergleichsstücken, die sie demselben Künstler zuweist (J. Luther, Taf. 9, 21, 22, 74),
vermag allerdings keines zu überzeugen.

243 Lukas Cranach d. Ä.
Titelrahmen mit der Bekehrung des Paulus   **Abb. 197**
Holzschnitt. 27,0 × 17,9 cm.

Einzelblatt, aus: Auslegung der Epi= / steln und Evangelien vom Ad= / vent
an bis auff Ostern. ... Martin Luther.   Wittenberg, Michel Lotter 1528.
(Benzing 1078).
Verwendungen: Michel Lotter 1526/1528 (s. u.).
Bamberg, Staatsbibliothek (I. L. 98).

Unpubliziert.

Der grosse Titelholzschnitt ist, wie auch Ingeburg Neumeister (Gotha) freundlich bestätigt, nur in Michel Lotters Nachdruck der gesamten Winterpostille Luthers (1. Auflage 1526 [Benzing 1076]; hier Titelblatt der 2. Auflage 1528) nachzuweisen.
     Dass er für diesen Zweck geschaffen wurde, liegt durchaus im Bereich der
Möglichkeiten: 1526 war der Zwist zwischen Cranach und den Brüdern Lotter offenbar
beigelegt (H. Volz, Hundert Jahre Wittenberger Bibeldruck, Göttingen 1954, S. 29/30);
andererseits fällt das geschilderte Ereignis in die kirchlichen Gedenktage zwischen
Advent und Ostern: Fest Pauli Bekehrung am 25. Januar.

244 Lukas Cranach d. Ä., Werkstatt
Titelblatt mit Szenen aus dem Leben
des Propheten Jona   **Abb. 198**
Holzschnitt. 16,5 × 12,2 cm.
Aus: Der Prophet Jona, aus= / gelegt durch Mart. Luther.   Wittenberg,
Michel Lotter 1526.   (Benzing 2268).
Basel, Universitätsbibliothek.

Ho. Wst. 22. – Dodgson II, S. 332, Nr. 29. – Schramm, Lutherbibel, S. 14/15, Abb. 183. –
Zimmermann, Beiträge, S. 87/88, Anm. 19. – H. Volz, Hundert Jahre Wittenberger
Bibeldruck, 1954, S. 30, 44.

245 Lukas Cranach d.Ä., Werkstatt
Titelblatt mit Verkündigungen
des Propheten Sacharja (Zacharias) Abb. 199
Holzschnitt. 16,1 × 11,8 cm.
Aus: Der Prophet SacharJa, ausge=/ legt durch Mart. Luther. Wittenberg,
Michel Lotter 1528. (Benzing 2471).
Privatbesitz.

Ho. Wst. 20. – Dodgson II, S. 332, Nr. 31. – Schramm, Lutherbibel, S. 16/17, Abb. 187. –
Zimmermann, Beiträge, S. 87/88, Anm. 19. – Weimar 1953, Nr. 172. – H. Volz (zit. bei
der vorigen Nr.), S. 30, 44.

Im Vordergrund der Prophet predigend und zugleich eine Vision erschauend. Christi
Eintritt nach Jerusalem (vgl. Sacharja Kap. IX, 9) im Mittelgrund; oben in Wolken-
reifen drei Visionen: Der Engel in den Myrthen (Kap. I), Inkarnation Gottes in Christus,
Einkleidung des Hohenpriesters Josua (Kap. III).

7. Einzelbilder und Bildserien 1523 bis 1530

Die zusammenfassende Betrachtung der bildhaften Buchgraphik aus Cranachs
Werkstatt (also Titelrahmen ausschliessend) muss noch einmal in das Jahr 1523
zurückgreifen. Eine der stärksten von Wittenberg aus verbreiteten Reformations-
Kampfschriften, die Luther und Melanchthon gemeinsam zu Autoren hat, trägt
den Titel «Deutung der zwei greulichen Figuren Papstesels zu Rom und Mönchskalbs zu Freyberg in Meissen gefunden»[100]. Missgeburten wurden im Volk gern
als Warnungen Gottes und Verkünder nahenden Unheils interpretiert; hier
machte sich Luther den Volksaberglauben und die verbreitete, meist durch Flug-
blätter gestillte Neugier auf Monstrositäten zunutze, um einen rein propagandisti-
schen Angriff gegen das Papstregiment und Auswüchse des Mönchtums zu starten.
Zwei blattgrosse, gegenüberstehende Holzschnitte begleiten die Schrift
(Nr. 246), links der aufrechte «Papstesel» am Tiberufer, rechts das groteske
«Mönchskalb» in kahler Landschaft. Die Bildgestalt des Papstesels geht zurück auf
ein angeblich nach der Tiberüberschwemmung im Januar 1496 in Rom gefunde-
nes Monstrum, das, nach unbekanntem italienischem Vorbild, wenig später in
einem Kupferstich des Wenzel von Olmütz (Nr. 249) verbreitet wurde[101]. Es ist
nicht sicher, in welchem Sinn diese Missgeburt mit Eselskopf, weiblichem Rumpf
und allerlei tierischen Extremitäten zunächst gedeutet wurde; dass auf dem
Stich im Hintergrund als Abbreviatur des «ROMA CAPUT MUNDI» (Rom, Haupt
der Welt) nicht etwa Vatikan und Kapitol, sondern die päpstliche Zwingburg und
das päpstliche Gefängnis erscheinen, macht jedoch wahrscheinlich, dass schon
beim italienischen Vorbild eine politische Satire auf das Regiment Papst Alexanders
VI. dahinterstand. Eine solche Darstellung dürfte mit den Waldensern nach

200   L. Cranach d. Ä. (Werkstatt?) 1523   201   L. Cranach d. Ä. (Werkstatt?) 1523
(Nr. 246)   (Nr. 246)

Böhmen gelangt sein, wo sie der Stecher Wenzel aufgriff[102]. Eine zweite Missgeburt, im Dezember 1522 aus Freiberg/Sachsen berichtet und sogleich in Flug-
blättern verbreitet[103], zeigte ein Kalb mit einer Haut, die einer Mönchskutte zu
gleichen schien, was zu volkstümlich-phantasievollen Deutungen geradezu her-
ausforderte.

Bereits am Jahresende wird der Plan zu der Schrift abgesprochen worden
sein, denn im Januar 1523 arbeitete Luther an der Auslegung des «Mönchskalbs»,
während Melanchthon den Kommentar zum «Papstesel» verfasste. Eine lange
Reihe von Nachdrucken zeigt die einschlagende Wirkung der im März erschienenen Schrift, was zahllose Kopien auch der Holzschnitte (siehe Nr. 247) zur Folge
hatte[104]. Noch zur ersten lateinischen Gesamtausgabe der Werke Luthers (ab 1545)
entstand ein neuer Schnitt des Papstesels, als dessen Autor wir den jüngeren
Cranach vermuten (Nr. 248), der entsprechend dem in elegantes Humanisten-
latein übersetzten Traktat («Interpretatio Papaselli») eine schönlinigere, land-
schaftlich reichere Form gefunden hat, charakteristisch abweichend von der knapp
und deutlich formulierten, zum wuchtigen deutschen Text passenden Fassung des
Vaters Cranach.

Der Holzschnitt des «Mönchskalbs», der sein Vorbild in dem erwähnten
anonymen Flugblatt hat und ursprünglich wohl als Wiedergabe eines liegenden
Tierkörpers gemeint war (Nr. 246), ist durch die Aufrechtstellung in Landschaft und sozusagen «sprechende» Geste eines Vorderbeines dramatisiert und

202   L. Cranach d. J., 1545
      (Nr. 248)

203   Wenzel von Olmütz, um 1496
      (Nr. 249)

zu einem lebenden, anklagenden Unwesen ausgebildet worden. Die Zahl seiner
Nachahmungen erreicht diejenige seines Gegenstückes nicht ganz[105].

Ein weiterer Cranach-Holzschnitt, reizvoll und von hoher Qualität, dennoch
fast unbekannt, entstammt der humanistischen Sphäre um Melanchthon und den
Drucker Joseph Klug (Nr. 251). Das nur mit durchsichtigem Schleier bekleidete,
auf einem Steinblock sitzende junge Mädchen mit Buch und stachligem Blumenstrauss in den Händen findet sich erstmals am Schluss eines von Melanchthon
verfassten Lehrbüchleins, das «zugleich der religiösen Unterweisung und dem
Lese- und Sprachunterricht dienen» will (O. Clemen)[106]. In seinem Inhalt vom
Alphabet über Gebete und Bibeltexte bis zu Sprüchen der sieben Weisen der
Antike bringt es eine kuriose Mischung von christlichen und antikischen Bildungs-
fragmenten, ein Kompendium für den Unterricht in Melanchthons Wittenberger
Privatschule[107]. Die bisherige Deutung des Holzschnitts sowie die Bezeichnung
als Druckersignet Klugs sind nicht haltbar[108], denn sie übersahen, dass dem
Holzschnitt ein griechisches Gedicht von «Schulknaben» des Gelehrten gegen-
übersteht, das sich in Rede und Gegenrede mit der vom Maler Lukas geschaffenen
«Sophrosyne» (etwa: Tugend der Mässigung) unterhält. Gedicht und Holzschnitt sind nicht zu trennen, obwohl offenbleiben muss, ob die Verse ursprünglich
einem «beim Katheder» hängenden Cranach-Bild galten, nach dessen Vorlage
dann der Holzschnitt entstand.

Nach einer Bildtradition der Sophrosyne sucht man vergeblich, zumal sie
nach ihren Attributen nicht einfach als Rückübersetzung der römischen Kardinal-
tugend «Temperantia» ins Griechische zu entschlüsseln ist. Aus ihrem Buch

204   L. Cranach d. Ä., 1523 (Nr. 251)

verkündet sie Weisheit, geschmückt ist sie («doch nicht übers Mass») mit blitzendem Halsband, der Strauss in ihrer Hand mischt blühende und stachlige Pflanzen (laut Text: Rosen und Disteln). So bietet sie sich verführerisch und zugleich belehrend dar, deutet zweierlei Lebensmöglichkeiten an. Nur als Kombination zweier Gestalten, symbolhaft bezeichnet durch den «gemischten» Strauss, wird man sie verstehen können. Sind in verwandten Darstellungen die implizierten Eigenschaften getrennt, so finden sich auch die Pflanzen gesondert: so in der «ungeheuer verbreiteten» (Panofsky)[109] Allegorie aus Sebastian Brants Narrenschiff, in der der ritterliche Mensch (oder Herkules) zwischen Virtus und Voluptas zu wählen hat (Nr. 533). Hinter Voluptas, wo der Tod lauert, wächst der Rosenbusch, hinter Virtus, einem emsigen alten Weib, blühen die Disteln[110]. Auch Cranach hat ein Gemälde der Entscheidung des Herkules gewidmet; bemerkenswert, dass Voluptas dort nackt, die Virtus aber wie unsere «Sophrosyne» von durchsichtigen Schleiern verhüllt ist[111]. Das Mädchen Sophrosyne lässt ihre Reize durchscheinen, versteckt auch ihr Haar nicht in der Bürgerhaube. Virtus und Voluptas, Verlockung und Warnung zugleich, erlaubt sie den Genuss, jedoch nur im rechten Mass, das die Lebensweisheit ausmacht. Es fällt ein günstiges, für manchen wohl überraschendes Licht auf Melanchthon als Pädagogen, wenn er ohne Prüderie ein solches Sinnbild gelten und sogar in ein Schulbüchlein, aus dem der evangelische Katechismus erwachsen ist, einrücken lässt. Zugleich verdeutlicht das nur scheinbar unwichtige Beispiel, wie die Reformation in ihren An-

205   L. Cranach d. Ä., um 1520? (Nr. 250)   206   L. Cranach d. Ä., 1528 (Nr. 253)

fängen mehr war als nur ein Kirchenstreit: damals verband sich mit ihr das
(schon bei Celtis einsetzende) Bemühen um Erlösung des Bildungswesens aus
scholastisch-dogmatischer Erstarrung durch humanistisch-freizügigen Geist.

Bei der umfangreichen Serie kleiner Holzschnitte zu einer anonymen,
populär gehaltenen Versdichtung «Das Papsttum mit seinen Gliedern» (Nr. 252),
die Luther Anfang 1526 mit einem Vor- und Nachwort versah, liegt die Polemik,
gegensätzlich zum «Passional Christi und Antichristi» (Nr. 218f.), im Text und
nicht in den Bildern[112]. Man könnte sogar vermuten, die Holzschnitte wären
ursprünglich für ein Büchlein bestimmt gewesen, das «ohne Tendenz die Trachten
der Stände der Kirche vorführen sollte», wäre eine solche Schrift für das reformatorische Wittenberg nicht ausgeschlossen. Max Geisberg, der dies schrieb[113], hielt
einen gleichlautenden Nürnberger Druck mit Holzschnitten von Sebald Beham
für das Vorbild der Wittenberger Ausgabe, die Cranach-Holzschnitte demnach für
Kopien, was sich als unhaltbar erwies[114]. Joseph Klug, der Drucker der Wittenberger Erstausgabe, verwandte dazu als Titelblatt den Holzschnitt von Luthers
«Psalter deutsch, 1524» (Nr. 239). Von dem etwas erweiterten Nürnberger Nachdruck gab es auch eine Flugblattausgabe in acht Bogen[115]; dass eine solche ebenfalls in Wittenberg erschien, erweist das aufgefundene Basler Exemplar. Relativ
massvolle Spottverse à la Hans Sachs (vielleicht tatsächlich von ihm) werden
illustriert von 57 verschiedenen (und einigen wiederholten) Bildern, die die ka-
tholische Hierarchie vom Papst bis zu den Bettelmönchen zeigen. In lässiger Be-

wegung, oft mit auffordernder, etwas müder Geste ihre eigene Bedeutung prä-
sentierend, stehen die Vertreter der geistlichen Orden auf ihrem Stück Grasboden,
von Wolkenhimmel gerahmt (das Schema des alttestamentlichen Hohenpriesters,
Nr. 226). Die Gleichförmigkeit mancher Schnitte und die Wiederholungen weisen
darauf hin, dass die Folge eigentlich der ergänzenden Kolorierung gemäss den im
Text gekennzeichneten Ordensfarben bedarf. Die untersetzten Typen mit ihren
zerfurchten Gesichtern lassen ihre Herkunft aus der Cranach-Werkstatt deutlich
erkennen; handelt es sich auch gewiss um keine grosse künstlerische Leistung,
so ist das Büchlein doch wichtig als Erstling einer später in Mode gekommenen
Gattung[116].

An dieser Stelle lässt sich ein Einzelholzschnitt in etwas grösseren Abmessungen mit der Gestalt eines deutschen Kaisers anschliessen (Nr. 250). Die
Ähnlichkeiten liegen jedoch nur im äusseren Schema der Standfigur im knappen
Raumausschnitt mit hohen Gräsern und Wolken«zwickeln». Auf den zweiten
Blick ist die Feinheit der unkonventionellen, jedem Schematismus fernen Zeichnung gerade gegenüber den Ordensleuten auffallend. Die früheste bekannte Verwendung des Holzschnitts datiert erst von 1530[117], doch ist er wohl erheblich
früher als das «Papsttum und seine Glieder», ja vielleicht noch vor 1520 entstanden. Hier scheint H. Zimmermanns Begriff eines Cranachschen «Illustrationsstils» im Sinn einer eigenhändigen, wie improvisiert auf den Holzschnitt gerisse-
nen Zeichnung treffend. Ist es Karl der Grosse, den Melanchthon in seiner berühmt gewordenen Wittenberger Antrittsrede von 1518 als Erneuerer religiös-
humanistischer Bildung gefeiert hatte?

Nicht ganz dasselbe Niveau, obwohl als antikische Idealfigur phantasievoll
und mit merkurartigem Flügelhelm erdacht, erreicht der in einer Schmiede mit
einer grossen Waage hantierende, die Intervalle abwägende «Pythagoras»
(Nr. 253), dessen Entstehung für die Musikdrucke Georg Rhaus von 1528/29 als
sicher gelten kann. Dennoch schliesst sich dieser Einzelschnitt mehr den Werken
Cranachs vom Beginn der zwanziger Jahre an als die Illustration zur 1528 herausgegebenen Satire des «Eselkönigs» (Nr. 254), die in ihrer sauberen, umriss-
betonten, aber etwas trockenen Machart auf die Hirsche im Wald eines Flug-
blattes von 1532 (Ho. H. 121)[117a] und damit auf einen deutlich einsetzenden
Spätstil der Cranach-Werkstatt vorausweist. Bei der Eselsatire handelt es sich um
eine in die Form einer äsopischen Fabel gekleidete Antwort Luthers auf eine
Spottschrift gegen seine Ehe: getroffen fühlen sollen sich Luthers Leipziger
Gegner (die «Lipsinenses Asini») als unbelehrbare Trabanten des Papstes.

Die Illustrationen zu den Zehn Geboten, die in Luthers «Grossem Katechismus» von 1529 erschienen, gehören noch zur frühen protestantischen Unter-
richtsliteratur «für die Kinder und einfältigen Laien». Die Wittenberger Kate-
chismen Melanchthons und Luthers von 1527–29 haben eine komplizierte, aber
grossenteils aufgeklärte Geschichte ihrer Entstehung und Drucklegung[118], aufschlussreich auch für die nicht erst 1529 entstandenen Holzschnitte (Nr. 255 f.).
Es steht wohl fest, dass diese nach Anregung und speziellen Angaben von Melanchthon geschaffen wurden, der 1527 an einer kleinen Katechismusschrift mit dem
Vaterunser, den Zehn Geboten und den Glaubensartikeln arbeitete. Die ersten

207 L. Cranach d. Ä., Werkstatt, 1525/26 (Nr. 252)

208 L. Cranach d. Ä., Werkstatt, 1525/26 (Nr. 252)

drei Holzschnitte sind in der Fragment gebliebenen «Kurzen Auslegung der Zehn Gebote...» vermutlich im Herbst 1528 gedruckt[119]. Ob diesem Druck noch eine Ausgabe in Bogenform vorausging, wie man sie für eine Vaterunser-Auslegung mit acht Holzschnitten von Cranach erschlossen hat[120], ist nicht nachgewiesen. Nach unserer Meinung deutet das schmalere Format der Gebote-Holzschnitte in erster Linie auf die Bestimmung für ein Oktavbüchlein. Melanchthon verzichtete auf die Weiterführung seiner Arbeit, vor allem auch an einem «grossen» Katechismus, als er von Luthers gleichartigen Plänen erfuhr. Luther hat darauf die für Melanchthons Schriften bestimmten Bilder in seinen «Grossen Katechismus», der 1529 fertig war, übernommen, wobei in einzelnen Fällen durch abweichende Auslegungen im Text Differenzen zwischen Bild und Kommentar entstehen können[121]. Im allgemeinen sind die Illustrationen in der Form gehalten, dass sie Übertretungen der Gebote schildern, den Zorn und die Strafe Gottes wenn nicht zeigen (2. Gebot: Steinigung des Lästerers) so doch wenigstens in Erinnerung rufen; aus diesem Grund sind, im Gegensatz zur üblichen Ikonographie mit

209   L. Cranach d. Ä., Werkstatt, 1528
       (Nr. 254)

Szenen aus dem Alltagsleben [122], nach Möglichkeit in der biblischen Bildtradition verankerte, im Volk bekannte alttestamentliche Episoden gewählt. Cranachs Aufgabe in diesem kleinen Format war nicht leicht und nur durch präzise Gestik und «sprechende» Blickverbindungen der agierenden Personen zu lösen. Wieweit das gelungen ist, zeigen vor allem die Illustrationen der Gebote 2, 4 und 10 mit Bestrafung des Gotteslästerers, Bedeckung des trunkenen Noah und Anklage der Susanna; es verwundert auch nicht, dass hier das erotische Element des Bathseba-Bades, der Susannengeschichte, der Szene zwischen Joseph und Potiphars Frau auf ein dezentes Mindestmass beschränkt ist. Cranachs interessiertes Eingehen auf Melanchthons spezifische Wünsche hat wohl diese beachtliche kleine Serie mit ihren durchdachten Formulierungen hervorgerufen. Die Jahre nach 1530 mit ihren theologischen Zwistigkeiten und folgender dogmatischer Verhärtung waren solchem Fabulieren (ausserhalb der korrekten Bibelillustration) nicht mehr günstig. Es blieb Cranachs einziger Holzschnittzyklus zu einem speziellen Stück protestantischer Kirchenlehre [122a].

Das erste Gebot   Das zweite Gebot   Das dritte Gebot

Das vierte Gebot   Das fünfte Gebot   Das siebte Gebot

Das achte Gebot   Das neunte Gebot   Das zehnte Gebot

210   L. Cranach d. Ä., um 1527 (Nr. 255)

246   Lucas Cranach d. Ä. (Werkstatt ?)
Papstesel und Mönchskalb   **Abb. 200, 201**
Holzschnitte. Je 14,6 × 9,6 cm.
Aus: Deuttung der zwo grewlichen / Figuren Bapstesels zu Rom und
Munchkalbs / zu freiberg in Meyssen funden. (Philipp Melanchthon und
Martin Luther.)   Wittenberg [J. Grunenberg] 1523.   (Benzing 1548).
Basel, Universitätsbibliothek.

Ho. Wst. 14/15. – Schu. II, S. 291, Nr. 138. – Pass. 215. – K. Lange, Der Papstesel, Göttingen 1891. – Grisar/Heege III, Freiburg 1923, S. 1–23. – Lehrs VI, 1927, S. 248, Nr. 65 a. – F. Saxl, in: Lectures, London 1957, S. 255 ff. – Jahn/Bernhard, S. 784 ff. – W. Timm, in: Cranach-Colloquium, Wittenberg 1973, S. 93 f. – (Weitere Literatur siehe beim Text.)

Erstausgabe der weitverbreiteten und viel kopierten satirischen Schrift, bei der Melanchthon den Kommentar zum «Papstesel», Luther denjenigen zum «Mönchskalb» verfasste. Von den Holzschnitten existieren zahlreiche, teils täuschend genaue, teils verkleinerte Kopien; der Originalschnitt des Papstesels, der auf einem Kupferstich des Wenzel von Olmütz (siehe Nr. 249) beruht, wird in Wittenberg noch 1535 erneut abgedruckt («Der Papstesel durch Philipp Melanchthon gedeutet und gebessert. Mit Martin Luthers Amen.» Wittenberg, Nickel Schirlentz 1535 = Benzing 1558). – Die Gestalt des Mönchskalbes geht auf eine aus der Nähe von Freiberg/Sachsen berichtete Missgeburt vom 8. Dezember 1522 zurück, die durch ein Flugblatt mit anonymem Holzschnitt (Geisberg 1592) verbreitet wurde.

247   Kopie nach Lukas Cranach d. Ä.
Papstesel und Mönchskalb
Holzschnitte. Je 14,0 × 9,5 cm.
Aus: Deuttung der zwo grewlichen Figuren… [Augsburg, Heinrich Steiner]
1523.   (Benzing 1553).
Basel, Universitätsbibliothek.

Lehrs VI, 1927, S. 249, Nr. 65 b. – Berlin 1967, Nr. 115. – Übrige Lit. siehe vorige Nr.

Nachdruck der Wittenberger Erstausgabe (vorige Nr.) mit genauen in Augsburg gefertigten Kopien der Holzschnitte. Kennzeichen: Beim Papstesel (neben kleineren Unterschieden) ist der Turm rechts nicht von der Randlinie abgesetzt wie im Original; beim Mönchskalb rechts oben eine statt zwei Wolken. Es gibt weitere Kopien auch nach den Augsburger Schnitten (Zusammenstellung bei Lehrs).

248   Lukas Cranach d. J.
Der Papstesel   **Abb. 202**
Holzschnitt. 14,6 × 10,7 cm.
Aus: TOMVS / SECVNDVS OMNIVM / OPERVM… Martini Lutheri. Wittenberg,
Hans Lufft 1546, fol. 424 verso.
Basel, Universitätsbibliothek.

Grisar/Heege, IV, 1923, S. 18. – Lehrs VI, 1927, S. 249, Nr. 65 c.

Dieser neue Wittenberger Schnitt des Papstesels, den Lehrs, einer ungenauen Angabe von H. Zimmermann folgend (Mitt. d. Ges. f. vervielf. Kunst, XLVIII, 1925, S. 65: Illustrationen zur «Abbildung des Bapsttums», denen dieses Bild jedoch nicht zugehört), dem Monogrammisten M S zuschreibt, scheint uns in seiner äusserlich bereicherten, aber etwas trocken schraffierten Form eine Arbeit des jüngeren Cranach zu sein. Er wurde für die erste lateinische Gesamtausgabe der Werke Martin Luthers geschaffen (Band I erschienen 1545, Bd. II: 1546). Die Verwendung in «Abbildung des Bapsttums, 1545» (ob überhaupt ein solches Buch existierte? Vermutlich handelt es sich nur um später unter diesem Titel zusammengefasste Flugblatt-Pamphlete) muss, wenn die Wiedergabe bei Grisar/Heege zuverlässig ist, später sein, da der Holzschnitt bereits eine Aufhellung der einförmigen Horizontalschraffur des Turmes und einen Ausbruch am Oberrand zeigt. Später noch benutzt in der Jenaer Ausgabe der deutschen Werke Luthers (Bd. II, 1555, die von Lehrs, S. 250, Anm. 2 gesuchte Verwendung). – Die diesem Schnitt 1546 parallel gesetzte Illustration des Mönchskalbes ist eine gröbere, gegenseitige Kopie des Urbildes von 1523.

249 Wenzel von Olmütz (tätig ca. 1480–1500 in Böhmen)
Der Papstesel											**Abb. 203**
Bez. mit Monogramm, entstanden 1496 oder kurz danach. Kupferstich.
12,5 × 10,4 cm.
Veste Coburg, Kupferstichkabinett der Kunstsammlungen.

K. Lange, Der Papstesel, Göttingen 1891. – Lehrs VI, 1927, S. 243 ff., Nr. 65.

Abbildung eines Monstrums, das angeblich nach der Überschwemmung vom Januar 1496 am Tiberufer in Rom gefunden wurde. Der Stecher Wenzel von Olmütz benutzte mit grosser Wahrscheinlichkeit eine verlorene italienische Vorlage, in die bereits satirische Züge eingearbeitet waren. Der Stich ist überschrieben «ROMA CAPUT MUNDI» und zeigt im Hintergrund die Engelsburg und das päpstliche Gefängnis Torre di Nona. Links unten das Datum der Tiberüberschwemmung, rechts eine Amphora als Zeichen des Sternbildes Wassermann (Januar). Lehrs (S. 248) lässt offen, ob der cranachische Holzschnitt (Nr. 246) direkt auf den Kupferstich zurückgeht (Kenntnis des Stiches in Wittenberg durch Luthers Kontakte zu den böhmischen Waldenserkreisen möglich) oder ob für beide Darstellungen ein gemeinsames Urbild vorauszusetzen ist.

250 Lukas Cranach d. Ä.
Deutscher Kaiser im Ornat mit Wappenschild							**Abb. 205**
Holzschnitt (entstanden vor 1520?). 11,3 × 7,7 cm.
Aus: (Ulrich von Hutten:) Kurtzer auszug wie bös= / lich die Bepste gegen den Deudsch= / en Keysern jemals gehandelt... [Wittenberg, Joseph Klug, ca. 1530–35]. (Benzing, Hutten, Nr. 168).
Basel, Universitätsbibliothek.

Nicht bei Ho. – H. Zimmermann, in: Zentralbl. f. Bibl.wesen, XLIV, 1927, S. 157/58 und L, 1933, S. 428/29.

Der qualitätvolle, bisher nicht reproduzierte Schnitt ist nur aus späten Verwendungen bekannt. Zimmermann (1933) nennt als früheste den «Catalogus Romanorum Imperatorum», Wittenberg bei Joseph Klug 1530 (drei Foliobögen). Die Entstehung dürfte aber mindestens ein Jahrzehnt früher anzusetzen sein. Das ausgestellte Exemplar bildet den Titelschmuck einer Schrift Huttens, die erstmals 1521 in Strassburg erschienen war (J. Benzing, Ulrich von Hutten und seine Drucker, Wiesbaden 1956, Nr. 163): ein polemisch gefärbter Überblick über das Verhalten der Päpste gegen die deutschen Kaiser von Otto I. bis Maximilian und Karl V.

251 Lukas Cranach d. Ä.

«SOPHROSYNE » (Die Tugend der Mässigung)   Abb. 204

Leicht bekleidetes Mädchen mit Blumenstrauss und Buch, auf einem Stein
sitzend.

Holzschnitt. 10,8 × 6,7 cm.

Aus: (Philipp Melanchthon) ENCHI / RIDION ELE / MENTO / RVM PVERILIVM.
Wittenberg [Joseph Klug 1523].

Nürnberg, Frhrl. von Scheurl'sche Familienstiftung.

Nicht bei Ho. – O. Clemen, Beiträge zur Geschichte des Buchdrucks und des Buch-
gewerbes in der Reformationszeit, in: Zentralbl. für Bibl.wesen, LVII, 1940, S. 309–11. –
H. Grimm, Deutsche Buchdruckersignete des 16. Jahrhunderts, Wiesbaden 1965,
S. 122–24.

Der in der Cranach-Literatur nicht behandelte Holzschnitt, dessen Qualität an der
Eigenhändigkeit keinen Zweifel lässt, ist zwei seltenen Drucken Joseph Klugs von 1523
und 1526 beigegeben. Bisher irrtümlich als Druckerzeichen Klugs bezeichnet, dessen
wirkliches Signet (beschrieben bei G. Bauch, in: Zentralbl. f. Bibl.wesen, XII, 1895,
S. 400) eine über einen See gleitende Sirene zeigt (Holzschnitt, 7,1 × 5,0 cm; nicht bei
Grimm a.a.O.). Ein späteres Signet, benutzt um 1530, weist ein nacktes Knäblein mit
einem in Blattwerk übergehenden Delphin auf.
    Die Deutung des Holzschnitts durch Clemen und Grimm mit Hilfe eines von Melan-
chthon zwei Jahrzehnte später in Frankfurt a. M. bedichteten Gemäldes (überhaupt von
Cranach?), das ein Mädchen mit einem «Jelänger-Jelieber»-Kranz auf dem Kopf
zeigte, ist weit hergeholt und nicht haltbar. Um die Blume Jelänger-Jelieber (Bittersüss,
Solanum Dulcamara) handelt es sich bei diesem aus mehreren Pflanzen bestehenden
Strauss keinesfalls (freundliche Mitteilung von Frau Prof. L. Behling in Brief vom
17.3.74). Der bisherige Deutungsversuch übersah, dass der Erstverwendung des Holzschnittes in Melanchthons «ENCHIRIDION» ein griechisches Gedicht an die «Sophrosyne» zur Seite steht, das den Maler Lukas als Schöpfer der Figur nennt (F. Cohrs, Die
evangelischen Katechismusversuche vor Luthers Enchiridion, I, 1900, S. 20ff.; Abdruck des Gedichtes auf S. 64. – Ders. in: Supplementa Melanchthoniana, V, 1, Leipzig
1915, S. LIIff. und Nr. 8 auf S. CXXVII). Die Verse sind eine griechische Sprachübung
von Schülern aus Melanchthons Privatunterricht, deren stilistische Unklarheiten nur eine
freie metrische Wiedergabe gestatten:

> Bild der «Mässigung», wer hat hier dich gehängt zum Katheder?
>   «Knaben». Und wer hat's gemacht? «Lukas der Maler, der war's.»
> Sag, was bedeutet dein Strauss? «Ich liebe das Junge und Zarte.»
>   Schau, eine Ros' ist dabei.   «Rosen sind überaus schön.»
> Hier aber blüht im Verein der wilden Disteln die Rose.
>   «Wie auf dornigem Weg steigst du zur Tugend hinan.»
> Schön ist dein Schmuck: du prunkst im steineblitzenden Halsband.
>   «Massvoll, wie sich's gehört; hass' ich doch masslos Getu'.»
> Was sagt das Buch? «Sein ganzer Inhalt liegt mir am Herzen:
>   Weisheit von Heilig und Gut   weiterzugeben der Welt.»
>   – Schulknaben haben diese Widmung verfasst.

Der Bezug auf die Figur des Holzschnitts ist deutlich genug; nicht jedoch, ob dieser
selbst gemeint ist oder ein Vorbild in Gestalt eines in Melanchthons Schulraum hängen-
den Gemäldes (oder Aquarells?) von Cranach. Die Attribute Buch, Pflanzen und
Halsband sind kommentiert. Der Strauss des Holzschnitts zeigt zwar kaum Rosen und
Disteln, jedoch zwei blühende Pflanzen neben stachligen Zweigen. Die der mässigenden
Venus (Nr. 555) verwandte «Sophrosyne», die auf einem festgegründeten Steinblock

L. Cranach d. Ä., um 1515/20 (Nr. 328)

sitzt wie der alttestamentliche Streiter Josua (Nr. 227f.), lehrt offenbar, dass Vergnügen mit Schmerz gepaart sein kann und wahre Weisheit unter anderem in der Mässigung beim Genuss liegt.

Die zweite bekannte Verwendung des Blattes (in: De actionibus, ex Institutionibus Iustiniani, 1526) bestätigt, dass es sich nicht um ein Druckersignet handelt, da die Abdrucke des Holzschnittes (auf Titelrückseite und vorletzter Seite) vom Impressum Klugs getrennt plaziert sind (vgl. Clemen a.a.O., S. 310).

252 Lukas Cranach d. Ä., Werkstatt
Das Papsttum und seine Glieder — Abb. 207, 208

Holzschnitte. Je ca. 8,0 × 6,0 cm.

Aus: Das Bapstum mit seynen gliedern / gemalet und beschriben. (Vorrede Martin Luthers.) [Wittenberg, Joseph Klug um 1526.] (vgl. Benzing 2233/34).

Basel, Kupferstichkabinett des Kunstmuseums.

Ho. H. 108. – Schu. III, S. 235ff., Nr. 106a. – Pass. IV, S. 97 (unter H. S. Beham). – Luther WA, XIX, 1897, S. 1–43. – Dodgson II, S. 326, Nr. 13 (späte Ausgabe: «doubtful»). – Grisar/Heege III, 1923, S. 24–36. – H. Zimmermann, in: Mitt. d. Ges. f. vervielf. Kunst, XLVIII, 1925, S. 65.

Die Holzschnittserie mit Papst, Kardinal, Bischof und Ordensgeistlichen in ihren verschiedenen Trachten illustriert polemische Verse eines anonymen Autors und erschien, mit Vor- und Schlusswort Luthers versehen, zuerst in Wittenberg Anfang des Jahres 1526 in einer Oktavausgabe bei Joseph Klug, die als Titelschmuck den Holzschnitt des «Psalter deutsch» von 1524 (Nr. 239) aufweist.

Bei dem ausgestellten Basler Exemplar handelt es sich um eine unbeschriebene Ausgabe, ursprünglich in Flugblatt- bzw. Bogenform, zerschnitten und in einen Oktavband mit biegsamem Pergamentumschlag gebracht (16./17. Jh.). Die Vorrede in Prosa, Papst- und Kardinalstand mit ihren Texten blieben zusammenhängend und ausklappbar (Abb. 207). Luthers «Beschlussrede» in Prosa fehlt. Die Ausgabe bildet damit eine Parallele zu dem Nürnberger Tafeldruck desselben Werkes mit Holzschnitten von Sebald Beham (Geisberg 226–233) auf acht Bogen.

Gegenüber der Wittenberger Erstausgabe (Luther WA, XIX, S. 1ff.) ergeben sich geringfügige Abweichungen im Text und in den Bildüberschriften. Die ursprüngliche Reihenfolge des Basler Exemplars ist beim Zerschneiden nicht bewahrt worden und nur teilweise rekonstruierbar. Es bestand aus sieben Bogen (A–G). Bogen A enthielt die Vorrede und 7 Holzschnitte; Bogen B–F enthielten je 10 Holzschnitte (zwei Reihen zu fünf); Bogen G enthielt 9 Holzschnitte und die Beschlussrede.

Von Cranachs 57 (Hollstein irrtümlich: 60) verschiedenen Holzschnitten enthält das Basler Exemplar 56. Sieben Holzschnitte sind wiederholt, einer dreifach wiedergegeben wie in Ausgabe A (Erstausgabe). Ein Holzschnitt fehlt (Nr. 42 der Ausgabe A). Neu hinzugetreten ist ein Textabschnitt «Der Indianer Orden», der als Illustration einen bisher unbekannten 2. Zustand des Holzschnitts «Der Stern Münch Orden» (Ausgabe A, Nr. 30) nach Entfernung des Sterns auf der Kutte aufweist. Damit ergibt sich eine Gesamtzahl von 66 Abbildungen für den Wittenberger Tafeldruck auf sieben Bogen.

In Nürnberg war 1526 sowohl eine Buchausgabe wie der bereits erwähnte Tafeldruck auf 8 Bogen mit den Holzschnitten Behams (G. Pauli, Hans Sebald Beham, Ein kritisches Verzeichnis seiner Kupferstiche, Radierungen und Holzschnitte, Strassburg 1901, Nr. 1124ff. – Hollstein III, S. 236/37) erschienen, die in der älteren Literatur

(Grisar/Heege und noch Geisberg im Text zu Nr. 226–233) als Vorbilder für die Holzschnitte der Cranach-Werkstatt galten. Das Verhältnis wurde durch stilkritische Beobachtungen richtiggestellt von H. Zimmermann (1925). Die Nürnberger Ausgabe nennen sich von Anfang an «... gebessert und gemehrt» und enthalten 73 Abbildungen.

Das Vorhandensein eines Holzschnittes im 2. Zustand mit neuem Text des «Indianer Orden» (der nicht dem Text des «Indier Orden» der Nürnberger Ausgaben entspricht) gibt aber auch einen Anhaltspunkt für die zeitliche Einreihung der beschriebenen Wittenberger Ausgabe in Bogenform, die wohl den Ausgaben A (und B? siehe Luther WA, XIX, S. 4) nachfolgen muss, aber der Erhaltung der Stöcke nach vor die späten (ab 1557) Ausgaben C–E zu setzen ist. Vermutliche Datierung, auch nach dem frühen Ochsenkopf-Wasserzeichen (wohl Piccard, Ochsenkopf-Wz. III, Gruppe XVI, 316; spätester Nachweis 1525): noch 1526 oder nur wenig später.

Unter die unmittelbaren Nachwirkungen dieser nach dem Bauernkrieg neu auflebenden Reformationspolemik (die Nürnberger Ausgabe erschien nochmals 1537, gedruckt bei Hans Wandereysen; Exemplar im Kupferstichkabinett Basel) ist auch zu rechnen: «Ein wunderliche Weissagung von dem Papsttum...», Nürnberg 1527, mit Versen von Hans Sachs, Vorrede von Andreas Osiander und künstlerisch unbedeutenden anonymen Holzschnitten. – Die Illustration 59 «Willig Armut» ist gegenseitig kopiert als Einsiedler im Titelblatt zum «Türkenbüchlein» 1527 (Nr. 260).

253 Lukas Cranach d. Ä.
Pythagoras als Entdecker der musikalischen Intervalle   Abb. 206
Holzschnitt. 10,5 × 7,6 cm.
Aus: a) Ein kurtz Deudsche / Musica. / ... / Mart. Agricola. Wittenberg, Georg Rhau [1528]. (Rückseite des Titelblatts.)
b) Musica instru= / mentalis deudsch / ... / Mart. Agricola. Wittenberg, Georg Rhau 1529. (fol. H II.)
Flensburg, Bibliothek des Alten Gymnasiums.

Nicht bei Ho. – Zimmermann, Beiträge, S. 88, Anm. 19. – Martin Agricola, Musica Instrumentalis deudsch (und andere Drucke), Hildesheim/New York 1969 (Neudruck).

Der für die Musiklehre des in Magdeburg tätigen Musikpädagogen und Komponisten Martin Agricola (1486–1556) geschaffene Holzschnitt zeigt Pythagoras in einer Schmiede. Seine Tätigkeit ist erläutert (erst in Ausgabe 1529): «Pytagoras weget die hemmer mit einander one stil / und merckt / wie viel einer schwerer denn der ander ist / auch was vor resonantz daraus entspringt.» Auf der Rückseite des Holzschnitts (1529, fol. H II verso) ein zugehöriges Diagramm: «Die Proportiones / gewicht und resonantz / der vier Hemer», das mit dem übrigen reichen Bildschmuck, meist Abbildungen von Instrumenten, wohl auch in der Cranach-Werkstatt geschaffen sein dürfte.

Pythagoras wurde durch diese erfinderische Tätigkeit, die Harmonisierung der Musik auf mathematischer Grundlage, zum Ahnen und Schutzpatron der Musiktheorie, erscheint aber zugleich in den «Sieben Freien Künsten» auch als Vertreter der «Arithmetik». Daher wurde der Holzschnitt später nicht zufällig in (mehrere?) Ausgaben von Adam Rieses populärem Rechenbüchlein («Rechnung auff der Linien und Federn») übernommen (eine Auflage von ca. 1560, Wittenberg bei Georg Rhaus Erben, siehe: Antiquariatsanzeiger, Nr. 48, 1972, R. Wölfle, München, Nr. 331).

Nur bei der Erstverwendung (undatiert; Vorrede Agricolas vom 15. April 1528) sind im Holzstock beide Augen des Pythagoras unverletzt. Dieser Druck enthält als Titelrahmen die namengebende Bordüre des «Meisters der Jakobsleiter» (vgl. Zimmermann, Beiträge, S. 27).

254 Lukas Cranach d. Ä., Werkstatt
Der Eselkönig und sein Gefolge   **Abb. 209**
Holzschnitt. 17,1 × 12,9 cm.
Aus: (Martin Luther:) Ein newe / fabel Esopi / ... Vom Lawen und Esel.
[Wittenberg, Georg Rhau 1528], fol. C 1 recto. (Benzing 2520).
Augsburg, Staats- und Stadtbibliothek.

Nicht bei Ho. – Luther, WA XXVI, 545 ff. – Grisar/Heege III, 1923, S. 37 ff. – H. Zimmermann, in: Mitt. d. Ges. f. vervielf. Kunst, XLVIII, 1925, S. 65.

Illustration zu einer satirischen, in die Form einer äsopischen Fabel gekleideten Antwort Luthers auf eine Schmähschrift gegen seine Ehe, in der nach vielen Zweikämpfen zwischen Löwen und Esel dieser widersinnigerweise als Sieger hervorgeht. Im Bild wird eine Krone mit einem Kothaufen über den Kopf des Eselkönigs gehalten. Das Kreuz in der Rückenzeichnung des Esels kann als Anspielung auf das Messgewand (damit Deutung auf den Papst?) gedacht sein.

255 Lukas Cranach d. Ä.
Illustrationen zu den Zehn Geboten   **Abb. 210, 1–9 u. Abb. 298**
Holzschnitte. Je ca. 11,3 × 7,5 cm.
Aus: (Martin Luther:) Deudsch Ca= / techismus ... Wittenberg, Georg Rhau 1529. (Benzing 2553).
Aufgeschlagen: Joseph flieht vor Potiphars Weib (zum 10. Gebot).
Stuttgart, Württembergische Landesbibliothek, Abteilung Alte Drucke.

Ho. H. 68 a–j. – Schu. II, S. 247/48, Nr. 105. – Dodgson II, S. 354, Anm. 5. – F. Cohrs, in: Supplementa Melanchthoniana, V, 1, Leipzig 1915, S. CXIII ff. und S. 433 ff. – Zimmermann, Beiträge, S. 36, S. 88, Anm. 19. – H. Zimmermann, in: Archiv für Reformationsgeschichte, XXIII, 1926, S. 108 ff. – E. Grüneisen, in: Luther-Jb. 1938, S. 1–44.

Die Zehn-Gebote-Illustrationen, genauer: Beispiele von Übertretungen der Gebote mit Warnungen vor Gottes Strafe, erschienen erstmals vollständig in der 2. Wittenberger Auflage von Luthers «Grossem» Katechismus 1529; die «Urausgabe» desselben Jahres (Benzing 2548; Berlin 1967, Nr. 199) war nicht illustriert. Da die Holzschnitte, wie von Cohrs und Grüneisen festgestellt, im Auftrag Melanchthons entstanden, sind sie zeitlich in Zusammenhang mit dessen katechetischen Arbeiten von 1527/28 zu setzen. Eine Stelle in einem Brief Melanchthons an den Dichter Johann Stigel, 1544 (deutscher Auszug bei Lüdecke 1953, S. 77, mit ungenauer Quellenangabe S. 117), wird mit diesem Auftrag in Verbindung gebracht: «Venit mihi in mentem pictoris Lucae, cui interdum praeformatas imagines tradere solebam in Bibliis» (Corpus Reformatorum, Vol. V, S. 557, Nr. 3099). In einem Fragment gebliebenen «Kurzen Auslegung der Zehn Gebote» Melanchthons von 1528 (Cohrs, S. XXVIII und S. LXXXIII, Nr. VII) sind die Illustrationen Cranachs zum 1.–3. Gebot zum ersten Mal abgedruckt. Eine vorausgegangene Ausgabe aller Holzschnitte in einem Tafeldruck, entsprechend Cranachs Vaterunser-Illustrationen (Ho. H. 67; M. Geisberg, in: Burlington Magazine, XLIII, 1923, S. 85–87), wie sie H. Zimmermann (1926, S. 110) postulierte, ist hypothetisch. Es hat sich keine Spur davon erhalten.

Die ungenaue Beschreibung der auf Melanchthons Vorschlägen (und möglicherweise: Skizzen) beruhenden Themen bei Hollstein machen an dieser Stelle kurze Angaben zu den einzelnen Bildern notwendig:

Ho. H. 68a: 1. Gebot. Oben: Moses erhält die Gesetzestafeln, unten Tanz um das
    Goldene Kalb (2. Buch Mosis 31, 32).

    68b: 2. Gebot. Steinigung eines Gotteslästerers (3. Buch Mosis 24).

    68c: 3. Gebot. Sonntagspredigt. Im Hintergrund ein Holzsammler (Übertreter
    der Feiertagsruhe: 4. Buch Mosis 15).

    68d: 4. Gebot. Noahs Trunkenheit (1. Buch Mosis 9).

    68e: 5. Gebot. Kain tötet Abel (1. Buch Mosis 4).

    68f: 6. Gebot. David und Bathseba (2. Buch Samuel 11).

    68g: 7. Gebot. Achan vergräbt den gestohlenen babylonischen Mantel (Buch
    Josua 7).

    68h: 8. Gebot. Susanna wird von den beiden Ältesten angeklagt (Buch Daniel,
    apokryphes Kap. 13).

    68i: 9. Gebot. Teilung von Jakobs und Labans Herden (1. Buch Mosis 30).

    68j: 10. Gebot. Joseph flieht vor Potiphars Weib (1. Buch Mosis 39).

Der Holzschnitt zum 3. Gebot (Heiligung des Feiertages) erscheint in Luthers Katechismus bereits in einem 2. Zustand: die Lücke in der Mauer erklärt sich durch Entfernung eines dort ursprünglich angebrachten Kruzifixus (Zimmermann 1926, S. 110,
Anm. 2). Innerhalb der Zehn-Gebote-Illustrationen und überhaupt dem frühen Schmuck
des evangelischen Katechismus kommt der Serie durch ihre neuartigen, von der ikonographischen Tradition (vgl. Cranachs Zehn-Gebote-Tafel 1516, Lutherhalle Wittenberg,
FR. 69) abweichenden Bildschöpfungen eine wichtige Rolle zu. Die Holzschnitte
erlebten zahlreiche Wiederverwendungen (siehe auch folgende Nr.), Cohrs beschreibt
Ausgaben noch von 1549 und 1554.

256 Lukas Cranach d. Ä.
Illustrationen zu den Zehn Geboten

Holzschnitte; koloriert, z. T. mit Gold gehöht. Je ca. 11,3 × 7,5 cm.
Aus: (Martin Luther:) Deudsch Ca= / techismus... Wittenberg,
Georg Rhau 1531. (Benzing 2556).
Aufgeschlagen: David und Bathseba (zum 6. Gebot).
Privatbesitz.

Ho. H. 68a–j. – Lit. und Kommentar siehe vorige Nr.

8. Titelblätter der späten Cranach-Werkstatt

Nach dem Tode des bis zuletzt diplomatisch-zurückhaltenden Kurfürsten
Friedrich des Weisen wandte sich sein Nachfolger in der Kurwürde, Johann
«der Beständige», noch im Jahr 1525 entschiedener den kirchlichen Reformen in
seinem Lande zu. Er ordnete «Visitationen» an, deren Ergebnisse zur Errichtung
einer einheitlichen reformierten Kirchenordnung führen sollten. Zu den ersten
Neuerungen, denen sein persönliches Interesse galt, gehörte Luthers (mit Anteil

Johann Walthers für die musikalischen Partien) Ausarbeitung einer deutschen Gottesdienst- und Messordnung, die zu Weihnachten 1525 in Wittenberg eingeführt wurde[123]. Die ersten Exemplare des offiziell 1526 bei Michel Lotter erschienenen Drucks «Deudsche Messe und Ordnung Gottis Diensts» dürften noch Ende 1525 ausgeliefert worden sein. Insofern ist auch das ansprechende, kräftig und klar gezeichnete Titelblatt (Nr. 257) bereits in diesem Jahr entstanden. Es zeigt im unteren Teil drei Hirsche und eine Hindin in friedlichem, paradiesische Ruhe und Unbekümmertheit suggerierenden Beisammensein. Der Grund der oberen Hälfte des Titelrahmens ist mit dunkler Schraffur versehen, von der sich ein Paar seltsamer armloser Fabelwesen mit Schlangenschwänzen dekorativ abhebt. Sehr wirkungsvoll ist der Übergang von der hellen Landschaft unten zu der Weiss-auf-Schwarz-Wirkung im ornamentalen Teil. Zum Inhalt des Werkes hat der Titelholzschnitt, von dem keine frühere Verwendung bekannt oder glaubhaft ist, keine spezielle Beziehung, es sei denn an die uralte christliche Symbol-Bedeutung der Hirsche für diejenigen, die «nach dem Wasser des Lebens dürsten» (und als Überwinder der Schlange in Sündenfall-Darstellungen; vgl. Nr. 573) erinnert[124]. In den Vertrieb des Buches war Cranach persönlich eingeschaltet[125], und so wundert es nicht, dass die Qualität des Titels der Bedeutung des Werkes entsprechend hoch ist.

Einem ab 1526 bei Nickel Schirlentz verwendeten Titel mit der Dreifaltigkeit, zwei Propheten, Geburt Christi sowie Luther- und Melanchthon-Wappen (Nr. 258) merkt man, trotz guter Zeichnung im Detail, die nun folgende Auflösung der Gattung Titelrahmen besonders deutlich an. Die Schrift steht auf einem perspektivisch unklaren polygonalen Podest, das auf zwei kurzen Säulen ruht, zwischen denen die Anbetung des neugeborenen Christkindes wie in einer Altarpredella auftaucht. Die Unentschiedenheit zwischen den diversesten Möglichkeiten des Bildtitels, nämlich: Einfassung mit umlaufenden Bordüren, zusammenhängend räumlicher Gestaltung, Einheit durch ein übergeordnetes Architekturmotiv oder klare Trennung in Einzelszenen bewirkt nur, dass hier die Motive ungleichwertig und wie zufällig nebeneinanderstehen und sich bedrängen.

Zu dem Ausweg einer Aufteilung in einzelne Felder entschloss man sich in der Cranach-Werkstatt nur ausnahmsweise, aber gerade in diesen Jahren von 1525 bis 1530: Das 1526 datierte (ein Einzelfall!) Titelblatt mit Kreuzigungsszene (unten), Aposteltrennung (oben), Evangelisten und Aposteln (Nr. 259) ist ein solches Beispiel. Es ist erst in einer Verwendung von 1551 nachzuweisen und so unsicher und abweichend geschnitten, dass man sich fragt, ob es nicht als Ganzes, mitsamt dem Datum, nach einem verlorenen Vorgänger kopiert ist. Ein gewichtiger Cranach-Entwurf steht, wie man an der Kreuzigungsszene mit den schräggestellten Schächerkreuzen sieht, wenigstens für Teile, im Hintergrund. Felderteilung, die fast wieder ein Zerfallen in Kopf-, Fuss- und Seitenleisten bewirkt, begegnet auch in dem Titel mit Salome-Szenen (Nr. 261, 262): oben Herodes und Herodias erwartungsvoll in ihrem Bankettsaal, seitlich als Einzelgestalten der Henker mit dem Leichnam des Täufers und Salome mit dem Johanneshaupt auf der Schüssel, unten tanzende höfische Paare. Die Ausführung übersteigt hand-

211   L. Cranach d. Ä., 1525/26   212   L. Cranach d. Ä., Werkstatt, 1526
(Nr. 257)   (Nr. 258)

213   L. Cranach d. Ä., Werkstatt, 1526   214   L. Cranach d. Ä., Werkstatt, 1527
(Nr. 259)   (Nr. 260)

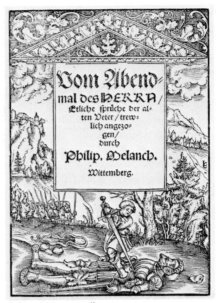

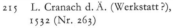

215   L. Cranach d. Ä. (Werkstatt ?),
       1532 (Nr. 263)

216 L. Cranach d. Ä., Werkstatt,
       1532 (Nr. 265)

werkliches Mittelmass nicht, doch wirkt das Ganze übersichtlich und durch seine klare Gliederung ansprechend.

Das originellste Beispiel dieser Art jedoch ist der Titel zu einem «Türkenbüchlein» von 1527 (Nr. 260), einer unter zahllosen Schriften, die die Lethargie des Reiches gegenüber der ständigen Gefahr eines Türkeneinbruches in Mitteleuropa anprangerten (zwei Jahre später war Wien tatsächlich vom türkischen Heer eingeschlossen). Der in sieben Felder (einschliesslich Schriftfeld) unterteilte Titel[126] zeigt in einer Art «Gipfelkonferenz» einen Türken, einen Zigeuner, einen Ungarn und einen christlichen Einsiedler im Gespräch. Unten präsentieren zwei Landsknechte das Motto «Wach auff Österreich». Mit den zwei schildhaltenden Vögeln in der Kopfleiste sind zweifellos Kraniche als Symbole der Wachsamkeit gemeint. Der schon mehrere Jahre früher entstandene Inhalt des Traktats[127] – der Verfasser bleibt anonym – ist eine allgemeine, nicht speziell vom reformatorischen Standpunkt aus geführte Debatte über die Zeitlage, wobei der Türke als Ankläger der politischen, der Einsiedler, aus der Erfahrung eines langen Lebens, als Ankläger der moralischen Missstände Europas fungiert. Adel, Papst und Geistlichkeit werden dabei nicht geschont. Das Auftreten eines Zigeuners in seiner malerisch-zerschlissenen Tracht zeugt von dem Aufsehen, das dieses gerade zu jener Zeit in grossen Scharen Europa durchwandernde Volk erregte. Der Bauernkrieg hat in cranachischer Buchgraphik keine Spuren hinterlassen; als einziges Titelbild wirft dieses ein Schlaglicht auf die weltlich-politischen Verhältnisse der Zeit.

Zwei Titelholzschnitte des Jahres 1532 mit Szenen des Alten Testaments werden häufig als Gegenstücke genannt, obwohl sie, näher betrachtet, ausser einer Verwandtschaft des Typus stilistisch nicht übereinstimmen. Die Einfassung mit «David und Goliath» (Nr. 265) trägt ein LC-Monogramm in ungewöhnlicher Form, das Dodgson dazu verführte, beide Holzschnitte unter L. Cranach dem Jüngeren zu verzeichnen[128]. Ihr Aufbau schliesst sich an den viel früheren «Parisurteil»-Titel an (Nr. 242), indem das Schriftfeld an drei Seiten von einem einheitlichen Landschaftsbild umgeben ist, aber einen die gesamte Kopfleiste ausfüllenden Giebel trägt. Die Details, vor allem im Figürlichen, sind weniger geschmeidig gezeichnet als im vermeintlichen Gegenstück, der unsignierten Rahmung mit dem Löwenbezwinger Simson (Nr. 263, 264). Der Löwenkampf folgt im Typus allen Darstellungen Cranachs seit dem Turnierholzschnitt von 1509, ohne dass er «kopiert», die Gruppe ist sogar, mit dem ausfahrenden Schweif des Löwen als wichtigem Element, geschickt in das niedrige Querformat eingebettet. Der darüber ansetzende, die Schrifttafel einklammernde Teil, der sich fast in drei einzelne Ornamentbordüren zerlegen liesse, zeigt wiederum, wie sich in diesen späten Titeln mehrere Prinzipien: das ungeteilte Raumbild, die «Epitaph»-Rahmung, die reine, meist flächige Bordürengliederung zu einer Mischform vereinigen. Mehr als einmal wird man dabei an Hans Baldung Grien erinnert, der gelegentlich ebenso über einem Raumbild architektonische oder ornamental-flächige Partien einführt – etwa in der Rahmung mit Johannes auf Patmos[129] oder derjenigen mit der Gregorsmesse als Hauptmotiv (Nr. 273)[130]. Überhaupt ist Baldung die einzige Künstlerpersönlichkeit, deren Buchgraphik durchgehend einen gewissen Einfluss auf die mitteldeutschen Titelblätter – und damit auf Cranach – ausgeübt zu haben scheint; seine Titel wurden bereits ab 1513 vor allem in Erfurt eifrig kopiert[131], und es ist nicht ausgeschlossen (auch für einen Fall oben bereits erwähnt), dass auch die in Cranachtiteln auftauchenden Hirsch-Motive Baldungs sogenannten Tiergarten-Bordüren (vgl. Nr. 272) Anregung verdanken, wobei der emblematische Ausgangspunkt (der Strassburger Drucker Reinhart Beck wohnte im Haus «zum Tiergarten») natürlich ausser acht gelassen wurde.

Es gewährt einen aufschlussreichen Einblick in Cranachs Verständnis der Aufgabe «Titelblatt», dass ihn der verspielte, aber sophistische Zug Baldungs mehr berührt als etwa die Nürnberger Titelgraphik (Dürer – Springinklee), die durchweg tektonisch viel strenger durchdacht und «gebaut» ist. Die Gattung der architektonischen Titelrahmen wird in Wittenberger Drucken fast ausschliesslich von Georg Lemberger und dem Monogrammisten MS vertreten. Cranachs Einfassungen sind vielfach in «Typenreihen», die sich andernorts ausgebildet haben, nicht einzufügen[132], spontane Einfälle galten ihm mehr als eine Systematik der Entwicklung. Aus diesem Grund ist auch die Verschiedenartigkeit der auftretenden Ornamentformen nicht unbedingt, wie Jahn meint[133], auf eine «Vielzahl von Mitarbeitern» zurückzuführen. Im Figürlichen durchdringen sich religiöse und profane Elemente in teils hintersinniger, teils naiv-erzählerischer Weise: wie die mit den Augen des Jägers beobachtete Hirschgruppe (Nr. 257) christlich-emblematischen Nebensinn haben mag, so ist andererseits etwa die alttestamentliche

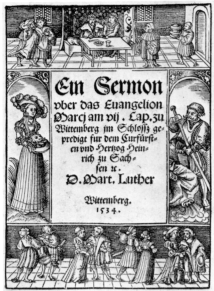

217   Cranach-Schule, 1530 (Nr. 262)   218   Hans Cranach (?), 1536 (Nr. 269)

Szene mit David und Goliath als ritterliche Schauermär in «deutscher» Landschaft gezeigt. Eine neuartig-strenge, vom Protestantismus geprägte Thematik führt erst Lukas Cranach d. J. in diesen Bereich ein.

An dieser Stelle – wir meinen das Jahr 1532 – sieht man, bis auf einige Sonderfälle, das Ende der Titelgraphik aus dem unmittelbaren Bereich Lukas Cranachs d. Ä. vor sich. Der im Jahr darauf bei Hans Lufft erschienene, wegen seiner Thematik nicht unwichtige Titelrahmen mit Reformatoren-Symbolen und Christus als Gutem Hirten – ein Thema, das wenige Jahre später in einem Frühwerk Cranachs d. J. aufgegriffen wurde[134] – ist wohl zu Recht dem Werk des Monogrammisten MS zugeteilt worden[135].

Kleine «sprechende» Titelholzschnitte – nicht Rahmungen – wie die «Kirchenreinigung durch Kardinäle» von 1538 (Nr. 266) und die «Wölfe im Mönchskleid» von 1539 (Nr. 267) zeigen einen unverbindlichen Stil der Cranachschule, der nur noch entfernt an frühere Werke erinnert. In ihnen wird der abstrakte Inhalt der Schrift («Reinigung» der Römischen Kirche von Missständen durch einen Ausschuss der Kardinäle und: Warnung vor falschen Propheten) in eine symbolische Bildformel umgesetzt, die Schnitte sind also nicht übertragbar auf andere Drucke. Ähnlich ist auch schon der Holzschnitt des «Türkenbüchleins» von 1527 (Nr. 260) als «sprechende» Titelgraphik bezeichnet worden.

Als nicht von Cranach, sondern von einem auswärtigen Künstler stammend, soll schliesslich der von Jahn[136] hoch gelobte, in Erfurt 1525 erschienene Titelrahmen mit der von der Arbeit heimkehrenden Bauernfamilie erwähnt sein

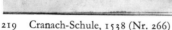

219   Cranach-Schule, 1538 (Nr. 266)   220   Cranach-Schule, 1539 (Nr. 267)

(Nr. 271). Wir wagen keine Entscheidung darüber, ob er auf ein Vorbild Cranachs zurückgehen könnte. Dodgsons Bestimmung auf Georg Lemberger ist ebensowenig plausibel wie Jahns Einschätzung, so dass am ehesten doch ein einheimischer Erfurter Künstler in Frage kommt.

Ganz isoliert – zeitlich wie stilistisch – steht eine ab 1536 mehrfach verwendete architektonische Titeleinfassung, die in der Sockelzone die Halbfigur eines Clavichord(?)-spielers mit merkwürdiger Kopfbedeckung und ein Schlangenzeichen aufweist (Nr. 269). Gerade diese «Signierung», zugleich mit der Unsicherheit des Tektonischen und den offensichtlichen zeichnerischen Schwächen, erregte Befremden, da Lukas Cranach d. Ä. ohne Zweifel als Autor ausscheidet. Das undeutliche Schlangenzeichen hat einen «Flügel», der eher buschig, wie ein Federstoss aussieht – so wie er in Hans Cranachs Wappen von 1536 auf dem Vorsatzblatt des Silberstift-Skizzenbuchs (Nr. 482) (zuverlässig?) überliefert ist[137]. Ähnliche Formen wie die breitnasige Maske auf dem linken Sockel, die wenig artikulierten Hände des Musikers kehren ebenfalls in dem Skizzenbuch (fol. 6/7) wieder. Solche Details wie auch das Erscheinungsdatum (1536!) berechtigen wohl zu der Frage, ob nicht hier der bisher einzig nachzuweisende graphische Versuch des jungen Hans Cranach vorliegt.

Am Ende der dreissiger Jahre wird man jedoch (vielleicht schon in den kleinen Holzschnitten der «Kirchenreinigung» und der «Wölfe im Mönchskleid», Nr. 266, 267) bereits eine Einwirkung von Lukas d. J. in Rechnung stellen müssen, der dann ab 1540/41 mit einer selbständigen, erkennbaren graphischen

Handschrift auftritt. Sie unterscheidet sich wesentlich von der nervös-klein-
teiligen Zeichnungsart einer Leiste mit drei Porträtmedaillons (Luther, Kurfürst
Johann Friedrich, Melanchthon) von 1544, die als späteste Arbeit aus der Werkstatt des alten Cranach Erwähnung finden soll (Nr. 268)[138].

257 **Lukas Cranach d. Ä.**
     Titelrahmen mit Hirschen in Landschaft   Abb. 211
     Holzschnitt. 17,2 × 12,0 cm.
     Aus: Das diese / wort Christi... / ... noch fest stehen wid=/er die Schwerm /
     Geister. / Mart. Luther. Wittenberg, Michel Lotter 1527. (Benzing 2416).
     Verwendungen: Michel Lotter 1526/27, Franz Behem (Mainz) 1541.
     Basel, Universitätsbibliothek.

     Ho. Wst. 45. – Pass. 123 [= 223]. – Butsch, Taf. 93. – Pflugk-Harttung, Taf. 88. –
     J. Luther, Taf. 17. – Dodgson II, S. 325, Nr. 9 (anderer Druck). – Kiessling, S. 39,
     Nr. 15. – Weimar 1953, Nr. 171. – Lüdecke 1953, S. 137, Abb. 14 (anderer Druck). –
     Jahn, S. 65. – Bibel und Gesangbuch im Zeitalter der Reformation, Kat. Nürnberg 1967,
     Nr. G7 (anderer Druck).

     Titelholzschnitt entstanden 1525, da Luthers «Deutsche Messe und Ordnung Gottes-
     diensts» (Benzing 2239), für die er offenbar geschaffen wurde (nicht beachtet im Ka-
     talog Weimar 1953 und bei Jahn), in diesem Jahr in Druck ging (Luther WA XIX,
     S. 51). Zum Vertrieb dieser neuen evangelischen Gottesdienstordnung durch Cranach
     siehe: Cranach-Fs. 1953, S. 168, Urkunde Nr. 41.

258 **Lukas Cranach d. Ä., Werkstatt**
     Titelrahmen mit Trinität, zwei Propheten und
     Geburt Christi   Abb. 212
     Holzschnitt. 17,0 × 12,0 cm.
     Aus: Das XXXVIII / und XXXIX / Capitel Hese=/ chiel vom Gog. / ...
     Mart. Luther. Wittenberg, Nickel Schirlentz 1530. (Benzing 2777).
     Verwendungen: Nickel Schirlentz 1526–35.
     Basel, Universitätsbibliothek.

     Ho. Wst. 18. – Schu. II, S. 293, Nr. 142. – Pass. 119 [= 219]. – J. Luther, Taf. 23. –
     Dodgson II, S. 335, Nr. 11 («doubtful»). – Schramm, Lutherbibel, S. 19, Abb. 233. –
     H. Volz, in: Libri, IV, 1953, S. 220. – Donald L. Ehresmann, The Brazen Serpent,
     a Reformation Motif..., in: Marsyas, XIII, 1966/67, S. 33/34. – Berlin 1967, Nr. 150
     und 188 (andere Drucke).

     Unten in kleinem Schild die Initialen des Druckers Schirlentz, rechts und links Wappen-
     schilde mit dem Signum Luthers (Volz: späte Abwandlung der Lutherschen Schutz-
     marke) und Melanchthons. Die Propheten sind bisher nicht näher bestimmt, möglicher-
     weise in Zusammenhang mit der uns unbekannten Erstverwendung des Holzschnitts
     identifizierbar.

259 Lukas Cranach d. Ä., Werkstatt
Titelrahmen mit Felderteilung: Kreuzigung Christi, Abschied
der Apostel, Evangelisten und Apostel   **Abb. 213**
Dat. 1526. Holzschnitt. 25,5 × 16,9 cm.
Einzelblatt, aus: (Johann Pollicarius:) Der heiligen XII. / Aposteln ankunfft,
beruff, glauben... Wittenberg, Georg Rhau Erben 1551.
Frühere *Verwendungen* unbekannt.
Basel, Kupferstichkabinett.

Nicht bei Ho. – Zimmermann, Beiträge, S. 88, Anm. 19. – Zimmermann, Folgen,
Verz. C. 23.

Im krausen und ungeschickten Formschnitt von allen anderen Titelblättern der Cranach-
Werkstatt abweichend. Eine Nähe im Stil zu den kleinen Bildern des «Papsttum mit
seinen Gliedern» (Nr. 252) ist, entgegen H. Zimmermanns Ansicht, nicht zu erkennen.
Die vorangegangene Auflage des Werkes von Pollicarius (1549) trägt einen abweichen-
den Titel, den ausser Zimmermann auch Dodgson II, S. 276/77, Nr. 2 beschreibt. In der
Schrift ist u.a. auch die Folge der Apostelmartern Cranachs (Nr. 425–436) abgedruckt.

260 Lukas Cranach d. Ä., Werkstatt
Titelrahmen mit einem Türken, Zigeuner, Ungar und
christlichen Einsiedler   **Abb. 214**
Holzschnitt. 15,2 × 11,4 cm.
Aus: Unterrede und an / schlege zu kriegs / ordnung wid= / er die Tur= /
cken. Wittenberg, Hans Lufft 1527.
Bamberg, Staatsbibliothek (Inc. typ. Ic. I. 34/6).

Ho. Wst. 42. – O. Clemen, in: Zs. f. Bücherfreunde, NF XIII, 1921, S. 65 ff. – Zimmermann, Beiträge, S. 85, Anm. 18.

Von O. Clemen als «sprechende Titeleinfassung» beschrieben. Türke, Zigeuner, Ungar
und Einsiedler sind Partner eines Dialogs über die politische Zeitlage und die Be-
drohung durch die Türkenheere im besonderen. Die zwei Kraniche oben sowie die
zwei Landsknechte mit Schild unten Mitte sind Aufforderungen zur Wachsamkeit und
Kampfbereitschaft. Die Gestalt des Einsiedlers verwendet gegenseitig den Holzschnitt
der «willig Armut» aus dem «Papsttum mit seinen Gliedern» (Nr. 252). Das Buch ist
eine Neuauflage einer unter dem Titel «Türckenbüchlein» 1522 erstmals erschienenen
anonymen Schrift, verzeichnet bei C. Göllner, Turcica, I, Bukarest/Berlin 1968, Nr. 172.

261 Cranach-Schule
Titelrahmen mit Salome und höfischer Gesellschaft
Holzschnitt. 16,0 × 11,7 cm.
Aus: Auff das Ver= / meint Keiserlich Edict / ... Glosa / D. Mart. Luthers.
Wittenberg, Nickel Schirlentz, 1531. (Benzing 2925).
Verwendungen: Nickel Schirlentz 1530–1545.
Basel, Privatbesitz.

Ho. Wst. 16. – Schu. III, S. 243, Nr. 145 d. – Pass. 121 [= 221]. – Pflugk-Harttung, Taf. 98. – J. Luther, Taf. 25. – Dodgson II, S. 415, Nr. 4. – Kiessling, S. 39, Nr. 17. – Weimar 1953, Nr. 175 (anderer Druck).

Wie alle früheren hier behandelten Titelholzschnitte aus einem Stück bestehend, aber sauber getrennt in Kopf- und Fussleiste sowie zwei kleinere seitliche Teile. Die ersten beiden, Herodes mit Herodias beim Mahl und tanzende Paare zeigend, sind im Mass-stab und Inhalt aufeinander bezogen, ebenso die Seitenleisten mit grösseren Figuren – Salome links, der Henker Johannes des Täufers rechts, korrespondierend. In dieser neuen Durchdachtheit, auch im künstlerischen Detail, zeigt sich eine Selbständigkeit des Entwurfes und ein Abstand von Cranach d. Ä., wie er vorher nicht auftrat. Der Rahmen wurde in den dreissiger Jahren viel benutzt und in Leipzig in äusserlich be-reicherter Weise kopiert (Verwendung u.a. bei: Chilian König, Processus und Practica der Gerichtsleuffte... Leipzig, Nickel Wolrab 1541. Exemplar in Basel, Universitäts-bibliothek).

    Die inhaltliche Deutung auf Herzog Georg von Sachsen im Katalog Weimar 1953, Nr. 175 kann nicht zutreffen, da der Holzschnitt früher und zu einer anderen Schrift entstanden ist.

262 Cranach-Schule
Titelrahmen mit Salome und höfischer Gesellschaft   Abb. 217
Holzschnitt. 16,0 × 11,7 cm.
Aus: Ein Sermon / uber das Evangelion / Marci am VII. Cap.... / D. Mart. Luther. Wittenberg, Nickel Schirlentz 1534. (Benzing 3090).
Basel, Universitätsbibliothek.

Ho. Wst. 16. – Lit. und Kommentar siehe vorige Nr.

263 Lukas Cranach d. Ä. (Werkstatt ?)
Titelrahmen mit Simsons Löwenkampf   Abb. 215
Holzschnitt. 16,1 × 11,1 cm.
Aus: Der CIX. Psalm / Deus laudem. / Wider den Verrether Juda. / ...
D. Mart. Luth. Wittenberg, Georg Rhau 1535. (Benzing 2344).
Verwendungen: Georg Rhau, 1532–1546; Nickel Schirlentz 1542–45.
Basel, Universitätsbibliothek.

Nicht bei Ho. – Schu. II, S. 295 (erwähnt); III, S. 243, Nr. 145 c (?). – Pflugk-Harttung, Taf. 99. – J. Luther, Taf. 31. – Dodgson II, S. 343, Nr. 13 (anderer Druck). – Zimmer-mann, Beiträge, S. 85, Anm. 18. – Weimar 1953, Nr. 178 (anderer Druck). – Jahn, S. 66. – Jahn/Bernhard, S. 440/41.

Der Titel, der bei Dodgson unter Cranach d. J. aufgeführt ist, bei Hollstein fehlt, erfuhr durch Jahn eine Aufwertung, der den figürlichen Teil für eigenhändig von Cranach d. Ä. entworfen glaubt, den ornamentalen Teil davon abtrennt. Vergleichsbeispiele zum Thema siehe Nr. 507–516. Tatsächlich steht die Simsongruppe in der Landschaft Cranach wesentlich näher als die Figuren des Salome-Titels (vorige Nr.). Dieser untere Teil allein wurde frei kopiert in einem Titelrahmen, den N. Schirlentz 1539 verwendete

(J. Luther, Taf. 56); der gesamte Titelrahmen gegenseitig kopiert von dem jungen
Jacob Lucius in Klausenburg 1554; Vermittler des Vorbildes nach Siebenbürgen war
gewiss der Drucker Caspar Heltai, der in Wittenberg studiert hatte (siehe J. Fitz, in:
Gutenberg-Jb., 1959, S. 171/72).

264 **Lukas Cranach d. Ä. (Werkstatt ?)**
     Titelrahmen mit Simsons Löwenkampf
     Holzschnitt. 16,1 × 11,1 cm.
     Aus: Magister Phi / lipps Melanchthon / Christliche Erinnerung... Wit-
     tenberg, Georg Rhau 1536.
     Basel, Universitätsbibliothek.

     Nicht bei Ho. – Dodgson II, S. 338, Nr. 1. – Übrige Lit. und Kommentar siehe vorige Nr.

265 **Lukas Cranach d. Ä., Werkstatt**
     Titelrahmen mit David und Goliath   **Abb. 216**
     Bez. LC ineinandergestellt. Holzschnitt. 15,7 × 11,0 cm.
     Aus: Vom Abend= / mal des HERRN / ... Philipp Melanchthon. Witten-
     berg, Georg Rhau [1532].
     Verwendungen: Georg Rhau 1532–1541, Hans Weiss 1534, Nickel Schirlentz
     1542.
     St. Gallen, Dr. Roland Hartmann.

     Nicht bei Ho. – Schu. II, S. 294, Nr. 145. – Pass. 212 – J. Luther, Taf. 30. – Dodgson II,
     S. 343, Nr. 14 (anderer Druck). – Zimmermann, Beiträge, S. 85, Anm. 18. – Kiessling,
     S. 39, Nr. 18. – Weimar 1953, Nr. 180.

     Das Auftreten des Monogrammes, das in dieser Form sonst nicht vorkommt (vgl. je-
     doch das ähnliche späte LC-Monogramm auf dem Porträtholzschnitt des Johann Schey-
     ring, 1537 [Nr. 161]), ist nicht erklärt. Dodgson führt den Titel unter Cranach d.J.,
     H. Zimmermann schreibt ihn dem Vater Cranach zu. Mit seinem vermeintlichen
     «Gegenstück», dem Rahmen mit Simsons Löwenkampf (vorige Nr.) geht er stilistisch
     nicht ganz überzeugend zusammen. Ist er tatsächlich erst 1532 entstanden, so könnte
     er theoretisch von der Hand des damals 17jährigen Lukas d. J. sein, doch besteht kaum
     eine Möglichkeit, dies durch Vergleichsbeispiele nachzuweisen.

266 **Cranach-Schule**
     Kirchenreinigung durch drei Kardinäle   **Abb. 219**
     Holzschnitt. 10,4 × 8,6 cm.
     Aus: Ratschlag von der / Kirchen, eins ausschus etlicher / Cardinel... (mit
     Vorrede Luthers). Wittenberg, Hans Lufft 1538. (Benzing 3292).
     Basel, Universitätsbibliothek.

     Nicht bei Ho. – Grisar/Heege III, 1923, S. 57–62. – H. Zimmermann, in: Mitt. d. Ges.
     f. vervielf. Kunst, XLVIII, 1925, S. 67. – H. Zimmermann, in: Buch und Schrift, I,
     1927, S. 78.

Drei Kardinäle fegen mit Fuchsschwänzen einen Kirchenraum, auf dessen Altarbild der Papst zwischen zwei Teufelsgestalten thront. Angriff Luthers gegen zaghafte Reformdiskussion innerhalb der Römischen Kirche: der Papst habe sich im Tempel Gottes Gott gleichgesetzt, die Kirchensäuberung sei nur ein Scheingefecht. – Grisar/Heege schrieben den Entwurf zum Holzschnitt, auf Grund einer Äusserung von Johann Aurifaber nach Luthers Tod, dem Reformator selber zu. Dies wird von H. Zimmermann abgelehnt, die den Schnitt dem Monogrammisten M S gibt. «Sprechendes» Titelbild, das nur in zwei Varianten dieses Drucks vorkommt.

267 Cranach-Schule
Zwei Wölfe, als Kleriker und Mönch gekleidet,
zerreissen ein Schaf Abb. 220
Holzschnitt. 10,0 × 8,3 cm.
Aus: (Urban Rhegius:) Wie man die falschen / Propheten erkennen, ja greiffen / mag... Wittenberg, Hans Frischmut 1539.
Basel, Universitätsbibliothek.

Nicht bei Ho. – Schu. III, S. 244, Nr. 145g.

Der Holzschnitt mit den Wölfen in geistlicher Kleidung (Überschriften links: Canonicus, rechts: Monachus) zeigt wie die vorige Nr. einen Stil, der sich gewiss an Cranach orientiert hat, aber nicht mehr der Werkstatt zugehören muss. Zum Drucker Hans Frischmut siehe J. Benzing, in: Gutenberg-Jb., 1939, S. 204. Im gleichen Jahr 1539 erschien der Holzschnitt auch auf einem Nachdruck der Predigt des Rhegius von Anders Goldbeck in Braunschweig (von dem sonst nur zwei Drucke bekannt sind: Benzing, Buchdrucker, S. 57; Exemplar in Basel, Universitätsbibliothek). – Zum Bild der Wölfe in Mönchskleidern als Angriff auf das Papsttum vgl. das um 1530 erschienene Flugblatt «Die Geistlichen Wölfe»: Berlin 1967, Nr. 103 mit Abb.

268 Lukas Cranach d. Ä., Werkstatt
Ornamentleiste mit drei Medaillonbildnissen: Luther, Kurfürst
Johann Friedrich, Melanchthon
Holzschnitt. 5,2 × 16,5 cm, auf Blatt von ca. 15,5 × 21,0 cm.
Oben handschriftliche Widmung.
Schweizer Privatbesitz.

Nicht bei Ho. – Schu. III, S. 248, Nr. 146c. – H. Zimmermann, in: Zs. f. Buchkunde, II, 1925, S. 104. – Zimmermann, Folgen, S. 30.

Die drei Medaillonbildnisse mit Umschriften sitzen in einer Umrahmung von Blattornament, die in mindestens einem Musikdruck von Georg Rhau (Postremum Vespertini Officii Opus, Magnificat Octo Tonorum, 1544; Neudruck Kassel 1970, Abb. S. XVII) auf dem Titelschmuck erscheint. Hier liegt sie in einem – vielleicht als Exlibris oder als Widmungsblatt verwendeten? – Separatdruck vor, der über dem Holzschnitt die Aufschrift trägt: «15–44. Alles in ehren und treuenn. Balthasar von Rechenbergck.» Näheres über den Träger dieses Namens hat sich nicht feststellen lassen; zur Familie von Rechenbergk vgl. jedoch das Porträt Nr. 626. Die Leiste mit den Medaillons, die in ihrer nervös-lockeren Zeichnung der Köpfe gewiss nicht von Cranach d. J. stammt (dem sie H. Zimmermann zuschreibt), hatte vermutlich einen nicht mehr bekannten Vorgänger, der kopiert ist als Kopfleiste eines bei N. Schirlentz 1539 erschienenen zusammengesetzten Titelrahmens (J. Luther, Taf. 56). Der Kurfürst erscheint dort nach links gewandt und barhäuptig, Melanchthon ebenfalls nach links. Es ist kaum anzunehmen, dass die abweichende Version dieses Titelblatts auf einem Druck der ausgestellten Leiste beruht oder ihr, umgekehrt, zum Vorbild diente; jedoch bleibt die Möglichkeit offen, dass die vorliegende Leiste mit den drei Bildnissen nach rechts früher als 1544 entstanden ist. Der Holzstock wurde bald auseinandergeschnitten, die Medaillons der Reformatoren einzeln in verschiedenen Drucken, z.B. des «Hortulus Animae» (Nr. 275), verwendet (Zimmermann, Folgen, Verz. B 3, 4, 6, 7; C 19).

269 Hans Cranach (?)
Architektonischer Titelrahmen
mit Halbfigur eines Musikers   **Abb. 218**
Holzschnitt. 16,8 × 11,2 cm.
Aus: Verlegung / des Alcoran / ... Verdeudscht durch / D. Mar. Lu[ther].
Wittenberg, Hans Lufft 1542. (Benzing 3404).
Verwendungen: Hans Lufft 1536–1543.
Basel, Universitätsbibliothek.

Nicht bei Ho. – Schu. II, S. 295, Nr. 147. – Pass. 213. – J. Luther, Taf. 39. – D. Stemmler, Deutsche architektonische Titeleinfassungen in der ersten Hälfte des 16. Jhs., Diss. phil. Berlin 1963, S. 102.

Zur Zuschreibung dieses stilistisch ausgefallenen, mit Schlangenzeichen von ungewöhnlicher Form signierten Titelrahmens an Hans Cranach siehe im Text. Vermutliche Erstverwendung: Der XXIX. Psalm Davids von der Gewalt der Stimme Gottes, mit Vorrede M. Luthers, Wittenberg, Hans Lufft 1536 (siehe W. Mejer, Der Buchdrucker H. Lufft, Leipzig 1923, S. 75. – Benzing 3212), wodurch sich der Musiker als «Psalmist» erklären würde.

270 L. Cranach d. Ä., Werkstatt: Monogrammist H B
Titelrahmen mit Lamm zwischen zwei Löwen,
Wilden Leuten und Kentaur
Datiert 1524 (auf dem rechten Kapitell). Holzschnitt. 25,3 × 16,0 cm.
Einzelblatt, aus: Auslegung der Epi= / steln und Evangelien / vom Advent an bis / auff Ostern... Martin Luther. Wittenberg, J. Grunenberg [und Hans Weiss] 1525. (Benzing 1075).
Verwendungen: J. Grunenberg/Hans Weiss 1525–28, später bei Georg Rhau.
Bamberg, Staatsbibliothek (I. L. 93).

Nicht bei Ho. – Dodgson II, S. 372, Nr. 119. – J. Luther, in: Zentralbl. f. Bibl.wesen, XXXII, 1915, S. 203/04. – Zimmermann, Beiträge, S. 17, S. 92, Anm. 46/47. – H. Claus, in: Gutenberg-Jb., 1964, S. 155. – Berlin 1967, Nr. 202 mit Abb.

Bei Dodgson unter Georg Lemberger verzeichnet; J. Luther dachte auf Grund der Schnecke rechts unten an den Monogrammisten A W (zu dessen spiralen- oder schnekkenförmigen Signaturzeichen siehe Passavant IV, S. 62), während H. Zimmermann den

L. Cranach d. Ä., um 1515 (Nr. 337)

Titel dem Monogrammisten HB, der die beiden letzten Illustrationen der Apokalypse im Septembertestament (Nr. 221) fertigte, zuschrieb. An frühen Verwendungen kennt man nur diejenigen in der von Grunenberg begonnenen und von Hans Weiss vollendeten (siehe J. Luther 1915) Kirchenpostille Luthers: 1. Auflage von 1525, 2. Auflage 1527/28 (freundl. Mitteilung von Ingeburg Neumeister, Gotha, die auch die Zuschreibung an den Monogrammisten HB bekräftigt). Später wurde der Titel von Georg Rhau übernommen und ab 1538(?) mehrfach verwendet, z.B. in der Hauspostille von Anton Corvinus (siehe Katalog Berlin 1967, Nr. 202). Es ist die einzige Titeleinfassung in Folio, die beim Drucker J. Grunenberg auftaucht.

Zur Thematik der «Wilden Leute» bei Cranach und in dessen Umgebung siehe Nr. 500 ff.; der hier links auf einem Greifen reitende wilde Mann trägt die Attribute des Herkules (Löwenfell und Keule); unten Kampf einer ganzen Familie gegen einen Kentauren.

271 Unbekannter (Erfurter) Künstler, 1525
Titelrahmen mit Bauernfamilie und vier Fabeltieren

Holzschnitt. 17,0 × 12,0 cm.

Einzelblatt, aus: Von dem gemeinen Nutze... Marburg, Franciscus Rhodus (Franz Rhode) 1533.

Verwendungen: 1525 Melchior Sachse, Erfurt; 1528 Michel Lotter, Wittenberg; 1533 Franz Rohde, Marburg; 1541 Melchior Lotter d.J., Magdeburg. London, The British Museum, Department of Prints and Drawings.

Nicht bei Ho. – Butsch, Taf. 96. – Pflugk-Harttung, Taf. 85. – J. Luther, Taf. 77. – Dodgson II, S. 373, Nr. 121. – Zimmermann, Beiträge, S. 69. – Weimar 1953, Nr. 167. – Berlin 1967, Nr. 84. – Jahn/Bernhard, S. 434 ff.

Als strittiges Werk, das zudem an mehreren Orten von verschiedenen Druckern benutzt wurde, ist die Titeleinfassung mit der vom Tagewerk heimkehrenden Bauernfamilie geeignet, die Ausstrahlung Cranachscher Graphik in Mitteldeutschland beispielhaft anzudeuten. Gewiss kann man den Holzschnitt nicht (wie im Katalog Weimar 1953, entsprechend bei Jahn/Bernhard 1972 – nach später Verwendung von 1541 beurteilt – geschehen) zu einem «der schönsten Titelblätter Cranachs» stempeln, da der Typus des Bauernpaares nicht nur im Gesichtsschnitt, sondern in jedem Detail (etwa: Zeichnung der Füsse!) mit Cranachs eigenhändigen Arbeiten unvereinbar ist. Die erste Verwendung des Holzschnitts geschah in Erfurt, was ebenso für Cranach singulär wäre. Es lässt sich jedoch überlegen, ob ein Vorbild aus der Wittenberger Werkstatt dahintersteht. Diagonale Schraffierung eines neutralen Grundes kommt bei Cranach tatsächlich um 1524/25 vereinzelt vor: etwa in der Initiale D aus dem 3. Teil des Alten Testaments (Schramm, Lutherbibel, Abb. 173) oder in dem Titel mit vier Hirschen (Nr. 257; erst um die Jahreswende 1525/26 erschienen!). Sonst ist sie charakteristischer für Arbeiten Georg Lembergers, von dem auch Initialen zusammen mit dem Titelrahmen benutzt wurden (Dodgson a.a.O., dort auch Zuschreibung des Titels an Lemberger). H. Zimmermann nennt den für Michael Sachse in Erfurt tätigen Monogrammisten H als Zeichner, der zumeist nach Lemberger kopierte (vgl. auch Thieme/Becker, XXXVII, 1950, S. 400). Dessen Holzschnitte erlebten z.T. die gleichen Wanderungen nach Marburg und Magdeburg wie der vorliegende Titelrahmen. Aus historischen Gründen wäre daher eine Kopie dieses Monogrammisten nach Lemberger wahrscheinlich, jedoch entspricht die gesamte Anlage der Motive mit Fabelwesen zu Seiten einer Vase, seitlichen Figuren auf Pflanzenwerk, auch der oberen Abrundung des Schriftfeldes weitgehend einigen Cranach-Titeln der Jahre 1520/21 (vgl. Nr. 216).

272 Hans Baldung Grien (1484/85–1545)
Titelrahmen mit Tiergehege und Weinlaube
Holzschnitt. 17,0 × 11,8 cm.
Aus: Ain gutter / grober dyalogus / Teutsch... [Augsburg, M. Ramminger?
ca. 1520].
Verwendungen: Reinhard Beck, Strassburg 1514; Melchior Ramminger,
Augsburg, nach 1520.
Basel, Universitätsbibliothek.

H. Röttinger, in: Jb. d. Kunsthist. Sammlungen d. ah. Kaiserhauses, XXVII, 1907–09,
S. 1, Anm. 1. – Kiessling, S. 16/17, 30; S. 38, Nr. 6. – Baldung-Kat., Karlsruhe 1959,
Nr. II B XXV. – M. C. Oldenbourg, Die Buchholzschnitte des Hans Baldung Grien,
Baden-Baden 1962, S. 148/49.

Beispiel für die Strassburger «Tiergartenbordüren» Baldungs (nach dem Hausnamen
des Druckers Reinhart Beck). Von drei Titelrahmen dieser Art zeitlich in der Mitte
stehend, die beiden anderen 1511 und 1523 entstanden (Baldung-Kat. Karlsruhe 1959,
Nr. II B XV und II B XLIII). Sie wird nicht einhellig Baldung zugeschrieben, son-
dern von Röttinger an Wechtlin gegeben, auch der Baldung-Kat. 1959 und M. C.
Oldenbourg äussern sich zurückhaltend in diesem Sinne.
    Auffallend ist der Einfluss dieser und anderer Strassburger Bordüren in Erfurt,
wodurch ihre Kenntnis (oder diejenige von Nachbildungen) Cranach und der Cranach-
Werkstatt vermittelt sein kann. Bereits 1513 wird in Erfurt die früheste «Tiergarten»-
Einfassung Baldungs kopiert (J. Luther, Taf. 81). 1517 Kopie eines Baldungschen
Astwerk-Rahmens (Baldung-Kat. 1959, Nr. II B XII) in Leipzig bei Valentin Schumann
(J. Luther, Taf. 83). 1518 folgt eine Kopie von Baldungs Johannes-Bordüre, entstanden
1513 (Baldung-Kat. 1959, Nr. II B XXI) in Erfurt (J. Luther, Taf. 64, davon gegen-
seitiger Erfurter Nachschnitt: J. Luther, Taf. 64a) usw. – Die dritte Strassburger «Tiergarten»-Bordüre von 1523 ist teilweise Vorbild für einen «Sündenfall»-Titelrahmen von
ca. 1526 aus der Cranach-Werkstatt (vgl. S. 354; J. Luther, Taf. 49). Gründe und Ausmass
dieser Verbindungen sind noch nicht untersucht; zu einer strukturellen Verwandtschaft
zwischen Baldungs und Cranachs Titelrahmen siehe auch die folgende Nr.
    Die vorliegende «Tiergarten»-Bordüre wurde bei Nachdrucken von Luthers
Hauptschriften «An den Christlichen Adel Deutscher Nation» und «Von der Freiheit
eines Christenmenschen» benutzt (Oldenbourg, S. 148), was in Wittenberg gewiss nicht
unbekannt geblieben sein dürfte.

273 Hans Baldung Grien (1484/85–1545)
Titelrahmen mit Gregorsmesse
Holzschnitt. 17,5 × 12,5 cm.
Einzelblatt, aus: XII. Predig D. / Martin Luthers... [Strassburg, Johann
Schott 1523/24]. (Benzing 32).
Verwendungen: Strassburg, J. Schott ab 1519.
Basel, Kupferstichkabinett des Kunstmuseums.

M. C. Oldenbourg, in: Philobiblon, IV, 1960, Heft 3. – M. C. Oldenbourg, Die Buchholzschnitte des Hans Baldung Grien, Baden-Baden 1962, S. 108/09, Nr. 340 (L 145).

Der untere Teil gibt den Einblick in die Chorpartie eines Kirchenraumes, in dem der
hl. Gregor – kenntlich durch Nimbus und die vom Kardinal links gehaltene Tiara –

vor einem grossen Altar kniet. Das Schriftfeld nimmt die Mitteltafel des aufgeschlagenen Triptychons ein, dessen oben geschwungene Flügel die Seiten«leisten» des Titelrahmens bilden. Auf dem Flügel rechts, nicht eigentlich als Erscheinung Gregors, sondern wie ein Gemälde, der Schmerzensmann, links die Schmerzensmutter. Oben, über einer Lünette mit der Taube, Putten in Blattwerk, die einen Drachen bekämpfen.

Die spät als Baldungs Werk erkannte Darstellung vertritt eine Gruppe von Titelrahmen, die von realistisch-räumlichen Partien unvermutet zu ornamental-flächiger Gestaltungsweise übergehen, und ist darin cranachischen Rahmen wie demjenigen mit den vier Hirschen (Nr. 257) verwandt. Deutlicher als bei dem vorliegenden Beispiel mit der Gregorsmesse, wo Blattwerk und Putten am Oberrand noch eine flache dreidimensionale Zone einzunehmen scheinen, ist dieses Prinzip bei der Rahmung Baldungs mit Johannes auf Patmos (Baldung-Kat., 1959, Nr. II B XXI), wo ein völlig unmotivierter Schrägbalken (links oben) beide Zonen asymmetrisch trennt, und bei der «Maximilian»-Bordüre von 1514 (Baldung-Kat., 1959, Nr. II B XXIII), wo der Übergang durch den Aufblick auf das «Dach» der krypta-artigen Halle sogar geistvoll betont wird.

Die Idee, das Schriftfeld wie die Mitteltafel eines Flügelaltars zu behandeln, die Seitenleisten als oben geschwungene Altarflügel darzustellen, taucht in Wittenberg auf einem Titelholzschnitt Grunenbergs von 1522 auf (J. Luther, Taf. 9; nicht Cranach, aber auch nicht vom «Meister des Parisurteils», wie Zimmermann, Beiträge. S, 86, Anm. 18 meint). Auf den «Flügeln» Petrus und Paulus in Halbfiguren (Anklänge an Figuren des Wittenberger Heiligtumsbuches), in den Ecken Medaillons mit den Evangelistensymbolen, unten sächsisches Wappen, Druckermonogramm und Datum. Man wird sich erinnern, dass Symphorian Reinhart, der Drucker des Heiligtumsbuchs, der mit Grunenberg zusammenarbeitete, aus Strassburg stammte. Baldungs wohl anregende Titelgraphik liegt bis zu einem Jahrzehnt früher als die Wittenberger Vergleichsstücke, doch gibt es keinen anderen Komplex von Buchtiteln, dessen Auswirkung auf Cranach in vergleichbarer Weise zu verfolgen ist.

9. Symbolum der Apostel und Hortulus Animae

Die Bücher mit dem Titel «Hortulus Animae» (= Lustgarten der Seelen) und «Das Symbolum der Heiligen Aposteln», die der vor allem als Musikdrucker hochgeschätzte Georg Rhau (vgl. Nr. 187) in seinen späten Lebensjahren herausbrachte, begründen mit einigen anderen, für die Buchgraphik weniger wichtigen Schriften die Andachtsliteratur der neuen protestantischen Bürgergemeinden. Das «Symbolum der Apostel» – nämlich das Glaubensbekenntnis, in zwölf Artikel aufgeteilt und satzweise, mit kurzer Auslegung, den einzelnen Aposteln zugeordnet[139], bildet vielfach einen Anhang des «Hortulus Animae», ist aber als separater Druck früher als jene erschienen (Erstausgabe 1539; Nr. 274). Schon im Titel lehnen sich beide Werke an Schrifttum der vorreformatorischen Kirche an. So wie der Inhalt des «Lustgartens der Seelen» keine Neuschöpfung darstellt, sondern deutsche Texte Luthers, Melanchthons und anderer geistlicher Autoren kompiliert und bearbeitet («aus vielen unser lieber Väter Büchlein»), sind auch die zahlreichen eingestreuten Illustrationen aus älteren Werken übernommen[140]. Georg Rhau wollte als Verfasser oder Kompilator, Drucker und Verleger kein kunstvolles bibliographisches Werk erarbeiten, sondern ein praktisches Büchlein für den Hausgebrauch schaffen; aber gerade die Aufrichtigkeit der Gesinnung und der persönliche Ton ohne jeden bekennerhaften Stolz, die in seinen Einleitungs- und Schlussworten (wo sein Bildnis erscheint) spürbar werden, haben den «Hortulus Animae» in weiten Kreisen beliebt und zahlreiche Auflagen notwendig gemacht (siehe die Übersicht bei Hollstein, S. 79, beruhend auf H. Zimmermanns Forschungen). Es gab eine grössere Ausgabe (deutscher Titel: «Lustgarten der Seelen») in Quartformat, die 1547/48 erstmals erschien, sowie eine bald darauf folgende kleinerformatige Ausgabe (deutscher Titel: «Lustgärtlein der Seelen», Nr. 275); 1549 erschien bereits die erste niederdeutsche Übertragung[141].

Das Symbolum der Apostel ist in den separaten Drucken und im Anhang der Hortulus-Ausgaben in grösserem Format mit Cranachs Holzschnitt-Zyklus der Apostelmartern (vgl. Nr. 425–436) bebildert. Zu den Texten des Hortulus sind als Schmuck vor allem zahlreiche Abbildungen aus dem Wittenberger Heiligtumsbuch von 1509 (vgl. Nr. 97 ff.) benutzt, dazu einige Schnitte aus dem Adam von Fulda-Traktat von 1512 (vgl. Nr. 324), eine Serie mit neutestamentlichen und sakramentalen Darstellungen des Monogrammisten AW, die aus Lutherschen Katechismusdrucken stammt[142], sowie einige weitere, teilweise nicht von Cranach stammende Holzschnitte.

Der Illustration dieser Andachtsbücher wäre also mit einem kurzen Hinweis Genüge getan, wenn nicht eine spezielle, bisher im allgemeinen übersehene Eigenart Aufmerksamkeit und eine gründlichere Untersuchung, als sie hier beabsichtigt sein kann, erfordert – nämlich die Wiederaufnahme älterer Holzschnittbilder in einer sinnverwandelnden Weise, bei der den Darstellungen eine neue inhaltliche Bedeutung unterlegt wird. Das ist nicht nur, von J. Ficker bereits beschrieben[143], der Fall bei den ehemaligen «Heiligtums»abbildungen, die nun oft in einer geänderten, verkürzten und verstümmelten Form wiederauftauchen, weil das Interesse nicht mehr dem kostbaren Reliquienbehälter, sondern dem auf dem Schaustück angebrachten biblischen Thema gilt. Es betrifft auch einzelne Blätter der Apostelmartern sowie den heiligen Bischof vor dem Schmerzensmann (Ho. H. 77; Nr. 9), die nun andere Bildtitel tragen. Dabei bleibt unbestimmt, ob einfach Verwechslungen aus Unachtsamkeit vorliegen oder nicht doch eine bewusste Anpassung an die «aktuellen» Texte gemeint ist. Dass der bei «Sankt Bernhards Betrachtung» im Hortulus Animae den Schmerzensmann verehrende Heilige nur Augustinus sein kann und als solcher von Cranach geschaffen wurde[144], hat die neuere Kunstgeschichte und auch J. Ficker, der diesen Abschnitt besonders ausführlich kommentiert[145], ebenso übersehen wie die Namensänderungen bei mindestens einer der Apostelmartern (Cranach hatte Paulus, statt Mathias oder Matthäus in die Zwölfzahl aufgenommen), deren ikonographische Schemata doch im Spätmittelalter hinreichend verankert sind. Wir müssen uns auf solche kurz feststellende Korrekturen beschränken, obwohl sich die nicht unwichtige Frage anschliesst, wie nahe man hier am Ausgangspunkt einer neuen protestantischen Ikonographie steht.

274 (Lukas Cranach d. Ä.)
Das Symbolum oder ge= / meine Bekenntnis der zwelff / Aposteln,
darin der Grund / gelegt ist des Christlichen / glaubens...
Wittenberg, Georg Rhau 1539   (2°).
Aufgeschlagen: 5. Artikel, Martyrium des Apostels Philippus (fol. XIV verso /
XV recto).
Basel, Universitätsbibliothek.

Enthält: Ho. H. 53–64. – Schu. II, S. 210 ff., Nr. 34–45.

Das mehrfach aufgelegte «Symbolum der Apostel» (hier die Erstausgabe) benutzt zur
Illustrierung der einzelnen Artikel des Credo die Serie der Apostelmartyrien von
Cranach, die um 1512 entstanden war (vgl. Nr. 425–436). Die Illustration zum 8. Artikel,
in dieser und den nachfolgenden Ausgaben überschrieben «St. Mattheus», bringt den
Holzschnitt Ho. H. 60, der in Wirklichkeit das Martyrium des Apostels Paulus darstellt.
Paulus wurde unter Kaiser Nero als römischer Bürger mit dem Schwert gerichtet; an
den drei Stellen, wo das abgeschlagene Haupt den Boden berührte, entsprangen drei
Quellen. Am legendären Ort der Hinrichtung vor Rom entstand später ein Kloster mit
der Kirche «S. Paolo alle Tre Fontane» (vgl. etwa die Darstellung von Holbein d. Ä.
in der «Paulusbasilika», 1503/04; siehe Katalog Staatsgalerie/Städtische Kunstsammlungen Augsburg, Band I: Altdeutsche Gemälde, 1967, S. 104 ff. Die Erzählung von den
drei Quellen nicht in der Legenda Aurea überliefert, zu ihrer Tradition vgl. R. A.
Lipsius, Die apokryphen Apostelgeschichten und Apostellegenden, II, 1, Braunschweig 1887, S. 399).
Wenn Ho. H. 60 – entgegen der gesamten neuen Literatur – nicht Matthäus,
sondern Paulus darstellt, wird es ebenso fraglich, ob beim letzten Holzschnitt der Serie –
Ho. H. 64 –, Hinrichtung eines Apostels durch eine Art Guillotine, wirklich Mathias
(wie im Symbolum bezeichnet) und nicht Matthäus gemeint ist. (Matthäus wird nach
der Legenda Aurea am Altar stehend mit Schwertern ermordet; Mathias wird mit Beil
oder Axt der Kopf abgeschlagen.) Zur Identifizierung hilft nicht nur die Holzschnittserie der Apostelmartern von Hans Weiditz, in Augsburg um 1520 entstanden (H. Röttinger, Hans Weiditz der Petrarka-Meister, Strassburg 1904, S. 77 f.), aber erst 1551 in
dem kleinen Sammelband der «Sanctorum Icones» in Frankfurt a. M. gedruckt, die sich
teilweise stark an Cranachs Zyklus orientieren und Überschriften der einzelnen Szenen
enthält (Exemplar Basel, Kupferstichkabinett), sondern auch der Bericht Schuchardts
(III, 220/21) über eine offenbar vorreformatorische Ausgabe von Cranachs Zyklus,
ebenfalls mit Namensbezeichnungen. Bei Weiditz (Blatt 14) ist das Cranachs Ent-
hauptungsszene mit Quellenwunder entsprechende Bild korrekt als «Paulus decollatur»
überschrieben; in Schuchardts Ausgabe fehlt «Matthäus», stattdessen ist zu dem dort an
zweiter Stelle gedruckten Holzschnitt angegeben: «von sant Paul des heiligen zwelf-
botten». Die Enthauptung mit Guillotine bringt Weiditz (Blatt «XIIII», richtig: 16)
mit Überschrift «Mattheus decollatur»; in Schuchardts Ausgabe heisst der letzte Holzschnitt: «Von Sant Mathias dem apostel». Mathias, mit Schwertern am Altar erstochen,
hat bei Weiditz ein zusätzliches Bild (Blatt 29). Der erste Fall ist demnach eindeutig; im
zweiten Fall wird man Schuchardts Angaben das grössere Gewicht zuteilen müssen
und die Bezeichnung «Mathias» beibehalten. Matthäus, nicht der für Judas Ischariot
nachgewählte und häufiger ausgelassene 13. Apostel Mathias (siehe K. Künstle, Ikonographie der Heiligen, Freiburg i. Br. 1926, S. 447), ist also der in Cranachs Martyrien
fehlende Apostel.

275 (Lukas Cranach d. Ä.)
HORTULUS ANIMAE.   / Lustgertlin / der Seelen. / Mit schönen
liebli= / chen Figuren. / Wittenberg. / ANNO. MDXLVIII.
Dabei: Das Symbo= / lum der heiligen Aposteln... 1548.
Wittenberg, Georg Rhau 1548   (8°).
Aufgeschlagen: Gebet Christi am Ölberg (fol. M II recto).   **Abb. 71**
Basel, Kupferstichkabinett des Kunstmuseums.

J. Ficker, in: Buch und Bucheinband, Fs. H. Loubier, Leipzig 1923, S. 59ff. – Nicht bei
Zimmermann, Folgen, und Hollstein.

Da die offenbar besonders selten erhaltene Erstausgabe des Hortulus in Oktavformat
bei Zimmermann und Hollstein, trotz ihrer Erwähnung bei Ficker (a.a.O., S. 59, Anm. 1),
fehlt, soll ihr Holzschnittschmuck im einzelnen beschrieben werden (Numerierung nach
Zimmermann, Folgen; vgl. dazu auch Ho. H. 103):
    Auf dem Titelblatt: Rund, mit Christus am Kreuz, Maria und Johannes (Zi. II 24
oder 25 ?). – Titelrückseite: Hans Brosamer, Christus als Kinderfreund (Zi. III, 1). –
    Es folgen, in der Reihenfolge des Auftretens im Text: IV, 3 (aus Adam von Fulda);
II, 5; II, 6; II, 7; II 8; III, 2 (nach Zi. von Brosamer); II, 9; II, 10; II, 11; II, 12; II, 13;
II, 14; III, 6 (aus Adam von Fulda); II, 15; II, 1; IV, 42 (aus der Leiste Nr. 268); IV, 41
(aus der Leiste Nr. 268); II, 30; I, 101 (2. Zustand); II, 4; II, 3; I, 118 (2. Zustand);
II, 16; III, 3 (nach Zi. von Brosamer); II, 35; III, 4 (nach Zi. von Brosamer); II, 22;
II, 29; IV, 5 (aus Adam von Fulda); I, 57 (2. Zustand); II, 21; II, 17; IV, 41 (wieder-
holt); IV, 3 (wiederholt); IV, 6 (wiederholt); IV, 5 (nach Zi. von Brosamer); IV, 6
(Bildnis des 60jährigen Rhau, nach Zi. von Brosamer).
    Ausserdem die Folge von neutestamentlichen und sakramentalen Darstellungen
des Monogrammisten AW (Zi. IV, 20–33; auch verzeichnet bei Dodgson II, S. 400
ohne die 1536 datierte Beichtszene) mit einigen Wiederholungen.

276 (Lukas Cranach d. Ä.)
HORTULUS ANIMAE. **/ Lustgarten der See=** / len: Mit schönen lieb= /
lichen Figuren. / Wittenberg. / 1558.
Dabei: Das Symbolum der / heiligen Aposteln... 1558.
Wittenberg, Georg Rhau Erben 1558   (4°).
Zeitgenössischer Einband auf Holzdeckeln mit reicher Blindpressung; als
zentrale Motive Halbfigurenbildnisse Luthers und Melanchthons, datiert
1563.
Aufgeschlagen: Harfespielender Engel (aus den Wittenberger Heiligtümern) –
Bildnis Rhaus im 60. Lebensjahr (fol. h III verso / h IV recto).
Basel, Kupferstichkabinett des Kunstmuseums.

J. Ficker, in: Fs. Loubier, Leipzig 1923, S. 59ff. – Zimmermann, Folgen, Verz. B 8. –
Ho. S. 79 (B 8).

Das Basler Exemplar, das sich durch einen charakteristischen Reformatoren-Einband
auszeichnet, entspricht in Text und Illustrierung der bei Zimmermann Verz. B 8 beschriebenen Auflage. Angebunden ist noch ein weiterer, nicht illustrierter Lutherdruck
(Warnunge Doctor Martini Luther an seine liebe Deutschen... Nürnberg, Christoph
Heussler 1557).

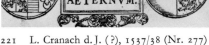

221   L. Cranach d. J. (?), 1537/38 (Nr. 277)   222   L. Cranach d. J., 1541 (Nr. 281)

10. Frühe Buchgraphik von Lukas Cranach d. J.

Nur in Form eines kurzen Anhangs kann Buchgraphik Lukas Cranachs d. J., vorzugsweise aus seiner Frühzeit, hier angefügt werden, da man einen Versuch zur Zusammenstellung des Œuvres (ausser wiederum der Pionierleistung von Dodgson) ebenso vermisst wie eine umfassende Analyse der Tätigkeit des Cranach-Sohnes als Graphiker und Zeichner. Schon eine kurze Durchsicht von Hollsteins Verzeichnis lässt erkennen, dass Hauptwerke der Buchgraphik wie etwa die Titelblätter mit «Sündenfall und Erlösung» (vgl. Nr. 279) oder die von Ph. Schmidt wenigstens kurz gewürdigten[146] ganzseitigen Illustrationen zur Leipziger Bibel von 1541 fehlen; die Forschung ist also über ein provisorisches Sammeln und Sichten nicht hinausgekommen.

Wir beginnen unsere Auswahl vielleicht etwas zufällig mit einem Titelblatt aus ornamental-heraldischen und figürlichen Teilen, das als Mittelstück den Durchzug der Israeliten durch das Rote Meer und den Untergang ihrer Feinde zeigt (Nr. 277). Es ist 1537/38, also kurz nach dem Tod des Hans Cranach, entstanden und mag, ohne dass darüber Sicherheit besteht, die Anfänge der graphischen Tätigkeit des jungen Lukas bezeichnen. Die Aufteilung der gesamten Titelseite zeigt ein Ausbrechen aus gewohnten Bahnen, das zwar keine Nachfolge fand, aber als frischer Neuansatz auffällt.

Mit Werken des Jahres 1541 betritt man gesicherten Boden, nicht nur durch vereinzelte Signaturen, sondern auch durch die nun erkennbare graphische Handschrift des 26jährigen Lukas d. J. Unterscheidet sich der «Christus Salvator» (Nr. 280) aus einer niederdeutschen Bibel dieses Jahres noch wenig von früheren Produkten der «Cranach-Werkstatt», so kommt bei den Leipziger Bibelillustrationen sein eigenes Erzähltalent umso mehr zum Vorschein. H. Zimmermann hat die Stileigenheiten, eine «schönlinige Nüchternheit», einen Hang zu etwas pedantischem Umreissen und trockener Schraffierung, charakterisisert[147]; dem Eindruck einer gleichmässigen Helligkeit und Durchsichtigkeit, die auf sparsamer Schattengebung beruht, ist noch hinzuzufügen, dass grossformatige Schnitte des jungen Lukas leicht etwas leer wirken, wenn sie nicht mit vielen Einzelszenen additiv ausgefüllt werden. Sein Vortrag ist also durchaus undramatisch, eher erzählerisch-lyrisch.

Ein Blatt der in Leipzig erschienenen Evangelistenserie (Nr. 278a) ist bereits 1540 datiert sowie signiert. Erstaunlicherweise ist Cranach d. J. 1541 sowohl für die neue Wittenberger Gesamtbibel Hans Luffts (vgl. Nr. 279) als auch für das Leipziger Konkurrenzunternehmen (Nr. 281) tätig. Das Verhältnis der Leipziger und Wittenberger Illustrationen zueinander ist – ebenso wie die Frage nach der Priorität bei den verschiedenen «Sündenfall und Erlösung»-Titeln (Nr. 279) – noch nicht untersucht. In Wittenberg schien diese Art keinen Anklang mehr zu finden, da man sich späterhin um Illustrationen des Nürnberger Virgil Solis bemühte.

Von der von Luther neu durchgesehenen und autorisierten Gesamtbibel Luffts (1541) wurden kleine Sonderauflagen für fürstliche Besteller mit abweichendem und zusätzlichem Titelschmuck gedruckt[148]. Auch hier ist es wohl der Seltenheit der Exemplare zuzurechnen, dass diese Arbeiten Cranachs d. J. trotz einzelner Signaturen fast unerwähnt geblieben sind. Mehr Aufmerksamkeit fanden (verständlicherweise) jene Exemplare, die sich einzelne Persönlichkeiten mit reichem Miniaturenschmuck ausstatten liessen[149]: es ist deutlich, wie die Blütezeit des altdeutschen Holzschnitts ihr Ende findet und sich für Cranach d. J. und seine Werkstatt hiermit quasi als Ersatz ein neuer Erwerbszweig bietet.

Aus der Zeit von 1545/46 stammt eine weitere kleine Gruppe von Holzschnitten (Nr. 282–284), denen man noch die bereits beschriebene (Nr. 248) Neuredaktion des «Papstesels» hinzufügen kann. Glücklicherweise ist Lukas d. J. nicht mit den wenig ruhmvollen Bildpamphleten dieser Jahre gegen den Papst zu belasten: sie haben im Stil nichts mit ihm zu tun[150]. Einzig die Erniedrigung Kaiser Friedrich Barbarossas durch Papst Alexander (Nr. 282), eine damals weithin geglaubte Legende, stammt als sachliche und mit einem Schuss bitterem Humor gewürzte Illustration von Cranachs Hand. Die Titelholzschnitte zur lateinischen Ausgabe von Luthers Werken (Nr. 283) und zum Neuen Testament in der Ausgabe von 1546 (Nr. 284) mit demselben, eindrücklich wirkenden Motiv des Reformators und seines Schutzherrn, des Kurfürsten, unter dem Kreuz scheinen die letzten Buchholzschnitte Cranachs d. J. vor Luthers Tod und dem Ausbruch jenes Glaubenskrieges zu sein, der Wittenberg aufs schwerste bedrohte, ihrer Bedeutung als sächsische Residenz ein Ende bereitete und auch die Struktur der Cranach-Werkstatt veränderte (vgl. Zeittafel S. 27).

Die Propheten alle
Deudsch.

D. Mart. Lut.

Gedruckt zu Wittem-
berg/ Durch Hans Lufft.

M. D. XLIIII.

223   L. Cranach d. J., 1541 (Nr. 279)

Eyn Kindt ys vns gebaren/ Ein Söne ys vns gegeuen. Welckeres herrschop ys vp syner Schulder/ vnd he heth:Wunderbarlick/Rådt/Krafft/Heldt/Ewige Vader/Fredeforste. Vp dath syne Herrschop groth werde/vnd des Fredes nen ende/vp dem Stole Dauid/ vnnd synem Kõninckrycke/etc. Jsaie 9.Cap.

Dar wert eine Rode vpt han/van dem stamme Jsai/vnd ein Twich vth siner wortelen/frucht bringt. Vp welckeren wert ronnen de Geist des HEREN. De Geist der warheit vnd des verstandes. De Geist des Rades vnde der sterckte. De Geist der erkentenisse vnnd des forchten des HEREN. Jsaie.11.

Süde tydt kumpt/ sprect de HERE/ dat ick Dauid eine rechte Frucht erwecken wyl/ vnd yde schal ein Kõninck syn/de wol regeren wert / vnd Recht vnd Gerechtigheit vp Erden anrichten.Tho der süluen tydt/ schal Juda gehulpen werden/vnnd Israel seker wanen. Vnd dyth wert syn Name syn/ dat men en heten wart:HERE/ de vnse Rechtuerdicheit ys. Jere.23.55.

Jck wyl en eynen einigen Herden erwecken/ de se weyden schal / Nomliken mynen Knecht Dauid/de wert se weyden / vnd schal ere Herde syn.Vnd yck de HERE wyl ere Godt syn. Auerst myn Knecht Dauid/schal de Förste manck en syn. Dat segge jck/de HERE. Ezech.34.

224   L. Cranach d. J. (?), 1541 (Nr. 280)

Aus mehreren Gründen soll ein um zehn Jahre späterer Holzschnitt, das würdige Bildnis des Johann Forster (1496–1556; ab 1549 Professor für Hebräisch in Wittenberg und Prediger an der Schlosskirche), den Schlusspunkt dieser Betrachtung setzen. Einerseits erschien der aus dem Todesjahr des Gelehrten datierte Holzschnitt als Autorenbildnis in dessen Hauptwerk, einem in Basel erschienenen mächtigen hebräisch-lateinischen Lexikon, d.h. also als Buchgraphik (Nr. 285). Andererseits irrt das Porträt auf Grund eines HB oder HVB zu lesenden Formschneidermonogramms vielfach unter dem Namen «Hans Bocksperger» durch die Literatur. Der Formschneider war jedoch ein aus Basel oder Umgebung stammender Künstler unbekannten Namens[151], und es scheint sicher, dass Cranach d.J. seine 1556 datierte und signierte Bildniszeichnung nach Basel geschickt hat, wo sie geschnitten und beim Verleger Hieronymus Froben im Jahr darauf gedruckt wurde.

225   L. Cranach d.J., 1545 (Nr. 282)

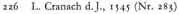

226   L. Cranach d. J., 1545 (Nr. 283)   227   L. Cranach d. J., 1546 (Nr. 284)

Johann Forster[152], der bereits 1530–35 in Wittenberg tätig gewesen war, gehörte zum engsten Freundeskreis Luthers; sein breiter Kopf mit dem charakteristisch zweigeteilten Vollbart erscheint daher regelmässig in den postumen Darstellungen von Luthers «Tischrunde», sei es im Holzschnitt oder auf Altarbildern[153]. Den meisten Wiedergaben lag wohl dieselbe Bildnisaufnahme zugrunde, der man sich in diesem Autorenbild am nächsten fühlt, das in der Klarheit der Konzeption, dem offenen, vertrauensvollen Gegenüber zu den besten Porträtleistungen des jüngeren Cranach gerechnet werden darf. War das Altersbildnis Melanchthons (Nr. 649) mehr ein persönlich-eindringendes, ja fast unangenehm enthüllendes Dokument, so verbindet sich hier noch einmal die Charakterschilderung mit einem Ton humanistischer Distanz und Gelassenheit, so dass sich wohl nicht zufällig die Erinnerung an Tizians Bildniskunst einstellt.

VIVA IMAGO REVERENDI VIRI IOANNIS FORSTE-
RI, SACRAE THEOLOGIAE DOCTORIS, AC HEBRAICAE
LINGVAE PROFESSORIS ORDINARII IN SCHO-
LA VVITEBERGENSI, ANNO M D LVI,
AETATIS SVAE LXI.

228 L. Cranach d. J., 1556 (Nr. 285)

277 Lukas Cranach d. J. (?)
Titelblatt mit Durchzug durch das Rote Meer   Abb. 221
Holzschnitt. 19,4 × 14,5 cm (Blattgrösse, etwas beschnitten).
Aus: Ausschreiben an alle Stende des / Reichs... 1538. Wittenberg,
Georg Rhau (Schlussschrift:) 1537.
Basel, Universitätsbibliothek.

Nicht bei Ho. – Schu. III, S. 244, Nr. 145 f. – Zimmermann, Beiträge, S. 108, Anm.
104 a.

Das Titelblatt besteht aus ornamentgerahmter Schrifttafel oben, zentral einem querrecht-
eckigen Bildfeld mit Moses dominierend in der Mitte, einer weiteren ornamentierten
Tafel (mit Aufschrift «Verbum domini manet in aeternum») zwischen zwei Wappen
unten. Über der Schlussschrift Rhaus (fol. H III) nochmals zwei (nicht identische)
Wappen. H. Zimmermann: «Im Figürlichen, bei engem Anschluss an die Art des
Vaters noch eine charakteristische Unsicherheit verratend, im übrigen wichtig durch
die polemischen Beziehungen, da statt der Ägypter der Papst und seine Geistlichkeit
dargestellt sind.»

278 Lukas Cranach d. J.
Der Evangelist Johannes; die Apostel Petrus und Paulus
3 Holzschnitte (aus einer Serie von 7).
a) Johannes in Landschaft, schreibend; oben die Trinität.
Bez. Schlange mit liegendem Flügel, dat. 1540. 26,1 × 15,9 cm.
b) Paulus im Studierzimmer, einen Brief verfassend.
Bez. Schlange mit liegendem Flügel. 26,2 × 16,0 cm.
c) Petrus im Studierzimmer, schreibend.
26,1 × 15,8 cm.
Einzelblätter, aus einer lateinischen Bibelausgabe.
Erstverwendung: BIBLIA... deudsch. Leipzig, Nickel Wolrab 1541.
Basel, Kupferstichkabinett des Kunstmuseums.

Ho. (d. J.) 4, 5, 6. – Schu. 66–68. – Dodgson II, S. 340/41, Nr. 4, 5, 6. – Zimmermann,
Beiträge, S. 56.

Aus einer Serie der vier Evangelisten und dreier Apostel, Ho. (d.J.) 1–7, für das Neue
Testament der Bibelausgaben N. Wolrabs. Beim Apostel Paulus sind nicht nur die
beiden Schwerter (vgl. Katalog: Die Druckgraphik Lucas Cranachs und seiner Zeit,
Wien 1972, Nr. 27), sondern auch der Rautenkranz im Leuchter des Raumes als Anspielung auf die kurfürstlich-sächsischen Wappen zu verstehen. Paulus mit zwei Schwertern bei Cranach d. Ä.: Nr. 100 (Wittenberger Heiligtumsbuch). – Cranach d. Ä. hatte
einen ähnlichen Zyklus 1529/30 für Ausgaben des Neuen Testaments in Oktavformat
geschaffen (Ho. H. 45–52; vgl. Anm. 122a), dieser wurde von Lukas d. J. nur teilweise
als Vorbild frei herangezogen.

279 Lukas Cranach d. J.
Titelrahmen mit Allegorie auf Sündenfall und Erlösung   **Abb. 223**
Holzschnitt. 30,1 × 20,9 cm.
Aus: BIBLIA... deudsch. Wittenberg, Hans Lufft 1544/45.
(Titelblatt des Gesamtwerks, wiederholt vor den Propheten)
Erstverwendung: BIBLIA... deudsch, Wittenberg, Hans Lufft 1541.
Basel, Universitätsbibliothek.

Nicht bei Ho. – Dodgson II, S. 339, Nr. 2. – Schramm, Lutherbibel, S. 38, Taf. 277. –
Zimmermann, Beiträge, S. 108, Anm. 104a. – O. Thulin, Cranach-Altäre der Refor-
mation, Berlin 1955, S. 136ff. – Bibel und Gesangbuch im Zeitalter der Reformation,
Kat. Nürnberg 1967, Nr. B 16. – Die Druckgraphik Lucas Cranachs und seiner Zeit,
Kat. Wien 1972, Nr. 25.

Hauptwerk Cranachs d. J., in dem die dogmatischen Leitgedanken der reformatorischen
Lehre von der Erlösung durch den Glauben (symbolisiert durch Christi Blut), die
Cranach d. Ä. in querformatigen Tafelbildern ab 1529 dargestellt hatte (Nr. 354, 355),
auf die Form des Titelrahmens umgestellt sind. Anregung ist nicht nur von den Tafel-
bildern, sondern auch von der vorprägenden Titeleinfassung Erhart Altdorfers zur
Lübecker niederdeutschen Bibel von 1534 (W. Jürgens, E. Altdorfer, Lübeck 1931,
Abb. 15) zu erwarten. Es existieren zwei (?) Varianten (von Cranach d. J.?) in etwas klei-
nerem Format (siehe Schu. III, S. 244ff. mit z.T. fehlerhaften Beschreibungen). Grisar/
Heege (II, S. 19ff., 32f.) erwähnen das polemische Detail des Kardinalshutes beim
Teufel (links unten), das in Leipziger Nachschnitten fehle.
    Auf der Rückseite des Titelblattes das «offizielle» Brustbild Johann Friedrichs in
kurfürstlichem Habit (Ho. [d. J.] 34), dessen Erscheinen wohl auch dem Druckprivileg
der letzten von Luther autorisierten Bibelausgaben Nachdruck verleihen sollte. Ein
weiterer Holzschnitt Cranachs d. J. in diesen Ausgaben ist die ganzseitige «Vision
Hesekiels» (Schramm, Lutherbibel, Taf. 278), die sich stark an ein älteres Vorbild anlehnt
(Schramm, Bilderschmuck, XVII, Abb. 29; Postille des Nikolaus von Lyra, Nürnberg
1481).

280 Lukas Cranach d. J. (?)
Christus als Salvator, in Engelglorie   **Abb. 224**
Holzschnitt. 16,1 × 13,0 cm (Blattgrösse 21,7 × 17,7 cm).
Aus (eingeheftet): BIBLIA... (niederdeutsch). Wittenberg, Hans Lufft 1579.
Erstverwendung: BIBLIA... (niederdeutsch). Wittenberg, Hans Lufft 1541.
Basel, Universitätsbibliothek.

Nicht bei Ho. – Dodgson II, S. 341, Nr. 9. – H. Volz, Hundert Jahre Wittenberger
Bibeldruck, Göttingen 1954, S. 78.

Der Holzschnitt erschien mehrfach in der niederdeutschen Bibel Luffts von 1541, jeweils auf den Rückseiten des Haupttitels und der Zwischentitel mit wechselnden
Umschriften. Das vorliegende Exemplar stammt aus einer solchen Verwendung, ist
aber auf die Rückseite des Inhaltsverzeichnisses einer Ausgabe von 1579 eingeklebt.
In kunsthistorischer Literatur einzig von Dodgson bisher erwähnt (unter Cranach d. J.),
scheint mir die Zuschreibung noch diskutabel zu sein. Dem Typus am nächsten stehend
das Gemälde Cranachs d. Ä. (ganzfigurig, überlebensgross) in der Nikolaikirche Zeitz
(FR. 71). Vgl. auch Nr. 304, 305.

281 Lukas Cranach d. J.
Illustrationen zu den Fünf Büchern Mosis
Holzschnitte. Je ca. 26,0 × 16,0 cm.
Aus: BIBLIA... deudsch. Leipzig, Nickel Wolrab 1543.
Aufgeschlagen: Durchzug durch das Rote Meer, fol. 32 verso.   **Abb. 222**
Erstverwendung: BIBLIA... deudsch. Leipzig, N. Wolrab 1541.
Basel, Universitätsbibliothek.

Nicht bei Ho. – Zimmermann, Beiträge, S. 55/56; 108, Anm. 104a; 176, Verz. C. 13. –
Schmidt, Lutherbibel, S. 219–221.

Der Drucker Nickel Wolrab in Leipzig wusste sich um 1540 ein Privileg von Herzog
Heinrich zu verschaffen und wurde daher, bis zu seinem Konkurs 1545, zum ernsthaften Konkurrenten für die Wittenberger Bibeldrucker. Seine erste Vollbibel von 1541
enthielt das Titelblatt sowie einen grossformatigen Zyklus von Illustrationen von
Cranach d. J., die in späterer Zeit z.T. noch in Nürnberger Bibeln auftauchen (siehe:
Die Druckgraphik Lucas Cranachs und seiner Zeit, Kat. Wien 1972, Nr. 24). Die
Auflage Wolrabs von 1543 weist einen neuen Titelrahmen mit Genesisszenen auf
(nicht von Cranach) und aus dem Zyklus zum Alten Testament nur noch die fünf reich
gestalteten Eingangsbilder zu den Büchern Mosis. Zum Thema des 2. Buchs Mose,
Durchzug durch das Rote Meer und Untergang der Ägypter (hier ohne polemische
Anspielungen), vgl. Nr. 277.

282 Lukas Cranach d. J.
Die Erniedrigung des Kaisers Friedrich Barbarossa
durch Papst Alexander III.   **Abb. 225**
Holzschnitt. 11,1 × 12,0 cm.
Aus: Bapsttrew Hadriani IIII / und Alexanders III gegen Keyser / Frideri-
chen Barbarossa geübt... mit Vorrede Martin Luthers. Wittenberg,
Joseph Klug 1545. (Benzing 3504).
Verwendungen: mehrfach um 1545/46.
Stuttgart, Württembergische Landesbibliothek, Abteilung Alte Drucke.

Ho. (d. J.) 19. – Schu. II, S. 250, 106,4. – Grisar/Heege III, 1923, S. 64ff; IV, 1923,
S. 65/66. – H. Zimmermann, in: Mitt. d. Ges. f. vervielf. Kunst, XLIII, 1925, S. 66.

Die angebliche Erniedrigung Barbarossas durch den Papst wurde erst im vorgeschritte-
nen 16.Jahrhundert zum Kampfbild, und erst die protestantische Polemik rief auf der
Gegenseite die Verwendung als Triumphbild (z.B. im Vatikan, Fresko in der Sala
Regia) hervor.
    Die Szene, die lange als historisch glaubwürdig galt, war «von venezianischen
Geschichtsschreibern erfunden worden, um historische Verdienste Venedigs um die
Rettung des Papsttums herauszustreichen» (K. A. Wirth, Imperator Pedes Papae
deosculatur, in: Fs. Harald Keller, Darmstadt 1963, S. 202). H. Zimmermann betont die
Autorschaft Cranachs d. J. an dem Holzschnitt gegenüber der abwegigen Zuschreibung
durch Grisar/Heege an den jungen Melchior Lorichs. – Der Holzschnitt auf dem Titel
– Versöhnung zwischen Papst und Kaiser (?) – stammt von demselben Künstler.

II Lukas Cranach d. Ältere 1472-1553 „Reisealtärchen"

L. Cranach d. Ä., um 1508/09 (Nr. 294)

283 **Lukas Cranach d. J.**
Titelrahmen mit Kurfürst Johann Friedrich und Luther unter dem Kreuz sowie Evangelistensymbolen in Medaillons   Abb. 226
Holzschnitt. 26,2 × 16,5 cm.
Aus: TOMVS / QVINTVS OMNI= / VM OPERVM... Martini Lutheri.   Wittenberg, Hans Lufft 1554.
Verwendungen: Lateinische Gesamtausgabe der Werke Luthers, Wittenberg, Hans Lufft, ab 1545 (Bd. I).
Basel, Universitätsbibliothek.

Nicht bei Ho. – Dodgson II, S. 342/43, Nr. 12.

Der Titelrahmen ist für die lateinische Gesamtausgabe von Luthers Werken geschaffen, dessen erster Band das Erscheinungsdatum 1545 trägt. Dies ist wichtig für das Verhältnis zur isolierten Darstellung von Johann Friedrich und Luther unter dem Kreuz, die so viel Aufsehen erregte (siehe folgende Nr.). Im Titelblatt mit den Evangelistensymbolen blickt der Kurfürst (von Dodgson als Johann der Beständige angesprochen) nicht aus dem Bild, die Kleidung wirkt etwas reicher und voluminöser. – Zu den Wolkenformen vgl. die vorige Nr.

284 **Lukas Cranach d. J.**
Titelholzschnitt mit Kurfürst Johann Friedrich und Luther unter dem Gekreuzigten   Abb. 227
Holzschnitt. 10,6 × 13,5 cm.
Aus: DAS newe Testament. / auffs new zugericht. / Doct: Mart: Luth: Wittenberg, Hans Lufft 1546 (= *Erstverwendung*).
Basel, Universitätsbibliothek.

Ho. (d. J.) 12. – Schramm, Lutherbibel, Abb. 551. – J. Ficker, in: Zs. f. Buchkunde, II, 1925, S. 90. – Zimmermann, Beiträge, S. 57. – H. Volz, Hundert Jahre Wittenberger Bibeldruck, Göttingen 1954, S. 85.

Der durch zahlreiche Wiederverwendungen und Kopien weitverbreitete Holzschnitt hat zeitweise Anstoss erregt und lange Kontroversen verursacht, da spitzfindige Luthergegner darin den Beweis sehen wollten, «dass Luther das Kruzifix [d. h. also ein Bild] anbete». Noch die Weimarer Lutherausgabe (Deutsche Bibel II, 1909, S. 686/87) bemüht sich um eine Rechtfertigung der «immerhin missverständlichen» Darstellung mit dem Argument, dass sie erst nach Luthers Tode (18. Februar 1546) im Druck erschienen sei. Jedoch hat Luther den Probedruck dieser Neuen Testament-Ausgabe «letzter Hand» noch selber durchgesehen und gebilligt (Volz, S. 85), und ausserdem wurde bisher übersehen, dass der Holzschnitt eine reduzierte Version (auch stilistisch deutlich an der Kleidung und Proportionierung der Figuren!) von derjenigen in der lateinischen Gesamtausgabe, benutzt ab 1545, bildet (vorige Nr.). So ist Luthers Einverständnis wohl mit Sicherheit vorauszusetzen.

Auf der Rückseite dieses Titelblattes das Brustbild Johann Friedrichs in kurfürstlichem Habit (Ho. [d. J.] 34), das bereits ab 1541 zur Verwendung kam.

285   Lukas Cranach d. J.
Bildnis des Theologen Johann Forster   Abb. 228
Bez. mit Schlange mit liegendem Flügel, dat. 1556. Formschneidermono-
gramm HVB. Holzschnitt. 18,8 × 14,8 cm.
Aus: (J. Forster:) DICTIONARIVM / HEBRAICVM NOVVM...   Basel, Hierony-
mus Froben 1557.
(Eine 2. Auflage erschien 1564.)
Basel, Universitätsbibliothek.

Ho. (d. J.) 30. – Nagler, Monogrammisten, Bd. III, 1863, S. 192, Nr. 1. – Dodgson II,
S. 346, Nr. 28.

Als Autorenbildnis auf der Rückseite des Titelblattes, mit fünf Zeilen lateinischer
Widmung darunter (AETATIS SVAE LXI), gedruckt. Forster starb im Jahr der Entstehung
dieses Porträts. Im Typus gleichartig anderen Halbfigurenbildnissen Cranachs d. J. mit
auf eine Brüstung gestützten Händen (vgl. Nr. 645, 646); jedoch aufwendiger und
sorgfältiger gezeichnet. Zu Verwirrung gab das als HB, HVB oder HVBV zu lesende
Formschneider-Monogramm Anlass. Von Nagler, der an vier Stellen (Monogr. III,
Nr. 606, 607, 1619, Nachtrag 2929) diese Monogrammgruppe behandelt, leitet sich die
von ihm stets als hypothetisch betrachtete Auflösung in «Hans Bocksberger» her,
unter welchem Namen der Holzschnitt gelegentlich auftaucht oder gesucht wird. Es
handelt sich jedoch um einen wohl in Basel oder Umgebung beheimateten Künstler
(vgl. Thieme/Becker, XXXVII, 1950, S. 401/02), der vor 1554 schon eine kleine Basel-
Ansicht signiert (in: H. Glareanus, Helvetiae descriptio, Basel, Jakob Kündig 1554,
S. 70/71), dann Zeichnungen des Hans Rudolf Manuel Deutsch für Basler Ausgaben
der Cosmographie Sebastian Münsters schneidet; 1564 ein in Mülhausen/Elsass gedrucktes Büchlein illustriert, später dann für Jost Amman und für Frankfurter Verleger
tätig ist (z.B. Schnitte in Jost Ammans «Turnierbuch», Frankfurt 1566). Spät erscheint
ein einzelner von ihm bezeichneter Bibelholzschnitt sogar in Wittenberg: Moses und
Aaron mit den Schlangenstäben vor Pharao (s. Schmidt, Lutherbibel, S. 274). Dem
Zeitpunkt nach ist sicher, dass die Bildnisvorlage Cranachs d. J. nach Basel gesandt
und dort geschnitten wurde. Nagler verliest das Datum als 1550 und gibt irrtümlich
eine Ausgabe des Hebräisch-Lexikons von 1554 an: Entstehung jedoch 1556, erster
Druck Basel 1557, zweite Auflage Basel 1564. Separate Drucke ohne Text scheinen
nicht zu existieren.

VIII. Zum späten Cranach

1. Cranachs «Judith» in der Sammlung des Jagdschlosses Grunewald
(Helmut Börsch-Supan)

In einem kurzen, im Literarischen Wochenblatt von 1820 erschienenen Artikel über die Sammlung des englischen Kaufmanns Edward Solly in Berlin nennt Johanna Schopenhauer von den 11 Gemälden, die sich unter dem Namen Cranachs dort befanden, nur eines: «Lucas Cranach starb 1533 in Weimar. Besonders schön von ihm ist hier eine Herodias, die dem Haupte des Johannes einen Nagel in den Kopf schlägt[1].» (Nr. 286)

Diese fehlerhafte Notiz ist die früheste Erwähnung des heute im Besitz der Staatlichen Schlösser und Gärten in Berlin befindlichen[2] Bildes, dessen Provenienz sich nicht weiter zurückverfolgen lässt. Wenig später – 1821 – korrigierte sich Johanna Schopenhauer in ihrem Buch «Johann van Eyck und seine Nachfolger»[3]. Sie führt das Bild als Darstellung von Jael und Sisera auf, vermutet als Modell eine Weimarer Bäckerstochter und bemerkt als charakteristisch die leidenschaftslose Behandlung des dramatischen Stoffes, eine treffende Beobachtung, für die sich erst jetzt die Erklärung fand. Die Geschichte von Jael und Sisera wird im Buch Richter (4, 17–24) erzählt und kommt sonst bei Cranach nicht vor.

1821 erwarb Friedrich Wilhelm III. von Preussen die Sammlung Solly. Die für bedeutend erachteten Bilder, darunter sechs der elf Cranachs, bildeten zusammen mit der ebenfalls neu erworbenen Sammlung Giustiniani und einer Auswahl von Gemälden aus den königlichen Schlössern den Grundstock der 1830 eröffneten Berliner Gemäldegalerie. Die weniger wichtigen Bilder Sollys verblieben in den Schlössern, unter ihnen auch «Jael und Sisera». In einem Inventar von 1825 ist das Bild als Kopie eingestuft, obgleich es rechts unter dem Fenster mit der Schlange und der Jahreszahl 1530 bezeichnet ist. Gustav Friedrich Waagen führt es in seinem Inventar der Sammlung Solly von 1832 ebenfalls als «alte Copie» und als «Bildnis einer Prinzessin» auf[4].

Eine Aufwertung erfuhr es 1851 durch Christian Schuchardt[5], der die Eigenhändigkeit wieder anerkannte. Er beschreibt es als «gutes Bild, das aber sehr beschädigt und übermalt scheint». Die späteren Cranachforscher schlossen sich der Meinung Schuchardts über die Autorschaft zwar an, besondere Beachtung hat das Bild jedoch nicht mehr gefunden.

Den Anstoss zu einer intensiveren Beschäftigung mit ihm gab erst kürzlich Werner Schade. Ihm fiel vor der Abbildung als ungewöhnlich auf, dass die senkrecht gespaltene Holztafel unten durch einen Streifen verlängert worden war. Eine Untersuchung im Restaurierungsatelier der Schlösserverwaltung ergab folgenden Befund: Die originale 74,5 × 55,6 cm grosse und 5 mm starke Tafel aus Rotbuche[6] ist durch einen 6,1 cm breiten und 1,6 cm dicken Streifen aus Ahornholz zweifellos in späterer Zeit angestückt worden. Die Verbindung geschah durch Vernutung und Verleimen, wobei an der originalen Tafel 6 mm der Oberfläche mit Malerei ca. $2^{1}/_{2}$ mm tief zu einer Feder abgearbeitet wurde, die in die

229   L. Cranach d. Ä., 1530 (Nr. 286), nach Restaurierung

230 L. Cranach d. Ä., 1530 (Nr. 286),   231 L. Cranach d. Ä., 1531 (Anm. 21)
     vor Restaurierung

Nute des quergemaserten Brettes der Anstückung eingelassen war. Vorher schon war die Tafel links neben dem Ohr gebrochen und durch zwei senkrecht aufgeleimte Leisten wieder zusammengehalten worden. Eine plumpe und schwere Parkettkonstruktion, die einen Bruch in der Vernutung bewirkte, stammt aus der Zeit, als sich das Bild bereits im Besitz der Hohenzollern befand.

Die Veranlassung für die Anstückung wurde deutlich, als die Übermalungen abgenommen wurden. Die Jael war ursprünglich eine Judith. Das Schwert war übermalt und durch einen Hammer ersetzt worden. Der linken Hand der Dame hatte man nicht ohne Geschick einen Nagel eingefügt. Auf die Schläfe des Holofernes war herabrinnendes Blut aufgemalt. Der abgeschlagene Kopf war durch die Hinzufügung von Schultern mit einer – für einen Feldherrn ungewöhnlich simplen – Rüstung zu einem Sisera ergänzt worden. Der Bart war verlängert worden, um die Schnittfläche des Halses zu verdecken. Eine Tonschüssel mit Milch stellte rechts das Gleichgewicht der Komposition wieder her. Man hatte das Bild auch an einer Stelle verbessert, wo es nicht durch die Umwandlung des Sujets erforderlich war, nämlich am Mieder. Hier war das Leinen, das straff gespannt unter der Verschnürung liegen muss, mit Fältchen versehen worden.

War die Abnahme der Übermalungen in den oberen Partien des Bildes relativ leicht zu bewerkstelligen, so bereitete sie am unteren Bildrand Schwierigkeiten. Da das angestückte Brett in der Dicke etwas über die originale Tafel hervorragte, hatte man, um diese Stufe auszugleichen, einen äusserst widerstandsfähigen, nur mechanisch zu beseitigenden Kitt bis etwa 5 cm über die originale Malerei gelegt. Als unlöslich erwies sich auch die Temperamalerei der Milchschüssel. Diese

Partien konnten nur durch Abschaben freigelegt werden, wobei Verluste an originaler Substanz nicht ganz vermieden werden konnten. Bei Reparaturen an der Bruchstelle des Brettes waren schliesslich Teile des Gesichtes und des Himmels mit einer zu bräunlichen Tempera lasierend übermalt worden. Auch diese Schicht erwies sich als unlöslich. Ein Versuch, sie mechanisch zu entfernen, erschien zu riskant, sodass eine fleckige Wirkung des Inkarnats hingenommen werden musste.

Wann die entstellende Veränderung vorgenommen wurde, lässt sich nur vermuten. Die sorgfältige, dem Malstil Cranachs recht gut angepasste Malweise der Anstückung wäre am ehesten mit einer der beiden Renaissancen altdeutscher Kunst, der um 1600 oder der um 1800, in Verbindung zu bringen. Argumente gegen den späteren Termin bestehen darin, dass Solly, von dem Johanna Schopenhauer schreibt, er habe «einen gerechten Widerwillen gegen Restauration und glänzenden Firnis» gehegt, offenbar von dem ursprünglichen Zustand schon nichts mehr wusste. Zum anderen lag ihr Zweck wohl in einem ikonographischen Interesse, das um 1800 nur noch schwach vorhanden war. Hätte man, wie es dem Empfinden des Klassizismus entsprechen konnte, lediglich an dem durchgeschnittenen Hals Anstoss genommen, wären weniger aufwendige Veränderungen ausreichend gewesen. Wahrscheinlicher ist daher die frühere Datierung der Übermalung. Als Parallele für die Umwandlung eines «Judith»-Bildes von Cranach um 1600, hier allerdings in einer Kopie, sei die «Salome» von Joseph Heintz in Wien angeführt[7].

Die Wiederherstellung der ursprünglichen ikonographischen Aussage bedeutet zugleich die Wiedergewinnung der originalen Komposition, für die, in Übereinstimmung mit dem Thema, eine bei Cranach nicht unbedingt geläufige Strenge kennzeichnend ist. Das aufgerichtete Schwert ist die beherrschende Form, die zusammen mit dem abgeschlagenen Kopf das Geschehene verdeutlicht. Judith hatte die von der Armee des Holofernes belagerte jüdische Stadt Bethulia errettet, indem sie sich, reich geschmückt und mit dem Einsatz ihrer weiblichen Reize, zu Holofernes Zugang verschaffte und ihn im Schlaf enthauptete. Die Härte der geraden Linien des Schwertes wird in der Brüstung des Vordergrundes und des Fensters aufgenommen. Die senkrechte Linie, mit der der schwarze, in seiner Stofflichkeit kaum erkennbare und mehr als neutrale Folie wirkende Vorhang[8] abschliesst, gleichsam das Rückgrat der Judith, gehört zu diesem System gerader Linien, in das die Kurvaturen der Figur eingeschrieben sind. Diese zeigen auch nicht den sonst bei Cranach so häufigen beweglichen und freien Linienfluss, sondern eine disziplinierte Führung, C- und S-Schwünge mit einer Tendenz zum Geometrischen. Die Formen der Tracht sind eher zum Knappen als zum Üppigen hin ausgebildet. Ihr Lineament ist mit den ornamentalen Zügen der Physiognomie – Gesichtskontur, Schnitt der Augen, Mundspalte und Ohrmuschel – in einer so zwingenden Weise in Übereinstimmung gebracht, dass für die Suggestion des Körperlichen nur ein geringer Spielraum bleibt. Der Verlauf der Konturen ist besonders im Hinblick auf Schnittpunkte und Tangierungen so komponiert, dass eine Zusammenziehung des räumlich voneinander Getrennten in einer Ebene dem Bild eine zeichenhafte Prägnanz und Flächigkeit verleiht. Diese

232   L. Cranach d. Ä., um 1530   233   L. Cranach d. Ä., 1509 (Nr. 95 ff.)
      (Anm. 21)

Gültigkeit der Form, die mit einer gewissen Erstarrung erkauft ist, erscheint als Ausdruck des moralischen Gehaltes, der mit dem Judith-Thema verbunden ist. Die Landschaft im Fensterausschnitt, aus der ein anderer Geist spricht, mag den Segen der Freiheit andeuten, der aus der Tat der Judith resultiert.

Als Wiedergabe einer «Judith» reiht sich das Bild im Œuvre Cranachs in eine grössere Gruppe von Behandlungen dieses Themas ein. Die sicher datierten Darstellungen sind sämtlich 1530 oder 1531 entstanden. Seit Jakob Rosenberg die ehemals Dessauer Zeichnung der «Judith» mit überzeugenden Gründen von 1512/15 auf 1535/40 umdatiert hat[9], ist vor 1530 bei Cranach keine «Judith»-Darstellung nachweisbar. Dieser Umstand stützt die anlässlich einer Behandlung der Gothaer Tafeln «Judith an der Tafel des Holofernes» (Nr. 478) und «Tod des Holofernes»[10] durch Werner Schade aufgestellte These von dem politischen Charakter des Motivs[11]. Für den 1530 ins Leben gerufenen Schmalkaldischen Bund – die Gründungsurkunde datiert vom 27.2.1531 –, den Zusammenschluss der protestantischen Fürsten gegen den Kaiser und die katholischen Stände, war Judith als eine der Erretterinnen Israels und Präfiguration Marias zu einer Symbolgestalt erwählt worden. Wenn die Judithdarstellung eine politische Demonstration war, könnte eine Distanzierung davon vielleicht die Ursache für die Übermalung des Berliner Bildes gewesen sein.

Das drohende und mahnende Zeichen des aufgerichteten Schwertes erhält von daher wahrscheinlich einen besonderen Sinn. Zu Unrecht ist in der älteren Literatur das Judith-Thema bisweilen in Verbindung mit den an die Sinnlichkeit der Auftraggeber appellierenden Frauendarstellungen Cranachs gebracht worden.

Cranach unterscheidet sich in der Auffassung des Themas von den meisten Zeitgenossen, beispielsweise Barthel und Hans Sebald Beham oder Binck, die das
erotische Element der Erzählung hervorheben[12]. Nur ein relativ spätes, vielleicht
in der Nachfolge von Hans Baldungs Nürnberger «Judith» von 1525 geschaffenes
Gemälde Cranachs ist bekannt, das Judith unbekleidet zeigt, die ganzfigurige,
1945 vernichtete Darstellung der Dresdener Galerie[13], die das Gegenstück zu
einer «Lucretia» bildet und schon dadurch aus der Reihe der politisch motivierten
«Judith»-Bilder ausscheidet. Während Lucretia als tragisch endende Tugendheldin
erscheint, ist Judith die Siegreiche.

Nur einmal noch, ausser den Gothaer Tafeln, in einem Bild der Wiener
Galerie, hat Cranach das Judith-Thema als Ereignisbild behandelt[14]; die weitaus
meisten Bilder betonen den sinnbildlichen Charakter durch die porträthafte Prä-
sentation nach vollzogener Tat, was auch Veranlassung zur Vermutung gegeben
hat, in den Bildern Porträts zu sehen.

Cranach folgt mit seinen Darstellungen der Judith als Halbfigur hinter einer
Brüstung, auf der das Haupt des Holofernes liegt, einem Typus, der in Venedig
gebräuchlich gewesen zu sein scheint und in einem Werk des Vincenzo Catena
überliefert ist[15].

Die drei datierten Halbfigurendarstellungen, die Berliner und die ehemals
in der Sammlung Chillingworth befindliche von 1530[16] sowie die Aachener von
1531 (Abb. 231) schliessen sich eng zusammen und erscheinen als eine Reihe, in
der Variationen der Komposition konsequent durchgespielt sind, vor allem hinsichtlich der Lage des Schwertes und des Kopfes, ferner der Anordnung eines
Hutes und des Landschaftsausschnittes. Innerhalb einer solchen Reihe dürfte die
Berliner Fassung am ehesten als der Anfang zu begreifen sein. Die Entwicklung
wäre dann vom Komplizierten zum Einfachen, vom Flächig-Konstruierten zum
Körperhaft-Anschaulichen vorgeschritten.

In einem eigenartigen Kontrast zu diesen Fassungen und einigen undatierten, die von ihnen abgeleitet werden können, stehen die wohl künstlerisch
bedeutendsten, miteinander eng verwandten «Judith»-Darstellungen in Stuttgart[17]
und Wien[18], die lediglich mit dem vor 1537 gebräuchlichen Schlangenzeichen bezeichnet sind und um 1530 eingeordnet werden (Abb. 232). Sie wirken ernst und
monumental durch die Intensität ihrer körperlichen Erscheinung und den gesammelten Ausdruck des Gesichtes. Das manieristische Spiel mit Formen ist
zurückgenommen. Die Komposition ist der Berliner Judith noch am nächsten
verwandt, sodass dieser eine Mittelstellung zwischen den Stuttgarter und Wiener
Bildern einerseits und denen in Aachen und aus der Sammlung Chillingworth
andererseits zukommt.

Sollten das Stuttgarter und das Wiener Exemplar tatsächlich um 1530 gemalt
sein – für eine wesentlich abweichende Datierung fehlt es an Vergleichsstücken –
bleibt die Frage, wie diese stilistische Differenz zu erklären ist. Vielleicht liegt das
höhere Mass an Gegenwärtigkeit tatsächlich darin begründet, dass beide Bilder
Porträts sind, wenn auch nicht der sächsischen Prinzessin Sidonia, wie Zimmermann[19] vermutet, sondern eher einer unbekannten Dame, die Cranach in einem
Bildnis in New Yorker Privatbesitz[20] noch einmal porträtiert hat.

235 L. Cranach d. Ä., um 1545/50 (Nr. 287)

234 L. Cranach d. Ä., 1546 (Anm. 21)

286 Lukas Cranach d. Ä.

Judith mit dem von ihr abgeschlagenen Haupt des Holofernes
(vor der Restaurierung als « Jael, den schlafenden Sisera tötend »
übermalt gewesen)   **Abb. 229, 230**
Bez. mit der Schlange, dat. 1530. Auf Rotbuchenholz. 74,5 × 55,6 cm
(ohne die frühere Anstückung).
Berlin, Verwaltung der Staatlichen Schlösser und Gärten, Jagdschloss
Grunewald (GK I 1182).

FR. 193. – Weitere Lit. in den Anmerkungen des Beitrages von H. Börsch-Supan. –
Nicht im Kat. der Cranach-Ausst. Berlin 1973.

(K) Übermalt wurde das Bild vermutlich um 1600 (Abb. 230), restauriert 1973 (Abb.229).
«Judith mit dem Schwert und dem Haupt des Holofernes» wurde von Cranach vor
1530 nicht gemalt, aber wenigstens einmal bei der Wiedergabe eines Reliquiars im
«Wittenberger Heiligtumsbuch» 1509 (Nr. 95 ff.) dargestellt, gegenübergestellt dem
«David mit dem Haupt Goliaths» (Abb. 233; 7. Gang, 6. Stück). Börsch-Supan leitet
den seit 1530 bei Cranach auftretenden Typus von der oberitalienischen Malerei her
(vgl. ein Bild des «Kreises um Jacopo de' Barbari»: Zs. f. bild. Kunst, LXV, 1931/32,
Abb. S. 183; pathetischer und perfider werden die «Judith»-Fassungen der Ecole de
Fontainebleau: z.B. Kupferstich von René Boyvin nach Rosso). Auch Pencz hat 1531
das Thema der halbfigurigen Judith (ohne Brüstung) aufgegriffen (H. G. Gmelin, in:
Münchner Jb. d. bild. Kunst, XVII, 1966, Abb. S. 63; Abb. S. 92 ein Bild von 1545).

287 Lukas Cranach d. Ä. oder d. J.

Judith mit dem Haupt des Holofernes   **Abb. 235**
Um 1545/50. Bez. mit der Schlange mit liegendem Flügel. Auf Holz.
20,8 × 14,8 cm.
New York, Sammlung Lawrence Fleischman.

Nicht bei FR. – Auktion Sotheby, London, 27. Nov. 1963, lot 55.

(K) Das Bildchen, das der Gruppe FR. 289 a–c anzuschliessen wäre, erstaunt durch den
scheinbaren Widerspruch zwischen der unbedenklich-energischen Markierung der
Marmoradern auf der Brüstung (ein braver Maler erlaubt sich gerade dies nicht!) und
der Sicherheit und Sensibilität, mit der etwa der Kopf des Holofernes durchgestaltet
ist. Ich könnte mir gut vorstellen, dass wir hier – und nicht in den teils glatten und
betont flüssigen, teils energiefrei getupften Bildern, die allgemein L. Cranach d. J. zugeschrieben werden – den Altersstil von L. Cranach d. Ä. vor uns haben. Die spritzige,
souveräne Art der Gewanddekoration kann mit dem Aufblitzen des Goldenen Vlieses
auf der Brust des Kaisers Karl V. verglichen werden, der schon aus historischen Gründen sehr wahrscheinlich vom alten L. Cranach gemalt worden ist (Nr. 199f., Abb. 165f.).
Der Kopf des Holofernes (mit seinem geöffneten Mund und mit der Pinselzeichnung
der Brauen) geht Stück für Stück mit dem 1548 datierten Kaiserbild zusammen. Ferner
zeigt diese «Judith» grosse Verwandtschaft mit den kleinen Figuren im Hintergrund
des 1546 datierten «Jungbrunnens» (Abb. 234); besonders ähnlich ist ein rot gekleidetes,
am Tisch sitzendes Hoffräulein, das hinten rechts einem bärtigen Mann ein Glas Wein
reicht. Die grosse Tafel des «Jungbrunnens» wird u.a. von Rosenberg dem alten, von
andern dem jungen L. Cranach zuerkannt; ich neige zur Zuschreibung an den Vater
Cranach und meine, die Grosszügigkeit und Phantasie als typischen «Altersstil» zu
sehen.

2. Cranachs vor-manieristische Formeln (K)

Wenn wir im folgenden den Blick von der Vielfalt des Einzelnen, dessen Komplexität durch die scheinbare Simplizität Cranachs übertönt und recht eigentlich überwunden wird, auf das ganze Werk Cranachs richten, so soll der in der Überschrift angeführte Begriff des «Manierismus» von vornherein abgesetzt sein von der «Manier», die der 40–70jährige Cranach zur selben Zeit kultivierte, als in Italien seit etwa 1520 und seit 1530/40 durch italienische Künstler in Fontainebleau am französischen Hof der Manierismus als Stil eine Wende brachte und die Basis für spätere vorbarocke Kunst bildete (ab ca. 1580 in den Niederlanden, in Prag am Hof des Kaisers Rudolf II. und in Deutschland)[22]. Niemand wird behaupten, L. Cranach d. Ä. sei ein Manierist gewesen und habe sich aus der Generationslage von Dürer (und Michelangelo etc.) grundsätzlich gelöst. Drei Umstände waren bei Cranach aber ungewöhnlich: seine lange Schaffenszeit bis zu seinem späten Tod 1553, seine Hofmalerposition und der Ausbau seiner Werkstatt. Manierismus als Stilbegriff wäre erst für die seit etwa 1560, also nach dem Tod des alten Cranach geschaffenen Werke von Lukas Cranach d. J. brauchbar[23].

Der «eigentliche», als typisch empfundene Cranach ist der späte, der in seinem hohen Alter in die Epoche des Manierismus hineingewachsen ist. Dass es ein Wachsen war, ist meist bestritten worden. Max J. Friedländer 1932[24]: «Wäre Cranach 1505 gestorben, so würde er im Gedächtnis leben wie geladen mit Explosivstoff. Er ist aber erst 1553 gestorben, und wir beobachten statt der Explosion ein Ausrinnen [...]. Bis zu einem gewissen Grade wiederholt sich dieses Schicksal überall in der tragisch kurzen Blütezeit der deutschen Kunst. Die Maler, die zwischen 1470 und 1490 das Licht der Welt erblickt haben, sind diesen Weg gegangen, wie Dürer, Altdorfer, Georg Breu und Baldung, aber in keinem Falle wandeln sich Temperament und Verhältnis zum Sichtbaren so völlig wie in Cranachs Entwicklung. Der Historiker wird dazu gedrängt, Ursachen und Antriebe eher in der Umwelt, also in den Kräften, die von aussen hier und dort, in dieser und jener Zeit auf den Maler einwirkten, zu suchen als in seiner Anlage.» Und derselbe Friedländer 1902[25]: «Alle charakteristischen Gemälde Cranachs sind Arbeiten der schlimmsten Manier, Abgüsse gleichsam aus abgenützten Formen, kaltherzig und selbst sinnwidrig zusammengestellte Fabrikate.»

Friedländer, den wir bereits in der «Einführung» (I, 3) angehört haben, beobachtete scharf und riskierte gern die pointierte, gewagte, u. U. als falsch sich erweisende Formulierung – auch im Vorwort zu einem Buch, das eigentlich von seiner grossen Liebe zum Cranach-Stoff zeugt. Er schüttelte gleichsam den Kopf darüber, dass er selber so beharrlich und sorgsam – zusammen mit seinem jüngeren Mitarbeiter Jakob Rosenberg – den heute noch gültigen Katalog der Gemälde Cranachs 1932 zur Publikation gebracht hat. Schon Melanchthon hat sich nur «dennoch» zu Cranach – im Vergleich mit Dürer und Grünewald – bekannt (S. 81 ff.). Hohe Ideale, die Cranach nicht erfüllte, und Sympathie, gar Faszination schienen schon bei ihm miteinander in Konflikt geraten zu sein.

Friedländers Charakterisierung ist so interessant, dass wir einige seiner Begriffe herausgreifen wollen: «schlimme Manier», «kaltherzige Fabrikate», «Entwicklung mit völliger Wandlung», «wegen äusseren historischen Kräften», «tragisches Ausbleiben der möglichen Explosion». Diese Begriffe machen bei einer kleinen, mitnichten abschätzig gemeinten Analyse deutlich, wie sehr es darauf ankommt, aus welcher Position man ein Phänomen wie Cranachs Kunst betrachtet, und dass es nicht schlecht ist, gelegentlich (automatisch?) die Position zu wechseln.

Eine Tragödie kann in der Cranach-Entwicklung nur jemand sehen, der verlangt oder erwartet, dass Explosivstoff explodiert. Heute – die Zeit des Expressionismus und der zwei Weltkriege steht hinter uns – würde man eher die Explosion als eine Katastrophe werten denn das Ausrinnen. Das lange Leben – ein wesentliches Faktum – kann Friedländer Cranach nicht verübelt haben.

Cranachs Entwicklung während seines ungewöhnlich langen Lebens, also sein «Ausrinnen» nach der «völligen Wandlung» bei der Übersiedlung nach Kursachsen 1505, zeigt im Stil und in der Ikonographie oder Typologie (vom Stil nicht zu trennen) markante Etappen. Zwischen den Bildnissen von 1508/12 (Farbtafel 8, 12 u. a.) und dem Bildnis Karls V. von 1550/52 (Abb. 165) hat Cranach durch Wandlung vieles sichtbar gemacht, das eine dank der Form nachvollziehbare und nachvollziehenswerte Erfahrung zum Ausdruck bringt. Die Kunst Cranachs von 1492–1502 entzieht sich gewiss nur darum unserer Kenntnis, weil bereits um 1501/02 der Dreissigjährige eine starke Formwandlung vollzog. 1501/02 und 1505, als sich Cranachs Kunst wandelte, wechselte der Künstler seine Umgebung: die Auswirkung des Ortswechsels und aller damit zusammenhängenden Faktoren sind evident.

Friedländer stellt fest, dass «äussere historische Kräfte» die Wandlung Cranachs verursacht haben. Er fügt allerdings bei, dass diese Kräfte nicht nur den langlebigen Cranach, sondern auch Dürer (gest. 1528), Altdorfer (gest. 1538), Breu (gest. 1537) und Baldung (gest. 1545) betrafen, nämlich an einer der «Apokalypse» Dürers entsprechenden explosiven Entfaltung «tragisch» gehindert haben. Wir schliessen uns hier nicht denjenigen an, die die äusseren historischen Kräfte mit den individuellen menschlichen Geisteskräften letztlich gleichsetzen. Aber eine Trennung zwischen beidem ist selbstverständlich weder möglich noch für eine Wertung in dem Sinn geeignet, dass Unabhängigkeit von den «äusseren» Kräften zu fordern wäre. Die Frage führt vielleicht zum Zentrum der Cranachschen Kunstqualität und bestimmt die Beurteilung der Cranach-«Manier». War Cranach ein Spielball äusserer Kräfte? Z. B. als Hofmaler?

Wie sehr Cranach mitten in seiner Zeit stand, haben wir an vielen Stellen zu verdeutlichen versucht. Es ist eines unserer Anliegen in der Basler Ausstellung und in dieser Publikation. Die «äusseren historischen Kräfte» konnten widersprüchlich sein: der humanistische Astrologe Carion einerseits (von Cranach porträtiert: Nr. 168, Abb. 130), die anti-astrologische, fast anti-humanistische «Melancholie» nach Luthers Vorstellung andererseits (Nr. 171f., Abb. 133 und Farbtafel 13) usw. Andere Gegensätze erweisen sich bei näherer Untersuchung als nur scheinbar und als Spannweite, vor allem die Spannung zwischen Humanistischem und Christlichem, zwischen Freiem und Gebundenem (vgl. S. 164). Generell hat sich Cranach in ausserordentlicher Direktheit und zugleich Geschmeidigkeit den grossen Mächten und einigen der bedeutendsten Persönlichkeiten seiner

236 L. Cranach d. Ä., um 1515 (Nr. 543)

Epoche gestellt. Dieser Verpflichtung, die Wandel verursachte, steht aber auf der andern Seite gerade jene Konstanz gegenüber, die als «Manier», als gedankenloses und kaltherziges «Fabrizieren» und als «Abgiessen aus abgenützten Formen» von Friedländer verurteilt wurde. Was gilt nun: ist Cranachs Kunst zu verurteilen (oder zu schätzen) wegen der Wandelbarkeit oder wegen der manieristischen Formelhaftigkeit?

Cranachs Beispielhaftigkeit scheint darin zu liegen, dass er in einer Epoche übermächtiger «äusserer Kräfte» und inmitten von drängenden neuen Ideen und neu hervorgeholten Bildungsstoffen eine simple Identität bewahrt und Qualitäten aufrecht erhalten hat, die man als Zeichen seiner «Manier» ansieht. Beides müsste definiert werden: der Ansturm des Äusseren und die Qualität der Manier.

Die hartnäckigste Konstanz in Cranachs Kunst kann in seiner Art, Laub von Bäumen und Büschen darzustellen, lokalisiert werden. Nicht von ungefähr bringen die beiden ersten Abbildungen dieser Publikation eine Konfrontation von Laubwerk bei Cranach und bei Dürer (Abb. 1, 2). Daraus lässt sich etwa ablesen, dass Dürer individuelle Formen der Natur analysiert und sie dann als Elemente zu einer neuen, klar und greifbar herausgearbeiteten Ordnung konstruktiv verwendet. Cranach dagegen misstraut offenbar der sezierenden Analyse ebenso wie der gewagten Konstruktion. Er legt Wert auf die Präsenz des Überindividuellen und einer mit Ordnungskriterien nicht fassbaren Vitalität. Die individuellen Gestalten erscheinen darin eingebunden. Konkret gesagt: das Cranachsche Laubwerk und die feine Bewegung, die die Gräser, Bergformen usw. ergreift, bilden den Fond, von dem die Figuren nicht ablösbar sind. Cranach konstatiert realistisch die Einschränkung der Freiheit und die Einbindung seiner Gestalten in ein höheres Prinzip, das dort am mächtigsten wird, wo es am zierlichsten erscheint: in den Kleinformen der Blätter, im Muster der Steine am Boden, in den Schmuckformen der Kleider, sogar in den ornamentalen und somit übergegenständlichen Umrissen der Figuren selber. Die Sinnlichkeit der Akte Cranachs rührt nicht von einem gesteigerten Naturalismus her, also nicht von der analysierenden Beobachtung und nicht von der Konstruktion «nach dem rechten Mass» (Dürer), sondern vom Hinüberretten einer ornamentalen Qualität, die in archaischer Kunst fundiert ist, in die Neuzeit – dabei ohne Ausweichen vor den Forderungen dieser Neuzeit nach naturalistischer Scheinhaftigkeit des Bildes[26].

Mit dem Naturalismus ist nur eine der Forderungen des frühen 16. Jahrhunderts genannt, also eine jener «äusseren Kräfte». Wir müssen versuchen, einen kurzen Katalog weiterer Forderungen uns bewusst zu machen, um im Vergleich damit Cranachs Mischung zwischen Hartnäckigkeit und Bereitwilligkeit zu verstehen. Dieser Katalog soll hier, wo wir es auf eine möglichst einfache Charakterisierung Cranachs abgesehen haben, ganz kurz sein. Zur Naturtreue, die bereits im 15. Jahrhundert verlangt und weitgehend erreicht wurde, trat zunächst die Forderung nach Harmonie, die in mathematischen Proportionen, gegenständlich am deutlichsten in der proportionierten Figur und im Architektonischen Form annimmt. Architektur hat aber Cranach soweit wie nur irgend möglich gemieden, und bei der nackten Figur hielt er es für genügend, sich auf Dürers Resultate ungefähr abzustützen (Venus, Nr. 555 ff., Farbtafel 15).

237   Art des Konrad Meit, um 1530 (Nr. 550)

Dann die Forderungen nach tiefer Leidenschaft und nach Würde[27]. Pathos-
formeln wie die heftige Geste Christi am Ölberg (Nr. 73, Abb. 70, vgl. Farbtafel 4)
sind bei Cranach nicht Akte der Befreiung, vielmehr Zeichen des Erleidens höhe-
rer Macht. Später, wenn Simson den Löwen zerreisst (Nr. 507, 513, 514, Farbtafel 20), mildert sich die Heftigkeit, aber es wird immer noch nicht frei agiert,
vielmehr füllt ein solcher Simson und der Löwe mit seinem erhobenen Schwanz
ein bindendes, vorgeschriebenes Ornament mit Gegenständlichkeit aus. Die
Schwanzlinie oder die Form des Knies, vor allem die Verschränkung der Glieder
sind nur Verdeutlichungen derselben Vitalität, die im rings umgebenden Hintergrund die einzelnen Blätter zur Bewegung und zum Aufleuchten bringt. Zwang-
haftes dominiert über die freie Aktion. Dabei gibt gerade dieser Simson, der
auch als Herkules den Nemeischen Löwen zerreissen könnte (Nr. 507), vor, einem
antiken Ideal der grossen, freien Tat zu entsprechen. Damit ist des Stichwort zu
einer weiteren Forderung der Zeit genannt: Antikität und Klassizität. Man kann
sich nur wundern, wie Cranach auch darauf eingegangen ist, um in Wirklichkeit eine Umgehung quasi unbemerkt oder erlaubtermassen zu erreichen und
wiederum archaische, vorklassische Qualitäten in die Neuzeit weiterzuführen.
    Eng verknüpft mit der humanistischen Forderung nach Antikität war die-
jenige nach der geistreichen Erfindung. Der robuste, «naiv» auftretende Cranach
hat selbst diesen Humanistenwunsch unauffällig erfüllt, so dass wir vor seinen
Bildern gleichsam nur fakultativ nach der allegorischen Bedeutung zu fragen
brauchen[28]. Simson-Herkules löst eine lange Gedankenkette von Tugend, Bekenntnis zur mühevollen Tat usw. aus. Bildnisse tragen Devisen, die wir ent-

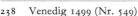

238   Venedig 1499 (Nr. 549)   239   Breslau 1574 (Anm. 44)

weder zu deuten vermögen oder vor denen wir dumm dastehen, was uns aber
bei Cranach wenig stört (Nr. 166, Farbtafel 10; Nr. 164, Abb. 120). Mit halbwegs
mitteilsamen, halbwegs geheimnisvollen Inschriften sind Cranachs früheste gemalte Darstellungen der lebensgrossen Venus von 1509[29] und die verschiedenen
Versionen der «Ruhenden Quellnymphe» versehen. Wir greifen diesen letzten
Gegenstand heraus und stellen uns hier konkreter die Frage nach Cranachs «Manier» und seinem Anteil an der Vorbereitung des eigentlichen «Manierismus».

Die «Ruhende Quellnymphe» (Farbtafel 17) genügte verschiedenen der
oben genannten Forderungen der Zeit. Es liess sich ein Körper in harmonischer
Proportioniertheit und Ausgeglichenheit zeigen; es liess sich Leidenschaftlich-
keit als zurückgehaltene Sinnlichkeit andeuten; es liess sich antikisch und geistreich reden. Alle von Cranach benutzten Möglichkeiten genauer zu erkennen
oder gar zu untersuchen, bleibt aber sekundär. Das Bild hat es nicht nötig, nach
seinen geistreichen antikischen Quellen befragt zu werden. Es besitzt die Präsenz
und Selbstverständlichkeit einer altertümlichen Kunst, die dem Betrachter auf
eine Art in Bann zieht, für die das ungenaue Wort «magisch» zur Verfügung steht.
Aber nicht nur die Figur selber, die der modischen Freude am Artistischen ent-
gegenkommt, «nimmt gefangen», sondern auch der Hintergrund, in den die
schlafende, blinzelnde Frau eingebettet liegt. Ein Streifen Wiesengrund weist der
Figur den genauen Ort ihrer scheinbar lässigen Freiheit und ihrer Präzision des
Ruhens an. Kopf und angewinkelter Ellbogen werden vom Samtrot des abgeleg-

ten Kleides eingefasst, das am andern Bildrand den Blick nochmals auf sich zieht: im roten Köcher, den die Nymphe an einen Baum gehängt hat. Der Busch hinter dem Kopf, der Fels mit seinem Quellstrahl, der Teich, dahinter der Waldrand mit den sorglosen Hirschen: alles baut sich unkonstruktiv, improvisierend, leicht und doch zwingend im Bilde auf. Links oben zeigt der Fels eine Inschrift, rechts aussen erscheint auf einem Berg eine Burg, den höfischen Bereich des Auftraggebers oder möglichen Empfängers dieses Gemäldes andeutend. Die Inschrift besagt: Ich bin die Nymphe der heiligen Quelle, störe nicht meinen Schlaf, ich ruhe. Der lateinisch verstehende Betrachter wird vor dem Bild der Nymphe gewarnt. Diese hier gemalte Gestalt aus dem Gefolge der Jagdgöttin Diana könnte gestört, beispielsweise belästigt werden, könnte aufwachen und Pfeil und Bogen ergreifen. Wehe dann den beiden Rebhühnern und den Hirschen, wehe auch dem frevelhaften Satyr, der auf vergleichbaren Darstellungen sich der ruhenden Nymphe nähert. So wird auf einem Holzschnitt der 1499 in Venedig erschienenen «Hypnerotomachia Polifili» eine schlafende Quellnymphe von einem Satyr, der Sinnfigur für Begehrlichkeit, belauscht (Nr. 549, Abb. 238)[30]. Der Kommentar zu diesem Holzschnitt erläutert, dass es sich um eine Brunnenfigur handle und das Wasser aus den Brüsten der Quellnymphe in eine Porphyrvase fliesse. Die Skulptur sei antik, angeblich von Praxiteles geschaffen. Es ist kürzlich darauf hingewiesen

240   Dürer, 1514 (Anm. 44)

241   L. Cranach d. Ä., um 1515 (Anm. 44)

worden, dass dieser Holzschnitt (aus einem von Aldus Manutius gedruckten
Buch[31]) wahrscheinlich ein direktes Vorbild für Cranach war. Der venezianische
Holzschnitt bettet sich aber ein in eine grössere Gruppe verwandter Darstellungen
antiker oder antikisierender Art; den wichtigsten Ausgangspunkt bildete neben
einer Komposition Mantegnas[32] die als «Sterbende Kleopatra» gedeutete (vgl.
Nr. 551), eigentlich die «Schlafende Ariadne» darstellende antike Plastik, die 1512
in den vatikanischen Belvedere in Rom übergeführt und als Brunnenfigur mon-
tiert wurde[33]. Eine noch bestimmtere Rolle muss für Cranach und seinen humanistischen Ratgeber eine an der Donau aufgefundene antike Quellnymphen-Plastik
gespielt haben, deren Inschrift am Ende des 15. Jahrhunderts Michael Fabricius
Ferrarinus überlieferte. Die Inschrift stimmt sinngemäss überein mit derjenigen
auf den Cranach-«Quellnymphen» und ist wörtlich und in der ganzen Länge von
vier Zeilen wiedergegeben auf einem 1514 entstandenen Aquarell Dürers (Abb. 240):
(übersetzt) «Hier liege ich schlummernd, die Nymphe des Ortes, der heiligen
Quelle Hüterin, während ich das Gemurmel des einschmeichelnden Gewässers
vernehme. Hüte dich, wer du auch seist, der den Brunnentrog berührt, meinen
Schlaf zu stören, und ob du nun daraus trinkst oder dich wäschst – schweige!»[34].
Auch dieses Dürer-Werk dürfte dem Humanisten, der Cranach zu seinen Darstellungen angeregt hat, bekannt gewesen sein oder Cranach bei seinem Aufenthalt
in Nürnberg 1524 vor Augen gekommen sein (vgl. S. 77). Das auffällige Motiv der
gekreuzten Beine scheint direkt auf den obengenannten venezianischen Holzschnitt zurückzugehen (Dürers Figur liegt anders da). In der Gegend von Venedig
befand sich im 16. Jahrhundert noch ein weiterer Nymphen-Brunnen mit derselben Inschrift; er ist (worauf W. Schade hinwies) in den 1574 in Breslau publizierten «Monumenta sepulcrorum» von Tobias Fend abgebildet (Abb. 239)[35].

241a Clair-obscur-Holzschnitt nach Dürer (?), um 1530 (Nr. 552)

Es ist, wie gesagt, zum Verständnis von Cranachs Gemälden der «Ruhen-den Quellnymphe» gewiss nicht nötig, alle diese Dinge, die übrigens erst seit kur-zer Zeit untersucht wurden, zur Kenntnis zu nehmen. Wenn man ihnen aber in humanistischem Bildungsbestreben nachgeht, darf man, abstrakt gesagt, mit Er-staunen feststellen: Cranach hat auf den Ansturm von symbolträchtigen antiken Monumenten, auf die sich die Humanisten eifrig stürzten, geantwortet mit ein-fachen, eingängigen Bildern, denen man keinen Klassizismus anmerkt und die durch des herangeführten Gedankens Blässe nichts von ihrer vitalen Präsenz ein-gebüsst haben. Cranach muss gespürt haben, dass er hier einen Volltreffer anbrin-gen konnte. Einerseits genügte er dem humanistischen, klassizistischen Bildungs-bedürfnis, andererseits konnte er an diesem Thema zeigen, wie eine Kunstfigur par excellence (ein aufweckbares Bild!) trotz der Allegorik und trotz der gegebenen Renaissance-Bewusstheit etwas von jener unübersetzten Wirklichkeit bewahren konnte, die eine romanische Madonnenplastik besitzt: sie ist die Madonna, stellt sie nicht bloss dar[36]. Dass auch Cranachs Nymphe etwas von der Macht der Wirklichkeit ungebrochen ausstrahlt, rührt nicht zuletzt von ihrer Einspannung in das übergegenständliche Gesamtmuster der Bildtafel und von den bindenden Lebenskräften her, die sich in der Vegetation scheinbar spielerisch an die Ober-fläche drängen.

242   Schule von Fontainebleau, um 1554 (Nr. 553)

In einer um 1525 zu datierenden, in Dresden seit dem Zweiten Weltkrieg
verschollenen Zeichnung (Abb. 241) und in den späten Gemälden (Gemälde 1518
in Leipzig, FR. 100; Nr. 544, Farbtafel 17; Nr. 547) fügte Cranach, wohl wiederum
von Humanisten beraten, der Quellnymphe die Jagdwaffen und der Landschaft die
jagdbaren Tiere bei. Dies passte nicht nur zur Jagdleidenschaft der Fürsten, die
man sich als Besteller oder Geschenkempfänger solcher Bilder vorstellen muss,
sondern bereicherte die Symbolik zu grösserer Spannweite. Den Schlaf hat man
schon immer als «Bruder des Todes» angesehen (vgl. den Holzschnitt mit dem
neben Grab und Totenschädel schlafenden Kind [Nr. 552]), hier aber kann die
schlafende Jägerin, einmal aufgeweckt, durch ihre Pfeile selber den Tod verursa-
chen oder zumindest, wenn man an Cupidos Pfeile denken soll, gefährliche Leidenschaft entfachen. Um so ernster muss die Warnung genommen werden, diese
Schläferin nicht zu wecken und den heiligen Bezirk, den das Bild eröffnet, nicht zu
entweihen.

Cranachs Vorgehen bei seinen Tafelbildern der «Ruhenden Quellnymphe»
haben wir analog beim Thema der «Wilde-Leute-Familie» beobachtet (Nr. 160,
Abb. 114; Nr. 500 u. a., Farbtafel 19): er monumentalisierte einen Bildgegen-
stand, der vordem nur in der Buchgraphik oder als privates Kleinkunstwerk
(Dürers Aquarell) greifbar war. Zeitgenössische oder wenig jüngere Parallelen zu
Cranachs Gemälden finden wir wiederum hauptsächlich in der Kleinkunst (kleine
Marmorplastik, Nr. 550, Abb. 237). Die «Ecole de Fontainebleau» schärfte und
wandelte das Grundmotiv ab zu dem Thema der bei einer Quelle ausruhenden

Jägerin Diana. Im Kreis des französischen Königs Heinrich II. und der Diane de Poitiers (Nr. 591) entstanden die wirklich manieristischen Gestalten mit ihrer Pikanterie, mit den persönlichen Anspielungen, mit der kalten Unnahbarkeit und erotischen Faszination, die schon die Mythologie der Jägerin Diana zugeschrieben hat. Die von Pierre Milan angeblich nach Rosso Fiorentino gestochene, laut Inschrift eine Skulptur darstellende «Ruhende Diana», die sich auf eine Quellurne stützt (Nr. 553, Abb. 342), schläft aber nicht, sondern blickt aggressiv gegen einen ihrer Jagdhunde. Das Schilf und die rahmende Dekoration deuten nicht höhere Bindungen an, sondern wirken aufreizend und verwirrend. Ruhe und Unnahbarkeit erscheinen als Pikanterie, als Herausforderung, ja als Paradoxie (wir verwenden damit drei Stichworte, mit denen Arnold Hauser den Manierismus zu charakterisieren suchte)[37]. Offensichtlich ging es Cranach um etwas ganz anderes, um etwas möglichst Zentrales, jedenfalls nicht um eine manieristische Forcierung oder um eine artistische Umgarnung der Realität[38].

Wilhelm Worringer[39] vor allem, aber auch Curt Glaser[40], später Georg Bussmann und Gert von der Osten haben das spätgotische Stilelement in Cranachs Manier betont. Bussmann: «Zwischen Cranach, dem vorwiegend regotisierenden Manieristen, und Gossaert, dem vorwiegend italienisierenden Manieristen [Nr. 590], steht Baldung [Nr. 588] als ein Künstler, in dem sich verschiedene Tendenzen kreuzen[41].» Von der Osten: «Als Vermutung sei ausgesprochen, dass der Manierismus im 16. Jahrhundert [in Deutschland und in den Niederlanden] überhaupt nicht möglich war, ohne dass sich Spätgotisches mit Klassischem kreuzte. Für einen spätgotischen Manieristen wie Cranach etwa war wohl die beruhigte ‹Frühklassik› klassisch genug, um bald einen frühen Manierismus hervorbringen und Cranachs Spätstil entwickeln zu können»; davon wären dann die nachklassischen Manieristen abzuheben[42]. Die Zeit nach Dürers Klassik hat fast alle Künstler in Deutschland in Verlegenheit gebracht durch das Überangebot an formalen und ikonographischen Möglichkeiten und Forderungen, die ein fortschrittlicher Künstler hätte berücksichtigen sollen, um dem humanistisch gebildeten Publikum und den fürstlichen Auftraggebern, deren Geschmack nun im Gefolge der Politik stärker beachtet wurde, zu gefallen. Wenn das, was Cranach tat, ein «Ausrinnen» war, so lag gerade darin seine grosse Leistung: dass er sich nicht verwirren, nicht sich seine schlagende Einfachheit nehmen liess durch komplizierte Allegorik oder durch angestrengtes Raffinement. Seine Formeln und die Kapazität seiner Werkstatt garantierten ein weiterzeugendes Leben. – Man kann es als Laune oder als völlig unhistorische Aussage betrachten, wir würden es doch ernst nehmen, wenn Picasso eine Photographie einer höfischen Cranach-Dame von 1534 (FR. 282, Variante von Nr. 627) neben zwei vom «peintre naïf» Henri Rousseau gemalte Bildnisse an die Wand in seiner Villa «La Galloise» heftete. Die Maskenhaftigkeit der Cranach-Figur muss Picasso ähnlich gepackt haben wie der Realitätsgehalt der Negermasken, die ihm um 1907/09 den folgenreichen Schritt zum Kubismus als einer «neo-magischen» oder «pseudo-magischen» Kunst erleichterten (Picasso: «Die Menschen schufen diese Masken [...] zu magischen Zwecken [...]. Die Malerei ist kein ästhetisches Unterfangen, sie ist eine Form der Magie, dazu bestimmt, Mittler zwischen jener fremden feindlichen

Welt und uns zu sein. Sie ist ein Weg, die Macht an uns zu reissen, indem wir unseren Schrecken wie auch unseren Sehnsüchten Gestalt geben. Als ich zu dieser
Erkenntnis kam, wusste ich, dass ich meinen Weg gefunden hatte[43].» – ein Weg,
den Cranach entgegen dem Trend seiner Zeit und doch mit befriedigendem Erfolg möglichst wenig verlassen wollte.)

INSERATE

Das Kunstmuseum Basel dankt allen
Inserenten für die Unterstützung von Ausstellung und Katalog

Gemälde   Handzeichnungen   Skulpturen
Originalgraphik moderner Meister

Graphik und Handzeichnungen
alter Meister

Auktionen — Lager — Verlag

Kornfeld und Cie., vorm.

Kornfeld und Klipstein

3008 Bern   Laupenstrasse 49

GALERIE ROSENGART
LUZERN

BEDEUTENDE WERKE
DES XX. JAHRHUNDERTS

XXth Century Masterpieces

Chefs d'œuvre du XXe siècle

ADLIGENSWILERSTR. 8   Tel. 041-22 01 86

Sur Rendez-vous   Auf Verabredung   By Appointment

GALERIE
NATHAN

Inhaber   Dr. Peter Nathan

Auserlesene Gemälde und
Handzeichnungen alter
und moderner Meister

Zeitgenössische Künstler:
BAZAINE, CHAISSAC,
ESTEVE, LANSKOY, LAPICQUE,
LOBO, POLIAKOFF, VILLON

Neue Adresse:
Arosastrasse 7, 8oo8 Zürich
Telefon o1 55 45 5o
Telegr. ARTDONA

Lukas Cranach d. Ä., Allegorie auf die Erlösu
Städelsches Kunstinstitut, Frankfurt am Main

*Katalog der deutschen Zeichnungen
im Städelschen Kunstinstitut*
Alte Meister. 2 Bände und 1 Ergänzungsband.
Band I: Bearbeitet von Edmund Schilling. 216 Sei
mit 2222 Katalognummern der Zeichnungen des 1
16., 17. und 18. Jahrhunderts. *Band II:* Bearbeitet v
Edmund Schilling und Kurt Schwarzweller. Taf
1–213 mit 679 Abbildungen. *Ergänzungsband:* Bearb
tet von Kurt Schwarzweller. 124 Seiten: Tafeln 214
307 mit 969 Abbildungen, Künstler-, Personen-, Or
sowie ikonographischem Register und Konkorda
zum Gesamtwerk. Leinen in Schuber DM 4oo.–

Caspar David Friedrich
Gemälde, Druckgraphik und bildmässige Zeichn
gen. Von Helmut Börsch-Supan/Karl Wilhelm Jähn
512 Seiten mit 40 Farbtafeln und 459 einfarbigen A
bildungen im Text, Werkverzeichnis, Quellen, Do
menten und Literaturbericht, Anmerkungen und
gistern. Leinen DM 168.–

Caspar David Friedrich
Von Helmut Börsch-Supan. 18o Seiten mit 56 Fa
tafeln und 63 einfarbigen Abbildungen. Lei
DM 58.–

Johann Heinrich Füssli 1741–1825
Von Gerd Schiff. Oeuvrekataloge Schweizer Künst
2 Bände. *Band I:* 72o Seiten Text und Katalog mit 18
Nummern. *Band II:* 612 Seiten mit über 14oo Ab
dungen des Gesamtwerks, davon 1o farbig. (Geme
sam mit Verlag Berichthaus, Zürich). Leinen in Sc
ber DM 38o.–. Auslieferung für die Schweiz du
Verlag Berichthaus Zürich

Prestel-Verlag München **Preste**

Antiquités M. & G. Ségal
Haus für alte Kunst

Aeschengraben 14/16
Basel, Tel. 061 23 3908

Gemälde alter und neuer Meister,
Skulpturen
Antiquitäten:
Porzellan, Fayencen,
Silber, Zinn des
17. und 18. Jahrhunderts

JULIUS BÖHLER

Gemälde alter Meister
Plastiken
Antiquitäten

D–8000 München 2   Briennerstrasse 25   Telefon (089) 55 52 29
Telegramm-Adresse «Paintings»

Donauschule (?). Datiert 1529. Schwarze Feder. 215 × 355 mm.
Wasserzeichen: Ochsenkopf mit Schlangenstab und Kreuz.

GRAPHIK UND ZEICHNUNGEN
ALTER UND NEUERER MEISTER

seit 1826 bei

C. G. BOERNER · DÜSSELDORF

Kasernenstrasse 13   Bundesrepublik Deutschland   Telephon 1 27 82

Reich illustrierte Kataloge bitte anfordern

FREDERICK MONT INC.

GEMÄLDE ALTER MEISTER

465 Park Avenue, Ritz Tower

New York N. Y. 10022

Telephone: (212) 355–6930

WILLIAM H. SCHAB
GALLERY Inc.

NEW YORK

GRAPHIK
UND HANDZEICHNUNGEN
ALTER
UND MODERNER MEISTER

WILLIAM H. SCHAB
GALLERY Inc.

NEW YORK, N.Y. 10019
37 WEST 57TH STREET

Reich illustrierter grossformatiger Katalog,
soeben erschienen. Erhältlich auch bei
Gilhofer & Ranschburg GmbH, Haldenstrasse 9,
CH-6006 Luzern (Preis: sFr. 20.–).

Lucas Cranach d. Ältere (1472–1553).
Heiliger Christophorus. 1506. Holzschnitt.

Ausstellung

MAX ERNST

Juni–September 1974

GALERIE BEYELER

Basel, Bäumleingasse 9

Impressionisten – Fauves – Kubisten – Surrealisten
Konstruktivisten – Amerikanische Kunst

GRAPHIK ALTER MEISTER

AUGUST LAUBE

TRITTLIGASSE 19
8001 ZÜRICH

CHRISTIE'S

Lucas Cranach d. Ä., Ruhe auf der Flucht nach Ägypten
86 × 57 cm – Verkauft am 5. Dezember 1969 in London

CHRISTIE'S, London S.W.1, 8 King Street St. James', Tel. 839 9060

CHRISTIE'S, Genf, 8 place de la Taconnerie, Tel. 022 24 33 44 (28 25 44)

Francesco Guardi (Venedig 1712–1793) – auf Leinwand 59,5 × 72 cm
Lit.: A. Morassi «Guardi» 1973 No. 841, Abb. 770 – Kat. Cramer XIX/1974 Teil I No. 54

GALERIE

CRAMER

Alleininhaber: Hans M. Cramer

GEMÄLDE ALTER MEISTER

Javastraat 38   Den Haag 2011   Holland
Tel. (00.31.70) 63.07.58

NEUER KATALOG XIX – 1974 2 Teile
164 Seiten mit 87 Abbildungen, auf Anfrage (sFr. 20.—)

GALERIE
GERDA BASSENGE

Zwei Auktionen jährlich

Gemälde

Handzeichnungen

Druckgraphik

des 15. bis 20. Jahrhunderts

Bücher Autographen

D-1 Berlin 33. Grunewald
Erdener Strasse 5 a
Tel. (030) 886 19 32
Telegr.-Adr. «GALBAS»

Reinhart Schleier

Tabula Cebetis oder »Spiegel des Menschlichen Lebens/darin Tugent u[n] untugent abgemalet ist«.

Studien zur Rezeption einer antiken Bildbeschreibung im 16. und 17. Jahrhundert

17,2 × 25 cm. 184 S. und 100 Taf. mit 136 A[bb.] davon 4 Falttaf., Br. DM 110,–

Die »Tafel des Cebes« ist ein antikes Bildth[ema] das nur durch eine Beschreibung aus dem 1. Jahrh. n. Chr. überliefert ist. Seit der Wie[der] veröffentlichung dieser Beschreibung im Ja[hr] 1507 spielte sie im Zeitalter des Humanism[us] und des Barock bis ins 19. Jh. eine erhebli[che] heute fast vergessene Rolle.
Die Tafel mit der Darstellung des Mensche[n] seinem Gang durch alle Fährnisse, Versuch[un] gen und Irrtümern zu Gott, war eine philos[o] phisch-theologische Allegorie, die vor alle[m] auch zu lehrhaften Zwecken immer wieder gestaltet wurde. Der Verfasser verfolgt die [lite] rarische und künstlerische Gestaltung diese[s] Themas aufgrund kaum mehr bekannten M[ate] rials. Nicht nur Kunsthistoriker, sondern a[uch] Mediaevisten, Historiker und Theologen fi[nden] eine Fülle von Anregungen und Einsichten.

Gebr. Mann Verlag

Hans-Jörgen Heuser

Oberrheinische Goldschmiedekunst im Hochmittelalter

Hrsg. vom Deutschen Verein für Kunstwissenschaft

21,3 × 28 cm. 250 S. Text und 104 Tafeln mi[t] 731 Abb. sowie 2 Farbtafeln und einer Kar[te] Ln. DM 295,–

Die Arbeit erfaßt zum ersten Mal die Gold-schmiedearbeiten und künstlerisch wichtig[e] Siegel aus der alten Diözese Konstanz, die [vom] Oberrhein bis zum Allgäu, von Schwaben b[is] südlich Zürich reichte, und aus den angrenzenden Gebieten der Diözese Straßbur[g,] Basel und Chur im Zeitraum zwischen 120[0] und 1350. Dem stilkritischen Text folgen d[er] ausführliche Werkkatalog der behandelten Gegenstände und Urkundenregesten.

Deutscher Verlag für Kunstwissenschaft

Galerie
KURT MEISSNER
Florastrasse 1   Telefon 32 51 10   Zürich
Gemälde und Handzeichnungen 15. bis 19. Jahrhundert

Wouter Knijff (um 1607–1693):
Öl auf Holz, 39 × 59 cm, datiert 1645

GALERIE
BRUNO MEISSNER

Dufourstraße 116, Telefon 34 95 44

8008 ZÜRICH

Mitglied des Kunsthandelsverbandes der Schweiz

Sotheby's
SOTHEBY PARKE BERNET

Das älteste und grösste Auktionshaus der Welt
gegründet 1744

Neumeister KG   vorm.   Weinmülle

D–8000 München 2, Brienner Straße 14 · Almeida-Palais · Telefon (089) 28 30 11

Antiquitäten · Skulpturen

Möbel · Waffen · Ostasiatica

Gemälde · Graphik

6 bis 8 Kunstauktionen jährlich

Kataloge auf Anforderung

Beratung   Schätzung

AGNEW

HANS BALDUNG
(1484-1545)

Eve, the Serpent and Death

Sold to the National
Gallery of Canada by
Thos. Agnew + Sons Ltd.

43, Old Bond Street
London W. 1.

Tel.: 01-629 6176 Cables: Resemble, London

1472 **L C** 1553

Lucas Cranach d.Ä.
Einblatt-
holzschnitte

70 Faksimile-Blätter im Format der Originaldruckstöcke;
jedes Blatt auf Karton
mit den vollständigen ikonographischen Daten:
Titel, Entstehungsjahr, Format, Angabe der jeweiligen
Ordnungsnummern nach BARTSCH und nach GEISBERG
sowie ausführlicher Herkunftshinweis.
Wissenschaftliche Einführung von Dr. Anni Wagner
(in deutscher und in englischer Sprache).

Drei Halbleder-Mappen im Format 45 × 60 Zentimeter,
jede Mappe in einem eigenen Schuber mit Lederrücken.

MAPPE I: Altes und Neues Testament, Mariendarstellungen (22 Blätter)
MAPPE II: Heiligendarstellungen (28 Blätter)
MAPPE III: Profandarstellungen, Bildnisse und Wappen (20 Blätter)

Limitierte Auflage
200 Exemplare
fortlaufend numeriert von 1 bis 200

Preis der Edition
DM 2400,–

Die Edition wird nur geschlossen abgegeben.
Die Lieferung erfolgt über Buchhandlungen und Kunstgalerien oder durch den

VERLAG KARL THIEMIG D-8000 MÜNCHEN 90 POSTFACH 90 07 40

GALERIE SANCT LUCAS

GEMÄLDE ALTER MEISTER

Holz 38,5 × 28,5 cm   Adriaen Isenbrant   M. Friedländer
                                (1510–1551)   Band XI, Nr. 165 a

WIEN I, JOSEFSPLATZ 5, TELEFON 52 82 37

Die Kunstdenkmäler der Schweiz
Les monuments d'Art
et d'Histoire de la Suisse
Monumenti Storici ed Artistici
della Svizzera

Das schweizerische Kunstdenkmälerwerk will die ortsgebundenen Kunstschätze unseres Landes vom frühen Mittelalter bis zum Ende des 19. Jahrhunderts durch Erforschung, Beschreibung und Abbildung vollständig erfassen. Jeder Band gilt einer besonderen Region, sei es einem Bezirk oder einer Stadt oder einem einzelnen bedeutenden Gesamtkunstwerk. Nicht in historischer Folge, sondern als örtlich gewachsene Gruppen von Kunstwerken verschiedener Epochen bietet die Kunsttopographie ihre Schätze dar. Jedes einzelne Objekt – vom monumentalen Architekturwerk bis zur feingliedrigen Goldschmiedearbeit – wird in seiner Geschichte, seinem Bestand und seiner Bedeutung gewürdigt und mit Photographien und Planzeichnungen dokumentiert.

Das ganze Inventarisationswerk ist auf über 100 Bände geplant, bis heute sind über 60 Bände erschienen.

Die letzten Bände:
60 Ticino Vol. 1, de Virgilio Gilardoni
61 Appenzell Ausserrhoden Bd. 1, von Eugen Steinmann

Im Frühjahr 1975 werden erscheinen:
62 Basel-Landschaft Bd. 2, von H. R. Heyer
63 Wallis Bd. 1, von W. Ruppen

Fordern Sie bitte das Gesamtverzeichnis an:

Birkhäuser

Birkhäuser Verlag
Elisabethenstrasse 19
CH–4010 Basel

LUCAS CRANACH
INCISIONI

scelte e annotate da Fritz Baumgart

traduzione del testo tedesco a cura di Maria Pia Heinitz

Pp. 21 (Introduzione) + 7 (note e bibliografia) 75 tavole

Formato 43 × 32 cm; Lire 30.000

La Nuova Italia Editrice – Firenze

Kataloge und Publikationen der Öffentlichen Kunstsammlung Kunstmuseum Basel:

Kunstmuseum Basel – 150 Gemälde –
12.–20. Jahrhundert.
Mit 150 Farbtafeln und Texten von Georg
Schmidt in deutscher, französischer und englischer Sprache. 3. Auflage, herausgegeben vom
Verein der Freunde des Basler Kunstmuseums,
Basel 1973. Fr. 32.—

Jubiläumsschrift des Schweiz. Bankvereins
100 Meisterzeichnungen des 15. und
16. Jahrhunderts aus dem Basler Kupferstichkabinett.
Mit 100 Faksimiledrucken und erläuternden
Texten in deutscher, französischer und englischer
Sprache von Hanspeter Landolt. Basel 1972.
Fr. 120.—

Zeichnungen des 17. Jahrhunderts
aus dem Basler Kupferstichkabinett.
Bearbeitet von Tilman Falk. 44 S. mit Abb.
Basel 1973. Fr. 10.—

Les dessins de Paul Cézanne au Cabinet
des Estampes du Musée des Beaux-Arts
de Bâle.
Von Adrien Chappuis. 2 Vol. Olten 1962
Fr. 55.—

Die Sammlung der Emanuel Hoffmann-
Stiftung.
Kunst des 20. Jahrhunderts. 111 S. mit z.T.
farbigen Abb. Basel 1970. Fr. 12.—

Kubismus.
Zeichnungen und Druckgraphik aus dem
Kupferstichkabinett Basel. Katalog von Dieter
Koepplin. 47 S. mit Abb. Basel 1969. Fr. 7.—

Joseph Beuys. Werke aus der Sammlung
Ströher.
56 S. mit Abb. Basel 1969 Fr. 14.—

Walter De Maria. Skulpturen.
Einführung von Franz Meyer.
Mit Abb. Basel 1972 Fr. 5.—

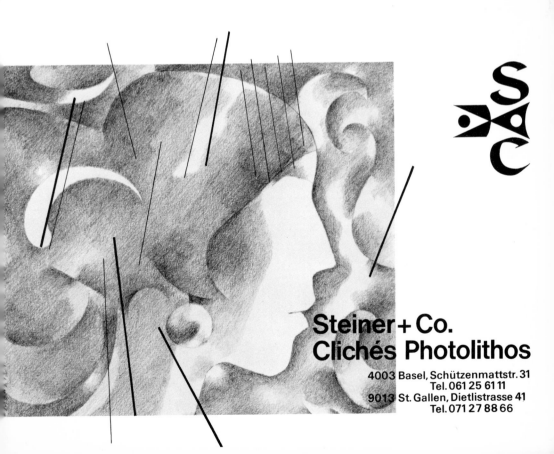

NEUE
WELT

*Der Intellekt
hat ein scharfes Auge für
Methoden und Werkzeuge,
aber er ist blind gegen
Ziele und Werte.*

(Albert Einstein)

Sandoz AG Basel

NOTIZEN